홍원표의 지반공학 강좌 　토질공학편 1

토질역학특론

홍원표의 지반공학 강좌 　토질공학편 1

토질역학특론

많은 재료에서 발생 응력이 적은 동안은 탄성적 거동을 보이나, 이때의 변형률은 응력과 1:1의 관계에 있다. 즉, 가해진 하중을 제거하면 응력도 0이 되어 변형도 원래의 상태로 돌아간다. 그러나 하중이 어떤 한계를 넘으면 변형은 완전히 회복되지 않고 영구변형이 남는다. 이 영구변형이 시간과 함께 변화하지 않을 때 이것을 소성변형이라 한다. 따라서 소성변형은 물체의 변형과 함께 증대하는 것이 보통이며 전체 변형은 탄성변형과 소성변형으로 구성된다. 다음 그림을 통해 탄소성체의 응력 - 변형률 관계를 알 수 있다.

홍원표 저
중앙대학교 명예교수
홍원표지반연구소 소장

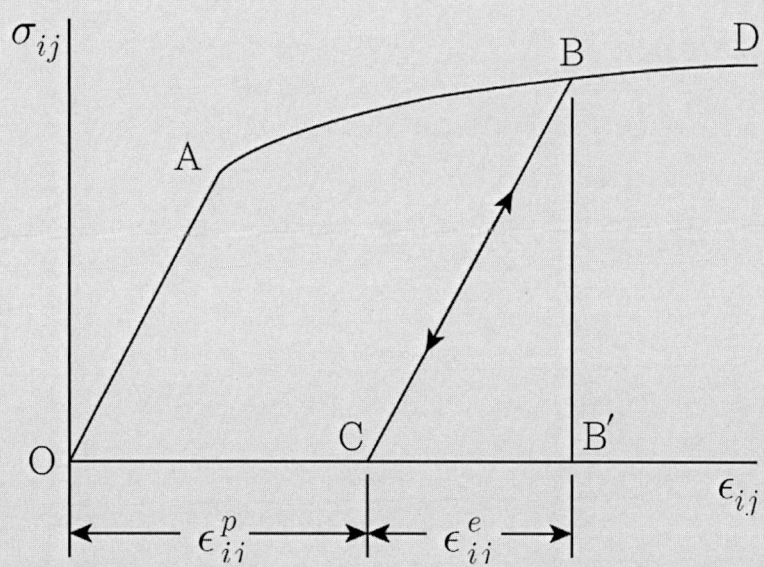

씨아이알

'홍원표의 지반공학 강좌'를 시작하면서

2015년 8월 말 필자는 퇴임강연으로 퇴임식을 대신하면서 34년간의 대학교수직을 마감하였다. 이후 대학교수 시절의 연구업적과 강의노트를 서적으로 남겨놓는 작업을 시작하였다. 퇴임 당시 주변에서 이제부터는 편안히 시간을 보내면서 즐기라는 권유도 많이 받았고 새로운 직장을 권유받기도 하였다. 여러 가지로 부족한 필자의 여생을 편안하게 보내도록 진심어린 마음으로 해준 조언도 분에 넘치게 고마웠고 새로운 직장을 권하는 사람들도 더 없이 고마웠다. 그분들의 고마운 권유에도 귀를 기울이지 않고 신림동에 마련한 자그마한 사무실에서 막상 집필 작업에 들어가니 황량한 벌판에 외롭게 홀로 내팽겨진 쓸쓸함과 정작 집필을 수행할 수 있을까 하는 두려운 마음이 들었다.

그때 필자는 자신의 선택과 앞으로의 작업에 대해 많은 생각을 하였다. '과연 나에게 허락된 남은 귀중한 시간을 무엇을 하는 데 써야 행복할까?' 하는 질문을 수없이 되새겨보았다. 이제 드디어 나에게 진정한 자유가 허락된 것인가? 자유란 무엇인가? 자신에게 반문하였다. 여기서 필자는 "진정한 자유란 자기가 좋아하는 것을 하는 것이며 행복이란 지금의 일을 좋아하는 것"이라고 한 어느 글에서 해답을 찾을 수 있었다. 그 결과 퇴임 후 계획하였던 집필 작업을 차질 없이 진행해오고 있다. 지금 돌이켜보면 대학교수직을 퇴임한 것은 새로운 출발을 위한 아름다운 마무리에 해당한 것이라고 스스로에게 말할 수 있게 되었다. 지금도 힘들고 어려우면 초심을 돌아보면서 다짐을 새롭게 하고 마지막에 느낄 기쁨을 생각하면서 혼자 즐거워한다. 지금부터의 세상은 평생직장의 시대가 아니고 평생직업의 시대라고 한다. 필자에게 집필은 평생직업이 된 셈이다.

이러한 평생직업을 가질 수 있는 준비작업은 교수 재직 중 만난 수많은 석·박사 제자들과의 연구에서부터 출발하였다고 생각한다. 그들의 성실하고 꾸준한 노력이 없었다면 오늘 이런 집필작업은 꿈도 꾸지 못하였을 것이다. 그 과정에서 때론 크게 격려하기도 하고 나무라기도 하였던 점이 모두 주마등처럼 지나가고 있다. 그러나 그들과의 동고동락하던 시기가 내 인생 최고의 시기였음을 이 지면에서 자신 있게 분명히 말할 수 있고 늦게나마 스승으로서보다는 연구동반자로 고마움을 표하는 바이다.

신이 허락한다는 전제 조건하에서 100세 시대의 내 인생 생애주기를 세 구간으로 나누면 제1구간은 탄생에서 30년까지로 성장과 활동의 시기였고, 제2구간인 30세에서 60세까지는 노후 집필의 준비시기였으며, 제3구간인 60세 이상에서는 평생직업을 갖는 인생 마무리 주기로 정하고 싶다. 이 제3구간의 시기에 필자는 즐기면서 지나온 기록을 정리하고 있다. 프랑스 작가 시몬드 보부아르는 "노년에는 글쓰기가 가장 행복한 일"이라고 하였다. 이 또한 필자가 매일 느끼는 행복과 일치하는 말이다. 또한 김형석 연세대 명예교수도 "인생에서 60세부터 75세까지가 가장 황금시대"라고 언급하였다. 필자 또한 원고를 정리하다 보면 과거 연구가 잘못된 점도 발견할 수 있어 늦게나마 바로 잡을 수 있어 즐겁고, 연구가 미흡하여 계속 연구를 더 할 필요가 있는 사항을 종종 발견하기도 한다. 지금이라도 가능하다면 더 계속 진행하고 싶으나 사정이 여의치 않아 아쉬운 감이 들 때도 많다. 어찌하였든 지금까지 이렇게 한발 한발 자신의 생각을 정리할 수 있다는 것은 내 인생 생애주기 중 제3구간을 즐겁고 보람되게 누릴 수 있다는 것이 더없는 영광이다.

우리나라에서 지반공학 분야 연구를 수행하면서 참고할 서적이나 사례가 없어 힘든 경우도 있었지만 그럴 때마다 "길이 없으면 만들며 간다"라는 신용호 교보문고 창립자의 말을 생각하면서 묵묵히 연구를 계속하였다. 필자의 집필작업뿐만 아니라 세상의 모든 일을 성공적으로 달성하기 위해서는 불광불급(不狂不及)의 자세가 필요하다고 한다. 미치지(狂) 않으면 미치지(及) 못한다고 하니 필자도 이 집필작업에 여한이 없도록 미쳐보고 싶다. 비록 필자가 이 작업에 미쳐 완성한 서적이 독자들 눈에 차지 못할지라도 그것은 필자에게는 더없이 소중한 성과일 것이다.

지반공학 분야의 서적을 기획집필하기에 앞서 이 서적의 성격을 우선 정하고자 한다. 우리 현실에서 이론 중심의 책보다는 강의 중심의 책이 기술자에게 필요할 것 같아 이름을 '지반공학 강좌'로 정하였고 일본에서 발간된 여러 시리즈 서적물과 구분하기 위해 필자의 이름을 넣어 '홍원표의 지반공학 강좌'로 정하였다. 강의의 목적은 단순한 정보전달이어서는 안 된다고 생각한다. 강의는 생각을 고취하고 자극해야 한다. 많은 지반공학도들이 본 강좌서적을 활용하여 새로운 아이디어, 연구테마 및 설계·시공안을 마련하기 바란다. 앞으로 이 강좌에서는 「말뚝공학편」, 「기초공학편」, 「토질역학편」, 「건설사례편」 등 여러 분야의 강좌가 계속될 것이다. 주로 필자의 강의노트, 연구논문, 연구프로젝트보고서, 현장자문기록, 필자가 지도한 석·박사 학위논문 등을 정리하여 서적으로 구성하였고 지반공학도 및 설계·시공기술자에게 도움이 될 수 있는 상태로 구상하였다. 처음 시도하는 작업이다 보니 조심스러운 마음이 많다. 옛 선현의 말에 "눈길을 걸어갈 때 어지러이 걷지 마라. 오늘 남긴 내 발자국이 뒷사람의 길이 된다"라고 하였기에 조심 조심의 마음으로 눈 내린 벌판에 발자국을 남기는 자세로 진행할 예정이다. 부디 필자가 남긴 발자국이 많은 후학들의 길 찾기에 초석이 되길 바란다.

2015년 9월 '홍원표지반연구소'에서

저자 **홍원표**

「토질공학편」 강좌
서 문

'홍원표의 지반공학 강좌'의 첫 번째 강좌인「말뚝공학편」강좌에 이어 두 번째 강좌인「기초공학편」강좌를 작년 말에 마칠 수 있었다.『수평하중말뚝』,『산사태억지말뚝』,『흙막이말뚝』,『성토지지말뚝』,『연직하중말뚝』의 다섯 권으로 구성된 첫 번째 강좌인「말뚝공학편」강좌에 이어 두 번째 강좌인「기초공학편」강좌에서는『얕은기초』,『사면안정』,『흙막이굴착』,『지반보강』,『깊은기초』의 내용을 취급하여 기초공학 분야의 많은 부분을 취급할 수 있었다.

이어서 세 번째 강좌인「토질공학편」강좌를 시작하였다.「토질공학편」강좌에서는『토질역학특론』,『흙의 전단강도론』,『지반아칭』,『흙의 레오로지』,『지반의 지역적 특성』을 취급하게 될 것이다.「토질공학편」강좌에서는 토질역학 분야의 양대 산맥인 '압밀특성'과 '전단특성'을 위주로 이들 이론과 실제에 대해 상세히 설명할 예정이다.「토질공학편」강좌에는 대학 재직 중 대학원생들에게 강의하면서 집중적으로 강조하였던 부분을 많이 포함시켰다.

「토질공학편」강좌의 첫 번째 주제인『토질역학특론』에서는 흙의 물리적 특성과 역학적 특성에 대해 설명하였다. 특히 여기서는 두 가지 특이 사항을 새로이 취급하여 체계적으로 설명하였다. 하나는 '흙의 구성모델'이고 다른 하나는 '최신 토질시험기'이다. 먼저 구성모델로는 Cam Clay 모델, 등방단일경화구성모델 및 이동경화구성모델을 설명하여 흙의 거동을 예측하는 모델을 설명하였다.

다음으로 최신 토질시험기로는 중간주응력의 영향을 관찰할 수 있는 입방체형 삼축시험과 주응력회전효과를 고려할 수 있는 비틀림전단시험을 설명하였다. 다음으로 두 번째 주제인『흙의 전단강도론』에서는 지반전단강도의 기본 개념과 파괴 규준, 전단강도측정법, 사질토와 점성토의 전단강도 특성을 설명하였다. 그런 후 입방체형 삼축시험과 비틀림전단시험의 시험결과를 설명하였다. 이 두 시험에 대해서는 『토질역학특론』에서 이미 설명한 부분과 중복되는 부분이 있다. 끝으로 기반암과 토사층 사이 경계면에서의 전단강도에 대해 설명하여 사면안정 등 암반층과 토사층이 교호하는 풍화대 지층에서의 전단강도 적용 방법을 설명하였다. 세 번째 주제인 『지반아칭』에서는 입상체 흙 입자로 조성된 지반에서 발달하는 지반아칭 현상에 대한 제반 사항을 설명하고 '지반아칭'현상 해석을 실시한 몇몇 사례를 설명하였다. 네 번째 주제인 『흙의 레오로지』에서는 '점탄성 지반'에 적용할 수 있는 레오로지 이론의 설명과 몇몇 적용 사례를 설명하였다. 끝으로 다섯 번째 주제인 『지반의 지역적 특성』에 대해 필자가 경험한 국내외 사례 현장을 중심으로 지반의 지역적 특성(lacality)에 대해 설명하였다. 토질별로는 삼면이 바다인 우리나라 해안에 조성된 해성점토의 특성, 내륙지반의 동결심도, 쓰레기매립지의 특성을 설명하고 몇몇 지역의 지역적 지반특성에 대해 설명하였다.

원래 지반공학 분야에서는 토질역학과 기초공학이 주축이다. 굳이 구분한다면 토질역학은 기초학문이고 기초공학은 응용 분야의 학문이라 할 수 있다. 만약 이런 구분이 가능하다면 토질역학 강좌를 먼저하고 기초공학 강좌를 나중에 실시하는 것이 순서이나 필자가 관심을 갖고 평생 연구한 분야가 기초공학 분야가 많다 보니 순서가 다소 바뀐 느낌이 든다.

그러나 중요한 것은 필자가 독자들에게 무엇을 먼저 빨리 전달하고 싶은가가 더 중요하다는 느낌이 들어 「말뚝공학편」 강좌와 「기초공학편」 강좌를 먼저 실시하고 「토질공학편」 강좌를 세 번째 강좌로 선택하게 되었다. 특히 첫 번째 강좌인 「말뚝공학편」의 주제인 『수평하중말뚝』, 『산사태억지말뚝』, 『흙막이말뚝』, 『성토지지말뚝』, 『연직하중말뚝』의 다섯 권의 내용은 필자가 연구한 내용이 주로 포함되어 있다.

두 번째 강좌까지 마치고 나니 피로감이 와서 올해 전반기에는 집필을 멈추고 동해안 양양의 처가댁 근처에서 휴식을 취하면서 에너지를 재충전하였다. 마침 전 세계적으로 '코로나19' 방역으로 우울한 시기를 지내고 있는 관계로 필자도 더불어 휴식을 취할 수 있었다. 사실 은퇴 후 집필에만 전념하다 보니 번아웃(burn out) 증상이 나타나기 시작하여 휴식이 절실히 필요한 시기임을 직감하였다. 이제 새롭게 에너지를 충전하여 힘차게 집필을 다시 시작하게 되니 기쁜 마음을 금할 수가 없다.

인생은 끝이 있는 유한한 존재이지만 그 사이 무엇을 선택할지는 우리가 정할 수 있다 하였다. 이 목적을 달성하기 위해 역시 휴식은 절대적으로 필요하다. 휴식은 분명 다음 일보 전진을 위한 필수불가결의 요소인 듯하다. 그래서 문 없는 벽은 무너진다 하였던 모양이다.

집필이란 모름지기 남에게 인정받기 위해 하는 게 아니다. 필자의 경우 지식과 경험의 활자화를 완성하여 후학들에게 전달하기 위해 스스로 정한 목적을 달성하도록 자신과의 투쟁으로 수행하는 고난의 작업이다.

셰익스피어는 "산은 올라가는 사람에게만 정복된다"라고 하였다. 나의 집필의욕이 사라지지 않는 한 기필코 산을 정복하겠다는 집념으로 정진하기를 다시 한번 스스로 다짐하는 바이다.

지금의 이 집필작업은 분명 후일 내가 알지 못하는 독자들에게 도움이 될 것이란 기대로 열심히 과거의 기억을 되살려 집필하고 있다. 지금도 집필 중에 후일 알지 못하는 어느 독자가 내가 지금까지 의도하거나 느낀 사항을 공감할 것이라 생각하고 그 장면을 연상해보면서 슬며시 기뻐하는 마음으로 혼자서 빙그레 웃고는 한다. 이 보람된 일에 동참해준 제자, 출판사 여러분들에게 감사의 뜻을 전하는 바이다.

2021년 8월 '홍원표 지반연구소'에서

저자 **홍원표**

『토질역학특론』
머리말

작년에 '홍원표의 지반공학 강좌'의 두 번째 강좌인 「기초공학편」 강좌를 마치고 그간의 피곤함을 치유할 목적으로 올해 전반기는 전공서적 집필을 멈추고 휴식을 취하였다. 그러나 휴식이 결코 득만은 아니었던 것 같다. 피곤함이 말끔히 가시지도 않았고 무언가 할 일을 하지 못하고 있는 불안감만 쌓였다.

언젠가 들은 이야기로 늙어서도 생생한 뇌를 유지하는 방법의 하나가 '뇌를 자주 쓰는 것'이라 하였다. 휴식에서 돌아와 「홍원표의 지반공학 강좌」의 세 번째 강좌인 「토질공학편」 강좌를 위한 집필을 다시 시작하니 기분이 아주 상쾌해지는 것 같다. 역시 내가 해야 할 일은 지금과 같이 집필을 계속해야 한다는 것을 절실히 느꼈다.

연세대 명예교수이신 김형석 교수도 일을 사랑하는 사람은 늙지 않는다고 하였고 게으른 사람이 빨리 늙는다고 하였다. 확실히 우리 같은 사람에게는 일이 안겨다주는 축복이 많다. 태어난 것도 내 선택이 아니고 언제 가야 할지도 내 선택이 아닌 운명이다. 하지만 살아 있는 이상 무언가 의미 있는 일을 하고 가야 할 것이 아닌가. 필자는 관 뚜껑에 못 박힐 때까지 집필에 전념하고 싶다. 최인호 작가도 인간은 나이에 의해서 늙는 것이 아니라 이상을 상실함으로써 늙어버린다고 하였다.

「토질공학편」의 첫 번째 주제인『토질역학특론』은 전체가 12장으로 구성되어 있다. 우선 제1장에서는 흙의 물리적 특성을 설명하였고 제2장에는 응력과 변형률의 개념을 설명하였다.

계속하여 제3장에서는 흙 속의 응력상태와 변형상태를 설명하였고, 제4장에서는 응력경로, 변형경로, 불변량에 대한 정의를 설명하였으며, 동시에 이들 장에서는 유효응력과 전응력의 개념을 도입하였다.

다음으로 제6장에서 제8장까지는 흙의 탄소성구성모델에 대해 자세히 설명하였는데, 제6장에서는 Cam Clay 모델을, 제7장과 제8장에서는 등방단일경화구성모델과 이동경화구성모델을 구분·설명하였다.

제8장과 제10장에서는 최근 개발된 토질시험기를 열거하였다. 종래의 토질시험에서 결점으로 지적되어온 점을 개선한 시험을 설명하였다. 우선 원통형 공시체에 대한 축대칭삼축시험에서 취급하지 못한 중간주응력의 역할을 조사할 수 있는 입방체형 삼축시험기를 제9장에서 소개·설명하였다. 또한 종래 토질시험기에서 취급하지 못한 사항으로 주응력회전효과를 개선한 비틀림전단시험에 대해서는 제10장에서 자세히 설명하였다.

제11장과 제12장에서는 흙 속의 물의 흐름과 압축성 및 침하에 대해 설명하였다. 먼저 제11장에서는 흙속물의 1차원 흐름을 설명하였으며, 제12장에서는 흙의 압축성과 지반침하를 이론상 및 경험법칙으로 구하는 방법을 설명하였다.

「토질공학편」의 첫 번째 주제인 『토질역학특론』에서는 필자가 재직 시절 대학원 강의에서 설명하였던 내용과 여러 편의 국내외 논문집에 발표한 논문 내용을 정리 증편하여 수록하였다.

입방체형 삼축시험기와 비틀림전단시험기를 사용하여 작성된 논문은 해외논문집으로는 ASCE 저널과 Soils and Foundations에 투고하였던 논문이고, 국내논문집으로는 대한토목학회논문집과 한국지반공학회논문집에 투고하였던 논문들이다. 이들 시험기기를 사용한 연구는 남정만 박사가 대학원 재학 중 크게 기여한 연구이고 구성방정식에 관한 연구는 대학원 석사과정에서 이재호 군의 기여가 컸던 점을 밝히는 바이다.

또한 제12장의 장래침하량예측에 관한 연구는 대학원 제자인 허남태 군, 김태훈 군 및 권덕회 군의 기여가 컸던 점을 밝히는 바이다.

이 자리에서 졸업한 제자들의 기여 내용을 소개하며 그들 모두의 협력에 깊이 감사의 마음을 표하는 바이다.

끝으로 본 서적이 세상의 빛을 볼 수 있게 된 데는 도서출판 씨아이알의 김성배 사장의 도움이 가장 컸다. 이에 고마운 마음을 여기에 표하는 바이다. 그 밖에도 도서출판 씨아이알의 박영지 편집장의 친절하고 성실한 도움은 무엇보다 큰 힘이 되었기에 깊이 감사드리는 바이다.

2021년 8월 '홍원표 지반연구소'에서
저자 **홍원표**

목 차

'홍원표의 지반공학 강좌'를 시작하면서 / v
「토질공학편」 강좌 서문 / viii
『토질역학특론』 머리말 / xi

Chapter 01 흙의 물리적 특성

1.1 흙의 생성   4
    1.1.1 표토   4
    1.1.2 풍화와 퇴적   6
1.2 흙의 일반적 물성   7
    1.2.1 체적과 간극   7
    1.2.2 함수비와 포화도   10
1.3 조립토의 물성   11
    1.3.1 입자 크기 및 입도 분포   11
    1.3.2 상대밀도   15
1.4 세립토의 물성   17
    1.4.1 연경도   17
    1.4.2 아터버그한계를 구하는 시험법   22
    1.4.3 수축한계(ASTM D 427, D4943, KS F 2305)   26
    1.4.4 비중계시험   27
1.5 흙의 분류법   29
    1.5.1 입자 크기를 기본으로 한 분류법   29
    1.5.2 통일분류법(Unified Soil Classification System)   30
    1.5.3 AASHTO 분류 방법(AASHTO Classification System)   32

Chapter 02 흙의 응력과 변형률

2.1 수직응력과 수직변형률   37
2.2 전단응력과 전단변형률   37
2.3 연속체로서의 흙   39

2.4 간극수압, 전응력 및 유효응력   40
2.5 유효응력의 의미   41
2.6 응력증분과 변형률증분   44

Chapter 03 흙 속의 응력상태와 변형상태

3.1 2차원 응력상태   49
3.2 Mohr 응력원   50
3.3 주응력과 주면   51
3.4 전응력과 유효응력의 Mohr 원   52
3.5 2차원 변형률상태 – 평면변형률   53
3.6 수직변형률과 전단변형률   54
3.7 순수전단변형률과 공학전단변형률   55
3.8 Mohr의 변형률원   57
3.9 주면과 주변형률   58
3.10 응력상태와 변형률상태와의 관계   59

Chapter 04 응력경로, 변형경로 및 불변량

4.1 서 론   63
4.2 응력경로   63
4.3 축 및 축에 의한 응력경로   65
4.4 축 및 축에 의한 응력경로   66
4.5 응력불변량   69
4.6 축 및 축에 의한 응력경로   72
4.7 변형률 불변량   73
4.8 변형률경로   73
4.9 체적변형률   76
4.10 응력 및 변형률 사이의 대응관계   78
4.11 이상탄성체로서의 흙의 응력 – 변형률거동   81

Chapter 05 연속체역학 - 탄소성체와 소성체

5.1 연속체에 대한 장의 방정식	87
5.2 탄소성체의 구성식	89
5.2.1 항복곡면과 항복함수	90
5.2.2 변형률경화법칙-등방경화와 이동경화	93
5.2.3 제하(除荷, unloading)와 부하(負荷, loading)	94
5.2.4 경화의 개념과 흐름법칙	96
5.3 지반의 소성모델	103
5.3.1 파괴의 정의	103
5.3.2 파괴규준	104
5.3.3 고전적 소성모델	106
5.3.4 최근의 소성모델	110
5.3.5 각 소성모델의 평가	112
5.3.6 시험 결과	115

Chapter 06 Cam Clay 모델

6.1 한계상태선과 상태경계면	129
6.2 탄성변형과 소성변형 – 탄성벽	136
6.3 탄성변형률	138
6.4 지반의 소성론	141
6.5 Cam Clay 모델	144

Chapter 07 등방단일경화구성모델

7.1 탄성거동	156
7.2 파괴규준	160
7.3 소성포텐셜	161
7.4 항복규준과 소성일경화법칙	166
7.4.1 계수 h의 결정 방법	171
7.4.2 변수 q의 결정 방법	172
7.5 등방단일구성모델의 계수결정 사례	174
7.5.1 사용시료의 물리적 특성	174

7.5.2	사용시료의 압축 특성	175
7.5.3	탄성 특성계수 M과 λ	176
7.5.4	파괴규준계수 η_1과 m	177
7.5.5	소성포텐셜함수계수 Ψ_2와 μ	178
7.5.6	항복함수와 일경화법칙	178
7.5.7	등방단일구성모델계수	179

Chapter 08 이동경화구성모델

8.1	이동경화모델의 종류	186
	8.1.1 Prager 모델	187
	8.1.2 둥지항복면(nested yield surface)모델	188
	8.1.3 경계면모델	190
	8.1.4 회전에 의한 이동경화	190
8.2	항복곡면의 정의와 운동	191
8.3	삼축평면에서의 이동메커니즘	197
8.4	소성포텐셜의 거동	199
8.5	거동해석 결과	203
	8.5.1 응력경로의 선택	203
	8.5.2 응력 - 변형률거동 예측	205
	8.5.3 등방단일구성모델과의 비교	210
	8.5.4 소성변형률증분벡터	214

Chapter 09 입방체형 삼축시험

9.1	개 요	223
	9.1.1 중간주응력의 영향	223
	9.1.2 입방체형 삼축시험기의 종류	223
9.2	시험장치	224
9.3	시험 방법	227
	9.3.1 사용시료	227
	9.3.2 공시체 제작	228
	9.3.3 응력경로	229
9.4	변형특성	230

	9.4.1 응력 - 변형률거동	230
	9.4.2 변형률 사이의 관계	234
9.5	강도특성	236
	9.5.1 파괴규준과 파괴정수	236
	9.5.2 내부마찰각	237
	9.5.3 정팔면체평면	238
9.6	응력경로에 따른 소성변형률증분벡터	239

Chapter 10 비틀림전단시험

10.1	개 요	245
	10.1.1 대응력반전의 중요성	245
	10.1.2 대응력반전의 연구	248
10.2	시험장치 및 사용시료	250
	10.2.1 응력전달장치	250
	10.2.2 공시체 제작	251
	10.2.3 내부압축실의 체적변형량 측정	253
	10.2.4 사용시료	256
10.3	응력경로	256
10.4	응력 – 변형률거동	261
10.5	주응력축 회전	266
10.6	비틀림전단시험에 의한 강도특성	269
10.7	비틀림전단시험에 의한 변형특성	273
	10.7.1 하중결합효과	273
	10.7.2 Mohr 원과 소성변형률증분벡터	274
	10.7.3 일공간과 흐름법칙	276

Chapter 11 흙 속 물의 흐름

11.1	수두와 압력	288
11.2	DARCY 법칙	291
11.3	투수계수에 대한 경험치	294
11.4	층상토에서의 1차원 흐름	296

11.4.1 수평방향 흐름	296
11.4.2 수직방향 흐름	297
11.5 투수계수의 결정법	**298**
11.5.1 정수두투수시험	298
11.5.2 변수두투수시험	300
11.5.3 양수시험	301
11.5.4 웰포인트공법에 의한 지하수위강하	303
11.6 흙과 물 사이 현상	**306**
11.6.1 모관현상	306
11.6.2 침투현상	307
11.6.3 분사현상	309
11.6.4 유선망	311

Chapter 12 흙의 압축성과 침하

12.1 서 론	**319**
12.1.1 압축률과 체적변화	319
12.1.2 압밀의 원리	321
12.2 압밀이론	**324**
12.2.1 압밀기본방정식	324
12.2.2 Terzaghi 압밀이론	327
12.3 압밀 방법 및 종류	**334**
12.3.1 등방압밀	335
12.3.2 1차원 압밀(K_0 압밀)	335
12.3.3 2차 압밀	337
12.4 장래침하량 예측법	**345**
12.4.1 장래침하량 예측	345
12.4.2 현장계측자료 활용법	345

찾아보기 / 364

저자 소개 / 377

Chapter
01

흙의 물리적 특성

Chapter 01 흙의 물리적 특성

흙은 일반적으로 고체, 액체 및 기체의 삼상체로 구성되어 있다. 이 구성체를 일반적으로 토괴(soil mass)라고 부른다. 토괴 속의 흙 입자는 고체에 해당하며 간극 속의 간극수는 액체에 해당하며 간극속의 공기는 기체에 해당한다.

먼저 고체 부분은 광범위한 형태를 가지며 단단하고 치밀한 암석 또는 호박돌 등 큰 조각에서부터 눈에 보이지 않는 매우 작은 미립자까지 그 크기가 다양하다.

그리고 액체 부분은 다양한 양과 형태로 용해된 전해질을 포함한 물로 구성되어 있다.

끝으로 기체 부분은 고도의 생물 퇴적토에서는 유기가스가 존재할 수 있으나 일반적으로는 공기로 구성되어 있다.

이러한 물질들은 구성성분, 밀도, 함수비 및 공기함량에 따라 다양한 형태로 존재한다. 따라서 흙의 특성을 정밀하게 평가하고 적절히 분류할 필요가 있다.

흙의 범위는 높은 압축성의 연약한 실트와 점토 또는 유기질토에서부터 단단한 모래, 자갈 및 암까지 광범위하다.

흙의 물리적 특성과 지수특성은 지구에서 진행되는 환경적 및 물리적 변화 때문에 유발되는 힘 또는 응력과 고체, 액체 및 기체 사이의 상호작용에 의한 결과로 나타난다.

제1장에서는 이러한 흙의 물리적 특성에 대해 설명한다.[1]

1.1 흙의 생성

1.1.1 표토

지구는 그림 1.1에서 보는 것처럼 지각(outer crust), 맨틀(mantle), 외핵(outer core), 내핵(inner core)의 네 부분으로 크게 구분된다.

지구 적도의 반경은 6,378km이며 평균질량밀도는 5.5279g/cm^{3}이다. 이 평균질량밀도는 물의 1g/cm^{3}과 흙 입자의 2.79g/cm^{3}보다 무겁다.

지진 시 발생된 탄성파 충격으로 얻어진 지구 중심부의 질량밀도는 8g/cm^{3}의 무거운 철(iron) 성분이 대부분이며 맨틀(mantle)로 덮여 있다. 맨틀은 액체상태의 암석으로 이루어져 있고, 상부맨틀 위에는 두 종류의 지각층이, 즉 대륙지각은 50km 두께로 해양지각은 7km 두께로 나뉘어 분포되어 있다.

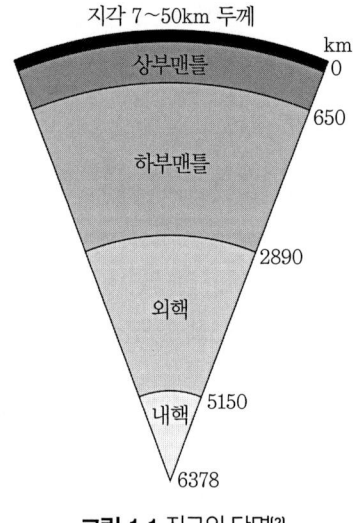

그림 1.1 지구의 단면[2]

지구표면을 구성하고 있는 물질은 흙과 암이다. 흙은 암의 풍화로부터 생성되는 무기질 또는 유기질 조각이거나 얼음, 바람, 물 등에 의하여 운반 퇴적된 고체 조각이다.

암은 화성암, 퇴적암, 변성암의 세 종류로 구분되며 지구의 형성 및 변화과정과 관련되어 있다.

화성암은 화산작용으로 분출된 액체상태의 암인 마그마가 식으면서 고결 형성된 암이다.

퇴적암은 퇴적물과 동식물의 잔해 등이 물속이나 지표 부근에 쌓여서 압력과 열을 받아 형성된다. 그러나 이러한 열과 압력은 화성암 생성 때보다는 작은 규모이다.

한편 변성암은 지표면의 상당심도에서 화성암, 퇴적암 또는 (심지어 이미 존재하고 있는) 변성암이 엄청난 열과 압력에 의해 변성되어 생성된다. 용융현상은 없기 때문에 원래 암석의 화학적 구성요소에는 변화가 없다.

퇴적암은 지구표면의 75%에 0.8km 두께로 분포하고 있다. 퇴적암을 형성하고 있는 퇴적물들은 전기적, 인력, 화학적, 광물질들의 결합력으로 뭉쳐져 있으며 일반적으로 느슨한 상태이다.

쇄설성 퇴적암은 탄산염(석회석, $CaCO_3$)이나 황산염(석고, $CaSO_4[+2H_2O]$) 같은 광물질에 의해 암석의 조각들이 결합된 형태의 암이다. 쇄설성 퇴적암의 예를 들면, 모래가 광물질과 결합되어 형성된 사암(sandstones)은 바닷가나 모래언덕 하부에 위치해 있다. 혈암(shale)은 점토나 진흙으로 만들어지며 호수나 늪지대에서 발견된다. 그리고 역암(conglomerates)은 하상하부에서 모래와 자갈로 생성된다.

화학적 퇴적암은 물속에 용해되어 있는 석회석, 석고, 암염(rock salt) 등의 광물질로 이루어진다. 유기질 퇴적암은 식물·동물 뼈나 조개 등 유기질로 형성되며 석탄이 지구 깊은 곳에서 식물의 압축으로 만들어진 이치와 같다.

흙은 암(rock)의 화학적 및 물리적 풍화에 의해 생성된다. 물리적 풍화는 모암의 원래 구성요소에 변화가 없이 크기만을 감소시킨다. 이러한 현상의 주된 원인은 암석에 대한 박리(얇게 벗겨짐), 하중 감소, 침식, 동결과 융해 등이다.

화학적 풍화는 크기의 감소뿐 아니라 모암의 구성요소를 변화시킨다. 주요 원인으로는 수화작용, 탄산화작용, 산화작용이다. 이들 화학적 및 물리적 풍화는 동시에 진행될 수도 있다.

풍화가 진행되어 그 장소에 남아 있는 흙을 잔류토(residual soil)라 하는데, 모암의 모든 성분을 그대로 가지고 있다.

반면에 충적토 또는 하상퇴적토는 하천이나 강에 의하여 운반 퇴적된 흙이다. 이러한 흙의 구성은 일반적으로 다양한 종류의 흙으로 지층을 이루고 있다.

한편 빙적토란 빙하에 의해 운반 퇴적된 흙이며 해성토는 해양환경에서 퇴적된 흙이다.

1.1.2 풍화와 퇴적

지구 표면의 암과 광물은 흙이 되는 근원물질이다. 대기조건과 화산활동 및 지각운동은 이러한 암과 광물을 다소 미압밀된 지구 표면의 표층으로 변화시킨다.

시간이 지남에 따라 표층은 순차적으로 연속된 층 또는 지평층으로 분리된다. 이와 같은 흙층을 표토라고 한다. 표토는 일반적으로 구조물을 지지하는 지지층이므로 특히 관심의 대상이 되고 있다.

우리는 일반적으로 표토(regolith)라고 부르는 지구의 표층부분에 많은 관심을 가져왔다. 표토는 실제로 지구상의 모든 구조물을 지지하는 지층이다.

표토는 암과 광물 덩어리의 물리적 풍화와 붕괴에 의하여 형성되거나 모암 속의 다양한 광물의 화학적인 풍화 또는 분해에 의해서 형성된다.

풍화현상 중에 평탄화 작용(gradation)은 물리적인 지형(산, 계곡 등)이 물, 공기, 빙하 또는 다른 풍화 요소의 작용 때문에 변하는 과정이다.

지각변동(diastrophism)은 지구의 일부가 다른 일부에 대해 상대적으로 움직이는 과정을 말하고 화산활동(volcanism)은 지구의 표면과 내부 양쪽에서 용융된 암의 움직임을 말한다.

지구의 표면에서는 다양한 변화가 연속적으로 전개되고 있다. 붕괴(disintegration)는 동결 융해 및 물, 빙하 등의 작용과 관련이 있고, 분해(decomposition)는 산화나 수화작용과 관련이 있다. 이와 같은 기계적 및 화학적 작용의 조합을 풍화(weathering)라고 부른다. 흙은 이런 변화에 의한 생성물이다.

지질학자들은 암이 매우 느린 속도로 흙으로 분해되는 동안에 일부 흙은 다양한 변화단계를 통해 다시 암으로 복원된다고 말한다. 이러한 현상을 일반적으로 지질순환(geologic cycle)이라고 한다.

예를 들면, 화성암은 약 45억 년 전에 용해된 마그마가 냉각하여 형성된 가장 오래된 모암이다. 이러한 암은 지질순환과정에서 다양한 환경적 요인에 의해 잔적토로 변환된다.

이러한 잔적토는 침식 운반되어 퇴적토층을 형성한다. 또한 이러한 퇴적물은 다시 압밀 고결되어 퇴적암이 된다.

압력과 온도 등 환경적인 영향으로 퇴적침전물이 변성암으로 변화되기도 한다. 이 퇴적침전물은 다시 풍화와 붕괴, 운반과 퇴적을 통해 2차적 암을 생성하거나 쇄설암 또는 흙으로 새롭게 형성되기도 한다. 과도한 압력과 열은 모든 암석을 용해시키고, 그 결과로 새로운 화성암이 형성된다. 그래서 새로운 지질순환이 다시 시작된다.

점토광물은 2μm 이하의 아주 작은 입자로 된 흙의 한 종류이며 전기화학적으로 매우 활동적이다. 대부분의 점토광물은 산에 녹지 않지만 물에 상당한 친화력을 가지고 있고, 습윤상태나 수분을 간직하고 있을 때는 탄성을 가지며, 건조상태에서는 응집력(coherent)을 가진다.

점토 퇴적물은 기초를 건설할 경우 주의를 요하는 토질이다. 이 흙은 체적변화(팽창, 수축, 압밀)가 크고 함수비, 하중, 화학성분과 같은 환경 요인에 크게 영향을 받는다. 세 가지 주요 점토광물로는 카올리나이트(kaolinites), 몬모릴로나이트(montmorillonies), 일라이트(illites)를 들 수 있다.

1.2 흙의 일반적 물성

1.2.1 체적과 간극

(1) 체적

흙은 흙 입자인 고체와 흙 입자 사이의 간극으로 구성되어 있다. 따라서 단순히 흙이라 부를 때 흙 입자만을 의미하는지 흙과 간극을 모두 포함한 토괴를 의미하는지 구분 설명이 필요하다. 정확히 이야기하면 흙은 흙덩어리나 토괴로 불려야 정확할 것이다. 왜냐하면 미소요소의 흙을 생각할 때 아무리 작은 요소의 흙일지라도 그 속에는 흙 입자와 간극을 모두 포함하고 있기 때문이다. 따라서 일반적으로 흙이라 함은 흙덩어리를 의미한다.

한편 흙 입자들 사이의 간극은 물의 체적과 공기의 체적을 포함한다. 이와 같이 전체 흙덩어리는 흙 입자와 간극(공기와 물)으로 이루어지게 된다. 따라서 편의상 흙은 그림 1.2(b)에 도시된 것처럼 세 가지 기본 구성성분인 흙 입자, 물, 공기로 구분·표시하여 이상화시킬 수 있다.

체적은 흙 입자, 물 그리고 공기의 세 가지 부분으로 측정한다. 공기의 무게는 물이나 흙 입자에 비해 무시할 정도이므로, 전체의 흙 무게를 고려할 때는 무시한다. 흙의 일반적 지수 특성은 다음과 같다.

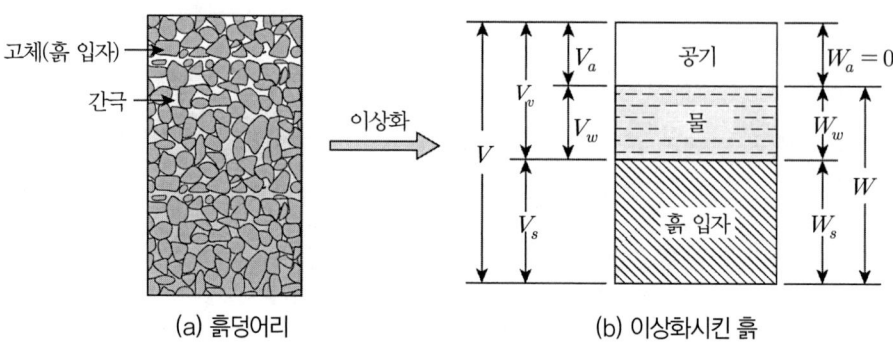

(a) 흙덩어리   (b) 이상화시킨 흙

그림 1.2 단위 흙덩어리를 구성하는 체적(V)과 무게(W)[2]

(2) 비중

비중은 4°C에서의 순수한 물의 단위중량에 대한 흙 입자의 단위중량비로 정의한다. 이것은 식 (1.1)과 같이 표현한다.

$$G_s = \frac{\gamma_s}{\gamma_w} \tag{1.1}$$

여기서, G_s = 흙 입자의 비중

γ_s = 흙 입자의 단위중량

γ_w = 4°C에서의 순수한 물의 단위중량(1g/cm^3 = 9.807kN/m^3)

흙 입자의 비중은 대부분 2.6~2.8의 범위에 있는 것에 비해 다른 광물의 비중은 폭넓게 변한다. 유기질을 많이 포함한 흙은 낮은 수치의 비중을 가진다. 표 1.1은 몇 가지 광물의 비중을 나타내고 있다.

표 1.1 여러 가지 광물의 비중

광물	비중	광물	비중
석고화산제	2.32	방해석	2.72
정장석	2.56	백운석	2.87
카올리나이트	2.61	자철석	5.17
석영	2.67		

물의 단위중량은 온도에 따라 변하지만 이러한 변화는 거의 무시한다. 예를 들면, 4°C에서는 1g/cm³=9.807kN/m³이고 25°C에서는 0.996g/cm³=9.768kN/m³이다. 그러나 토질역학에서는 일반적으로 1g/cm³=9.807kN/m³의 단위중량을 적합한 것으로 간주한다.

(3) 간극

흙덩어리의 간극비(e)는 식 (1.2)와 같이 흙 입자의 체적(V_s)에 대한 간극의 체적(V_v)의 비로 규정한다.

$$e = \frac{V_v}{V_s} \tag{1.2}$$

간극비는 상수로 나타내고 그 범위는 다음과 같다.

$$0 < e < \infty$$

흙덩어리의 간극률(n)은 전체체적(V)에 대한 간극체적(V_v)의 비로 규정되며, 식 (1.3)과 같다.

$$n = \frac{V_v}{V} \times 100 \tag{1.3}$$

간극률은 백분율(%)로 표현되고 그 범위는 다음과 같다.

$$0 < n < 100$$

간극률과 간극비의 관계는 식 (1.4)와 같다.

$$n = \frac{V_v}{V} = \frac{V_v}{V_s + V_v} = \frac{V_v/V_s}{(V_s + V_v)/V_s} = \frac{e}{1+e} \tag{1.4}$$

여기서, V_v = 간극의 체적

V_s = 흙 입자의 체적

V = 흙덩어리의 체적

흙덩어리 중 흙 입자의 체적(V_s)은 어떤 상황에서도 변하지 않는다고 가정한다. 즉, 흙 입자는 비압축성이라고 가정한다. 그러나 V_v의 값은 공기나 물 또는 둘 다의 체적변화로 인해 변하게 된다. 그래서 간극비는 V_v의 변화에 비례하여 변한다. 한편 간극률(n)은 식 (1.4)의 표현에서 볼 수 있는 것처럼 분모와 분자 모두 V_v의 함수이다. 따라서 둘 중에서 간극비가 더 간편하므로, 간극과 흙 입자 사이의 체적 관계의 표현에서는 간극비가 널리 사용된다.

자연모래의 간극률은 침강 및 퇴적과 관계되는 환경뿐만 아니라 입자의 형태와 입도의 균등성에 크게 의존한다. 대부분 모래의 간극률은 25~50%의 범위에 있다. 위에서 설명한 것처럼 간극률은 100%를 넘을 수 없다.

이론적으로는 간극비가 영에서 무한대의 범위에 있으나 대략 모래와 자갈은 0.5~0.9이고 점토는 0.7~1.5의 범위 내에 있다. 그러나 몇몇 콜로이드형의 점토는 3~4를 초과하는 매우 높은 값에 이르기도 한다.

1.2.2 함수비와 포화도

함수비(w)는 흙 입자의 무게에 대한 물의 무게의 비로 규정된다. 이것은 식 (1.5)와 같다.

$$w = \frac{W_w}{W_s} \times 100 \tag{1.5}$$

여기서, W_w = 물의 무게

W_s = 흙 입자의 무게

함수비는 백분율로 표현되고 범위는 $0 < w < \infty$ 이다.

포화도(S)도 백분율로 표현되고, 간극의 체적에 대한 물의 체적의 비로 정의한다. 포화도의 식은 식 (1.6)과 같다.

$$S = \frac{V_w}{V_v} \times 100 \tag{1.6}$$

여기서, V_w = 물의 체적
V_v = 간극의 체적

포화도는 물로 가득 채워질 수 있는 가능한 모든 간극에 대한 실제 물이 채워진 간극의 비로표현하며 완전히 건조한 상태 $S=0$부터 완전히 포화된 상태, $S=100\%$까지 변화한다. 그러나 실제로 양극단의 포화도에는 거의 도달될 수 없다. 예를 들면, 비록 물에 잠긴 흙일지라도 흙덩어리 안에는 약간의 공기가 남아 있게 되므로, 물의 체적은 간극의 체적과 절대 동일해질 수 없다. 그래서 물에 잠긴 상황일지라도 $S<100\%$이다.

식 (1.5)에 따르면 함수비는 100%를 초과할 수 있다. 포화도는 일반적으로 모래에서는 10~30%인 반면에 점토에서는 대략 10~300% 이상의 범위에 있다. 세립이고 매우 느슨하게 퇴적되어 있는 점토의 경우 300% 이상의 함수비를 가질 수 있다. 흙덩어리의 포화도와 함수비는 특히 세립토의 경우 흙의 특성과 거동에 중요한 영향을 미친다. 예를 들어, 점토층에서 함수비가 높으면 전단강도와 지지력 모두를 감소시키며 압밀의 양과 속도는 포화도에 의해서 상당한 영향을 받는다.

1.3 조립토의 물성

1.3.1 입자 크기 및 입도 분포

자갈과 모래와 같은 조립토(coarse-grained soil)에서 평균입경과 입도분포를 얻기 위하여 일정량의 흙을 순차적으로 작은 규격의 체를 포개놓고 시료를 통과시키는 체분석시험을 한다.

즉, 조립토는 일반적으로 그림 1.4에서 보는 것처럼 여러 가지 눈금 크기의 일련의 체를 겹쳐 사용하여 흙을 체가름하고 각 체에 남은 흙의 중량을 측정하여 조립토의 구성 비율을 결정한다. 이것을 일반적으로 흙의 체분석 또는 기계적 분석이라고 한다.

그림 1.3은 여러 가지 흙의 분류 방법에서 적용되고 있는 입자 크기(예: 자갈, 모래 실트

또는 점토)를 비교·정리한 결과이다. 일반적으로 조립토는 그림 1.3에서 보는 것처럼 자갈과 모래이고, 세립토는 실트 및 점토로 입경의 범위를 표시하고 있다. 입경에 대한 규정이 흙의 분류 방법에 따라 약간씩의 차이가 있으나 대략의 입자 크기는 거의 유사하다.

예를 들면, 그림 1.3에서 보는 바와 같이 자갈은 2.0~4.75mm 이상의 입자 크기고, 모래는 0.05~0.075mm 이상의 입자 크기며, 점토는 0.002mm 이하의 입자 크기로 규정하고 있다. 단, 통일분류법에서는 점토와 실트를 구분 없이 세립토로 분류하여 0.075mm 이하의 입자 크기로 규정하고 있다.

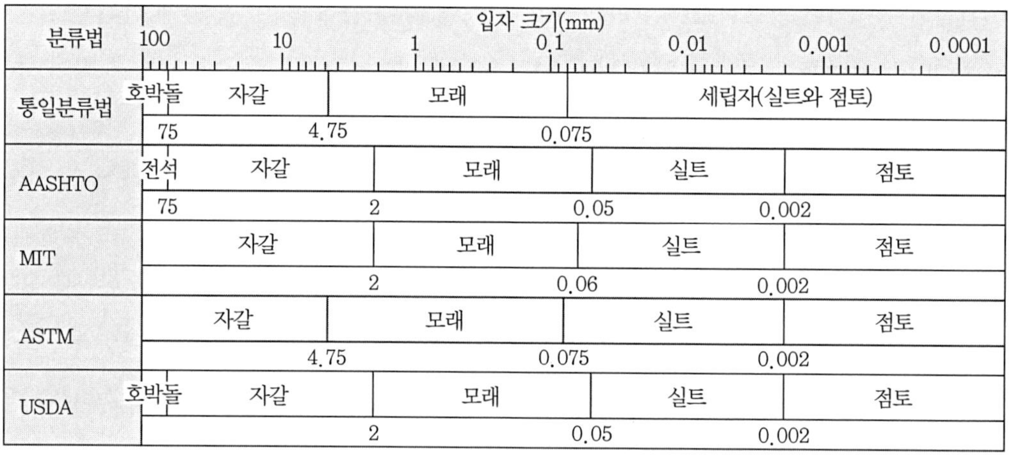

분류법
입자 크기(mm)
100
10
1
0.1
0.01
0.001
0.0001
통일분류법
호박돌
자갈
모래
세립자(실트와 점토)
75
4.75
0.075
AASHTO
전석
자갈
모래
실트
점토
75
2
0.05
0.002
MIT
자갈
모래
실트
점토
2
0.06
0.002
ASTM
자갈
모래
실트
점토
4.75
0.075
0.002
USDA
호박돌
자갈
모래
실트
점토
2
0.05
0.002

그림 1.3 입자 크기를 기본을 한 흙 분류 방법의 비교

그림 1.4는 체분석시험에 사용되는 표준채를 순차적으로 배치한 예의 상태이다. 각각의 체는 규격당 정사각형 눈금의 개수나 체의 눈금 크기에 따라 번호가 붙여져 있다. 큰 규격의 체 번호는 눈금 크기가 25.4~6.35mm이며 작은 규격의 체들 또한 번호가 부여되어 있다. 표 1.2는 일반적인 체분석시험에 사용되는 표준체의 체번호와 체눈금 크기를 정리한 표이다.

체분석 과정에서 얻어진 입자의 직경은 그 체의 정사각형 눈금을 통하여 통과된 입자의 최대 크기이다. 무게를 알고 있는 건조된 흙 시료를 가장 위에 있는 가장 큰 눈금 규격의 체위에 놓고, 포개어진 전체 체들을 체진동기에 놓고 흔든다. 그 후 포개진 체의 상부에서부터 체를 하나씩 제거하여 그 속에 남은 시료의 무게를 측정하고, 각 체에 남은 시료에 대한 백분율(%)을 산정한다. 그 결과는 각각의 체에 대해 통과 시료의 백분율(%) 그래프에 나타낸다.

그림 1.4 체분석시험용 표준체

표 1.2 표준체 크기

체번호	4	6	8	10	16	20	30
체눈(mm)	4.76	3.36	2.38	2.00	1.19	0.840	0.590
체번호	40	50	60	100	140	200	
체눈(mm)	0.420	0.297	0.250	0.149	0.105	0.075	

그림 1.5는 입자 크기를 대수눈금으로 나타낸 입경가적곡선 또는 입도분포곡선이다. 종축에는 통과중량백분율을 산술축척으로 그리고 횡축에는 mm 단위로 입경을 대수축척으로 그린다.

여기서 입자 크기를 대수눈금으로 나타낸 이유는 가장 큰 입자와 가장 작은 입자 규격의 차이가 10^4보다 크기 때문이다.

W_i는 포개어진 전체 체의 맨 위에서 i번째에 있는 체 속에 남은 흙의 중량이며, W는 전체 흙 시료의 중량이다. 남은 흙 중량의 백분율은 식 (1.7)과 같다.

$$i\text{번째 잔류중량백분율}(\%) = \frac{W_i}{W} \times 100 \tag{1.7}$$

한편 통과율은 식 (1.8)과 같다.

$$i\text{번체 통과중량백분율}(\%) = 100 - \sum_{i=1}^{i} i\text{번체 잔류중량백분율}(\%) \tag{1.8}$$

중량 대신에 질량을 사용해도 되며, 질량의 단위는 g 또는 kg이다.

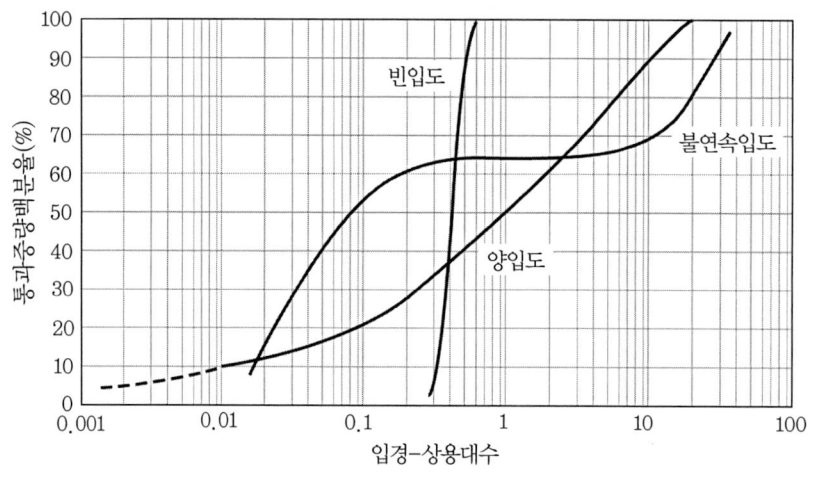

그림 1.5 입도분포곡선[2]

그림 1.5에 제시된 바와 같은 입도분포곡선으로부터 ① 주어진 입자 크기의 총 백분율, ② 주어진 입자 크기보다 크거나 작은 입자의 총 백분율, ③ 입경크기의 범위나 균등성 등의 여러 필요한 정보를 얻을 수 있다.

입도를 알 수 있는 지수로 Allen Hazen이 제시한 균등계수(uniformity coefficient) C_u를 활용할 수 있고 식 (1.9)와 같이 정의한다.[7]

$$C_u = \frac{D_{60}}{D_{10}} \tag{1.9}$$

D_{60}은 입도분포곡선에서 통과중량백분율이 60%일 때의 흙의 입경이며, D_{10}은 통과중량이 10%일 때의 흙의 입경이다. 큰 균등계수는 입자 크기의 범위가 크다는 것이고 이런 흙은

입도가 좋은 것으로 간주한다. 균등계수 1은 입자 크기가 동일함을 의미한다. 일반적으로 균등계수가 4보다 작은 흙은 균등한 것으로 취급한다. 또 다른 지수로 곡률계수 C_c가 있다. 곡률계수(curvatuer coefficient)는 식 (1.10)과 같이 정의한다.[1,2]

$$C_c = \frac{D_{30}^2}{D_{10}D_{60}} \tag{1.10}$$

C_c값이 약 1이면 그 흙은 양입도분포라고 생각한다. C_c가 1보다 크거나 작은 흙은 빈입도라고 본다.

그러나 No.200체(표 1.2 참조)를 통과하는 세립토 흙 입자에 대해서는 체분석의 한계가 되므로 비중계를 사용한 침강시험에 의해 입자 크기를 분석한다. 1.4.4절에서 비중계시험에 대해 자세히 설명한다. 침강시험에 쓰이는 비중계시험은 크기가 다른 입자는 액체 속에서 낙하속도가 다르다는 원리를 토대로 개발되었다.

즉, 이 개념의 핵심은 액체 속에서 낙하되는 구는 Stokes의 법칙으로 표현되는 낙하속도와 식 (1.11)의 관계가 성립한다는 것이다.[1]

$$v = (\gamma_s - \gamma_w)D/18\mu \tag{1.11}$$

여기서, γ_s, γ_w = 구(흙 입자)와 액체의 단위중량
μ = 액체의 점성
D = 구(흙 입자)의 직경

1.3.2 상대밀도

조립토의 다짐상태는 일반적으로 상대밀도 D_r로 표시하고, 이것은 식 (1.12)로 정의한다.

$$D_r = \left(\frac{e_{max} - e}{e_{max} - e_{min}}\right) \times 100 \tag{1.12}$$

또는

$$D_r = \frac{\gamma_{d\max}}{\gamma_d} \times \frac{\gamma_d - \gamma_{d\min}}{\gamma_{d\max} - \gamma_{d\min}} \tag{1.12a}$$

여기서, $e_{\max}$ = 가장 느슨한 상태에서 흙의 간극비
$e_{\min}$ = 가장 조밀한 상태에서 흙의 간극비
e = 자연상태의 간극비
$\gamma_{d\max}$ = 가장 조밀한 상태에서 흙의 건조단위중량
$\gamma_{d\min}$ = 가장 느슨한 상태에서 흙의 건조단위중량
γ_d = 자연상태의 건조단위중량

위 식 중 간극비를 결정하는 데 흙의 체적을 측정하는 문제에 봉착하게 된다. 그러나 단위중량은 비교적 쉽게 측정할 수 있으므로, 두 번째 식 (1.12a)가 보다 쉽게 접근할 수 있다. 단위중량을 결정하기 위한 절차는 ASTM 기준에 상세히 설명되어 있다($\gamma_{d\max}$와 $\gamma_{d\min}$에 대한 ASTM D-2049-69와 γ_d에 대한 ASTM D-2167-66, 1977:D-1556-66, 1974:D-2922-70 등). 간단히 말하자면, $\gamma_{d\min}$은 고정된 높이를 가진 모울드에 건조모래를 가장 느슨한 상태로 자유낙하시켜 구할 수 있다. 반면에 $\gamma_{d\max}$는 상재중량을 받는 시료에 진동을 가하여 구한다.

가장 큰 $\gamma_{d\max}$ 값은 건조한 시료나 포화된 시료(건조 또는 습윤 방법)의 밀도를 높여서 그 값을 구할 수 있다. γ_d는 ASTM이 승인한 여러 가지 방법을 통해 얻을 수 있다.

상대밀도는 일반적으로 다져진 성토층의 밀도를 측정하기 위해(예: 시방서의 요구사항 부분) 원위치 흙의 다짐상태를 나타내는 지표로써 사용된다. 상대밀도는 지층의 안정성을 간접적으로 반영하기도 한다. 예를 들면, 느슨한(작은 값의 D_r) 조립토는 다소 불안정하다(특히 충격하중이나 진동하중을 받을 경우). 진동하중은 느슨한 조립토를 보다 조밀하게 하고 보다 안정된 상태로 '압축'시킬 수 있다.

다짐상태와 상대밀도는 다소 경험적인 방법에 관련되어 있다. 예를 들면, 매우 느슨한 모래의 D_r은 매우 작고, 매우 조밀한 모래의 D_r은 매우 크다. D_r 값의 범위와 다짐상태의 일반적인 관계는 표 1.3과 같이 제시된다.

표 1.3 상대밀도 D_r에 따른 조립토의 분류

상태	상대밀도 D_r(%)
매우 느슨(very loose)	0~15
느슨(loose)	15~35
중간(medium)	35~65
조밀(dense)	65~85
매우 조밀(very dense)	85~100

1.4 세립토의 물성

1.4.1 연경도

(1) 아터버그한계

통상적으로 세립토 또는 점성토에서는 함수비의 변화에 따른 공학적 특성으로 흙을 분류한다. 연경도(consistency)라는 용어는 세립토의 단단한 정도(연약한, 중간, 단단한 또는 견고한으로 구분 표현)를 설명하기 위해 자주 사용된다. 세립토의 연경도 상태를 나타내는 데는 아터버그한계를 주로 사용한다.

아터버그한계는 경험적으로 개발되었으며 흙의 연경도를 설명하는 데 폭넓게 쓰인다. 처음이 개념을 소개한 A. Atterberg의 이름을 따서 명명되었다.[3] 그 이후에 Terzaghi[9]와 Casagrande[4,5]에 의해서 여러 가지 흙의 형태에 따라 이들 한계의 관계가 부연 설명되고 시험절차가 수정되었다.

일반적으로 세립토의 물리적·역학적 거동은 네 가지 상태(함수비 증가 순으로 고체, 반고체, 소성, 액성)와 관련이 있다. 이들 세립토의 연경도는 앞에서 언급한 것처럼 흙의 함수비에 따라 크게 영향을 받는다. 예를 들어, 함수비의 점진적 증가로 인하여 고체상태의 건조한 점토는 반고체상태, 소성상태로 변화되고 함수비를 더욱 증가시키면 액체상태가 된다. 이와 같은 상태의 경계함수비를 수축한계, 소성한계, 액성한계라 한다.

그림 1.6에 이 관계를 도표화하여 보여주고 있다. 이들 한계를 결정하는 방법은 토질시험을 다루고 있는 대부분의 시험교과서나 ASTM, AASHTO 및 KSF 기준 등에 수록되어 있다. 여기서 액성한계와 소성한계를 스웨덴 지반과학지 Atterberg(1911)의 이름을 따서 특별히 아터

버그한계라고 부른다.[3] 1.4.2절에서 아터버그한계를 구하는 시험법을 설명한다.

이와 같이 액성한계 w_l(LL)은 점토의 시료가 액체상태에서 소성상태로 변하는 시점에서의 함수비이며, 이 시점에서의 시료는 확실한 전단강도를 갖는다.

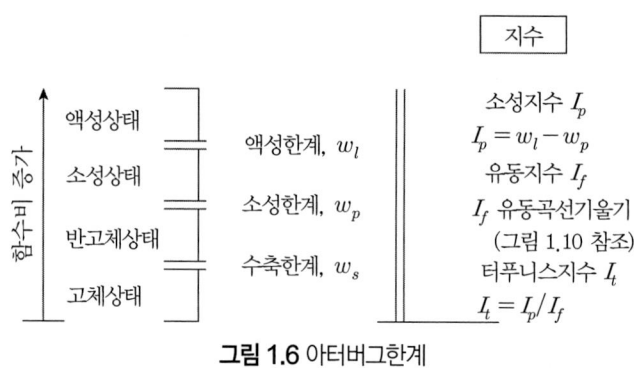

그림 1.6 아터버그한계

한편 소성한계 w_p(PL)는 지름이 약 3mm인 얇은 국수모양의 흙덩어리가 부서지기 시작하는 때의 함수비이다.

간단히 말하자면, 함수비를 감소시키면서 흙덩어리 시료를 굴려 국수모양으로 만들어 흙덩어리의 직경이 거의 3mm가 되어 부서지기 시작할 때의 함수비이다(ASTM D-424, KS F 2304-85(95)). 이 시험은 부드러운 표면을 가진 판이나 유리판 위에서 손바닥으로 흙덩이를 굴려 실시한다.

한편 각종 흙의 전형적인 아터버그한계는 표 1.4에서 보는 바와 같다. 아터버그한계는 흙속의 주요 광물질에 의존한다.

표 1.4 아터버그한계 대푯값

토질	액성한계 LL(%)	소성한계 PL(%)	소성지수 PI(%)
모래	비소성(NP)		
실트	30~40	20~25	10~15
점토	40~150	25~50	15~100
점토광물			
카올리나이트	50~60	30~40	10~25
일라이트	95~120	50~60	50~70
몬모릴로나이트	290~710	50~100	200~660

앞에서 언급했듯이 아터버그한계는 경험적 성격을 가지고 있으나 흙의 판명과 분류에 아주 유익하게 활용된다. 예를 들면, 액성한계는 점토의 압축성에 비례하여 나타난다.

조립토 속에 함유된 세립토의 분류에 적용되는 그림 1.7의 소성도를 참조하면, 무기질 점토는 A선 위에 표시되며 유기질 점토는 A선 아래에 표시된다.

점토시료의 액성한계와 소성지수를 이 도면에 표시하여 무기질 점토나 유기질 점토를 판별하는 것이 가능하다. 건조한 무기질 점토의 강도는 유기질 점토의 강도보다 확연히 크다. 더욱이 유기질 흙은 검은 회색이나 검은색을 띠고 냄새가 난다.

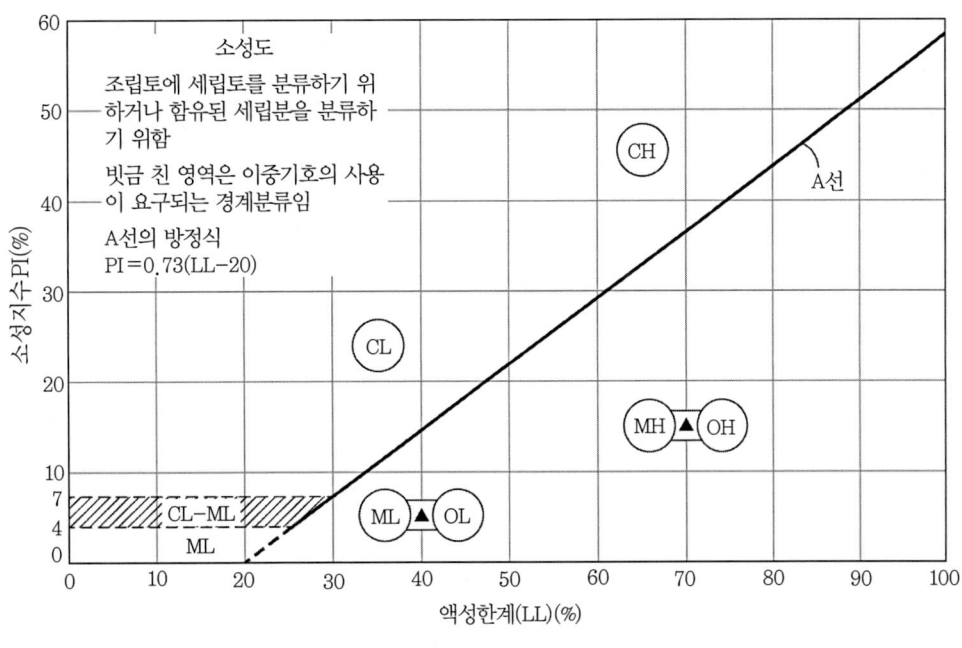

그림 1.7 소성도

(2) 활성도

점토는 점토표면에서 물을 흡수한다. 그러므로 흙에 흡수되는 물의 양은 현재 흙 속에 점토의 양이 얼마인지에 의하여 평가된다.

Skempton[8]은 소성지수와 $2\mu m$보다 작은 흙의(중량) 백분율 사이의 관계를 제안했다. 그는 이를 점토의 활성도(activity of clay) A라고 불렀고 식 (1.13)과 같이 정의하였다.

$$A = \frac{I_p}{2\mu m \text{보다 가는 입자의 중량백분율}(\%)} \tag{1.13}$$

여기서 I_p는 소성지수이다.

점토의 활성도로 대상 점토의 종류가 어떤 경향을 가지는지에 대한 정보와 거동의 특성에 대한 정보를 알 수 있다.

일반적으로 활성도의 상대적 수준을 보면, 카올리나이트는 활성도가 낮고 일라이트는 중간 정도이며 몬모릴로나이트는 활성도가 높다. 카올리나이트는 활성도가 상대적으로 낮으므로 가장 안정된 상태(stable)에 있고, 일라이트는 중간이기 때문에 보통의 안정상태(normal stable)에 있으며, 몬모릴로나이트는 활성도가 높기 때문에 체적변화가 크게 된다. 점성토의 활성도(A)와 체적변화에 따른 점성토의 거동 경향에 대한 개략적인 기준은 표 1.5와 같다.[2]

그 밖에도 Skempton은 활성도의 기준을 카올리나이트는 0.5보다 적고 일라이트는 약 1이고 몬모릴로나이트는 7보다 크다고 하였다.[1]

시료의 채취, 취급 및 시험 시에 교란 정도가 심하기 때문에 일반적으로 흙 공시체는 현장 상태에서의 흙의 특성과 다소 다른 특성을 나타낸다. 이러한 결과는 아터버그한계에 특히 적용될 수 있다.

수축한계를 제외하고는 시료의 채취에 의한 교란뿐만 아니라 점토시편의 재성형과 구조적 교란은 시험 과정에서 일어날 수밖에 없다.

표 1.5 활성도에 따른 점토의 분류

상태	활성도 A
비활성	<0.75
정상	0.75~1.25
활성	1.25~2
매우 활성(벤토나이트)	>6
점토광물	
카올리나이트	0.3~0.5
일라이트	0.5~1.3
Na-몬모릴로나이트	4~7
Ca-몬모릴로나이트	0.5~2.0

교란효과는 일축압축시험의 결과에 분명하게 나타난다(ASTM D-2166-72, KS F 2314-97). 불교란 점토강도는 재성형한 점토강도의 여러 배가 된다. 여기서 불교란 시료의 압축강도와 교란 시료의 압축강도의 비를 예민비라고 한다. 그러므로 교란된 시료를 통해 얻은 아터버그 한계시험을 포함한 시험 결과는 그런 제한 상황(시료교란)을 고려해서 판단해야 하며 세부적인 평가 프로그램의 한 부분으로만 취급해야 한다.

(3) 함수비와 체적의 관계

세립토의 물리적·역학적 거동은 함수비에 따라 결정되는 네 가지 상태(함수비 증가 순으로 고체, 반고체, 소성, 액성)와 관련이 있다. 먼저 흙이 초기에 액성상태에 있고 균일하게 건조되어 있는 경우를 고려해보자.

그림 1.8에서 보는 것처럼 함수비와 체적의 관계에 표시해보면 초기의 액성상태는 A점에 표시될 것이다. 이 흙이 건조될 때 함수비는 지속적으로 감소되고 체적도 감소할 것이다.

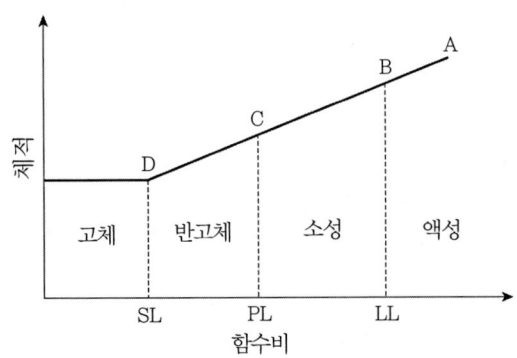

그림 1.8 체적과 함수비에 따른 흙의 상대 변화

B점에서 이 흙은 더 이상 액체와 같이 흐르지 못할 정도로 견고해질 것이다. 이때 B점에서의 경계함수비를 액성한계 LL이라 부른다. 계속 건조시키면 흙이 파괴됨이 없이 원하는 모양으로 반죽될 수 있는 함수비의 범위에 있게 된다. 이 상태에서 소성거동(파괴 발생 없이 지속적인 변형이 가능한 거동)을 보인다고 할 수 있다. 그러나 계속 건조시켜 소성거동 함수비 영역을 넘어가면 흙은 반고체상태에 도달한다. 이때 흙은 균열 없이는 반죽될 수 없게 된다. 이와 같이 소성에서 반고체로 변하는 함수비를 소성한계 PL이라 한다. 여기서 흙이 소성변형이 발생하는 함수영역을 식 (1.14)로 표현된 소성지수 PI라 한다.

$$PI = LL - PL \tag{1.14}$$

흙을 계속 건조시키면 고체상태라는 최종단계에 도달하게 된다. 이 상태에서는 흙 속의 물이 거의 다 제거되었기 때문에 더 이상의 체적변화는 발생하지 않는다. 이와 같이 흙이 반고체상태에서 고체상태로 변하는 함수비를 수축한계 SL이라 부른다. 이 수축한계는 흙의 팽창과 수축 능력을 결정하는 데 사용된다.

함수비를 변화시켜 세립토의 상태를 변화시킬 수 있다. 흙의 강도특성은 각각의 흙의 상태와 연계시킬 수가 있다. 한 가지 극단적 상태인 액성상태에서는 강도가 최소화되고 변형은 최대화될 것이다. 또 다른 극단적 상태인 고체상태에서는 흙의 강도는 가장 크고 변형은 가장 작게 될 것이다.

아터버그한계를 사용하여 흙의 강도를 판단하는 방법으로 액성지수 LI를 활용할 수 있다. 즉, 액성지수는 식 (1.15)에서 알 수 있는 것처럼 자연함수비와 소성한계 사이의 차이를 소성지수로 나누어 구한다.

$$LI = \frac{w - PL}{PI} \tag{1.15}$$

표 1.6은 액성지수(LI) 값에 근거한 지반강도 특성을 설명하고 있다.[2]

표 1.6 액성지수(LI) 값에 근거한 세립토의 강도특성

LI 값	지반강도 특성
LI<0	반고체상태-고강도, 취성, 급격한 균열 예상
0<LI<1	소성상태-중간 정도 강도, 소성재료와 같은 지반변형
LI>1	액성상태-저강도, 점성유체와 같은 변형

1.4.2 아터버그한계를 구하는 시험법

(1) Casagrande컵 시험법

액성한계는 그림 1.9와 같은 반구의 황동컵으로 구성된 액성한계 시험장치로 구할 수 있다. 회전운동을 하는 크랭크를 돌려 이 황동컵을 10mm 높이에서 반복적으로 단단한 고무바

닥에 떨어지도록 제작되어 있다. Casagrande(1932)는 이 장치를 개발하였고 Casagrande컵 시험법이라 부른다.

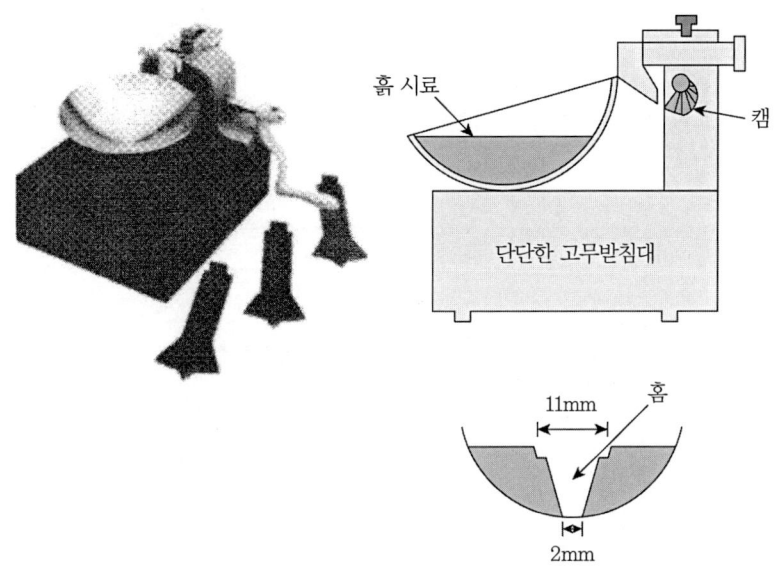

그림 1.9 액성한계 측정 Casagrande컵 시험기[2]

건조분말상태 흙 시료에 증류수를 섞어 반죽을 한 후 황동컵의 가장 깊은 곳에 두께가 10mm(ASTM에서는 12.5mm)가량이 되도록 넣는다. 흙 시료의 표면을 매끄럽게 하고 홈파기 도구로 흙 시료의 가운데에 홈을 판다. 캠을 작동하는 크랭크를 초당 2회의 속도로 돌려 황동컵을 반복 낙하시킨다. 이때 홈이 1.5cm(ASTM에서는 12.5mm) 정도 합쳐질 때까지의 타격횟수를 세어 기록한다. 시험 후 합쳐진 부분의 흙 시료를 채취하여 함수비를 측정한다.

액성한계는 타격회수가 25회에서 갈라진 홈이 1.5cm(ASTM에서는 12.5mm)가량 합쳐질 때의 함수비로 정의하였다. 그러나 한 번의 시험으로 이 함수비를 찾아내기는 어렵다. 따라서 4번 이상의 다른 함수비로 10~40회의 최종타격횟수가 되도록 시험을 반복한다. 시험 결과는 함수비와 최종타격회수를 그림 1.10과 같이 반대수용지에 정리한다.

이들 시험 결과의 최적 추세선을 그린다. 이 선을 일반적으로 유동선(flow line)이라 부른다.

액성한계는 이 그림의 예로부터 타격횟수가 25회에 해당하는 경우의 함수비는 47.5%이며 이 값이 이 사례시료의 액성한계가 된다.

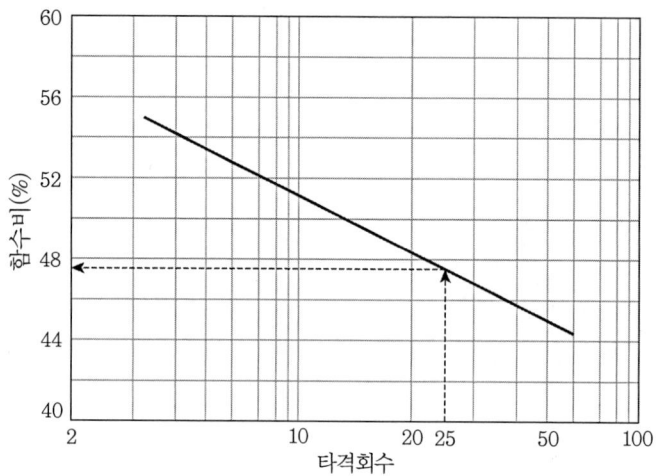

그림 1.10 Casagrande컵 시험법에 의한 액성한계

액성한계를 정하는 Casagrande컵 시험법은 여러 가지 결점을 가지고 있다. 이들 중 두 가지를 열거하면 다음과 같다.

① 소성으로 흐르기보다는 컵의 충격으로 미끄러지거나 액화되므로 저소성의 경향이 있다.
② 시험자의 숙련도와 장비의 작은 차이에도 민감하다.

한편 소성한계는 그림 1.11에서 보는 것처럼 점토시료를 손바닥으로 굴려서 국수모양으로 만들고 직경 3mm가 될 때 부서지기 시작하는 함수비를 구하여 이를 소성한계라 한다(그림 1.8). 이때 소성한계상태의 흙 시료는 그림 1.11과 같다. 두 번 이상의 시험을 실시하여 평균함수비를 소성한계로 정한다.

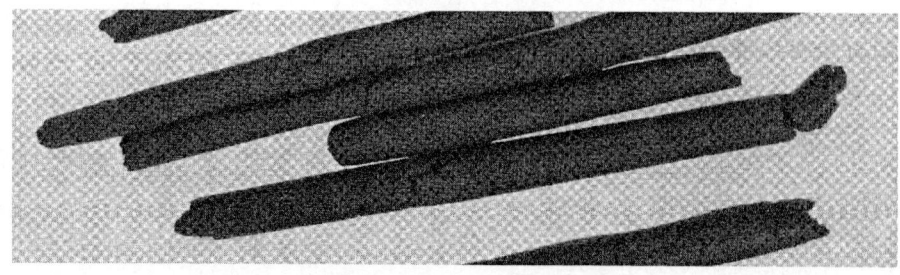

그림 1.11 소성한계상태의 흙 시료

(2) 낙하콘시험법

유럽과 아시아에서 유행하는 낙하콘시험법은 액성한계와 소성한계를 모두 결정할 수 있는 보다 정밀한 시험법이다(개인 오차를 경감시킨다).

낙하콘시험법(그림 1.12)은 30° 각도를 가지는 80g의 콘을 흙 시료면에 접하도록 매달아놓는다. 그런 후 5초 동안 자유롭게 떨어지도록 한다. 콘이 20mm 관입될 때의 함수비를 액성한계로 한다.

시료 준비 과정은 컵 시험법과 유사하다. 그러나 낙하콘시험법의 시료용기의 모양과 크기(그림 1.12)가 약간 다르다. 한 번의 시험으로 액성한계를 구하기 어려우므로 여러 함수비에서 네 번 이상의 시험을 실시한다.

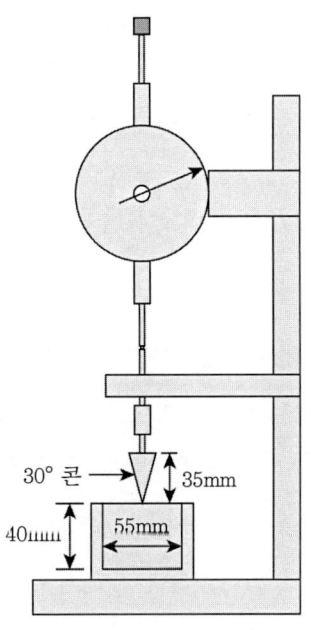

그림 1.12 낙하콘시험기

그 결과 얻은 함수비(정규눈금, 상용대수)와 관입깊이(횡축을 상용대수)의 관계를 그림 1.13과 같이 그리고 최적경향선을 그린다. 이 그림 속에 도시된 최적경향선에서 20mm 관입량에 해당되는 함수비를 액성한계로 정한다. 이 사례에서는 액성한계(LL)가 48%가 된다.

소성한계는 액성상태선을 1mm 관입량까지 연장한 선에 의거·결정한다. 여기서 1mm 관입량에서의 함수비는 그림 1.13의 C점에 해당한다. 이 사례에서 소성한계(PL)는 20% 정도가 된다. 정확한 소성한계는 식 (1.16)에 의거·산출할 수 있다.[6] 여기서 m은 직선의 기울기이다.

$$PL = C(2)^m \tag{1.16}$$

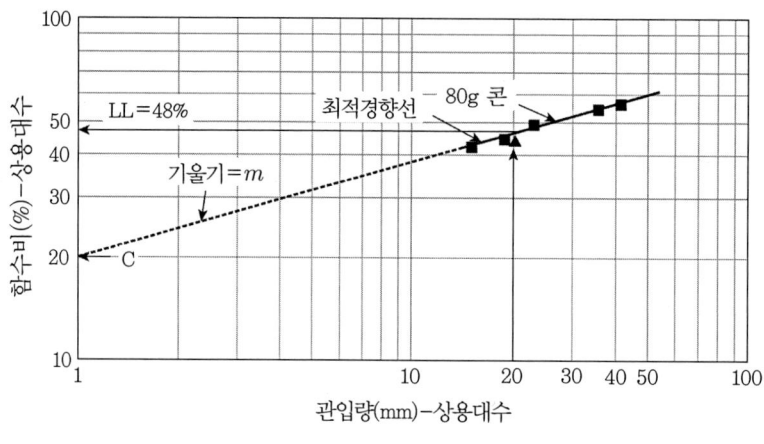

그림 1.13 낙하콘시험 결과

1.4.3 수축한계(ASTM D 427, D4943, KS F 2305)

수축한계 w_s(SL)은 더 이상 체적이 감소하지 않는 상태에서의 함수비이다. 즉, 더 이상 건조에 의해 수축이 되지 않는 상태에서의 함수비이다. 간단히 말하자면, 건조하는 과정에서 여러 함수비 상태의 체적을 측정하여 시행한다(ASTM D-427, KS F 2305).

수축한계는 다음과 같이 구한다. 습윤 흙 시료 M_1을 직경 44.5mm, 높이 12.5mm 도자기 위에 놓고 건조로에 넣는다. 건조된 흙의 체적을 수은으로 측정한다(ASTM D 427). 즉, 수축으로 발생한 공간을 채우도록 수은을 사용한다. 수축에 의한 체적 감소는 수은밀도로부터 계산될 수 있다. 수축한계는 다음과 같다.

$$SL = \left(\frac{M_1 - M_2}{M_2} - \frac{V_1 - V_2}{M_2}\frac{\gamma_w}{g}\right) \times 100 = \left(w - \frac{V_1 - V_2}{M_2}\frac{\gamma_w}{g}\right) \times 100 \tag{1.17}$$

여기서 M_1은 습윤토의 중량이고 M_2는 노건조토의 중량, w는 함수비(%값이 아님), V_1은 습윤토의 체적, $V_2\left(=\dfrac{수은량}{수은밀도}\right)$는 노건조토의 체적, g는 중력가속도(9.8m/s²)이다.

선형수축비 LS는

$$LS = 1 - \sqrt[3]{\frac{V_2}{V_1}} \tag{1.18}$$

수축비는

$$SR = \frac{M_2 g}{V_2 \gamma_w} \tag{1.19}$$

소성한계로부터 수축한계까지의 함수비 범위를 수축지수(SI)라 부른다.

$$SI = PL - SL \tag{1.20}$$

1.4.4 비중계시험

입도가 극히 작은 실트나 점토와 같은 세립토(find-grained soil)에서 체분석시험은 불가능하다. 그러므로 세립토의 입도분포를 결정하려면 비중계시험(hydrometer test)이 많이 사용된다(그림 1.14 참조). 비중계시험의 원리는 적은 양의 흙을 현탁액 상태로 만든 후 부유물들의 침강속도를 관찰하여 입자의 크기를 측정한다. 큰 입자는 빨리 침강하고 작은 크기의 입자가 그 뒤를 따른다.

비중계를 현탁액 속으로 넣으면 계속적으로 가라앉다가 현탁액속의 부력이 비중계의 무게와 같아질 때 멈출 것이다. 현탁액 상부로 돌출된 비중계의 길이는 밀도를 뜻하며, 시간대별로 비중계를 읽어서 현탁액의 밀도를 측정한다. 비중계의 측정값은 부유체의 비중과 온도의 영향을 받기 때문에 시험 중에 온도를 측정하여 비중계값을 수정해야 한다.

비중계시험은 약 50g 정도의 적은 양의 건조된 세립토를 증류수로 잘 섞어 걸쭉하게 만든 후 1L 크기의 유리 실린더에 넣는다. 증류수를 1L 눈금까지 채우고 잘 휘저은 후 정온 수조에 넣어둔다. 비중계를 유리 실린더에 넣고 시간 측정을 시작한다. 시차간격으로 비중계 값을 읽는다. 시간 t_D 시에 입자직경(Dcm)은 Stokes 법칙으로 다음과 같이 산정된다.[1]

$$D = \sqrt{\frac{18\mu z}{(G_s - 1)\rho_w g t_D}} \qquad (1.21)$$

여기서, μ는 물의 점성계수(20°C에서 0.01g/cm.s), z는 침강거리(cm), ρ_w는 물의 밀도(1g/cm³), g는 중력가속도(981cm/s²), G_s는 흙 입자의 비중으로 대부분의 값은 2.7 정도이다.

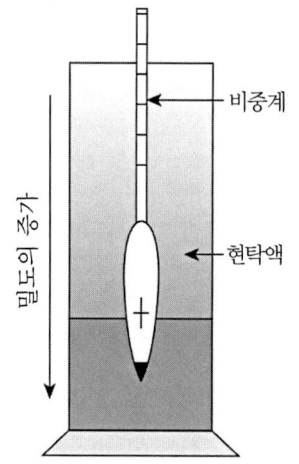

그림 1.14 물과 현탁액 속의 비중계

Stokes 법칙을 적용하는 데 입자들은 자유낙하 구체로서 서로 충돌하지 않는다고 가정한다. 그러나 점토의 광물입자들은 판상형이므로 침강 중에 입자 간의 충돌은 피할 수가 없다. 또한 Stokes 법칙은 Reynolds number $\left(R_e = \dfrac{vD\gamma_w}{\mu g}\right)$를 갖는 층류(laminar flow)에서만 적용된다. 여기서 v는 속도, D는 입자직경, γ_w는 물의 단위중량, μ는 20°C에서 동점성계수, g는 중력가속도이며 R_e값은 1보다 작다. 층류는 입자의 크기가 0.001mm < D_s < 0.1mm 범위에서 주효하며, 입자 크기가 0.001mm보다 작을 때는 콜로이드 상태이다. 일반적으로 200번체(평균입경<0.075mm)의 통과시료를 사용함으로써, 층류는 자동적으로 입자의 크기 0.001mm보다 작은 경우를 만족시킨다. 정적 전기력은 콜로이드 상태에는 영향을 미치나 Stokes 법칙에는 영향이 없다. Brown 운동으로 콜로이드의 불규칙한 운동을 설명할 수 있다.

1.5 흙의 분류법

1.5.1 입자 크기를 기본으로 한 분류법

지금까지 여러 가지 흙을 조립토 또는 세립토, 점성토 또는 비점성토라는 일반적인 용어로써 분류하였다. 즉, 모래와 자갈은 조립토 및 비점성토로 보고 실트와 점토는 세립토 및 점성토로 분류하였다.

그러나 이런 분류는 너무 포괄적이어서 흙의 분류를 합리적으로 기술하지 못하며 다른 입도와의 혼합물을 설명하지도 못한다. 따라서 공학적 목적에 부합하고 사용자 상호 간에 흙의 특성에 대한 의사소통이 가능하도록 흙을 보다 합리적으로 그룹화하기 위해 좀 더 체계적인 분류 방법을 목적으로 하게 되었다.

분류 방법은 사실상 경험에 의거하여 확립된다. 또한 특별한 종류의 공사와 관련하여 또는 특수한 목적에 따라 대부분의 분류 방법이 개발되었다.

예를 들면, AASHTO(American Association of State Highway and Transportation Officials)는 제방건설과 고속도로의 노반공사에 사용코자 다양한 흙의 체계적인 분류법을 마련했다.

또한 통일분류법(Unified Classification System)은 군비행장 활주로에 관한 Casagrande의 연구[5]와 연관 지어 개발하게 되었다. 그리고 미공병단은 유사한 동상 거동을 보이는 흙의 분류법을 개발하였다.

초기의 분류체계는 일반적으로 입자의 크기를 기본으로 하였다. 이런 분류는 폭 넓게 사용되었고 많은 사례에서 실용적임이 입증되었으나 일반적으로는 불충분하다. 예를 들어, 투수성은 입자 형태에 크게 영향을 받기 때문에 입자 크기가 비슷한 두 흙의 투수성을 입자 크기만으로 예측하는 것은 옳지 못하다.

또한 동일한 입자 크기의 두 점토의 압축성을 입자 크기 특성만으로 비교하거나 광물의 함량, 환경요소 및 자연상태의 점토 거동 등을 무시하는 것은 적절하지 못하다. 그러므로 입자 크기 이외의 다른 특성들을 포함한 분류체계를 확립하기 위하여 수많은 제안이 제기되었다.

수많은 분류체계가 과거 수십 년 동안에 걸쳐 제안되었지만 현재 가장 폭 넓게 쓰이고 있는 방법은 통일분류법과 AASHTO이다. 그러나 이들 대부분은 구성요소를 자갈, 모래, 실트 또는 점토로 나누는 것을 기본으로 하여 입자 크기 특성을 채택하고 있다. 또한 아터버그한계는 일반적으로 세립토의 소성특성과 연경도 특성을 확인하기 위해 부수적인 기준으로써 사용하고 있다.

그림 1.3은 여러 분류 방법에서 제안한 입자 크기(예: 자갈, 모래, 실트 또는 점토)를 비교·정리한 결과를 보여주고 있다.

조립토의 구성 비율은 일반적으로 여러 가지 눈금 크기의 일련의 체를 사용하여 흙을 체가름하고 각 체에 남은 흙의 중량을 측정하여 결정한다. 이것을 일반적으로 체분석 또는 기계적 분석이라고 한다.

표 1.2는 일반적인 체분석시험에 사용되는 표준체의 체번호와 체눈금 크기를 정리한 표이다.

그러나 No.200체(표 1.5 참조)를 통과하는 세립토 흙 입자에 대해서는 체분석에 한계가 되므로 비중계를 사용한 침강시험에 의해 입자 크기를 분석한다.

앞의 1.4.4절의 비중계시험에서 설명한 것처럼 침강시험에 쓰이는 비중계시험은 크기가 다른 입자는 액체 속에서 다른 속도로 낙하한다는 원리를 토대로 개발되었다.

이 시험에 대한 자세한 내용은 흙 시험을 다루는 여러 교과서 또는 ASTM D-442-63 및 KS F 2302-92(97)을 참고할 수 있다.

1.5.2 통일분류법(Unified Soil Classification System)

Casagrande에 의해 비행장 건설용 흙의 분류법이 제안된 이후로 1952년 미 개척국(Bureau of Reclamaion)과 공병단(Army corp. of Engineers)은 통일분류법을 개발하였다.[5]

우선 흙은 두 개의 큰 분류, 즉 조립토과 세립토로 나누고 제1문자와 제2문자로 된 두 문자로 정의하였다.

No.200체(체눈금 0.075mm) 잔류율이 50% 이상이면 조립이란 명칭이 주어진다. 조립분류에는 No.4체(체눈금 4.76mm) 잔류율이 50% 이상이면 G라는 기호를 붙이고, No.4체 통과율이 50% 이상이면 S라는 기호를 붙인다.

G와 S에 입도를 설명하는 제2문자가 붙는다. 즉, W는 양 입도, P는 빈 입도, M은 실트질 혼합물, C는 점토질 혼합물이다. 예를 들면, 입도분포가 좋은 자갈은 GW로 나타내고 입도분포가 나쁜 모래는 SP로 나타낸다. 이것은 그림 1.15에서 보는 바와 같다.

반면에 No.200체 통과율이 50% 이상이면 세립이란 명칭이 주어진다. 이들은 실트(M), 점토(C) 그리고 유기질 실트나 유기질 점토(예: OL 혹은 OH)로 나뉜다. 이 기호에 붙는 제2문자는 L은 저소성, H는 고소성이다(액성한계 <50%이면 L, 액성한계 >75% 이상이면 H).

세립토는 소성지수와 액성한계에 따라 그림 1.15에 나타낸 소성도에 의해서 분류된다. A선은 무기질 점토를 실트, 유기질토와 구별하게 해준다.

주요 구분			분류 기호	특징
조립토 No.200체 잔유율이 50% 이상	자갈 No.4체 잔유율이 50% 이상	깨끗한 자갈 No.200체 통과량<5%	GW	양입도의 자갈 및 자갈-모래의 혼합토, 세립분이 거의 없음
			GP	빈입도의 자갈 및 자갈-모래의 혼합토, 세립분이 거의 없음
		세립분을 함유한 자갈 No.200체 통과량>12%	GM	실트질 자갈, 자갈-모래-실트 혼합토
			GC	점토질 자갈, 자갈-모래-점토 혼합토
	모래 No.4체 잔유율이 50% 이상	깨끗한 모래 No.200체 통과량<5%	SW	양입도의 모래 및 자갈질 모래, 세립분이 거의 없음
			SP	빈입도의 모래 및 자갈질 모래, 세립분이 거의 없음
		세립분을 함유한 모래 No.200체 통과량>12%	SM	실트질 모래, 모래-실트 혼합토
			SC	점토질 모래, 모래-점토 혼합토
세립토 No.200체 통과율이 50% 이상	실트와 점토 액성한계가 50% 이하		ML	무기질 실트, 매우 가는 모래, 암분, 실트나 점토질 세립모래
			CL	낮은 내지 중간 소성의 무기질 점토, 자갈점토, 모래점토, 실트질 점토, 점성이 낮은 점토
			OL	낮은 소성의 유기질 실트나 유기 실트질 점토
	실트와 점토 액성한계가 50% 이상		MH	무기질 실트, 운모성 또는 규조성의 세립모래나 실트, 탄성실트
			CH	고소성의 무기질 점토, 점성이 큰 점토
			OH	중간 내지 높은 소성의 유기질 점토
고유기질토			Pt	이토(peat), 흑니토(muck), 기타 고유기질토

분류 기준		
세립분의 백분율에 따른 분류 No.200체 통과율이 5% 이하: GW, GP, SW, SP No.200체 통과율이 12% 이하: GM, GC, SM, SC No.200체 통과율이 5% 이하:	$C_u = D_{60}/D_{10} > 4$ $C_z = \dfrac{D_{30}^2}{D_{10}D_{60}}$ 가 1과 3 사이	
	GW 조건에 부합되지 않는 경우	
	아터버그한계가 A선 아래에 있거나 소성지수가 4보다 작은 경우	아터버그한계가 빗금 친 부분에 있는 경우 이중기호 사용
	아터버그한계가 A선 위에 있고 소성지수가 7보다 큰 경우	
	$C_u = D_{60}/D_{10} > 6$ $C_z = \dfrac{D_{30}^2}{D_{10}D_{60}}$ 가 1과 3 사이	

그림 1.15 통일분류법, ASTM D-2487, KS F 2324-91

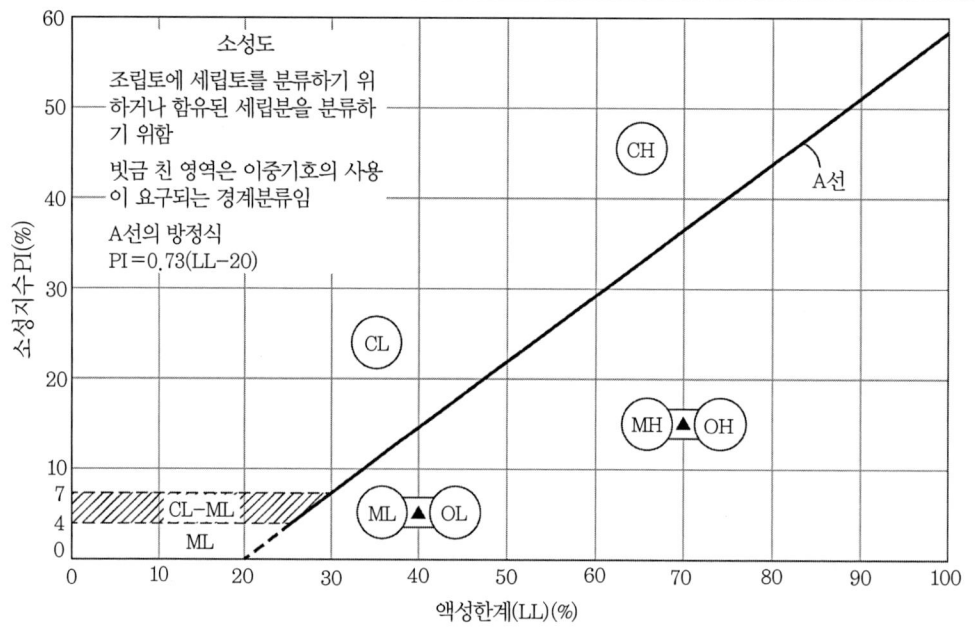

그림 1.15 통일분류법, ASTM D-2487, KS F 2324-91(계속)

1.5.3 AASHTO 분류 방법(AASHTO Classification System)

앞에서 언급했듯이, AASHTO 분류 방법은 토공구조물, 특히 노상, 기층, 보조기층 그리고 노체에 대한 흙의 분류 방법으로 폭 넓게 쓰이고 있다. 미 도로국(U.S. Bureau of Public Roads)에 의해서 1929년에 발표된 이후로 몇 번의 수정이 가해져서 현재에 이르게 되었다. AASHTO 분류 방법은 입자분포, 액성한계 그리고 소성지수를 기본으로 하여 흙을 7개의 그룹(A-1에서 A-7까지)으로 분류한다. A-1, A-2 및 A-7에 대한 세부그룹을 포함하여 각 그룹을 그림 1.16에 보여주고 있다.

그림 1.16에 각 그룹에 대한 설명이 제시되어 있다. 이 분류법은 조립토 그룹과 실트−점토 그룹으로 흙을 분류한다. A-1에서 A-3까지는 조립토 그룹으로서 No.200체 통과백분율이 35% 이하이다. 만약 No.200체 통과백분율이 35% 이상이면 실트−점토 그룹으로 구분한다.

일반적 분류	조립토 (0.075mm체 통과율이 35% 이하)								실트-점토 (0.075mm체 통과율이 35% 이상)			
그룹 분류	A-1		A-3	A-2				A-4	A-5	A-6	A-7-5 A-7-6
	A-1-a	A-1-b		A-2-4	A-2-5	A-2-6	A-2-7				
체분석, 통과백분율 2.00mm(No.10) 0.425mm(No.40) 0.075mm(No.200)	최대 50 최대 30 최대 15	- 최대 50 최대 25	- 최소 51 최대 10	- - 최대 35	- - 최대 35	- - 최대 35	- - 최대 35	- - 최소 36	- - 최소 36	- - 최소 36	- - 최대 36
0.425mm(No.40) 통과분의 특성 액성한계 소성지수*		최대 6	NP	최대 40 최대 10	최소 41 최대 10	최대 40 최소 11	최소 41 최소 11	최대 40 최대 10	최소 41 최대 10	최대 40 최소 11	최소 41 최소 11
주료 구성성분이 되는 재료	돌조각, 자갈, 모래		가는 모래	실트질 또는 점토질 자갈 및 모래				실트질 흙		점토질 흙	
노상토로서의 일반적 등급	우(優) 또는 양(良)							가(可) 또는 불가(不可)			

* 세부 그룹 A-7-5의 소성지수는 액성한계에서 30을 뺀 값과 같거나 작다. 세부 그룹 A-7-6의 소성지수는 액성한계에서 30을 뺀 값보다 크다.

그림 1.16 AASHTO분류법(흙과 흙-골재 혼합물)

이 그룹들은 군지수(GI)에 의해 평가되며, 군지수의 계산식은 식 (1.22)와 같다.

$$GI = (F-35)[0.2+0.005(LL-40)] + 0.01(F-15)(PI-10) \tag{1.22}$$

(1에서 40)   (1에서 20)   (1에서 40)(1에서 20)

여기서, F = No.200체 통과백분율(이 백분율은 오직 No.200체를 통과한 입자에만 의거)
   LL = 액성한계
   PI = 소성지수

GI 값이 높으면 노반에 대한 적합성이 떨어진다(예: GI=15의 재료는 GI=1인 재료보다 적합성이 더 떨어진다). 마찬가지로 그림 1.16에서 보듯이 A-4보다는 A-1이 적합성이 더 좋다.

| 참고문헌 |

(1) 홍원표 역(2003), 기초공학, 구미서관.

(2) 홍원표·권오균·김유성·김태형·김학문 공역(2012), 토질역학, 도서출판 Young.

(3) Atterberg, A.(1911), "Über die Physikalishe Bodenuntewrsuchung und über die Plastizität der Tone", int. Mitt Boden., Vol.1.

(4) Casagrande, A.(1932), "Research on the Atterberg LImits of Soils", Public Roads, Oct.

(5) Casagrande, A.(1947), "Clasification and Identifications of Soils", ASCE J., GED, No.6.

(6) Feng, T.W.(2000), "Full-cone penetration and water content relationship of clays", Geotechnique, Vol.50, No.2, pp.181-187.

(7) Hazen, A.(1892), "Some physical properties of sand and gravels with special reference to the use in filteration", Massachusette State Board of Health, 24th Annual Report.

(8) Skempton, A.W.(1953), "The Coloidal Activity of Clays", Proc. ICSMFE, Vol.1.

(9) Terzaghi, K.(1925), "Principles of Soil Mechanics II-Compressive Strength of Clay", Eng. News Rec., Vol.94.

Chapter
02

흙의 응력과 변형률

Chapter 02 흙의 응력과 변형률

2.1 수직응력과 수직변형률

그림 2.1(a)는 단면적 δA, 높이 δZ인 미소입방체의 흙 요소이다. 그림 2.1(b)에 표시된 것처럼 이 입방체에 대해 면적 δA의 수직방향에 하중 δF_N이 작용하면 이 입방체의 높이는 $(\delta Z + \delta L)$까지 늘어난다. 응력, 변형률의 통상적 정의에 따르면 수직응력 σ 및 수직변형률 ϵ은 다음과 같이 표시된다.

$$\sigma = -\lim_{\delta A \to 0} \frac{\delta F_N}{\delta A} \tag{2.1}$$

$$\epsilon = -\lim_{\delta Z \to 0} \frac{\delta L}{\delta Z} \tag{2.2}$$

흙에는 인장력이 거의 발생되지 않으므로 압축응력 및 압축변형률을 정의 값으로 하여 식 (2.1) 및 (2.2)와 같이 표시한다. 이것은 토질역학에서 일반적으로 적용되고 있다.

2.2 전단응력과 전단변형률

그림 2.1(c)에 표시된 것처럼 흙의 미소입방체요소의 δA면에 수평력 δF_S가 작용하면 이 입방체는 초기의 연직면이 회전하도록 변형을 받게 된다. 이때 전단응력 τ와 전단변형률 γ는

다음과 같이 표시된다.

$$\tau = -\lim_{\delta A \to 0} \frac{\delta F_S}{\delta A} \tag{2.3}$$

$$\gamma = -\lim_{\delta Z \to 0} \frac{\delta X}{\delta Z} \tag{2.4}$$

엄밀히 이야기하면 식 (2.4)의 γ는 $\tan \gamma$로 써야 하나, 미소변위 시에는 그 차이가 무시된다. 토질역학의 관례에 따라 식 (2.3) 및 (2.4)에 부의 부호가 붙어 있으므로 그림 2.1(d)에 표시된 것처럼 흙입방체의 정의 상한에 있는 각이 증가할 경우 전단응력 및 전단변형률들은 정의 값을 가지게 된다.

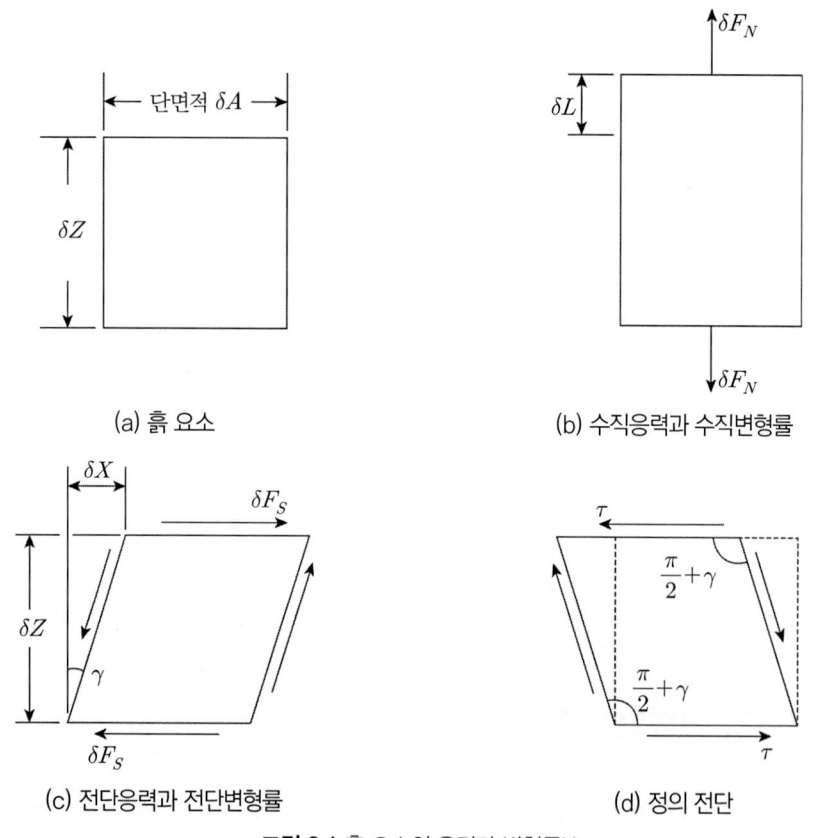

그림 2.1 흙 요소의 응력과 변형률[4]

식 (2.4)의 정의에 의한 전단변형률 γ는 공학변형률이다. 일반적으로 전단변형률에는 전단변형뿐만 아니라 강체회전의 성분도 포함되어야만 하지만 이 점에 관해서는 다음 장에서 설명한다.

2.3 연속체로서의 흙

흙은 입자의 집합체이다. 원자, 분자의 급에서 보면 모든 물질은 입상체를 가지고 있지만 흙 입자의 크기는 원자, 분자보다 훨씬 크다. 따라서 미소요소로서의 단면적 δA나 크기 δZ가 흙 입자나 간극의 어느 부분에 해당할지 알 수가 없으므로 δA나 δZ를 0에 근접시키는 극한 조작을 행하는 것은 흙(엄밀히 말하면 토괴)에는 적합하지 못하다.

이와 같은 문제를 피하기 위해서는 두 가지 방법이 있다. 하나는 흙의 입방성을 인정하여 흙의 응력이나 변형률의 기본적 정의는 무의미한 것으로 생각하는 것이다. 이 경우에는 각각의 입자 간의 힘의 분포나 입자의 상대변위를 조사하지 않으면 안 된다.

다른 한 가지 방법은 흙의 거동을 이상적인 연속체의 거동으로 근사시키는 것이다. 연속체에는 무한소의 요소가 전체와 같은 특성이 있어서 응력이나 변형률의 정의로서의 식 (2.1)에서 (2.4)까지를 이용할 수 있다. 위에서 설명한 것처럼 모든 물질은 적어도 원자, 분자 수준에서 보면 입상성을 가지고 있으므로 진정한 의미의 연속체는 존재하지 않는다. 따라서 연속체는 하나의 이상적인 재료이다. 그러나 거의 모든 공학 분야에서 재료를 연속체로 생각하여 식 (2.1)에서 (2.4)까지의 응력이나 변형률의 정의를 이용하고 있다.

토질역학에서는 전자의 입상체 접근법도 많이 행해지고 있지만 토실역학에서의 해석이나 설계를 계통적으로 행하는 입장에서 연속체 접근법은 매우 중요하다. 이하에서는 연속체 접근법에 대해 그 역학기초를 설명한다. 따라서 식 (2.1)~(2.4)의 응력이나 변형률의 정의는 모두 유효하다. 이 접근법은 흙 입자의 크기가 문제가 되는 토괴(예를 들면, 흙 공시체)의 크기보다 상당히 작다면 특별한 모순은 발생하지 않을 것이다.

2.4 간극수압, 전응력 및 유효응력

흙을 이상적인 연속체로 생각하기로 하였지만, 현실적으로 흙은 입상체이며 간극 속의 물은 압력을 받고 있음을 잊어서는 안 된다. 여기에 이 간극수압을 고려하기 위하여 연속체로서의 개념을 수정할 필요가 있는가 검토해보지 않으면 안 된다.

이상적인 흙 연속체에서 하나의 요소는 그 경계에 작용하는 한 조의 전응력과 요소 내에 작용하는 간극수압을 가지고 있다. 관례에 의하면 전수직응력을 σ, 전단응력을 τ, 간극수압을 u로 쓴다.

그림 2.2는 지표면하 Z 깊이에 있는 흙 요소를 표시하고 있다. Z_w까지의 흙은 건조토로 단위중량이 γ_d이고, 그 이하에는 포화토로 단위중량은 γ이다. 따라서 전연직응력 σ_v는 $\{Z_w \gamma_d + (Z - Z_w)\gamma\}$가 된다. 만약 각층 두께 H_i, 단위중량 γ_i로 형성된 다층지반의 경우 전연직응력은 일반적으로 식 (2.5)와 같이 표시된다.

$$\sigma_v = \sum H_i \gamma_i \tag{2.5}$$

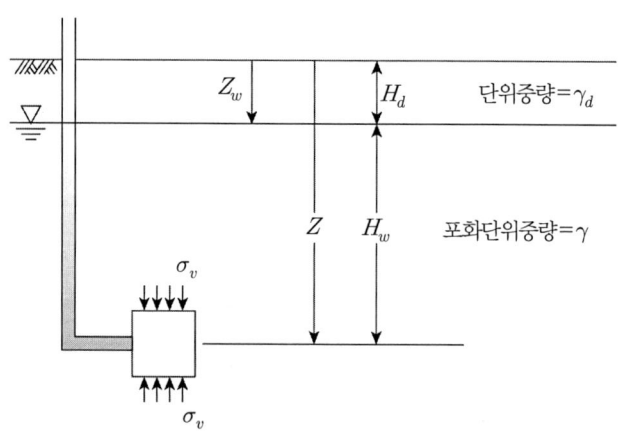

그림 2.2 지중의 응력과 간극수압

그림 2.2에 표시한 것처럼 흙 요소에 가는 파이프를 연결시키면, 파이프 선단의 수압이 간극수압과 평형이 될 때까지 파이프안의 물은 상승한다. 따라서 이 흙 요소 중 간극수압은 다음 식으로 표시된다.[2]

$$u = H_w \gamma_w = (Z - Z_w)\gamma_w \tag{2.6}$$

임의의 전응력을 받는 흙의 거동은 간극수압의 크기에 어떤 형태로든 의존한다. 이 간극수압이 흙의 거동에 미치는 영향은 유효응력의 원리에 따라 결정된다. 이 원리는 토질역학에서 가장 중요한 개념이다. 즉, 유효응력 σ'은 전응력과 간극수압의 차로서 다음과 같이 표시되며, 흙의 거동은 유효응력에 의존하고 있다고 생각된다.[2]

$$\sigma' = \sigma - u \tag{2.7}$$

2.5 유효응력의 의미

앞 절에서 설명한 것처럼 유효응력의 원리는 단순하게 보이지만, 이 원리는 매우 중요하며 바르게 이해하지 않으면 안 된다. 이 원리를 자세하게 해설하기 위하여 이 원리에 의거하여 추정된 세 가지 문제에 대해 생각해본다.

(1) 만약 유효응력이 같으면 동일한 구조와 광물을 가지는 두 개의 흙의 공학적 거동은 같다.

그림 2.3은 (a) 하구퇴적물과 (b) 심해퇴적물의 지표면 아래 1m에 있는 흙 요소를 표시하고 있다. 하구퇴적물의 수면은 지표면에 있고 심해퇴적물상의 수심은 10^4m이다. 양 퇴적물의 단위중량이 1.7t/m³이고 해수의 단위중량이 1.0t/m³라 하면 양 요소에 작용하는 연직유효응력은 다음과 같이 산정한다.[4]

(a) 하구퇴적물에 대해서는
$$\sigma_v' = \sigma_v - u = \sum H_i \gamma_i - H_w \gamma_w = 1.7 \times 1 - 1.0 \times 1 = 0.7 \text{t/m}^2$$

(b) 심해퇴적물에 대해서는
$$\sigma_v' = (1.7 \times 1 + 1.0 \times 10^4) - (1.0 \times 10001)$$
$$= 10001.7 - 10001.0 = 0.7 \text{t/m}^2$$

따라서 양자의 유효응력은 동일하며 만약 양 퇴적물의 구조와 구성광물이 같으면 양자는 동일한 공학적 특성을 가지고 있을 것이다.[4]

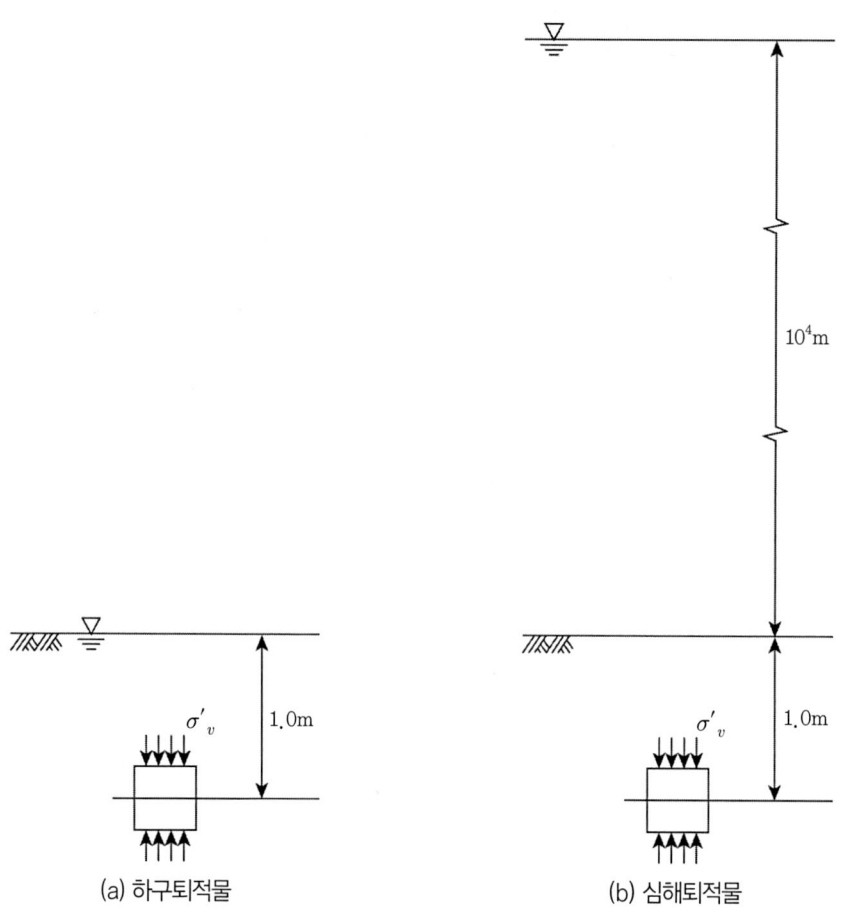

그림 2.3 퇴적지반속의 연직응력

(2) 만약 흙이 체적변화와 전단변형을 하지 않는 상태에서 재하(loading) 또는 제하(unloading)를 받으면 유효응력의 변화는 없을 것이다.

그림 2.4는 간단한 시험을 도시하고 있다.[1] 미끄러운 판 위에 놓여 있는 공시체가 얇은 고무멤브레인으로 싸여 물이 차 있는 셀 속에 놓여 있는 경우를 생각해본다. 셀압에 의해 공시체에 동일한 전응력이 가해지면 전응력 σ와 간극수압 u는 각각 독립적으로 변화하고 공시체 치수는 A, B에 장착된 변위계로 측정된다.[1,3]

시험 전에는 전응력이 $\sigma = 1.7 \text{t/m}^2$, 간극수압이 $u = 1.0 \text{t/m}^2$이다. 만약 전응력이 $\sigma = 100 \text{t/m}^2$으로 높아지고 동시에 변위가 발생되지 않도록 간극수압을 변화시키면 최종간극수압은 얼마가 될까?

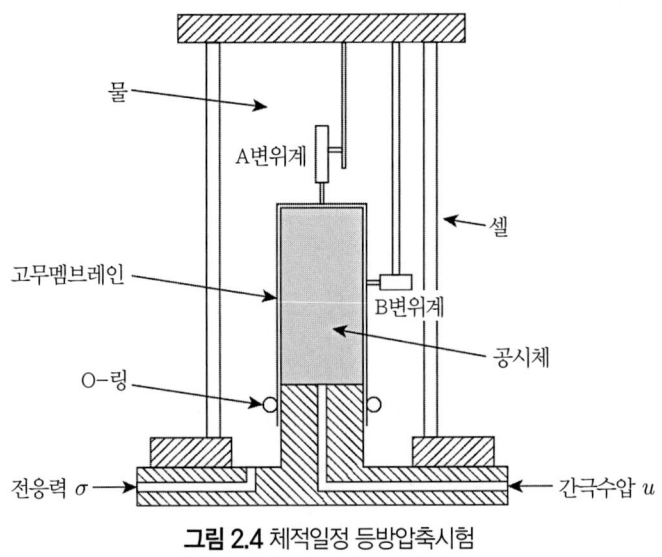

그림 2.4 체적일정 등방압축시험

공시체에 변형이 전혀 발생하지 않으므로 유효응력은 일정하게 유지된다. 따라서

시험 전 유효응력은 $\sigma' = \sigma - u = 1.7 - 1.0 = 0.7 \text{t/m}^2$이고

시험 후 유효응력은 $\sigma' = \sigma - u = 100 - u = 0.7 \text{t/m}^2$이 된다.

따라서 간극수압은 $u = 100 - 0.7 = 99.3 \text{t/m}^2$이 된다.

(3) 만약 간극수압만을 상승 또는 제하시키면 흙의 체적은 팽창(연화) 또는 압축(경화)된다.

그림 2.5도 간단한 시험을 설명하고 있다. 시험장치는 그림 2.4와 거의 동일하지만 여기서는 공시체에 출입하는 물의 체적을 뷰렛으로 측정할 수 있다. 전응력 σ를 일정하게 하고 간극수압 u를 변화시키면 공시체 체적이 변한다.

즉, 시험 전에는 유효응력 σ'를 (2)와 동일하게 $\sigma' = 0.7 \text{t/m}^2$로 한다. 전응력을 일정하게 유지한 채 간극수압을 $u = 1.5 \text{t/m}^2$로 높이면 뷰렛의 수면은 내려가 공시체 체적이 증가한 것을 나타낸다.

시험 후 유효응력은 $\sigma' = 1.7 - 1.5 = 0.2 t/m^2$로 내려간다. 유효응력이 감소하면 흙은 팽창하고 그 강도는 감소하게 될 것이다. 반대로 유효응력이 증가하면 흙은 압축되고 그 강도는 증가하게 될 것이다.

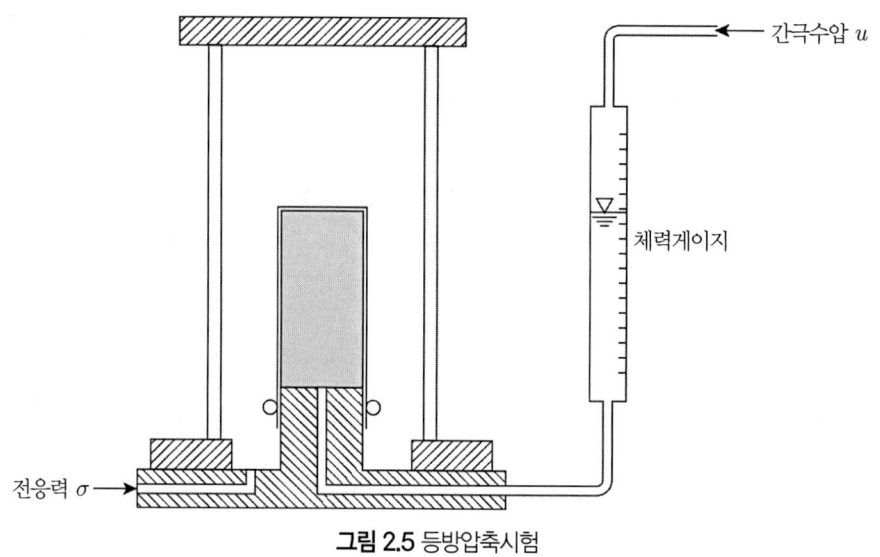

그림 2.5 등방압축시험

2.6 응력증분과 변형률증분

2.1절 및 2.2절에 표시된 응력과 변형률 정의에는 초기상태에 응력과 변형을 받지 않은 요소에 하중을 가하였다. 그러나 일반적으로 이미 응력을 받아 어느 정도의 변형도 발생한 요소가 하중을 더 받아 응력, 변형률상태에 변화가 발생된 경우가 많다. 여기에서는 이미 받고 있는 응력, 변형률상태와 응력증분, 변형률증분을 구해야 할 것이다. 이미 받고 있는 전응력과 유효응력을 각각 σ와 σ'로 쓰고 이들 응력의 미소증분을 $\delta\sigma$와 $\delta\sigma'$, 극한상태에서는 $d\sigma$와 $d\sigma'$로 쓰기로 한다. 만약 일련의 응력증분이 가해져 큰 응력변화가 발생된 경우에는 다음과 같이 쓴다.

$$\Delta\sigma = \sum \delta\sigma = \int d\sigma \tag{2.8}$$

여기서 $\Delta\sigma$는 전응력의 큰 변화를 나타낸다.

변형률에 대해서도 같은 기호를 이용하면 변형률 ϵ, 미소변형률증분 $\delta\epsilon$, 변형률의 큰 변화 $\Delta\epsilon$을 각각 구별할 수가 있다. 그 밖의 변수에 대해서도 동일한 기호가 이용된다.

| 참고문헌 |

(1) Bishop, A.W., Webb, D.L. and Skinner, A.E.(1965), "Triaxial tests on soil at elevated cell pressure", Proc., 6th ICSMFE, Vol.1, pp.170-174.

(2) Skempton, A.W.(1960), "Effective stress in soils, concrete and rocks", Proc., Conf. on Pore Pressure and Suction in Soils, pp.1-4, Butterworths, London.

(3) Terzaghi, K.(1936), "The shearing resistance of saturated soil and the angle between the planes of shear", Proc., 1st ICSMFE, Vol.1, pp.54-56, Harvard, Mass.

(4) Atkinson, J.H. and Bransby, P.L.(1978), The Mechanics of Soils, An Introduction to Critical State Soil Mechanics, University Series in Civil Engineering, McGraw-Hill Book Company, UK, pp.15-27.

Chapter
03

흙 속의 응력상태와 변형상태

Chapter 03 흙 속의 응력상태와 변형상태

3.1 2차원 응력상태

지반을 이상연속체로 취급할 경우 연속체 내의 모든 점은 응력을 받아 변형이 발생한다. 이 경우 어떤 임의의 방향의 응력과 변형률을 알고 다른 방향의 응력과 변형률을 구할 필요가 생긴다. 이와 같이 흙 속의 모든 위치에서의 응력과 변형률상태를 해석하지 않으면 안 된다. 그러기 위해서는 2차원의 응력, 변형률상태를 검토해야 한다. 따라서 여기서는 흙 속의 임의의 한 평면에서의 응력, 변형률을 생각하기로 한다.

그림 3.1(a)에 표시한 한 미소요소 OABC를 생각하면 일반적으로 이 요소의 네 변 모두에 수직응력과 전단응력이 작용한다. 이 요소가 매우 작게 되는 극한상태에서는 모든 응력은 O점에 작용한다. 수직응력 σ_x는 OA 및 BC면에 작용하고 그 수직방향은 x축에 평행하다. 전단응력 τ_{xz}는 동일면, 즉 OA 및 BC면에 작용하고 있으나 이들 응력은 z축에 평행하다. σ_z, τ_{zx}의 방향도 똑같이 정의된다. 여기서 요소는 평형상태에 있으므로 모서리에서의 모멘트를 구하면 $\tau_{xz} = \tau_{zx}$가 된다. 앞 장에서의 약속에 따라 그림 3.1(a)에 도시된 수직응력 및 전단응력은 모두 정(+)의 값이 된다.

σ_x, σ_z, τ_{xz}의 크기를 아는 경우 x축과 θ각을 이루는 임의의 면에 작용하는 수직응력과 전단응력(σ_θ, τ_θ)를 구하는 경우를 생각해보자. 이 요소를 O점 주의로 θ각만큼 회전시켜 요소가 그림 3.1(b)에 표시된 OEFG 위치에 있다고 하면 σ_θ와 τ_θ는 x축과 θ각을 이루는 면 OG면과 EF면상의 수직응력과 전단응력을 나타낸다.

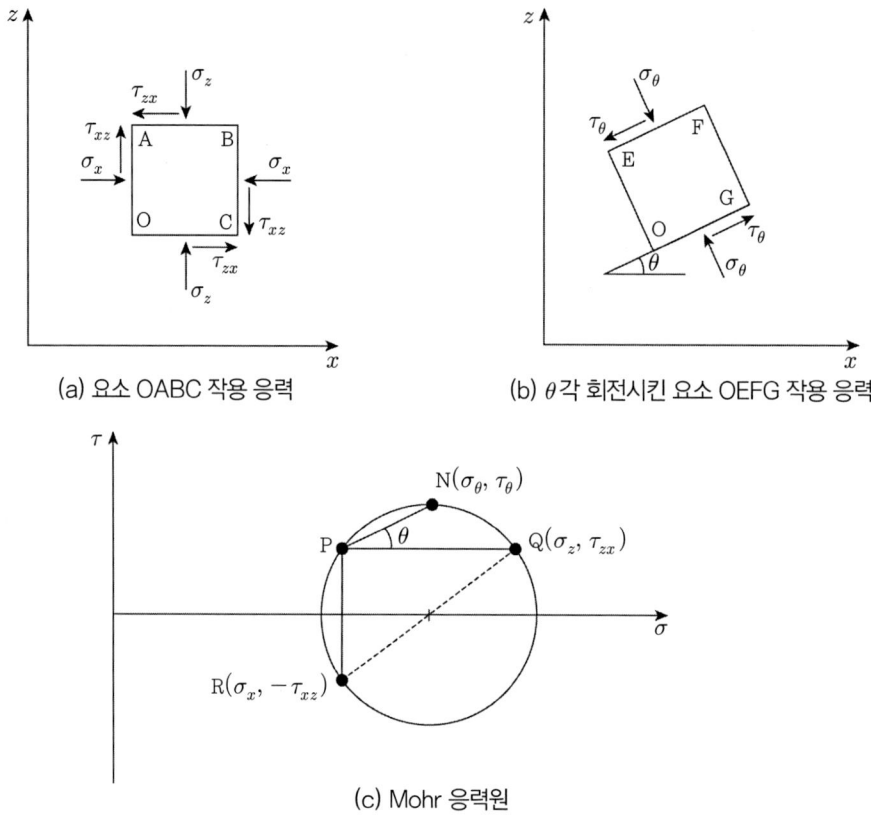

(a) 요소 OABC 작용 응력
(b) θ각 회전시킨 요소 OEFG 작용 응력
(c) Mohr 응력원

그림 3.1 2차원 응력상태와 Mohr 응력원[1]

3.2 Mohr 응력원

그림 3.1(a)의 응력상태에 대응하는 Mohr 응력원은 그림 3.1(c)에 표시되어 있다. 이 원은 점 $R(\sigma_x, -\tau_{xz})$과 점 $Q(\sigma_z, \tau_{zx})$를 지나도록 $\sigma-\tau$면에 그려진다.[2,3] Mohr의 응력원을 그릴 때만은 반시계방향의 전단응력을 정(+)의 값으로 취하는 것이 관례이다.

임의의 두 면에 작용하는 수직응력과 전단응력을 알면 Mohr 원은 그릴 수 있고 2차원 응력상태가 결정된다. Mohr 원을 이용하여 다른 면의 응력상태를 구하는 방법은 여러 가지가 있으나 여기서는 용극법(用極法)을 이용한다. Mohr 원의 극(pole)은 다음과 같이 정의한다. 응력이 (σ_i, τ_i)인 Mohr 원상의 점과 극 P를 연결한 직선은 $x-z$면에서 (σ_i, τ_i)가 작용하는 면에 평행하다.

그림 3.1(c)에서 QP 또는 RP를 그리면 원과의 교점으로 극 P가 구해진다. 여기서 QP는 (σ_z, τ_{zx})가 작용하는 면에 평행, 즉 x축에 평행하며 RP는 z축에 평행하다. 여기서 그림 3.1(b)의 면 EF상의 응력 (σ_θ, τ_θ)를 극을 이용하여 구해보자. 면 EF는 x축과 각 θ를 이루기 때문에 그림 3.1(c)에서 PQ와 각 θ를 이루도록 PN을 그린다. 점 N에서의 응력은 그림 3.1(b)의 면 EF, OG에 작용하고 있는 응력이다. 각 θ를 여러 가지로 변화시켜 그림 3.1(c)상에 극으로부터 직선을 그리면 그림 3.1(a)에 도시된 요소 내 임의의 면상의 응력이 구해진다.

3.3 주응력과 주면

Mohr 원은 항상 σ축과 두 점에서 교차한다. 이들 점은 전단응력이 작용하지 않는 면을 나타내며 그 수직응력은 최대 또는 최소치가 된다. 이와 같은 면을 주응력면이라 하며 이 면에 작용하는 수직응력을 주응력이라 한다.

그림 3.2(b)는 그림 3.1(a)의 응력상태에 대한 Mohr의 응력원이다. 주응력 σ_1은 그림 3.2(b)의 T점과 S점에 생기며 그림 3.2(a)에 표시된 것처럼 주응력면(JK, OL 및 JO, KL)상에 작용한다. 단, JK, OL면은 X축과 각 θ_p를 이룬다.

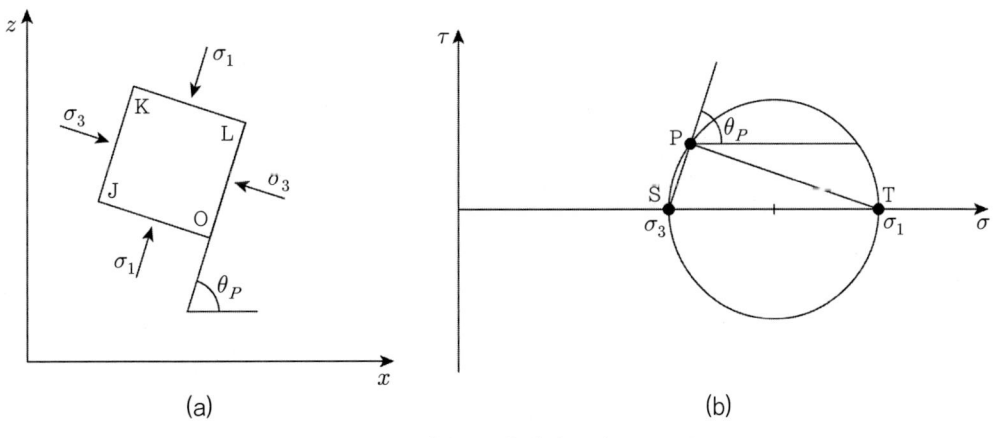

그림 3.2 주응력과 주면

Mohr 원의 기하학적 관계로부터 알 수 있는 것처럼 두 개의 주응력면은 직교하며 주응력 방향도 직교한다. 요소 OJ, KL이 미소로 된 극한에서는 두 개의 직교주응력면 OJ, OL만이 존재한다.

3차원의 응력상태에서는 세 개의 주응력면과 주응력이 있다. 세 개의 주응력은 σ_1, σ_2, σ_3로 표시되며 통상 $\sigma_1 > \sigma_2 > \sigma_3$이다. 여기서 σ_1은 최대주응력, σ_2는 중간주응력, σ_3는 최소주응력이다.

3.4 전응력과 유효응력의 Mohr 원

그림 3.1(a)의 요소에 작용하는 응력이 전응력이라 하면 전응력의 Mohr 원은 그림 3.1(c)이며 이것을 그림 3.3 우측원에 다시 표시하고 있다. 응력 (σ, τ)는 그림 3.1(b)의 EF, DG면에 작용하는 전응력이다. 흙 속에 간극수압 u가 있을 때의 유효응력 Mohr 원을 생각한다.

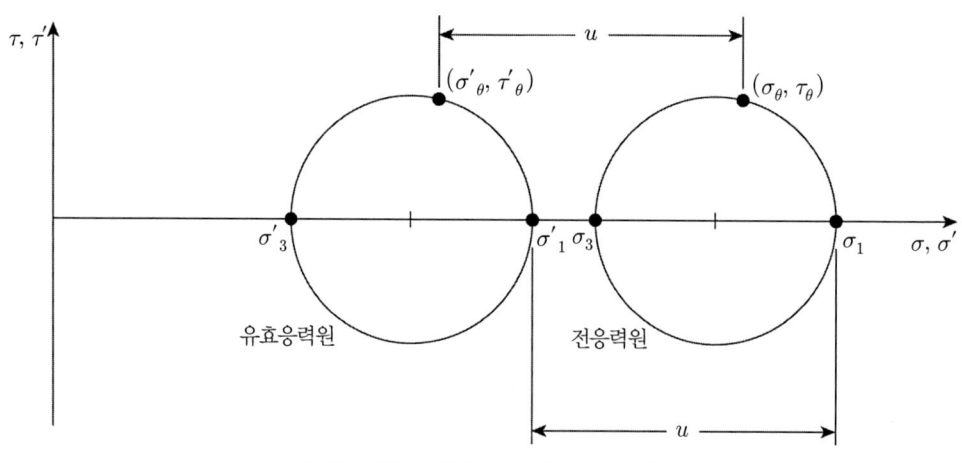

그림 3.3 전응력과 유효응력의 Mohr 원

유효주응력은 다음 식으로 주어진다.

$$\sigma_1' = \sigma_1 - u \qquad (3.1)$$

$$\sigma_3' = \sigma_3 - u \qquad (3.2)$$

따라서 유효응력의 Mohr 원은 그림 3.3의 좌측원으로 표시된다. 유효응력원은 전응력원과 같은 직경으로 간극수압분만큼 떨어져 있다. 응력 (σ', τ')은 그림 3.1(b)의 EF, DG면에 작용하는 유효응력이다. 그림 3.3의 Mohr 원으로 알 수 있는 것처럼

$$\tau' = \tau \tag{3.3}$$
$$\sigma' = \sigma - u \tag{3.4}$$

따라서 임의의 전응력상태에 대해 간극수압의 변화는 유효전단응력에는 전혀 영향을 미치지 않고 유효수직응력만을 변화시킨다. 유효응력의 Mohr 원에 대해 전응력의 경우와 같이 응극법으로 임의면의 유효응력을 구할 수 있다.

3.5 2차원 변형률상태 – 평면변형률

응력의 경우와 같이 2차원 변형률상태를 생각하면 알기 쉽다. 즉, x-z면의 변형률상태를 검토하기로 한다. $x-z$면에 수직한 방향의 변형률이 없는 경우를 생각한다. 이러한 상태는 3차원 변형률상태 중 토질역학의 실제문제로 중요한 특별변형률상태에 해당한다.

이는 그림 3.4에 표시한 것처럼 긴 옹벽의 밑이나 긴사면 배후 흙의 변형률상태로 $\epsilon_y = 0$ 상태에 해당한다. 즉, y축방향 변형률이 0인 상태를 의미한다. 이와 같은 특별한 경우를 평면변형률상태라 한다.

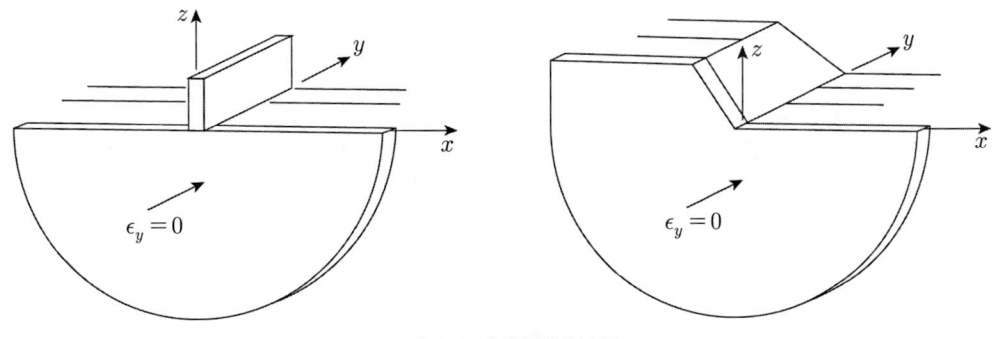

그림 3.4 평면변형률의 예

그림 3.5(a)에 $x-z$ 면상의 미소요소 OABC를 표시하고 있다. 이 요소는 유효응력상태에서 평면변형률상태로 변형·이동하여 새로운 위치 O'A'B'C'에 온다. 요소의 변형률을 검토하기 전에 변형률이나 변형에서 강체회전이나 강체변위의 성분을 나눌 필요가 있다.

먼저 벡터 OO'로 주어지는 요소 전체의 변위가 있다. 그리고 대각선 OB의 O'B'로의 회전 α로 주어지는 요소 전체의 회전이 있다. 그 밖의 변형은 수직변형률과 전단변형률에 의한 것이다.

변형률상태를 검토하는 경우에는 O'A'B'C'를 $-\alpha$ 회전하고 또한 벡터 OO'에 따라 O점과 O'점, OB와 O'B'가 일치하도록 이동함에 따라 회전과 변위성분을 떼어낼 필요가 있다. 그렇게 하면 수직변형률과 전단변형률은 구별될 수 있다. 그림 3.5(b)의 변형된 요소 O'A'B'C'의 양쪽 변형률은 그림 3.6(a)에 표시되어 있는 바와 같다.

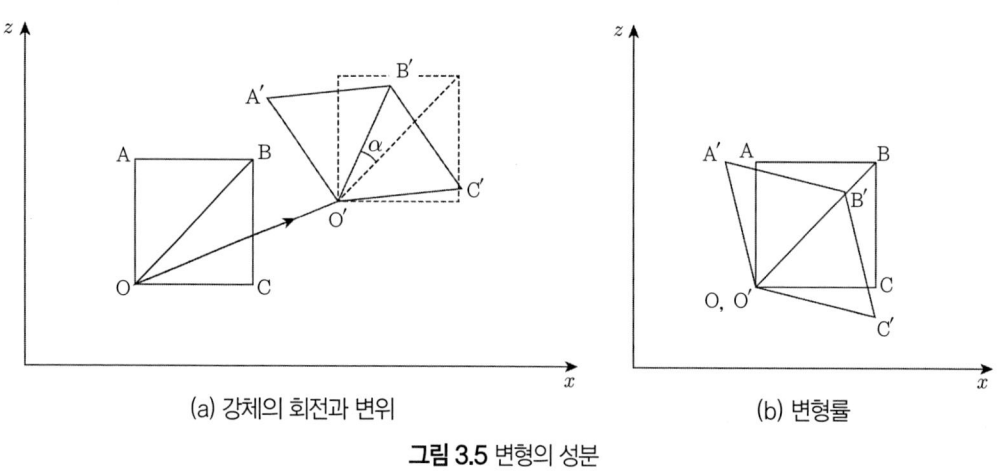

(a) 강체의 회전과 변위   (b) 변형률

그림 3.5 변형의 성분

3.6 수직변형률과 전단변형률

식 (2.2)에 정의된 요소의 x방향과 z방향의 수직변형률은 길이변화로부터 간단히 구할 수 있다. 요소 OABC의 한 변이 원래 단위길이라면 미소변형률에 의해 변형된 요소 O'A'B'C'의 치수는 다음과 같다.

$$A'B' = C'O' = (1 - \epsilon_x) \tag{3.5}$$

$$A'O' = B'C' = (1-\epsilon_z) \tag{3.6}$$

그림 3.6(a)의 전단변형률 ϵ_{xz}와 ϵ_{zx}는 요소전체의 평균적 회전 α를 제거하고 남은 요소변의 회전각에 의하여 주어진다. 그림 3.5(b)의 기하학적 관계로부터 $\epsilon_{xz} = \epsilon_{zx}$이다. 첨자 및 정·부의 표기법은 전단변형률 ϵ_{xz}가 전단응력 τ_{xz}와 관련되도록 정하였고 ϵ_{xz}와 ϵ_{zx}의 정의 값은 변 OA와 OC가 이루는 각이 증가될 때 나타난다. 따라서 그림 3.6(a)의 요소의 전단변형률은 정이다.

ϵ_{xz}는 순수전단변형률이며 이것은 식 (2.4)에 의하여 정리된 공학적 전단변형률 γ와는 같지 않다. 이 점에 대해서는 다음의 3.7절에서 더 자세히 설명한다.

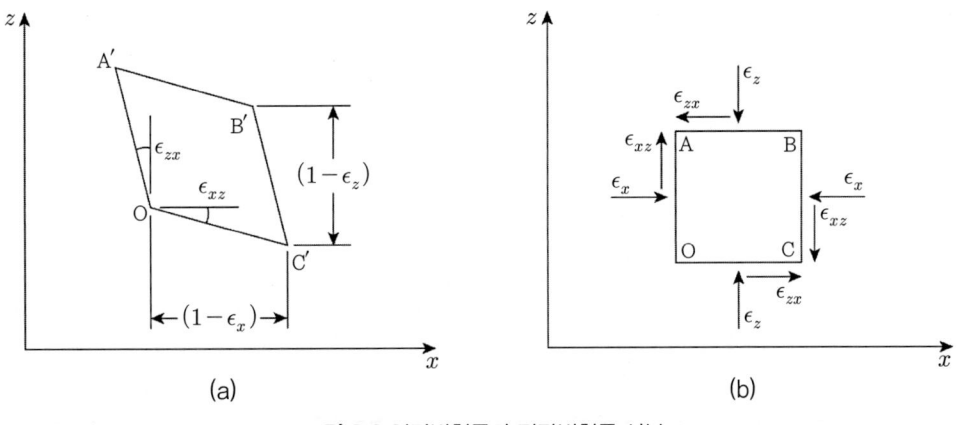

그림 3.6 연직변형률과 전단변형률 성분

3.7 순수전단변형률과 공학전단변형률

그림 3.7(a)는 그림 3.6(a)의 변형된 요소 O'A'B'C'를 다시 표시한 것이며 전단변형률은 ϵ_{xz}와 ϵ_{zx}이다. 이 요소를 O'점 주위에 각 ϵ_{xz}만큼 반시계 방향으로 회전시키면 그림 3.7(b)와 같이 된다. $\epsilon_x = \epsilon_z = 0$일 때 이것은 그림 2.1(c)와 같게 된다. 따라서 두 그림을 비교하면,

$$\gamma_{zx} = \epsilon_{zx} + \epsilon_{xz} \tag{3.7}$$

$\epsilon_{xz} = \epsilon_{zx}$ 이므로

$$\gamma_{zx} = 2\epsilon_{zx} \tag{3.8}$$

거꾸로 그림 3.7(a)의 요소를 O'점 주위에 각 ϵ_{zx} 만큼 시계방향으로 회전시키면 그림 3.7(c)와 같이 된다. 이 그림과 그림 2.1(c)를 비교하면,

$$\gamma_{xz} = \epsilon_{xz} + \epsilon_{zx} \tag{3.9}$$

$\epsilon_{zx} = \epsilon_{xz}$ 이므로

$$\gamma_{xz} = 2\epsilon_{xz} \tag{3.10}$$

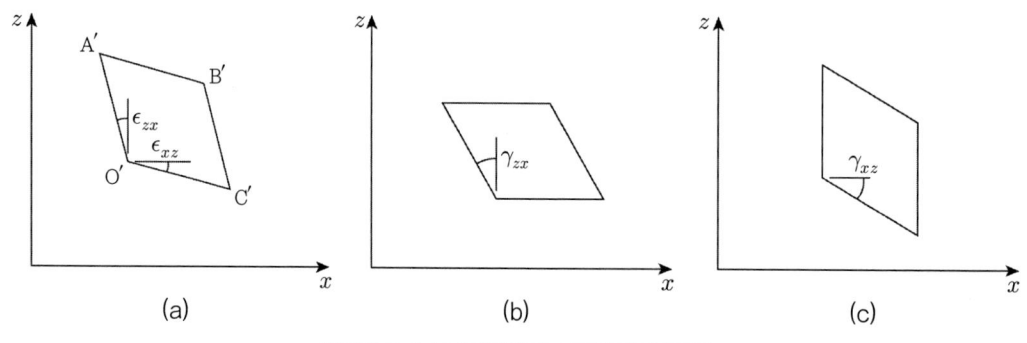

그림 3.7 순수전단변형률과 공학전단변형률

식 (3.8) 또는 (3.10)으로 알 수 있는 것처럼 공학전단변형률은 순수전단변형률의 두 배가 된다. 공학전단변형률 γ_{zx}는 순수전단변형률의 성분 ϵ_{zx}와 수치적으로 같은 강체회전의 성분의 합이다.

공학전단변형률은 $x-z$면에 서로 직각을 이루도록 되어 있는 두 개의 변이 이루는 각의 변화이다. 그러나 변형률상태의 해석에는 수직변형률과 순수전단변형률을 이용하는 것이 적합하다.

즉, 수직변형률 ϵ_x, ϵ_z와 함께 전단변형률 $\gamma_{xz}/2$와 $\gamma_{zx}/2$를 생각하는 것이 가장 간단하며

관용적이다. 3.8절의 Mohr의 변형률원이 그려진 면의 축을 수직변형률 ϵ과 전단변형률 $\gamma/2$로 취한 것은 이러한 이유 때문이다.

3.8 Mohr의 변형률원

그림 3.8(a)에는 미소요소 OABC의 변형률상태를 표시하고 있다. 변형률 ϵ_x, ϵ_z, γ_{xz}를 알면 그림 3.8(b)에 표시된 것처럼 O점 주위에 각 θ 회전시킨 미소요소 OEFG에서의 변형률을 구할 수 있다.

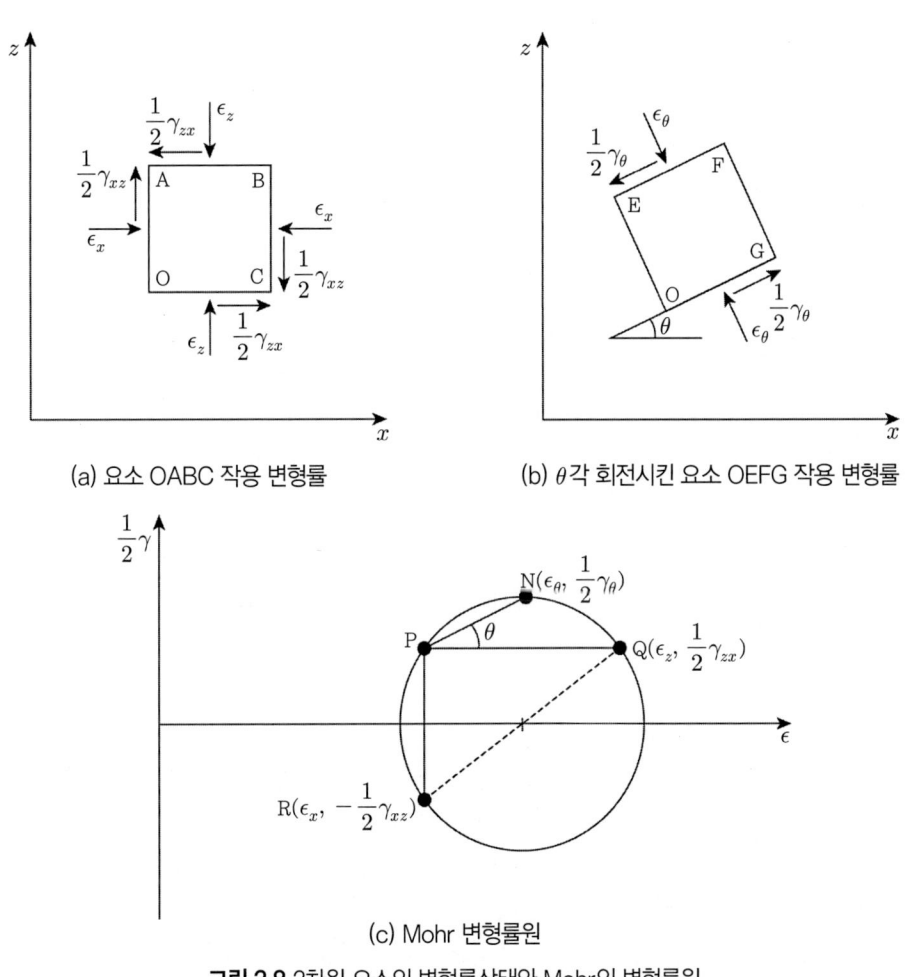

(a) 요소 OABC 작용 변형률

(b) θ각 회전시킨 요소 OEFG 작용 변형률

(c) Mohr 변형률원

그림 3.8 2차원 요소의 변형률상태와 Mohr의 변형률원

Mohr의 응력원과 똑같이 하여 Mohr의 변형률원을 이용한다. 그림 3.8(a)의 변형률상태에 대응하는 Mohr의 변형률원이 그림 3.8(c)에 표시되어 있다. 이 변형률원은 축을 $\gamma/2$(=순수전단변형률)와 ϵ(=수직변형률)으로 한 그림에 표시되며 기지의 변형률을 가지는 두 점 $R(\epsilon_x, -\gamma_{xz}/2)$ $Q(\epsilon_z, -\gamma_{zx}/2)(\epsilon_z, -\gamma_{zx}/2)$를 지나도록 그려져 있다. Mohr의 변형률원을 그릴 때는 반시계 방향의 전단변형률을 정(+)이라 하는 Mohr의 응력원과 같은 관례가 적용된다(이 목적에만 국한되지만). 따라서 그림 3.8(a)의 반시계 방향의 전단변형률 $\gamma_{zx}/2$는 그림 3.8(c)에서는 정이 되고 시계 방향의 전단변형률 $\gamma_{xz}/2$는 부(-)가 된다.

Mohr 응력원과 같이 하면 그림 3.8(a)의 OA 또는 OC에 평행하게 RP 또는 QP를 그리면 극 P가 구해진다. 여기에 PQ와 각 θ를 이루도록 PN을 그리면 N점에서의 변형률 (ϵ, $\gamma/2$)이 그림 2.8(b)의 요소 OEFG에 작용하는 변형률 성분이 된다.

3.9 주면과 주변형률

Mohr의 변형률원은 ϵ축과 두 점에서 교차한다. 이들 두 점은 수직변형률이 최대 또는 최소이고 전단변형률이 0이 되는 $x-z$면상의 두 면을 나타내고 있다. 이들의 최대 및 최소 수직변형률이 주변형률 ϵ_1 및 ϵ_3이며 이들의 작용면이 주면이다. ϵ_1과 ϵ_3의 크기는 그림 3.9(b)로부터 구해진다.

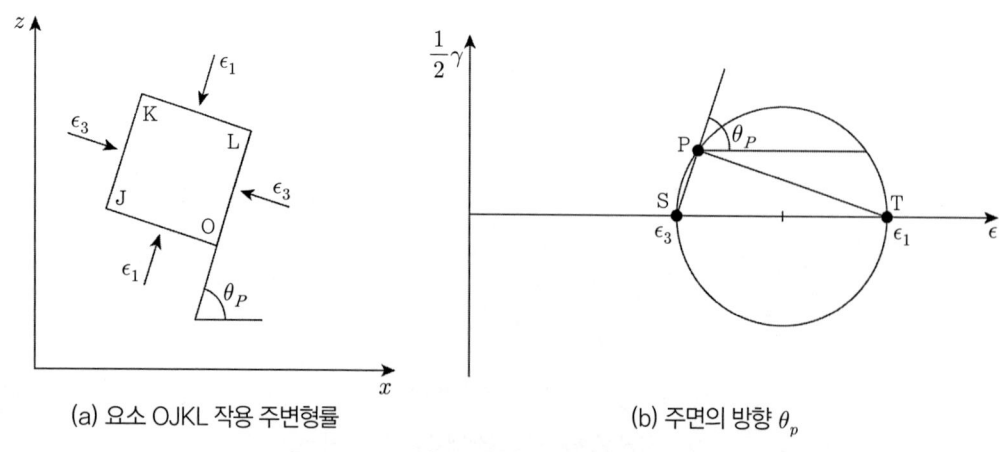

(a) 요소 OJKL 작용 주변형률   (b) 주면의 방향 θ_p

그림 3.9 주면과 주변형률

그림 3.9(a)에 표시된 주면의 방향은 그림 3.9(b)에서 결정되는 θ_p값에 의하여 정해진다. 주변형률은 주응력이 응력해석에서 가지는 같은 의미를 변형률 해석에서 가진다. 일반적인 3차원 변형률상태에서는 세 개의 주면과 세 개의 주변형률($\epsilon_1 > \epsilon_2 > \epsilon_3$)이 있고 ϵ_1을 최대주변형률, ϵ_2를 중간변형률, ϵ_3를 최소주변형률이라 부른다.

3.10 응력상태와 변형률상태와의 관계

응력상태와 변형률상태에 대한 Mohr 원을 검토했지만 이들 해석은 응력증분과 변형률증분에 대해서도 적용된다.

그림 3.1(c)의 Mohr 응력원과 그림 3.8(c)의 Mohr 변형률원은 유사하고 같은 기호를 사용하고 있지만 이것은 응력해석과 변형률해석 사이에 서로 유사성을 가지도록 한 것뿐이다. 따라서 그림 3.1(a)의 응력상태가 그림 3.8(a)의 변형률상태를 일으킨다고 가정해서는 안 된다.

어떤 응력상태의 결과로서 흙 속에 발생되는 변형률상태는 많은 요소, 특히 흙의 역학적 거동을 지배하는 특정의 법칙에 의존한다. 일반적으로 탄성론이나 소성론은 재하된 물체 중의 응력과 변형률(또는 변형률증분)을 관련지어 재하 시의 재료거동에 대한 일련의 법칙을 제공한다. 이론적인 토질역학의 중요한 점의 하나는 공학적인 흙의 재하 시 응력과 변형률 사이의 관계를 지배하는 일련의 법칙을 밝히는 것이다.

| 참고문헌 |

(1) Atkinson, J.H. and Bransby, P.L.(1978), The Mechanics of Soils An Introduction to Critical State Soil Mechanics, McGraw-Hill Book Company.

(2) Case, J. and Chilver, A.H.(1971), Strength of Materials and Structures, Edward Arnold, London.

(3) Crandall, S.H., Gahl, N.C. and Lardner, T.J.(1972), An Introduction to the Mechanics of Solids, McGraw-Hill Kogakusha, Tokyo.

Chapter
04

응력경로, 변형경로 및 불변량

Chapter 04 응력경로, 변형경로 및 불변량

4.1 서론

흙 요소는(그것이 실내시험 공시체의 일부이건 흙 구조물의 일부이건) 실내시험의 진행과 함께 또는 구조물의 축조와 함께 응력상태 및 변형상태가 변하게 된다. 재하 시 어느 순간에서의 응력상태 또는 변형상태가 변하게 된다. 재하 시의 어느 순간에서의 응력상태 또는 변형상태를 해석하기 위하여 어떻게 Mohr 원을 이용할 것인가는 앞 장에서 설명하였다. 그러나 이에 더불어 응력상태 및 변형상태의 변화이력을 조사할 필요가 있다.

완전 탄성재료가 탄성 범위에서 재하 또는 제하를 받게 되면 그 거동은 초기 및 최종상태에만 의존하며 재하 또는 제하 중에 지나는 경로에는 의존하지 않는다.[1,2] 그러나 흙의 거동은 초기 및 최종의 응력상태뿐만 아니라 응력상태와 변형상태가 변화하는 방법 및 재하의 이력에도 의존한다. 따라서 재하이력 중의 흙 요소의 거동을 조사할 필요가 있다.

4.2 응력경로

일반적으로 재료의 입방체 요소에는 독립된 6개의 응력, 즉 3개의 전단응력과 3개의 수직응력이 있다. 그 요소의 면이 주면이 되도록 회전하면 면상의 전단응력은 0이 되며 수직응력은 주응력이 된다. 이와 같이 흙의 응력상태는 3개의 전 주응력과 그 방향 및 간극수압에 의하여 정의된다. 3개의 유효주응력은 식 (2.7)에 의하여 간단히 계산될 수 있다.

유효응력공간을 정의하기 위하여 그림 4.1에 표시한 것처럼 σ_1', σ_2', σ_3'의 세 개의 축을 정한다. 한 요소의 순간적 유효응력 상태는 이 공간에서는 점으로 표시된다. 이 점은 주응력의 크기만을 나타내며 그 방향은 표시되지 않는다. 이와 같은 일련의 점을 연결한 선을 유효응력경로라 정의한다. 응력경로에는 주면의 회전은 표현되지 않는다. 동일하게 축 σ_1, σ_2, σ_3에 의한 전응력공간을 정리하여 전응력경로를 그릴 수가 있다. 전응력축과 유효응력축을 중첩시키면 편리하다. 그러면 전응력경로와 유효응력경로는 간극수압의 크기를 나타내는 거리만큼 떨어져 있게 된다.

동일하게 축 ϵ_1, ϵ_2, ϵ_3에 의한 변형률 공간상에 순간적 변형상태를 나타내는 점을 연결한 선의 변형률경로를 그림으로 그리면 한 요소의 변형률상태에 대한 이력을 나타낼 수 있다.

예로 그림 4.1에 표시된 유효응력경로를 생각해본다. 이 경로는 다음과 같은 일련의 재하를 나타내고 있다. 즉,

O'A': O'에서 등방적으로 σ_1', σ_2', σ_3'가 증가한다.
A'B': σ_2'와 σ_3'는 일정하게 하고 σ_1'가 증가한다.
B'C': σ_1'는 일정하게 하고 σ_2'와 σ_3'가 증가한다.

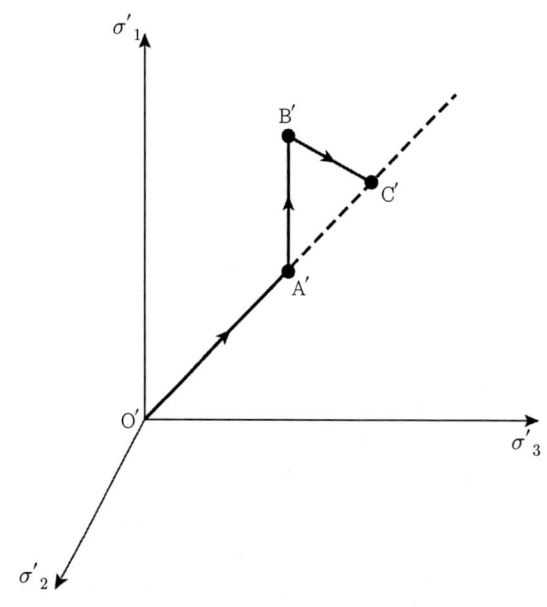

그림 4.1 3차원 유효응력공간에서의 응력경로

만약 A'B'와 B'C'가 σ_1', σ_2', σ_3'에 동일량의 증분이 발생한 경우를 나타내고 있다면 점 C는 O'A'의 연장선상에 표시된다. 이 선 O'A'C'는 정수압축이다. 정수압축상 모든 점의 응력상태는 $\sigma_1' = \sigma_2' = \sigma_3'$로 등방적이다.

그림 4.1에 표시된 3차원 응력경로를 그리는 방법은 좀 까다롭다. 그 경로를 따라가는 것은 그리 간단하지 않다. 여기서 요소의 재하이력을 더욱 간단하게 그리기 위하여 그림 4.1과 달리 축을 취하게 된다.

4.3 $\sigma_1' - \sigma_3'$축 및 $\sigma_1 - \sigma_3$축에 의한 응력경로

때에 따라서는 중간주응력 σ_2'를 무시하여 그림 4.2와 같이 2차원 유효응력면 $\sigma_1' - \sigma_3'$상에 유효응력 경로를 그리는 것이 편리하다. 여기에 2차원 전응력면 $\sigma_1 - \sigma_3$를 겹쳐서 전응력 경로를 그릴 수 있다.

그림 4.2의 O'A'B'C'는 그림 4.1에서의 유효응력경로와 동일하다. 만약 B'점의 간극수압이 u이면, 그때의 전응력점은 그림 4.2에 표시된 것처럼 축과 45°의 경사를 가지는 선에 따라 유효응력점과 $\sqrt{2}\,u$만큼 떨어져 있다.

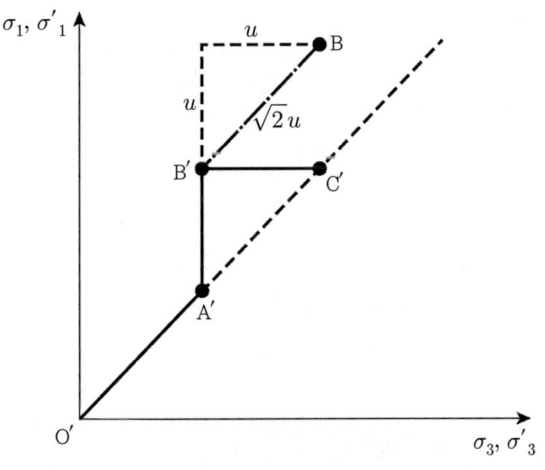

그림 4.2 $\sigma_1' - \sigma_3'$축 및 $\sigma_1 - \sigma_3$축에 의한 응력경로

문제 4.1 다음 두 경우의 응력경로를 $\sigma_1' - \sigma_3'$축 및 $\sigma_1 - \sigma_3$축에 도시하라.

(1) 배수시험

간극수압 u와 최소주응력 σ_3는 각각 100kN/m²와 300kN/m²을 유지하면서 최대주응력 σ_1을 예제 표 4.1과 같이 증가시킨 경우

예제 표 4.1

σ_1	σ_3	u
300	300	100
400	300	100
500	300	100
565	300	100
590	300	100

(2) 비배수시험

최소주응력 σ_3는 300kN/m²로 유지하면서 체적변화 없이 예제 표 4.2와 같이 비배수시험을 실시한 경우

예제 표 4.2

σ_1	σ_3	u
300	300	100
350	300	165
380	300	200
396	300	224
398	300	232

4.4 $t'-s'$축 및 $t-s$축에 의한 응력경로

2차원 응력상태는 그림 4.3에 표시된 Mohr 원에 의하여 표시할 수 있다. Mohr 원의 위치와 크기는 정점 M'의 좌표 (s', t')에 의하여 표시된다. 따라서 s'축과 t'축면상에 M'점의 경로

를 그리면 요소의 재하상태를 따라갈 수 있다. 동일하게 Mohr의 전응력원의 정점의 경로를 그림으로서 $s-t$축면상에 전응력경로를 도시할 수 있다.

그림 4.3으로부터 알 수 있는 것처럼 t'는 유효응력원의 반경으로 최대전단응력과 같고 s'는 원점에서 유효응력원의 중심까지 거리로 σ_x'와 σ_z'의 평균치와 같다.

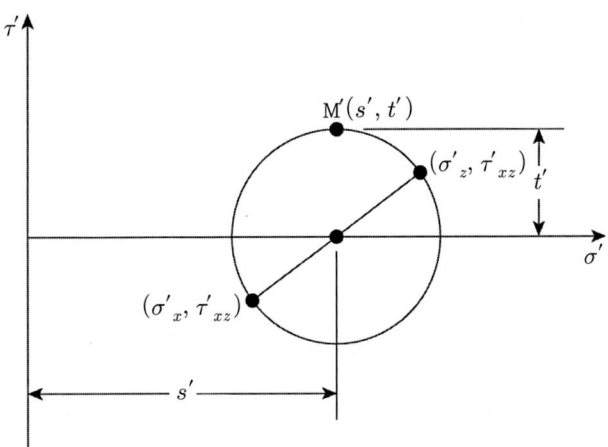

그림 4.3 응력변수 t', s'의 정의

그림 4.3의 기하학적 관계와 τ_{xz}와 τ_{zx}의 크기가 같은 사실에 의하여

$$t' = 1/2[(\sigma_x' - \sigma_z')^2 + 4\tau_{xz}^2]^{1/2} \tag{4.1}$$

$$s' = 1/2(\sigma_x' + \sigma_z') \tag{4.2}$$

유효주응력으로 표시하면

$$t' = 1/2(\sigma_1' - \sigma_3') \tag{4.3}$$

$$s' = 1/2(\sigma_1' + \sigma_3') \tag{4.4}$$

전응력에 대해서는

$$t = 1/2(\sigma_1 - \sigma_3) \tag{4.5}$$
$$s = 1/2(\sigma_1 + \sigma_3) \tag{4.6}$$

식 (2.7)을 이용하여 전응력과 유효응력의 관계를 나타내면 다음과 같이 된다.

$$t' = t \tag{4.7}$$
$$s' = s - u \tag{4.8}$$

$t'-s'$축과 $t-s$축을 겹쳐 유효응력경로와 전응력경로를 그리면 양자는 간극수압 u에 해당하는 거리만큼 수평방향으로 떨어져 있게 된다.

그림 4.4는 그림 4.1의 응력경로를 축 $t'-s'$면에 그린 그림이다. A′B′와 B′C′의 구배를 계산하기 위하여 식 (4.3)과 (4.4)을 응용하여 식 (4.9)와 (4.10)과 같이 된다.

$$\delta t' = 1/2(\delta\sigma_1' - \delta\sigma_3') \tag{4.9}$$
$$\delta s' = 1/2(\delta\sigma_1' + \delta\sigma_3') \tag{4.10}$$

따라서 A′B′에 대해서는 $\delta\sigma_3'=0$이므로 $dt'/ds'=1$, B′C′에 대해서는 $\delta\sigma_1'=0$이므로 $dt'/ds'=-1$이다. 점 B는 점 B′의 유효응력에 대응하는 전응력상태를 나타내며 간극수압 u에 해당하는 거리만큼 B′점으로부터 수평방향으로 떨어져 있다.

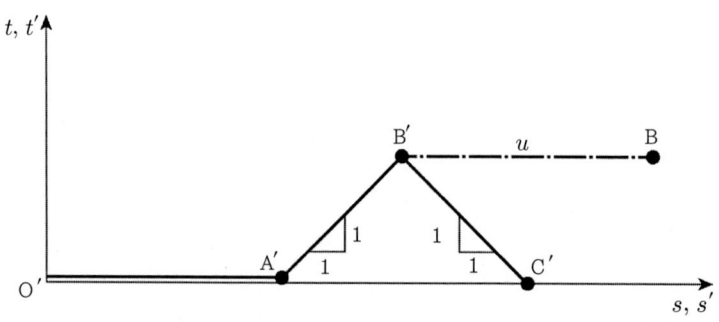

그림 4.4 $t'-s'$축 및 $t-s$축에 의한 응력경로

4.5 응력불변량

변수 t', $s'(t, s)$는 특수한 변수이다. 왜냐하면 어떤 주어진 응력상태에 대해 이들 값은 기준축의 방향을 어떻게 선택하여도 변화하지 않기 때문이다. 그 이유는 간단하다. 어떤 요소 중의 2차원 유효응력상태는 하나의 Mohr 유효응력원으로 표시되며, 변수 s'는 이 원의 정점에 있다. 응력상태뿐만 아니라 기준축의 방향에도 의존하는 σ_x', σ_z', τ_{zx}'와 같은 변수는 이들 크기가 축의 선정 방법에 의하기 때문에 응력상태를 나타내는 사항으로서 매우 적합하다고 할 수는 없다. 적어도 등방성 흙에 대해 기준축의 선정 방법에 의하지 않고 더욱이 주어진 응력상태에 대해 독특한 응력변수를 선택하는 것이 좋다고 생각된다.

위에서 설명한 것처럼 t', s'의 크기는 축의 선정 방법에 의하지 않으므로 그런 의미에서는 이들 변수는 2차원 응력상태를 나타내는 변수로는 적당하다.

크기가 기준축의 선정 방법에 의하지 않는 응력변수는 통상 응력불변량이라 한다. 이것은 기준축이 변해도 그 크기가 변하지 않는다는 의미로 불변량이라 한다. 그러나 응력불변량이라는 용어는 일반응력상태를 나타내기에 적합한 변수이므로 변수 t', s'는 중간주응력 σ_2의 값이 무시되어 있기 때문에 2차원 응력상태를 완전히 나타내는 것으로는 부족하다. 그럼에도 불구하고 중간주응력의 값을 알 수 없을 때는 변수 t', s'가 잘 사용된다.

여기서는 불변량에 관한 이론을 설명하는 대신에 팔면체유효수직응력 σ_{oct}'와 팔면체전단응력 τ_{oct}'가 불변량임을 나타낸다. 이들 응력은 다음 식으로 표시된다.

$$\sigma_{oct}' = 1/3\,(\sigma_x' + \sigma_y' + \sigma_z') \tag{4.11}$$

$$\tau_{oct}' = 1/9\,[(\sigma_x' - \sigma_y')^2 + (\sigma_y' - \sigma_z')^2 + (\sigma_z' - \sigma_x')^2 + 6\,(\tau_{xy}^2 + \tau_{yz}^2 + \tau_{zx}^2)] \tag{4.12}$$

또는 주응력으로 표현하면

$$\sigma_{oct}' = 1/3\,(\sigma_1' + \sigma_2' + \sigma_3') \tag{4.13}$$

$$\tau_{oct}' = 1/3\,[(\sigma_1' - \sigma_2')^2 + (\sigma_2' - \sigma_3')^2 + (\sigma_3' - \sigma_1')^2]^{1/2} \tag{4.14}$$

이에 대한 팔면체전응력은 동일하게 다음 식으로 표현된다.

$$\sigma_{oct} = 1/3(\sigma_1 + \sigma_2 + \sigma_3) \tag{4.15}$$

$$\tau_{oct} = 1/3[(\sigma_1 - \sigma_2)^2 + (\sigma_2 - \sigma_3)^2 + (\sigma_3 - \sigma_1)^2]^{1/2} \tag{4.16}$$

위 식으로부터 간단히 알 수 있는 것처럼 팔면체전응력과 팔면체유효응력과의 관계는 다음과 같다.

$$\tau_{oct}' = \tau_{oct} \tag{4.17}$$

$$\sigma_{oct}' = \sigma_{oct} - u \tag{4.18}$$

변수 τ_{oct}'와 σ_{oct}'의 의미는 그림 4.5에 도시되어 있다. M'점의 유효응력상태는 정수압축 O'R'에 따라 거리 O'N'와 O'R에 수직거리로 N'M'에 의하여 표시된다. 즉, 벡터 O'N'는 $\sqrt{3}\sigma_{oct}'$에 같고, 벡터 N'M'는 $\sqrt{3}\tau_{oct}$와 같다. M'점의 위치를 정확히 나타내기 위해서는 또 하나의 불변량이 필요하다. 이것은 O'PRS면으로부터 벡터 N'M'의 회전각을 취하면 편리하다. M점의 전응력상태는 유효응력상태 M'에 간극수압 u를 더한 것과 같다. 따라서 벡터

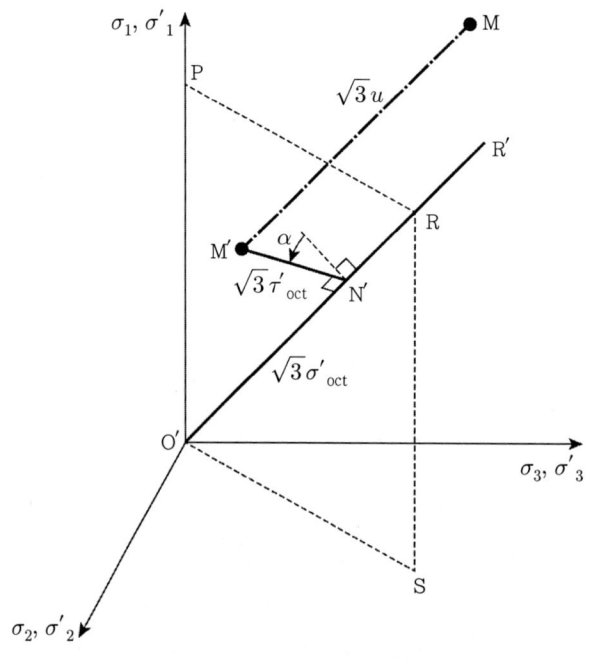

그림 4.5 팔면체응력의 표시

MM′는 정수압축에 평행하며 크기는 $\sqrt{3}\,u$가 된다.

$\sigma_2' = \sigma_3'$와 같은 특별한 경우에는 M′와 M과 같은 점은 그림 4.5의 $\alpha = 0$인 면 O′PRS상에 존재한다. $\sigma_2' = \sigma_3'$라고 하면 식 (4.13)과 (4.14)는 각각 식 (4.19) 및 (4.20)이 된다.

$$\sigma_{oct}' = 1/3(\sigma_1' + 2\sigma_3') \tag{4.19}$$

$$\tau_{oct}' = \sqrt{2}/3(\sigma_1' - \sigma_3') \tag{4.20}$$

$\sqrt{2}/3$항이 계속하여 나타나는 것을 피하기 위하여 새로운 불변량 p'와 q'를 다음과 같이 정의한다. 즉, $\sigma_2' = \sigma_3'$일 때

$$p' = 1/3(\sigma_1' + 2\sigma_3') = \sigma_{oct}' \tag{4.21}$$

$$q' = (\sigma_1' - \sigma_3') = 3/\sqrt{2}\,\tau_{oct}' \tag{4.22}$$

일반적 3차원 응력상태에서의 p' 및 q'는 주응력으로 표현하면

$$p' = 1/3(\sigma_1' + \sigma_2' + \sigma_3') \tag{4.23}$$

$$q' = 1/\sqrt{2}\,[(\sigma_1' - \sigma_2')^2 + (\sigma_2' - \sigma_3')^2 + (\sigma_3' - \sigma_1')^2]^{1/2} \tag{4.24}$$

세 번째 불변량 α는 0이 아니다. 한편 전응력변수는

$$p = 1/3(\sigma_1 + \sigma_2 + \sigma_3) \tag{4.25}$$

$$q = 1/\sqrt{2}\,[(\sigma_1 - \sigma_2)^2 + (\sigma_2 - \sigma_3)^2 + (\sigma_3 - \sigma_1)^2]^{1/2} \tag{4.26}$$

위의 식에서 알 수 있는 것처럼 전응력과 유효응력의 관계는

$$p' = p - u \tag{4.27}$$

$$q' = q \tag{4.28}$$

이하에서는 q와 q', t와 t'는 구별하여 사용한다. 물론 $q = q'$, $t = t'$이지만 전응력을 생각할 때는 q나 t를 이용하며 유효응력을 생각할 때는 q'나 t'를 사용하도록 한다.

4.6 $q'-p'$축 및 $q-p$축에 의한 응력경로

유효응력경로를 나타내는 축으로 불변량 q'과 p'을 사용하면 그림 4.6과 같이 된다. 그림 4.6은 그림 4.1의 응력경로를 도시한 그림이다.

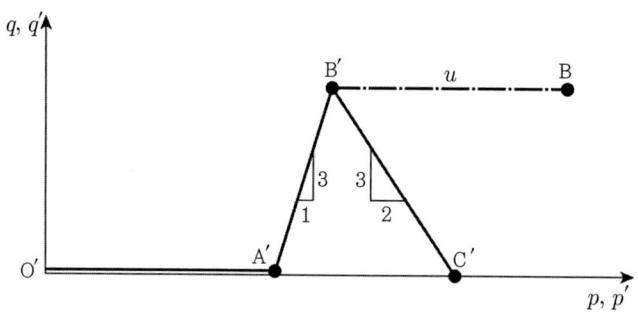

그림 4.6 $q'-p'$축 및 $q-p$축에 의한 응력경로

A'B'와 B'C'의 구배를 구하기 위하여 식 (4.21)과 (4.22)로부터 다음 관계를 얻을 수 있다.

$$\delta p' = 1/3\,(\delta\sigma_1' + 2\delta\sigma_3') \tag{4.29}$$

$$\delta q' = (\delta\sigma_1' - \delta\sigma_3') \tag{4.30}$$

A'B'에서는 $\delta\sigma_2' = \delta\sigma_3' = 0$이므로 $\delta q'/\delta p' = 3$이며 B'C'에서는 $\delta\sigma_1' = 0$, $\delta\sigma_2' = \delta\sigma_3'$이므로 $\delta q'/\delta p' = -3/2$이 된다. B점은 B'점의 유효응력에 대응하는 전응력상태를 간극수압 u와 함께 표시하고 있다.

4.7 변형률 불변량

한 요소의 변형률 이력은 축 ϵ_1 ϵ_2, ϵ_3를 취하여 순간적인 변형률상태를 연결한 곡선으로 변형률경로를 그림으로 나타낼 수 있다. 이와 같이 하여 얻어진 변형률경로는 그림 4.1의 응력경로에 대응하는 형태로 된다.

거기에 변형률의 불변량을 선정하여 이를 변형률경로의 축으로 이용하게 되나, 이때 이미 응력에 대해 선정된 불변량에 대응하도록 변형률의 불변량을 선정하도록 주의해야 한다.

변형률의 불변량을 올바르게 선정하면 흙 요소가 하중을 받아 변형할 때 외력이 한 일은 불변량이다(즉, 이 일량은 기준 축을 임의로 선정하여도 불변이다). 따라서 대응하는 응력과 변형률의 불변량을 곱하여 합하면 그 값은 항상 외력이 한 일과 같아진다. 여기서는 변형률경로를 그리기 위하여 변형률 불변량의 선정 방법을 간단히 설명하기로 하고, 이것이 이미 선정한 응력불변량에 대응하는가 여부에 대한 검토는 후에 하도록 한다.

4.8 변형률경로

평면변형률상태로 변형하고 있는 요소에는 정의에 의하여 주변형률 중의 하나가 0이다. 따라서 2차원에서는 수직변형률과 전단변형률만을 생각하면 된다. 순간적인 변형률상태는 그림 4.7에 도시한 것처럼 Mohr의 변형률원으로 표시된다. Mohr의 변형률원은 수직변형률과 순수전단변형률 축에 의해 그려지며 γ_{xz}는 공학전단변형률로 $\epsilon_{xz} = \gamma_{xz}/2$가 된다.

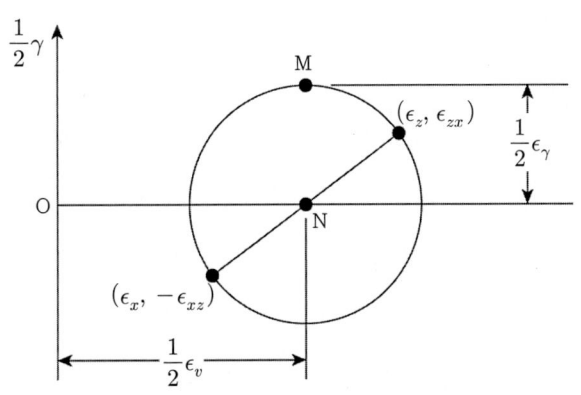

그림 4.7 변형률변수 ϵ_γ와 ϵ_v의 정의

Mohr 원의 위치와 크기는 정점 M의 양축값으로 표시된다. 여기서, $\epsilon_\gamma = 2\overline{\text{NM}}$, $\epsilon_v = 2\overline{\text{ON}}$ 이라 정의하면 그림 4.7의 Mohr 원의 기하학적 관계에 의하여

$$\epsilon_\gamma = [(\epsilon_x - \epsilon_z)^2 + \epsilon_{xz}^2]^{1/2} \tag{4.31}$$

$$\epsilon_v = (\epsilon_x + \epsilon_z) \tag{4.32}$$

ϵ_γ와 ϵ_v는 그림 4.7의 M점의 위치를 의미하므로 그 크기는 축 $x-z$축이 회전하여도 변화하지 않는다.

한편 이 관계를 주변형률로 나타내면,

$$\epsilon_\gamma = (\epsilon_1 - \epsilon_3) \tag{4.33}$$

$$\epsilon_v = (\epsilon_1 + \epsilon_3) \tag{4.34}$$

ϵ_γ와 ϵ_v를 정의할 때는 변형률변수(ϵ_γ, ϵ_v)가 응력변수(t', s')에 정확히 대응하도록 계수로 2를 곱하였다. 이와 같이 하면 ϵ_γ와 ϵ_v는 잘 알려진 의미를 가지게 되므로 편리하다. 즉,

$$\epsilon_\gamma = \gamma_{\max} \tag{4.35}$$

$$\epsilon_v = -\frac{\Delta V}{V} \tag{4.36}$$

여기서 $r_{\max}$는 공학전단변형률의 최대치, ΔV는 체적 V의 미소증분이다. 따라서 ϵ_v는 (압축)체적변형률이 된다.

변수 ϵ_γ와 ϵ_v가 변형률경로를 그리기 위한 축으로 이용된다. 이와 같은 변형률경로는 그림 4.4에 제시된 바와 같은 $t'-s'$축에 의하여 그려진 응력경로와 비슷하게 된다. $\epsilon_2 = 0$일 때 이들 변수 ϵ_γ와 ϵ_v을 이용하면 매우 편리하다. 그러나 이들 변수의 크기는 영 변형률의 방향으로 취한 기준선의 선정 방법에 의하기 때문에 ϵ_γ와 ϵ_v는 불변량이 아니다. 따라서 응력불변량 p'와 q'에 대응하도록 변형률 불변량을 검토하지 않으면 안 된다.

하나의 요소의 일반적 변형률상태는 세 개의 수직변형률(ϵ_x, ϵ_y, ϵ_z)과 세 개의 전단변형률 (ϵ_{xy}, ϵ_{yz}, ϵ_{zx})에 의하여 완전히 정의된다. 이들을 조합하여 불변량을 만들 필요가 있다. 유도는 생략하지만 다음 식으로 표시되는 팔면체수직변형률 ϵ_{oct}와 팔면체전단변형률 γ_{oct}는 불변량이다.

$$\epsilon_{oct} = 1/3(\epsilon_x + \epsilon_y + \epsilon_z) \tag{4.37}$$

$$\gamma_{oct}^2 = 4/9[(\epsilon_x - \epsilon_y)^2 + (\epsilon_y - \epsilon_z)^2 + (\epsilon_z - \epsilon_x)^2 + 3/2(\epsilon_{xy}^2 + \epsilon_{yz}^2 + \epsilon_{zx}^2)] \tag{4.38}$$

식 (4.11)과 (4.12)에 의해 정의되는 팔면체응력과 상기식의 팔면체변형률 사이에는 명백히 상이성이 있다. 엄밀하게는 그림 4.5에서의 α에 대응하도록 세 번째의 변형률 불변량을 정의해야 하나 이미 평면변형률에 대한 변형률경로는 취급하였으며 축대칭에 대해서는 $\alpha = 0$이다. 요소의 주면이 되도록 축을 회전시키면 식 (4.37)과 식 (4.38)은 식 (4.39)와 식 (4.40)이 된다.

$$\epsilon_{oct} = 1/3(\epsilon_1 + \epsilon_2 + \epsilon_3) \tag{4.39}$$

$$\gamma_{oct} = 2/3[(\epsilon_1 - \epsilon_2)^2 + (\epsilon_2 - \epsilon_3)^2 + (\epsilon_3 - \epsilon_1)^2]^{1/2} \tag{4.40}$$

응력불변량 p'와 q'에 대응하는 변형률불변량, 양자가 함께 4.7절에서 설명한 일의 조건을 만족하도록 선정해야 한다. 이들 불변량을 ϵ_s 및 ϵ_v라 쓰면 다음 식과 같이 된다.

$$\epsilon_v = 3\epsilon_{oct} \tag{4.41}$$

$$\epsilon_s = 1/\sqrt{2}\,\gamma_{oct} \tag{4.42}$$

따라서

$$\epsilon_v = (\epsilon_x + \epsilon_y + \epsilon_z) \tag{4.43}$$

$$\epsilon_s^2 = 2/9[(\epsilon_x - \epsilon_y)^2 + (\epsilon_y - \epsilon_z)^2 + (\epsilon_z - \epsilon_x)^2 + 3/2(\epsilon_{xy}^2 + \epsilon_{yz}^2 + \epsilon_{zx}^2)] \tag{4.44}$$

주변형률로 표시하면

$$\epsilon_v = (\epsilon_1 + \epsilon_2 + \epsilon_3) \tag{4.45}$$

$$\epsilon_s = \sqrt{2}/3[(\epsilon_1 - \epsilon_2)^2 + (\epsilon_2 - \epsilon_3)^2 + (\epsilon_3 - \epsilon_1)^2]^{1/2} \tag{4.46}$$

식 (4.43) 및 (4.45)에서 불변량 ϵ_v는 식 (4.36)에서 정의된 체적변형률이며 식 (4.45)에 평면변형률 조건 $\epsilon_2 = 0$를 대입하면 식 (4.34)가 얻어진다.

불변량 ϵ_s 및 ϵ_v는 일반적 3차원 변형률경로를 그리기 위한 축으로 이용된다. 이와 같은 변형률경로는 그림 4.6에 표시된 바와 같은 $p' - q'$축상의 응력경로와 같아진다.

$\epsilon_2 = \epsilon_3$와 같은 특별한 경우에는 변형률불변량은 다음 식과 같이 된다.

$$\epsilon_v = (\epsilon_1 + 2\epsilon_3) \tag{4.47}$$

$$\epsilon_s = 2/3(\epsilon_1 - \epsilon_3) \tag{4.48}$$

4.9 체적변형률

체적변형량 ϵ_v는 불변량이며 일반적 변형률상태, 축대칭상태 및 평면변형률상태에 대한 변형률경로를 그릴 때 축으로 이용된다. 한편 체적변형률은 여러 가지 방법으로 표현되고 또한 측정되므로 여기서 이것을 검토할 필요가 있다.

흙 요소의 체적 V가 유효응력의 변화에 따라 δV만큼 증가하면 체적변형률의 변화는 다음 식에 의하여 주어진다.

$$\delta \epsilon_v = -\frac{\delta V}{V} \tag{4.49}$$

여기서 부의 부호를 사용한 것은 압축변형률을 정으로 하기 위한 것이다.

흙 요소의 체적 V는 그림 4.8(a)에 표시된 것처럼 물의 체적 V_w와 흙 입자의 체적 V_s로 되어 있다. 흙 입자와 간극수는 비압축성이라고 가정하면 요소의 체적은 간극수가 출입할 때만 변화한다. 따라서

$$\delta V = -\delta V_w \tag{4.50}$$

여기서 δV는 요소의 체적증분, δV_w는 배출된 물의 체적이다. 따라서 공시체의 경계면을 통하는 물의 양을 측정하여 체적변형률을 구한다. 이 측정은 실내시험으로 용이하게 행해질 수 있다.

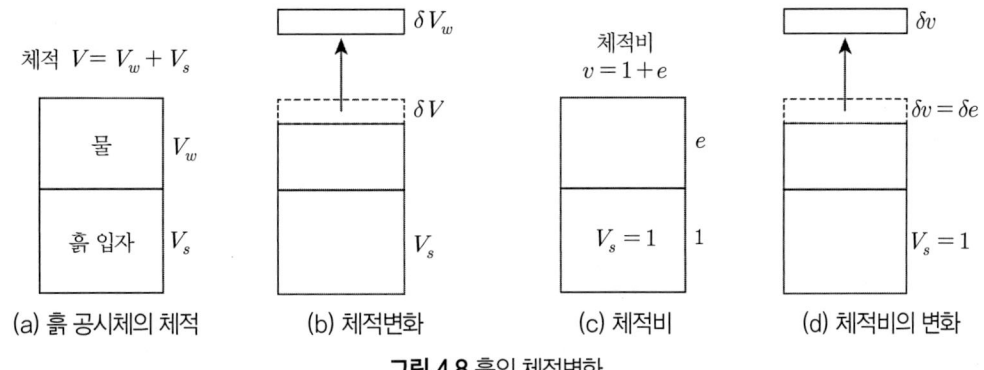

그림 4.8 흙의 체적변화

간극비 e는 V_w/V_s로 표현된다. 흙 입자는 비압축성($\Delta V_s = 0$)이므로 $\delta e = \delta V/V_s$가 된다. 따라서

$$\delta V = V_s \delta e \tag{4.51}$$

식 (4.49)로부터 $\delta\epsilon_v = -\delta V/V = -V_s\delta e/(V_s + V_w)$이므로

$$\delta\epsilon_v = -\frac{\delta e}{1+e} \tag{4.52}$$

간극비는 함수비 w와 흙 입자의 비중 G_s에 의하여 $e = wG_s$로 표현되므로 $\delta e = \delta w G_s$가 된다. 따라서 식 (4.52)로부터

$$\delta \epsilon_v = -\frac{\delta w}{\dfrac{1}{G_s} + w} \tag{4.53}$$

따라서 체적변형률은 함수비의 측정으로 산정될 수 있다.

다른 치수를 가지는 흙 공시체의 체적변화를 비교하기 위하여 체적비 v(그림 4.8(c) 참조)를 이용하면 편리하다. 체적비는 단위체적의 흙 입자를 가진 흙 요소의 체적으로 정의된다. 즉, 그림 4.8(c)에 도시한 것처럼 $V_s = 1$이며

$$v = 1 + e \tag{4.54}$$

유효응력이 변화하여 체적비가 δv만큼 변화하면 $\delta v = \delta e$가 되므로

$$\delta \epsilon_v = -\frac{\delta e}{1+e} = -\frac{\delta e}{v} \tag{4.55}$$

4.10 응력 및 변형률 사이의 대응관계

여기서는 대응관계에 의한 응력과 변형률 변수의 곱이 올바르게 외력이 하는 일을 나타나게 함에 의하여 응력과 변형률의 변수가 올바르게 선정되었는가를 검토한다. 우선 단위체적당의 외력 및 압력이 한 일을 구한다.

그림 4.9에 표시된 세 변의 길이가 (a, b, c)인 요소를 생각한다. 이 요소의 면은 주면이며 간극수압은 일정치 u이다. 미소시간 중에 요소의 크기가 $(\delta a, \delta b, \delta c)$만큼 적어져 유출하는 물의 체적이 δV_w라면 외력 및 압력이 한 일 δW는 다음 식으로 주어진다.

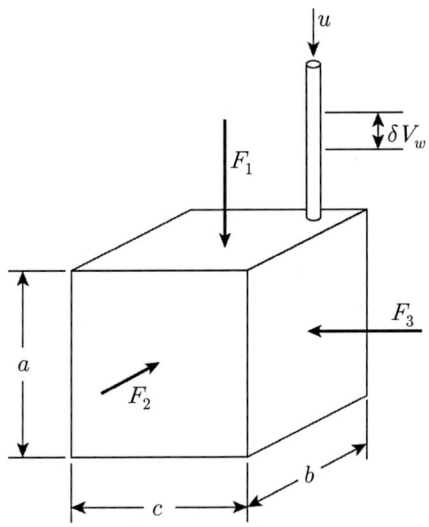

그림 4.9 응력과 변형량의 불변량 사이의 대응관계 설명도

$$\delta W = F_1(-\delta a) + F_2(-\delta b) + F_3(-\delta c) - u\delta V_w \tag{4.56}$$

식 (4.50)을 이용하면 단위체적당 일은 $\delta W/V = (F_1/bc)(-\delta a/a) + (F_2/ca)(-\delta b/b) + (F_3/ab)(-\delta c/c) - u\delta V/V$ 가 되므로

$$\frac{\delta W}{V} = \sigma_1 \delta\epsilon_1 + \sigma_2 \delta\epsilon_2 + \sigma_3 \delta\epsilon_3 - u\delta\epsilon_v \tag{4.57}$$

여기서 $u\delta\epsilon_v = u(\delta\epsilon_1 + \delta\epsilon_2 + \delta\epsilon_3)$ 이므로

$$\frac{\delta W}{V} = \sigma_1' \delta\epsilon_1 + \sigma_2' \delta\epsilon_2 + \sigma_3' \delta\epsilon_3 \tag{4.58}$$

단위체적당의 일은 2차원의 응력과 변형률 변수에 대해서도 구할 수 있다.

$$\frac{\delta W}{V} = t'\delta\epsilon_\gamma + s'\delta\epsilon_v \tag{4.59}$$

$$= \frac{1}{2}(\sigma_1' - \sigma_3')(\delta\epsilon_1 - \delta\epsilon_3) + \frac{1}{2}(\sigma_1' + \sigma_3')(\delta\epsilon_1 + \delta\epsilon_3)$$

$$= \sigma_1'\delta\epsilon_1 + \sigma_3'\delta\epsilon_3$$

한편 평면변형률에 대해서는 $\delta\epsilon_2 = 0$이므로 식 (4.58)은

$$\frac{\delta W}{V} = \sigma_1'\delta\epsilon_1 + \sigma_3'\delta\epsilon_3 \tag{4.60}$$

식 (4.59)와 (4.60)은 $\delta W/V$에 대해 똑같이 표현되어 있으므로, 평면변형률상태에 대한 변형률변수 ϵ_γ, ϵ_v는 응력변수 t', s'와 올바른 대응관계에 있음을 알 수 있다.

단위체적당의 일은 일반적으로 3차원 응력과 변형률의 불변량으로 표시될 수 있다.

즉, $$\frac{\delta W}{V} = q'\delta\epsilon_s + p'\delta\epsilon_v \tag{4.61}$$

축대칭의 경우에는 $\sigma_2' = \sigma_3'$, $\epsilon_2 = \epsilon_3$이므로

$$q' = (\sigma_1' - \sigma_3') \tag{4.22}$$
$$p' = 1/3(\sigma_1' + 2\sigma_3') \tag{4.21}$$
$$\delta\epsilon_s = \frac{2}{3}(\delta\epsilon_1 - \delta\epsilon_3) \tag{4.62}$$
$$\delta\epsilon_v = (\delta\epsilon_1 + 2\delta\epsilon_3) \tag{4.63}$$

따라서 식 (4.61)은 다음과 같이 된다.

$$\frac{\delta W}{V} = \sigma_1'\delta\epsilon_1 + 2\sigma_3'\delta\epsilon_3 \tag{4.64}$$

한편 축대칭 상태에 대해서는 $\sigma_2' = \sigma_3'$, $\delta\epsilon_2 = \delta\epsilon_3$이므로 식 (4.58)로부터

$$\frac{\delta W}{V} = \sigma_1' \delta\epsilon_1 + 2\sigma_3' \delta\epsilon_3 \tag{4.65}$$

식 (4.64)와 (4.65)는 일치하고 있으므로 축대칭에 대해도 ϵ_s, ϵ_v는 응력변수 q', p'와 올바른 대응관계에 있음을 확인할 수 있다.

4.11 이상탄성체로서의 흙의 응력 – 변형률거동

불변량의 중요성을 나타내기 위하여 이상등방탄성재료의 거동을 검토하는 것이 유용하다.[1,2] 등방성의 재료특성은 모든 방향에 대해 동일함을 의미한다. 여기서 취급하는 이상재료는 유효응력의 원리에 따르는 흙과 같은 것을 생각하고 있다. 따라서 변형률은 전응력이 아니고 유효응력에 의존한다.

이상적인 흙과 같은 재료의 응력-변형률거동은 Hooke의 법칙의 일반형에 의하여 주어진다.

$$\delta\epsilon_x = (1/E')[\delta\sigma_x' - \nu'\delta\sigma_y' - \nu'\delta\sigma_z'] \tag{4.66a}$$

$$\delta\epsilon_y = (1/E')[\delta\sigma_y' - \nu'\delta\sigma_z' - \nu'\delta\sigma_x'] \tag{4.66b}$$

$$\delta\epsilon_z = (1/E')[\delta\sigma_z' - \nu'\delta\sigma_x' - \nu'\delta\sigma_y'] \tag{4.66c}$$

$$\delta\gamma_{xy} = (2/E')(1+\nu')\delta\tau_{xy}' \tag{4.66d}$$

$$\delta\gamma_{yz} = (2/E')(1+\nu')\delta\tau_{yz}' \tag{4.66e}$$

$$\delta\gamma_{zx} = (2/E')(1+\nu')\delta\tau_{zx}' \tag{4.66f}$$

여기서 E'와 ν'는 유효응력변화에 대한 영률과 포아송비이다. 이들 값은 응력과 변형률의 미소증분에 대해서는 일정하다고 가정된다. 이 이상재료는 선형탄성이라 가정되므로 식 (4.66)은 응력과 변형률의 증분 $\Delta\sigma'$과 $\Delta\epsilon$에 대해서도 성립한다. 이들 식을 주응력과 주변형률로 다시 쓰면 다음과 같다.

$$\delta\epsilon_1 = (1/E')[\delta\sigma_1' - \nu'\delta\sigma_2' - \nu'\delta\sigma_3'] \tag{4.67a}$$

$$\delta\epsilon_2 = (1/E')[\delta\sigma_2' - \nu'\delta\sigma_3' - \nu'\delta\sigma_1'] \tag{4.67b}$$

$$\delta\epsilon_3 = (1/E')[\delta\sigma_3' - \nu'\delta\sigma_1' - \nu'\delta\sigma_2'] \tag{4.67c}$$

축대칭 상태에 대해서는 $\delta\sigma_2' = \delta\sigma_3'$, $\epsilon_2 = \epsilon_3$이므로 식 (4.67)은 다음과 같이 된다.

$$\delta\epsilon_1 = (1/E')[\delta\sigma_1' - 2\nu'\delta\sigma_3'] \tag{4.68a}$$

$$\delta\epsilon_2 = \delta\epsilon_3 = (1/E')[\delta\sigma_3'(1-\nu') - \nu'\delta\sigma_1'] \tag{4.68b}$$

$\delta\epsilon_v$는 식 (4.69)와 같으므로

$$\delta\epsilon_v = (\delta\epsilon_1 + 2\delta\epsilon_3) = \frac{(1-2\nu')}{E'}(\delta\sigma_1' + 2\delta\sigma_3') \tag{4.69a}$$

또는 $$\delta\epsilon_v = \frac{3(1-2\nu')}{E'}\delta p' \tag{4.69b}$$

한편 $\delta\epsilon_s$는 식 (4.70)과 같다.

$$\delta\epsilon_s = \frac{2}{3}(\delta\epsilon_1 - \delta\epsilon_3) = \frac{2(1+\nu')}{3E'}(\delta\sigma_1' - \delta\sigma_3') \tag{4.70a}$$

혹은

$$\delta\epsilon_s = \frac{2(1+\nu')}{3E'}\delta q' \tag{4.70b}$$

식 (4.69b)와 (4.70b)는 이따금 다음 식과 같이 표현한다.

$$\delta\epsilon_v = \frac{1}{K'}\delta p' \tag{4.71}$$

$$\delta\epsilon_s = \frac{1}{3G'}\delta q' \tag{4.72}$$

여기서 $K' = E'/3(1-2\nu')$이며 체적탄성계수라 부르고 $G' = E'/2(1+\nu')$이며 전단탄성계수라고 부른다.

식 (4.71)과 (4.72)는 이상등방탄성재료의 중요한 특성을 나타내고 있다. 즉, 변형률불변량이 응력불변량과 올바르게 관련되어 있을 때 전단변형률증분 $\delta\epsilon_s$는 응력증분 $\delta q'$에만 의존하며 체적변형률증분 $\delta\epsilon_v$는 응력의 증분 $\delta p'$에만 의존한다. 이 점을 강조하기 위하여 다음과 같이 표현할 수 있다.

$$\delta\epsilon_v = \frac{1}{K'}\delta p' + 0 \cdot \delta q' \tag{4.73}$$

$$\delta\epsilon_s = 0 \cdot \delta p' + \frac{1}{3G'}\delta q' \tag{4.74}$$

따라서 체적변형률 ϵ_v는 q'와는 관계없이 p'와 관계되며 전단변형률 ϵ_s는 p'와는 관계없이 q'과 관계 지을 수 있다. 식 (4.73)과 (4.74)는 $\sigma_2' = \sigma_3'$의 특별한 경우에 대해 유도된 것이지만 이와 같은 특성은 등방성이며 더욱이 선형탄성재료의 일반적 응력상태에 대해서도 성립한다.

| 참고문헌 |

(1) Case, J. and Chilver, A.H.(1971), Strength of Materials and Structures, Edward Arnold, London.

(2) Ford, H.(1963), Advanced Mechanics of Materials, Longman, London.

Chapter 05

연속체역학 – 탄소성체와 소성체

Chapter 05 연속체역학 - 탄소성체와 소성체

5.1 연속체에 대한 장의 방정식

연속체역학에서는 물체에 힘(외력)이 작용하는 경우 또는 (경계가 지정된) 변위를 받는 경우, 또는 이들 양쪽의 조건이 조합되어 있는 경우 물체 전체가 어떻게 변형하는가? 바꾸어 이야기 하면 물체 전체에 걸친 변위 및 응력이 어떻게 변하는가를 구해야 한다.[6]

일반적으로 연속체가 변형(운동)하는 경우 물체 중의 임의의 영역에서의 질량, 운동량 및 각운동량의 보전법칙이 성립한다. 이들의 전체적인(global) 보전법칙에 근거하여 물체 내의 각 점에 대해 성립하는 국부적(local) 보존법칙으로 연속식, 운동방정식(평형방정식) 및 응력의 대칭성이 유도된다.

연속체에 대한 질량보존법칙으로 다음 연속식(continuity equation)이 유도된다.

$$\frac{\partial \rho}{\partial t}+\frac{\partial (\rho \dot{u}_j)}{\partial x_j}=0 \quad (j=1,2,3) \tag{5.1}$$

여기서 ρ는 밀도, t는 시간, x_j는 직교좌표계 x의 j 성분, u_j는 변위벡터이며 변위 u의 x_j 방향성분이다. 그리고 Dot는 시간미분을 나타낸다.

운동량보존법칙으로 다음의 운동방정식(equation of motion)이 유도된다.

$$\partial \ddot{u}_i = \frac{\partial \sigma_{ij}}{\partial x_j}+\rho f_1 \quad (i,j=1,2,3) \tag{5.2}$$

여기서 σ_{ij}는 응력 Tensor 성분, f_i는 단위질량당의 물체력 성분이다. 물체가 평형상태에 있을 때는 위 식의 좌변이 0이 되며, 정정문제에서의 평형방정식(equilibrim equation)이 된다. 즉,

$$\frac{\partial \sigma_{ij}}{\partial x_j} + \rho f_i = 0 \quad (i, j = 1, 2, 3) \tag{5.3}$$

각 운동량보존법칙으로는 응력대칭성이 식 (5.4)와 같이 얻어진다.

$$\sigma_{ij} = \sigma_{ji} \tag{5.4}$$

응력 Tensor는 대칭성을 고려하면 독립된 성분의 수는 6개가 되지만 응력에 관한 방정식, 즉 운동방정식은 이들 6개의 변수에 대해 3개의 식을 준다. 따라서 연속체의 응력장은 본질적으로는 부정정이다. 더욱이 운동방정식에는 3개의 변위성분도 포함되어 있다, 따라서 9개의 미지량 σ_{ij} 및 u_j에 대해 3개의 운동방정식으로 9개의 해를 구하기 위해서는 6개의 장방정식이 부족하다. 이 부족한 6개의 방정식을 보완하는 것이 연속체의 구성식이다.

예를 들어, 등방선형탄성체의 구성식은 다음과 같다.

$$\sigma_{ij} = \lambda \epsilon_{kk} \partial_{ij} + 2\mu \epsilon_{ij} \tag{5.5}$$

여기서 λ와 μ는 Lame 정수이다. 식 (5.5)는 6개의 방정식을 주게 되지만 이 식에는 새로 6개의 변형률성분 ϵ_{ij}가 미지수로 나타나게 된다. 이에 대해 다음과 같이 표현되는 변형률식 6개를 더하면 미지수와 방정식의 수의 과부족은 없어진다.

$$\epsilon_{ij} = \frac{1}{2}\left(\frac{\partial u_i}{\partial x_j} + \frac{\partial u_j}{\partial x_i}\right) \tag{5.6}$$

결국 미지수 15개에 대해 장의 방정식도 15개가 되어 이들 식을 적당한 경계조건에서 풀 수가 있다.

5.2 탄소성체의 구성식

많은 재료에서 발생 응력이 적은 동안은 탄성적 거동을 보이나, 이때의 변형률은 응력과 1:1의 관계에 있다. 즉, 가해진 하중을 제거하면 응력도 0이 되어 변형도 원래의 상태로 돌아간다. 그러나 하중이 어떤 한계를 넘으면 변형은 완전히 회복되지 않고 영구변형이 남는다. 이 영구변형이 시간과 함께 변화하지 않을 때 이것을 소성변형이라 한다. 따라서 소성변형은 물체의 변형과 함께 증대하는 것이 보통이며 전체 변형은 탄성변형과 소성변형으로 구성된다.

그림 5.1은 탄소성체의 응력-변형률 관계를 나타내고 있다. 응력은 A점 이하에서는 응력-변형률 관계가 선형이지만 A점을 넘으면 기울기는 완만해진다. B점에 도달한 후 제하(unloading)하면, 응력은 BC의 경로를 따라 감소한다. C점에서 재부하(reloading)하면 다시 B점에 도달한다. 이 BC는 OA에 평행하게 된다. B점에서 더욱 하중을 가하면, B점에서 제하하지 않는 경우의 곡선 BD에 따라 기울기가 감소하면서 변형률이 증가한다.

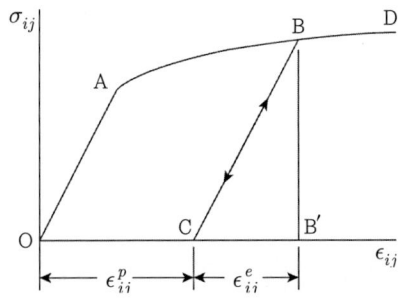

그림 5.1 탄소성체의 응력 - 변형률 관계

이상의 과정에서, A점의 응력을 초기항복응력(initial yield stress)이라 한다. 또한 B점에서 C점까지 제하하여 회복하는 변형률은 CB′에 상당하며 이것을 탄성변형률(elastic strain) ϵ_{ij}^e라 부른다. 이에 대해 C점에 잔류하는 변형률 OC는 소성변형률(plastic strain) ϵ_{ij}^p라 부른다. 따라서 B점의 응력상태에 대한 전체 변형률은 상기의 두 종류의 변형률의 합으로, 식 (5.7)과 같이 표현된다.

$$\epsilon_{ij} = \epsilon_{ij}^e + \epsilon_{ij}^p \tag{5.7}$$

다음으로 C점에서 재부하과정을 생각하면, 이것은 ϵ_{ij}^p되는 소성변형률을 가지는 재료에 재하하는 경우에 상당하지만, 이 경우 항복응력은 B점과 같이 A점보다 크게 됨이 보통이다. 이와 같이 변형률을 가진 재료의 항복응력이 증대하는 현상을 변형률경화(strain hardening) 또는 간단히 경화(hardening)라 하며, 이때의 응력-변형률선도의 기울기 $H = d\sigma_{ij}/d\epsilon_{ij}$ 또는 $H' = d\sigma_{ij}/d\epsilon_{ij}^p$를 경화계수(hardening coefficient)라 한다. 또한 A점의 응력을 초기항복응력이라 하는데 B점을 후속항복응력(subsequent yield stress)이라 하기도 한다.

이처럼 재료의 소성적 성질은 지금까지 받은 소성변형의 크기에 의존한다. 즉, 소성체에서 어떤 시각의 변형률은 그때의 응력 이외에 그때까지 재료가 받은 변형 이력에도 의존하며, 탄성체와 같이 응력과 변형률 사이에는 1:1의 관계가 성립하지 않는다. 따라서 탄소성체의 구성식은 위와 같이 변형의 이력을 고려할 수 있어야만 한다. 이러한 점에서 가장 널리 이용되는 것은 변형률증분이론(incremental strain theory)에 의한 증분형 구성식(rate type constitutive equation)이다.

흙의 소성거동을 기술하기 위하여 잘 이용되는 구성식은 다음의 네 가지 기본 가정에 의거한다.

① 항복곡면(항복함수)의 존재 가정
② 변형률경화법칙의 가정
③ 소성변형률증분의 주축방향의 가정
④ 흐름법칙의 가정

5.2.1 항복곡면과 항복함수

그림 5.1에서 응력 σ_{ij}가 O점과 A점 사이에 있을 때는 탄성변형을 하는 데 대응하여 6차원 응력공간(일반적으로는 9차원이나 $\sigma_{ij} = \sigma_{ji}$의 대칭성을 고려하면 6차원이 된다)의 어떤 범위에 응력점이 존재할 때 탄성거동을 한다고 생각한다.

즉, 그림 5.2의 파선 내부에서는 응력점이 이동하여도 탄성변형만이 발생한다. 이와 같은 한계는 6차원 응력공간에서 폐곡면을 형성한다. 이것을 초기항복곡면(initial yield surface)이라 한다.

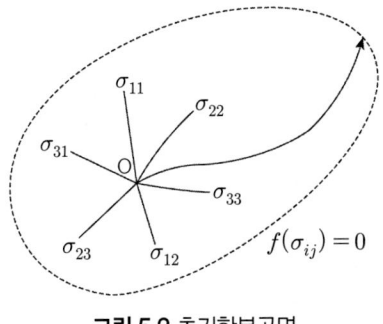

그림 5.2 초기항복곡면

이 곡면을 응력 σ_{ij}의 함수로 표시한 관계 식 (5.8)을 초기항복함수(intial yield funtion) 또는 간단히 항복함수로 부른다.

$$f = f(\sigma_{ij}) \tag{5.8}$$

따라서 식 (5.9)의 상태일 때 탄성적이며, 식 (5.10)이 성립할 때 항복조건(yield condition)을 만족한다.

$$f(\sigma_{ij}) < 0 \tag{5.9}$$
$$f(\sigma_{ij}) = 0 \tag{5.10}$$

재료에 항복이 발생된 후 더 부하가 계속되면 일반적으로는 변화가 발생되면서 소성변형이 진행된다(그림 5.1, $A \rightarrow B$). 그러니 응력단계 B점에서 제하가 실시되면 탄성거동을 나타내며(BC), 재차 부하하면 어떤 변형률 이력(OC)을 받은 재료에 대해 새로운 항복 B가 발생한다. 이와 같이 변형률이력을 받은 재료에 대해서도 식 (5.8)의 초기항복함수에 대응하는 식 (5.11)의 스칼라함수를 생각한다.

$$f = f(\sigma_{ij}, \xi_1, \xi_2, \cdots, \xi_n) = f(\sigma_{ij}, \xi) \tag{5.11}$$

여기서, $\xi(\sum 1, 2, \cdots, N)$는 소성변형의 진행과 함께 변화하는 N개의 스칼라 또는 Tensor

량으로 부하이력변수(loading history parameter)라 부른다. 식 (5.11)의 함수가 $f=0$을 만족할 때 소성변형상태에 있다 한다. 식 (5.11)의 함수식을 후속항복함수(subsequent yield funtion)라 한다. 소성변형이 0이면, 식 (5.11)과 식 (5.8)은 일치해야 하므로, 후속항복함수는 초기항복함수를 포함하지 않으면 안 된다. 이 의미로 특별히 양자의 구별이 필요하지 않을 때는 양쪽의 항복함수를 합쳐 항복함수(yield function)라 부르는 경우가 많다.

$$\xi = 0 \quad (\sum 1, 2, \cdots, N) \tag{5.12}$$

후속항복곡면도 초기항복곡면과 똑같이 6차원 응력공간 내의 폐곡면으로 표시될 수 있다. 즉, 그림 5.3에서 응력 σ_{ij}가 O에서 탄성변형에 의하여 초기항복곡면 $f(\sigma_{ij})=0$에 달하면(A점) 항복이 발생한다. 더욱이 AB와 같이 부하를 계속할 경우를 생각하면, 여기서는 항상 $f=0$을 만족하지 않으면 안 된다. 다음에 B점에서 BC와 같이 제하되면 이것은 탄성변형이므로 $f<0$이다. 즉, 물체가 소성상태에 있을 때는 반드시 $f=0$이며, 제하 결과 탄성변형을 하고 있는 사이는 $f<0$이고 $f>0$이 되지 않는다.

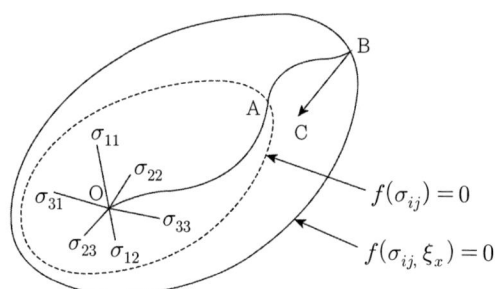

그림 5.3 초기항복곡면과 후속항복곡면

식 (5.11)에서 부하이력변수 ξ를 결정하지 않으면 항복곡면의 모양은 정해지지 않는다. 항복함수는 많은 변수에 의존하지만 현재의 소성변형률 ϵ_{ij}^p에 의존할 것이라는 것은 상상하기 어렵지는 않다. 또한 소성변형률이 같아도 그 크기나 경화의 정도가 다르면 항복곡면의 크기는 바뀔 수 있다. 이와 같이 경화의 정도를 나타내는 스칼라변수를 경화변수(hardening parameter)라 부르며 K로 나타낸다. 이 외에도 영향을 미치는 변수가 있겠으나, 통상적으로 부하이력변수

ξ로는 소성변형률 ϵ_{ij}^p와 경화변수 K가 사용되는 경우가 많다. 따라서 식 (5.11)의 항복함수는 다음과 같이 표현된다.

$$f = f(\sigma_{ij}, \epsilon_{ij}^p, K) \tag{5.13}$$

경화변수 K는 항복곡면의 크기에 기여한다고 설명하였으나, 이것은 소성변형률의 변화와 함께 변한다. 따라서 K의 변화 dK는 일반적으로 식 (5.14)와 같이 표현된다.

$$dK = h_{ij} d\epsilon_{ij}^p \tag{5.14}$$

특히 h_{ij}를 σ_{ij}로 놓으면 식 (5.15)가 된다.

$$dK = \sigma_{ij} d\epsilon_{ij}^p \tag{5.15}$$

따라서 K는 소성일(plastic work) W_p에 대응하게 된다.

5.2.2 변형률경화법칙-등방경화와 이동경화

식 (5.13)으로 표현되는 항복곡면의 형이 소성변형의 진행에 따라 어떻게 변화하는가를 규정하는 법칙을 경화법칙(hardening rule)이라 한다. 기본적인 경화법칙으로는 등방경화(isotropic hardening)와 이동변화(kinematic hardening)의 두 가지가 있다.

전자의 경우에는 항복곡면이 경화와 함께 크기만의 변화를 가져온다. 즉, 그림 5.4(a)에 도시한 것처럼 원점 O의 위치는 바뀌지 않는다. 따라서 항복함수는 발생된 소성변형률에 독립적이므로 식 (5.13)은 (5.16)과 같이 표현할 수 있다.

$$f = f(\sigma_{ij}, K) \tag{5.16}$$

등방경화를 주응력공간의 π면상에 도시하면 그림 5.4(a)와 같이 된다.

한편 후자의 경우에는 경화에 의하여 항복곡면의 크기는 변하지 않으나 중심위치 O점의 이동이 발생한다.

그림 5.4(b)에는 주응력공간의 π면상에 도시한 항복곡면의 형상이 표시되어 있다. 지금 응력공간에서 항복곡면의 중심을 α_{ij}라 하면 항복함수는 식 (5.17)과 같이 표현된다.

$$f = f(\sigma_{ij} - \alpha_{ij}) \tag{5.17}$$

(a) 등방경화 (b) 이동경화

그림 5.4 주응력공간의 π면상에 도시한 항복곡면

항복함수 f의 구체적 형상은 초기항복면($\alpha_{ij}=0$)의 모양과 α_{ij}의 경화에 따라 어떻게 결정되는가를 규정하여 비로소 결정된다. α_{ij}의 변화를 결정하는 데는 두 종류가 있다. 즉, α_{ij}의 변화가 소성변형률증분 $d\epsilon_{ij}^p$에 비례한다고 생각하는 것과 중심의 이동이 α_{ij}와 σ_{ij}를 연결한 방향으로 발생한다 하여 α_{ij}의 변화 $(\sigma_{ij} - \alpha_{ij})$에 비례한다고 생각하는 것이다.

5.2.3 제하(除荷, unloading)와 부하(負荷, loading)

식 (5.9), 식 (5.10)을 일반화하여 생각하면, 식 (5.18)일 때 탄성거동을 보이고 식 (5.19)일 때 소성상태에 있음이 분명하다.

$$f(\sigma_{ij}, \epsilon_{ij}^p, K) < 0 \tag{5.18}$$

$$f(\sigma_{ij}, \epsilon_{ij}^p, K) = 0 \tag{5.19}$$

여기에 식 (5.19)가 성립할 때의 변화에 대해 생각한다.

항복함수는 응력 σ_{ij}, 소성변형률 ϵ_{ij}^p 및 경화변수 K의 함수이므로, 항복함수 f를 전미분하면

$$df = \frac{\partial f}{\partial \sigma_{ij}} d\sigma_{ij} + \frac{\partial f}{\partial \epsilon_{ij}^p} d\epsilon_{ij}^p + \frac{\partial f}{\partial K} dK \tag{5.20}$$

즉, $\dot{f} = \frac{\partial f}{\partial \sigma_{ij}} \dot{\sigma}_{ij} + \frac{\partial f}{\partial \epsilon_{ij}^p} \dot{\epsilon}_{ij}^p + \frac{\partial f}{\partial K} \dot{K} \tag{5.21}$

지금 임의의 시각에서 식 (5.22)의 상태를 생각하면, 다음 순간에는 $f<0$가 된다. 즉, 탄성상태로 이동하게 된다. 이와 같은 과정을 제하(unloading)라 한다.

$$f = 0 \text{ 및 } df < 0 \tag{5.22}$$

이때 소성변형률은 발생되지 않기 때문에 $d\epsilon_{ij}^p = 0$이며, 식 (5.15)에 의하여 $dK=0$이 된다. 따라서 제하의 기준은 식 (5.23)과 같이 표현할 수 있다.

$$\frac{\partial f}{\partial \sigma_{ij}} d\sigma_{ij} < 0, \ f = 0 \ \text{'제하'} \tag{5.23}$$

이에 대해 식 (5.23) 이외의 경우를 중립부하(neutral loading) 및 부하(loading)라 하여 다음과 같이 표현한다.

$$\frac{\partial f}{\partial \sigma_{ij}} d\sigma_{ij} = 0, \ f = 0 \ \text{'중립부하'} \tag{5.24}$$

$$\frac{\partial f}{\partial \sigma_{ij}} d\sigma_{ij} > 0, \ f = 0 \ \text{'부하'} \tag{5.25}$$

응력공간에서 식 (5.23)은 $\frac{\partial f}{\partial \sigma_{ij}}$의 벡터와 $d\sigma_{ij}$의 벡터가 둔각을 이룸을 의미한다. $\frac{\partial f}{\partial \sigma_{ij}}$는 폐곡면 $f=0$에 그림 바깥쪽 법선벡터에 비례하기 때문에, $d\sigma_{ij}$는 그림 5.5와 같이 항복곡면

$f=0$에 그린 접선보다 내측을 향하게 된다. 동일하게 식 (5.24)의 $d\sigma_{ij}$는 $f=0$에 접한 벡터를, 식 (5.25)에는 외측을 향하고 있음을 의미한다. 이것은 응력이 증가할 때 부하라고 하는 물리적 의미에도 일치하고 있다.

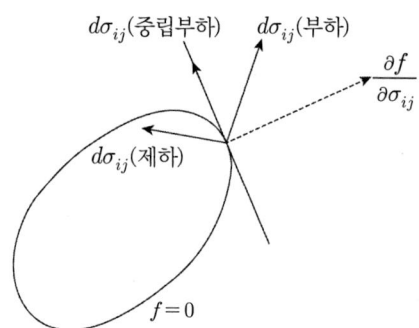

그림 5.5 항복곡면과 부하, 제하의 관계

5.2.4 경화의 개념과 흐름법칙

소성변형의 진행과 함께 재료는 경화한다. 이 경화현상을 어떤 형태로든 표현할 수 있으면 재료의 구성식이 유도된다. 기본적으로 가장 간단한 구성식은 Drucker의 가설로부터 유도된 흐름법칙에 근거한다. Drucker의 가설은 간단하게 말하면, 탄소성체 자체는 항상 안정된 응답을 한다는 것이다.

그림 5.6에 표시된 것처럼 응력-변형률 선도가 위로 凸할 때 이 재료는 안정적이다. 응력이 σ_1에서 σ_2로 변화할 때 변형률이 ϵ_1에서 ϵ_2로 변화하므로 안정된 재료에서는 식 (5.26)과 같이 된다.

$$(\sigma_1 - \sigma_2)(\epsilon_1 - \epsilon_2) > 0 \tag{5.26}$$

응력의 변화가 미소하며 $\sigma_2 = \sigma_1 + d\sigma$, $\epsilon_2 = \epsilon_1 + d\epsilon$으로 표현되면 식 (5.26)은 (5.27)과 같이 된다.

$$d\sigma\, d\epsilon > 0 \tag{5.27}$$

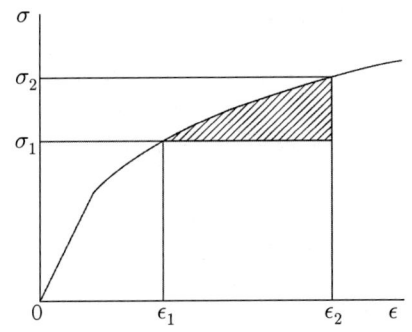

그림 5.6 안정된 소성체의 응력 - 변형률 선도

이 개념을 일반적인 다축응력상태에 적용하면, 안정된 재료의 조건은 식 (5.28)과 같이 나타낼 수 있다.

$$d\sigma_{ij} d\epsilon_{ij} > 0 \tag{5.28}$$

이것은 "응력에 변화가 생길 때 부가되는 외력이 안정된 재료에 대해 하는 일은 부(-)가 되지 않는다"라는 것을 의미하는 Drucker의 제1가설이다.

Drucker의 제2가설은 "임의의 상태에서부터 응력이 변화하여 재차 원래의 응력상태로 돌아가는 사이클을 생각할 때, 그러한 변화를 일으키는 원인이 된 외력이 한 순 일량은 부가 아니다(≥0)"라고 하는 것이다. 이 가설을 수식으로 표현하기 위하여 그림 5.7에 표시된 응력 사이클을 생각한다.

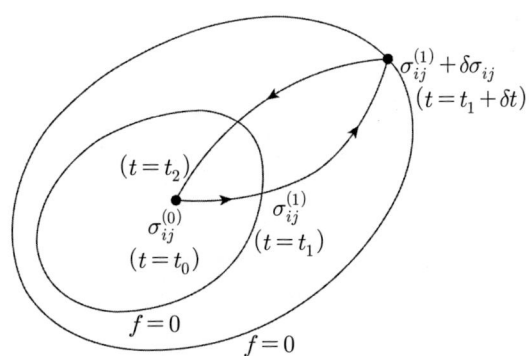

그림 5.7 응력공간에서의 응력사이클

어떤 시각 $t=t_0$에서 항복곡면 $f=0$의 내부에 어떤 응력상태 $\sigma_{ij}^{(0)}$가 있다고 하면 외력이 변하여 탄성변형에 의하여 $t=t_1+\delta t$에서 $\sigma_{ij}^{(1)}+\delta\sigma_{ij}$가 된다. 외력을 제하기 위하여 $t=t_2$에서 원래의 응력상태 $\sigma_{ij}^{(0)}$로 되돌아가는 경우를 생각하자. 이 응력사이클에서 단위체적당의 일량 W_T는 다음과 같다.

$$W_T = \int_{t_0}^{t_2} \sigma_{ij} d\epsilon_{ij} dt \tag{5.29}$$

$$= \int_{t_0}^{t_1} \sigma_{ij} d\epsilon_{ij}^e dt + \int_{t_1}^{t_1+\delta t} \sigma_{ij}(d\epsilon_{ij}^e + d\epsilon_{ij}^p)dt + \int_{t_1+\delta t}^{t_2} \sigma_{ij} d\epsilon_{ij}^e dt$$

$$= \oint \sigma_{ij} d\epsilon_{ij}^e dt + \int_{t_1}^{t_1+\delta t} \sigma_{ij} d\epsilon_{ij}^p dt$$

응력은 단위체적당의 탄성변형률에너지 W에 의하여 $\sigma_{ij}=\partial W(\epsilon_{ij}^e)/\partial\epsilon_{ij}^e$로 표현되므로 다음 식이 얻어진다.

$$\oint \sigma_{ij} d\epsilon_{ij}^e dt = \oint \frac{\partial W}{\partial \epsilon_{ij}^e} d\epsilon_{ij}^e dt = \oint dW dt = 0 \tag{5.30}$$

식 (5.30)을 (5.29)에 대입하면,

$$W_T = \int_{t_1}^{t_1+\delta t} \sigma_{ij} d\epsilon_{ij}^p dt \tag{5.31}$$

W_T로부터 초기상태 $\sigma_{ij}^{(0)}$가 한 일 $W_1\left(=\int_{t_1}^{t_1+\delta t} \sigma_{ij}^{(0)} d\epsilon_{ij}^p dt\right)$을 뺀 부분이 외력이 한 순일량 W_0가 된다. 즉,

$$W_0 = W_T - W_1 = \int_{t_1}^{t_1+\delta t} (\sigma_{ij}-\sigma_{ij}^{(0)}) d\epsilon_{ij}^p dt \geq 0 \tag{5.32}$$

위 식이 임의 시간 ∂t에서 성립하려면 다음 식이 성립해야 한다.

$$(\sigma_{ij} - \sigma_{ij}^{(0)})d\epsilon_{ij}^p \geq 0, \text{ 즉 } \sigma_{ij}d\epsilon_{ij}^p \geq \sigma_{ij}^{(0)}d\epsilon_{ij}^p \tag{5.33}$$

식 (5.33)이 제2 Drucker 가설의 표현이다. 응력사이클이 항복곡면의 내부에서만 완결되면 $d\epsilon_{ij}^p=0$이므로 등호가 성립한다.

식 (5.33)의 결과는 소성변형률이 주어졌을 때 소성체가 취할 수 있는 (항복조건을 깨지 않는) 응력 중 그 소성변형증분을 발생시키는 항복곡면상의 응력과의 사이에 이루어진 소성일이 최대가 됨을 의미하며 물체 요소에 대한 최대소성일의 원리(principal of maximum plastic work)라 부른다.

Drucker의 가설, 즉 최대소성일의 원리를 이용하면 항복곡면의 성질과 발생 소성변형속도에 대해 다음의 중요한 결론이 얻어진다. 식 (5.33)은 항복곡면 내부의 임의의 한 점 $\sigma_{ij}^{(0)}$부터. 그 소성변형률 증분을 발생시키는 항복곡면상의 응력점 σ_{ij}에 그은 벡터 $\sigma_{ij} - \sigma_{ij}^{(0)}$의 방향이 이루는 각은 $\pi/2$보다 작아야만 함을 의미하고 있다. 이 요청에 의하여 항복곡면의 모양과 소성변형률증분의 방향에 관하여 다음의 중요한 특성을 얻어낼 수 있다(그림 5.8(a) 참조).

① 항복곡면은 凸곡면이어야 한다.
② 항복곡면이 매끄러운 경우에는 소성변형률증분은 항복곡면의 외측 법선방향 벡터이어야만 한다.

증명은 그림 5.8(b),(c)와 같은 상태가 생길 가능성을 생각하면 분명하다. 항복곡면에 凹 부분이 있으면, 그림 5.8(b)와 같이 $\sigma_{ij} - \sigma_{ij}^{(0)}$와 $d\epsilon_{ij}^p$가 이루는 각이 둔각이 되는 $\sigma_{ij}^{(0)}$는 $d\epsilon_{ij}^p$를 어떻게 취하여도 반드시 존재하게 되어 식 (5.33)의 조건에 반하게 된다. 또한 凸면이라도 $d\epsilon_{ij}^p$가 곡면의 법선방향에 일치하지 않으면, 그림 5.8(c)와 같이 식 (5.33)에 반하는 $\sigma_{ij}^{(0)}$가 존재하게 된다. 이 성질 ②를 소성변형률증분의 법선법칙(normality rule)이라 한다.

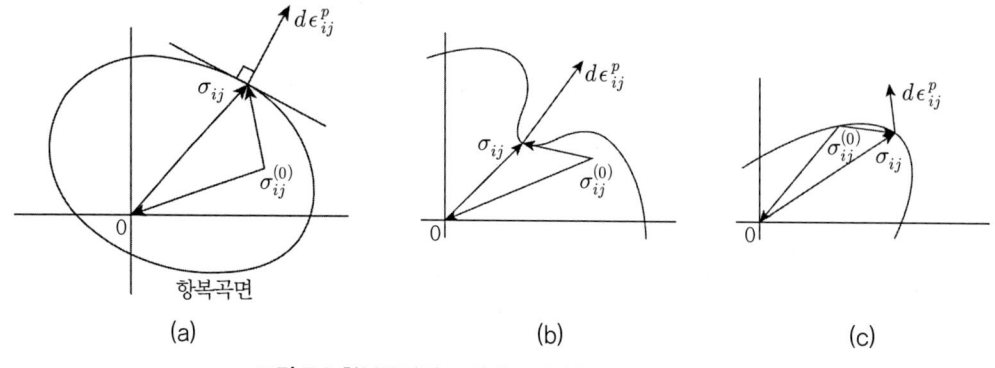

그림 5.8 항복곡면의 凸성과 소성변형률증분의 법선성

항복곡면이 매끄럽지 않은 경우도 凸면이 아니면 안 되지만, 특이점(角点)상에서는 성질 ②는 다음과 같이 된다(그림 5.9 참조).

부채모양(일반적으로 뾰족한 추체(錐體))의 내부에 포함된 벡터가 아니면 안 된다.

②′ 항복곡면이 매끄럽지 않은 경우에는 곡면의 특이점에서의 $d\epsilon_{ij}^p$는 그 점에 모여 있는 곡면의 외향 법선에 의하여 둘러싸인 ② 및 ②′를 유도할 때, 소성변형률증분의 주축방향의 가정(가정 ③), 즉 소성변형률증분 $d\epsilon_{ij}^p$의 주축방향은 응력의 주축(주응력축)에 일치한다는 가정을 이용하고 있다.

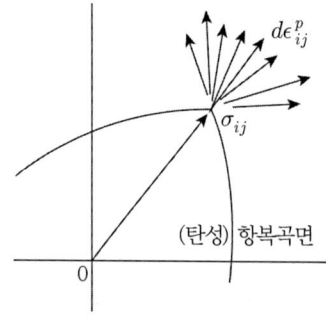

그림 5.9 특이점을 가지는 항복곡면

항복곡면이 매끄러운 경우에 대해 생각하면, 특성 ②의 소성변형률증분의 법선법칙에 의하여 ∧를 정(+)의 스칼라변수라 하면 다음 식이 성립한다.

$$d\epsilon_{ij}^p = \wedge \frac{\partial f}{\partial \sigma_{ij}}, \quad \wedge > 0 \tag{5.34}$$

일반적으로 소성흐름(plastic flow)을 규정하는 법칙을 흐름법칙이라 하나, 식 (5.34)는 이 소성흐름이 항복함수 f를 포텐셜로 하여 유도됨을 나타내므로 이와 같은 이론을 소성포텐셜 이론(theory of plastic potential)이라 한다.

식 (5.34)의 $\wedge$는 다음과 같이 구할 수 있다. 어떤 시각에서 재료가 소성상태에 있을 때 식 (5.19)가 성립함은 이미 설명하였으나 연속하여 소성변형이 계속되고 있으면 다른 σ_{ij}, ϵ_{ij}^p, K에 대해서도 같은 식이 성립하지 않으면 안 되므로 $df = 0$이 된다. df는 식 (5.21)로 주어지므로 결국 재료가 소성상태를 계속하면 다음 식이 성립한다.

$$df = \frac{\partial f}{\partial \sigma_{ij}} d\sigma_{ij} + \frac{\partial f}{\partial \epsilon_{ij}^p} d\epsilon_{ij}^p + \frac{\partial f}{\partial K} dK = 0 \tag{5.35}$$

위의 식을 Prager의 적응조건(consistency condition)이라 한다.

경화변수 K로 식 (5.15)를 이용하고 식 (5.34)와 함께 식 (5.35)에 대입하면,

$$\frac{\partial f}{\partial \sigma_{ij}} d\sigma_{ij} + \frac{\partial f}{\partial \epsilon_{ij}^p} \wedge \frac{\partial f}{\partial \sigma_{ij}} + \frac{\partial f}{\partial K} \wedge \frac{\partial f}{\partial \sigma_i} = 0 \tag{5.36}$$

따라서 $\wedge$는 다음 식으로 표현된다.

$$\wedge = H^* \frac{\partial f}{\partial \sigma_{kl}} d\sigma_{kl}, \quad H^* > 0 \tag{5.37}$$

여기서 $1/H^*$를 경화함수(hardening function)라 하며 다음과 같이 된다.

$$1/H^* = -\left(\frac{\partial f}{\partial \epsilon_{mn}^p} + \frac{\partial f}{\partial K} \sigma_{mn} \right) \frac{\partial f}{\partial \sigma_{mn}} \tag{5.38}$$

결국 소성변형률속도는 다음과 같이 된다.

$$d\epsilon_{ij}^p = H^* \frac{\partial f}{\partial \sigma_{ij}} \frac{\partial f}{\partial \sigma_{kl}} d\sigma_{kl} \tag{5.39}$$

식 (5.39)가 소성변형에 대한 구성식이지만 결국 재료의 항복함수, 즉 식 (5.19)가 주어지면 그 재료의 구성식이 정해짐을 표시하고 있다. 이와 같이 항복함수가 소성변형률을 규제하는 소성포텐셜의 역할을 하는 경우를 관련흐름법칙(associated flow rule)이라 한다.[2]

흙과 같은 재료에서는 반드시 관련흐름법칙에 따라 거동하지만은 않으므로, 그림 5.10에 표시된 것처럼 항복함수 $f=0$과 다른 소성포텐셜 함수 $g=0$이 존재한다고 생각하여, 다음 식으로 주어지는 비관련흐름법칙(non-associated flow rule)을 이용하여 구성식을 유도하는 경우도 있다.[14]

$$d\epsilon_{ij}^p = \wedge \frac{\partial g}{\partial \sigma_{ij}} \tag{5.40}$$

따라서 이 경우에는 항복함수 $f=0$과 소성포텐셜함수 $g=0$을 함께 제공할 필요가 있다.[14]

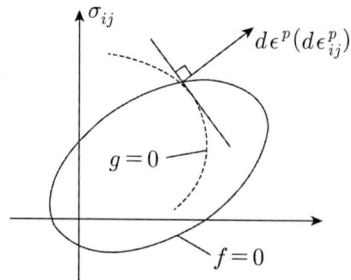

그림 5.10 비관련흐름법칙에서의 직교성

관련흐름법칙을 적용하는 경우의 탄소성체의 구성식은 이상에서 얻은 결과에 탄성변형률의 기여를 더하면 된다. 식 (5.7)을 시간에 대해 미분하면,

$$d\epsilon_{ij} = d\epsilon_{ij}^e + d\epsilon_{ij}^p \tag{5.41}$$

탄성변형률증분은 일반화된 Hooke의 법칙에 의하여

$$d\epsilon_{ij}^e = C_{ijkl}d\sigma_{kl} \tag{5.42}$$

식 (5.39), (5.42)를 식 (5.41)에 대입하면, 탄소성체의 구성식이 주어진다.

$$d\epsilon_{ij} = C_{ijkl}d\sigma_{kl} + H^* \frac{\partial f}{\partial \sigma_{ij}} \frac{\partial f}{\partial \sigma_{kl}} d\sigma_{kl} \quad H^* > 0 \tag{5.43}$$

5.3 지반의 소성모델

지반의 거동해석 시에는 그 지반의 응력-변형특성과 파괴 시의 응력상태를 정확히 파악할 필요가 있다. 특히 흙 구조물의 설계 시나 구조물의 하부설계 시에는 파괴강도에 대한 지식이 절대적으로 필요하다. 왜냐하면 파괴강도는 구조물의 안정성을 지배하는 가장 큰 요소가 된다. 일반적으로 지반 속의 한 요소는 3차원 응력상태에 놓여 있게 되므로 파괴 역시 3차원 응력하에서 취급되어야만 할 것이다.

이러한 파괴강도를 정확히 산정하기 위해서는 지반 속의 요소에 작용하는 3차원의 응력이 어떤 상태에 도달해야 파괴가 발생하는가에 대한 정확한 판정의 기준이 필요하다. 이러한 판정의 기준을 파괴규준(failure criterion)이라 한다. 토질역학 분야에 Coulomb의 마찰이론이 도입된 이래 많은 파괴규준이 사용되고 있다.

5.3.1 파괴의 정의

소성항복(yield), 강도파괴(strength failure), 파단(rupture) 등 재료의 거동이 어떤 상태로부터 다른 상태로 변화하는 과정을 광의로 파괴(failure)라 총칭할 수 있다. 이 중 항복은 탄성거동으로부터 소성거동이 탁월한 상태로 변화하는 과정을 가리키며 파괴는 외력에 대한 저항이 증가상태로부터 감소상태로 변화하는 과정을 가리킨다.

그림 5.11은 흙의 평균응력 σ_m이 일정한 상태에서의 전단응력-전단변형률 관계의 일례를 보여주고 있다. 응력은 Y점의 초기항복응력에 도달한 후 전단저항은 더욱 증가하여 P점의 최대치에 도달한다. 그 이후는 전단저항이 감소하여 일정치 R로 접근한다. 여기서 P점의 응력치를 최대전단강도, R점의 응력을 잔류강도라 한다. 이와 같이 최대전단강도 상태는 정의대로 파괴에 상당하나, 응력이 일정하고 전단변형만이 계속되는 잔류강도 상태를 한계상태(critical state)라 부른다. 한편 파단(rupture)은 재료가 두 개 이상의 부분으로 분단되는 과정을 말한다. 그러나 토질역학에서는 그다지 쓰지 않는 용어이다.

이와 같이 항복, 파괴는 재료의 응력-변형률 관계에서의 특성점이므로 이들의 응력상태를 응력공간 내에서 구하면 그림 5.12에 표시된 항복곡면이나 파괴곡면이 구해진다. 이들 곡면의 함수표시를 각각 항복규준(항복함수), 파괴규준이라 부른다.

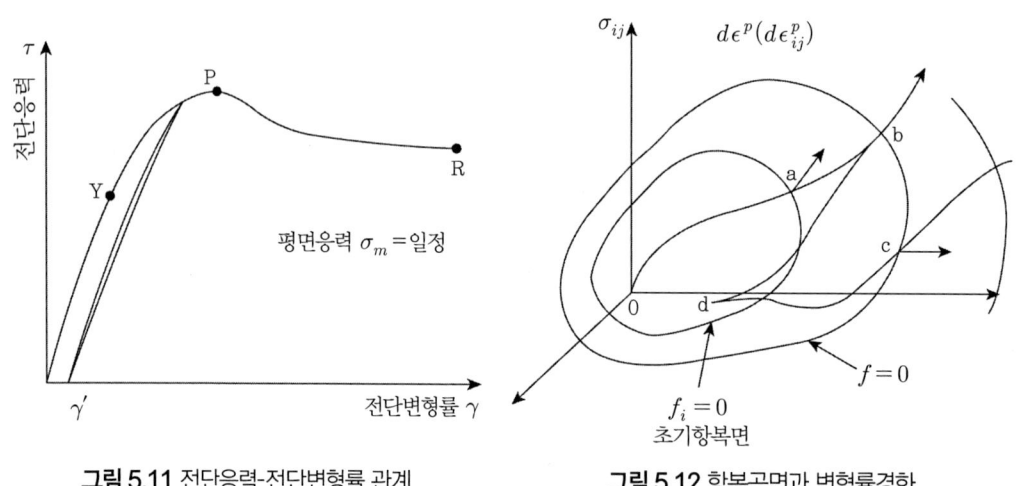

그림 5.11 전단응력-전단변형률 관계   그림 5.12 항복곡면과 변형률경화

5.3.2 파괴규준

토질역학에서 Coulomb, Mohr, Mohr-Coulomb, Tresca, von Mises 등의 항복규준, 파괴규준이 예로부터 사용되고 있으며(Villiappam, 1981)[20] 흙의 구성식의 발전에 따라 새로운 항복, 파괴규준도 제안되어 오고 있다(Lade, 1984;[14] Matsuoka & Nakai, 1974[15]). 이들 규준은 꼭 항복규준만이라던가 또는 파괴규준만을 한정하여 이용되고 있지는 않고 어떤 경우에는 항복규준으

로, 다른 경우에는 파괴규준으로 이용되는 경우가 많으므로 항복이나 파괴로 한정함이 없이 단순히 규준으로 취급되기도 한다.

흙의 파괴규준은 흙의 상태를 나타내는 양을 가지고 표시하면 좋기 때문에 일반적으로는 응력과 변형률로 나타낸다. 그러나 소성론에서는 파괴규준을 응력으로 표시하는 것이 보통이다. 이 경우 일반적으로 파괴규준을 등방성의 가정 아래 응력불변량의 함수로 식 (5.44)와 같이 생각하는 것이 타당하다고 여겨진다.

$$f(I_1, I_2, I_3) = 0 \tag{5.44}$$

여기서, I_1, I_2, I_3는 각각 응력의 제1, 2, 3 불변량이며 식 (5.45)로 표현된다.

$$I_1 = \sigma_1 + \sigma_2 + \sigma_3$$
$$I_2 = \sigma_1\sigma_2 + \sigma_2\sigma_3 + \sigma_3\sigma_1 \tag{5.45}$$
$$I_3 = \sigma_1\sigma_2\sigma_3$$

응력불변량은 주응력으로 나타낼 수 있으므로 식 (5.44)는 다음과 같이 표현될 수도 있다.

$$F(\sigma_1, \sigma_2, \sigma_3) = 0 \tag{5.46}$$

식 (5.46)은 세 개의 주응력을 좌표축으로 하는 주응력공간(principal stress space)에서 곡면을 나타내는 식으로 생각할 수 있다. 이러한 파괴규준 식 (5.46)으로 정해지는 공산곡면을 피괴곡면이라 한다.

파괴곡면은 식 (5.47)과 같이 주응력차의 함수로 나타내기도 한다.

$$F[(\sigma_1 - \sigma_2), (\sigma_2 - \sigma_3), (\sigma_3 - \sigma_1)] = 0 \tag{5.47}$$

5.3.3 고전적 소성모델

(1) Coulomb 모델

흙의 파괴규준으로서 가장 오래전부터 널리 사용된 것은 식 (5.48)의 Coulomb 모델이다.

$$\tau_f = c + \sigma_n \tan\phi \tag{5.48}$$

그림 5.13에서 보는 것처럼 τ_f는 전단강도, σ_n은 파괴면의 수직응력, c는 점착력, ϕ는 내부마찰각이다.

Coulomb 모델은 "두 물체 간의 마찰력은 마찰면에 작용하는 수직력에 비례하고 겉보기 접촉면적의 대소에 관계하지 않는다"라는 Coulomb의 실험법칙과 "마찰력은 수직력에 비례하는 마찰력성분과 수직력에 무관한 점착력 성분으로 성립된다"라는 Vince의 연구 결과에 근거하고 있다.

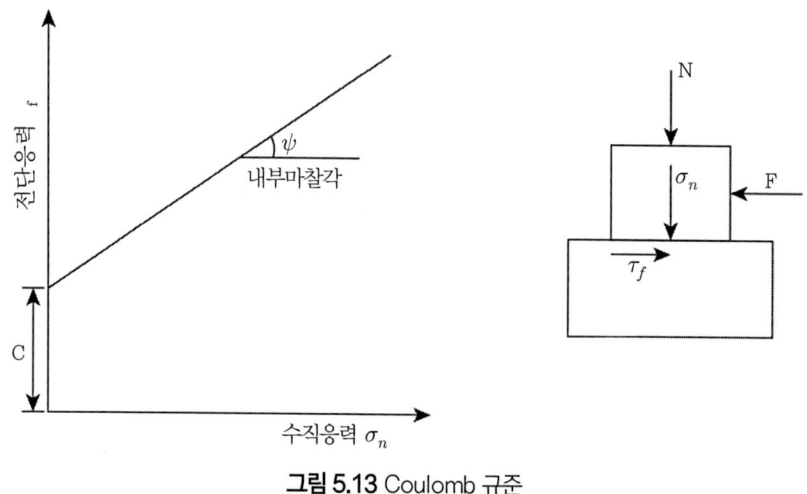

그림 5.13 Coulomb 규준

이 규준을 흙에 적용하는 경우, 강도정수, c, ϕ의 물리적 의미는 명백하지 못하기 때문에 ϕ를 단순히 전단저항각, c를 겉보기 점착력이라 부른다.

(2) Mohr 모델

재료의 항복 또는 파괴가 발생할 때 잠재파괴면상의 전단저항 τ는 그 면의 수직응력 σ만의 함수라고 생각하여 식 (5.49)와 같이 표시한다.

$$\tau = f(\sigma) \tag{5.49}$$

잠재파괴면상의 응력 σ, τ는 파괴 시의 최대·최소주응력 σ_1, σ_3와 파괴면의 각도 θ를 알면 그림 5.14의 Mohr 응력원상의 P점의 응력으로 결정된다. 즉, Mohr 모델은 P점의 궤적이며 $\tau = f(\sigma)$는 파괴 시의 Mohr 응력원의 포락선으로 구해진다.

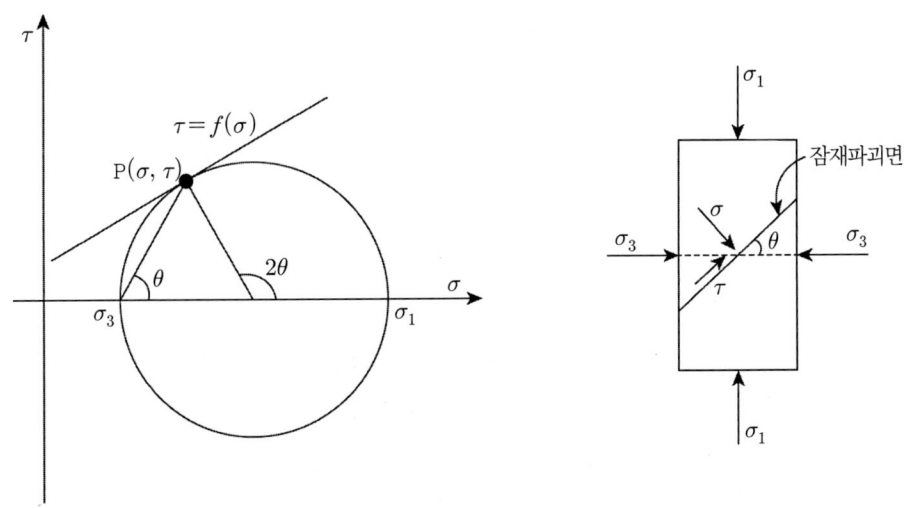

그림 5.14 Mohr 규준

(3) Mohr-Coulomb 모델

Mohr 모델 $\tau = f(\sigma)$가 그림 5.15와 같이 직선관계로 표시된 경우 이를 Mohr-Coulomb 모델이라 부른다. 겉보기 점착력 c와 전단저항각 ϕ를 사용하면 식 (5.49)는 다음과 같이 된다.

$$\tau = c + \sigma \tan \phi \tag{5.50}$$

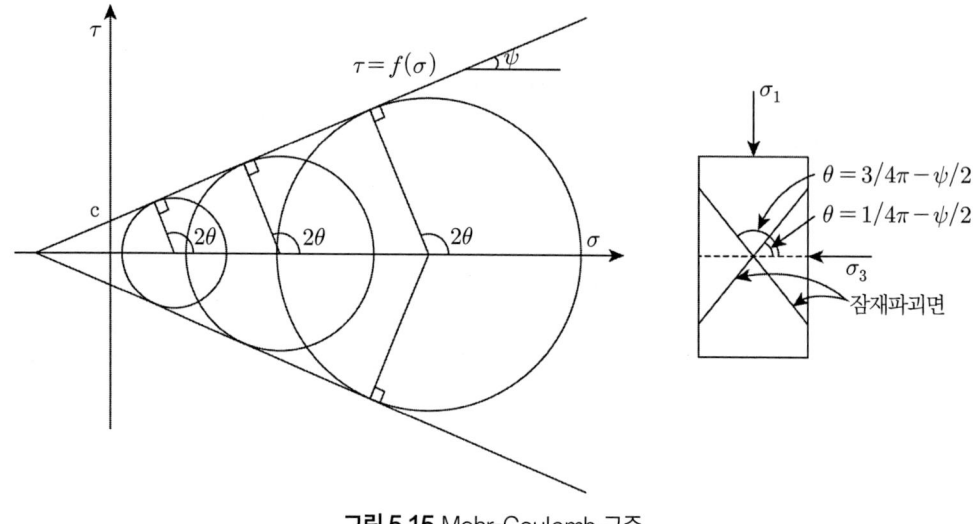

그림 5.15 Mohr-Coulomb 규준

이 포락선에 내접하는 Mohr 응력원을 이용하면, 식 (5.50)은 파괴 시의 최대·최소 주응력 σ_1, σ_3에 의하여 다음과 같이 된다.

$$\sigma_1 - \sigma_3 = 2c\cos\phi + (\sigma_1 + \sigma_3)\sin\phi \tag{5.51}$$

잠재파괴면의 각도 θ와 전단저항각 ϕ의 관계는 기하학적 관계에서 다음과 같이 된다.

$$\theta = \pi/4 + \phi/2, \ \theta = 3\pi/4 - \phi/2 \tag{5.52}$$

(4) Tresca 모델

Tresca 모델은 최대전단응력 τ_{max}가 재료의 전단강도 k에 도달하면 파괴(또는 항복)가 발생한다고 생각하는 데 근거한다.

$$\tau_{max} = (\sigma_1 - \sigma_3)/2 = k \tag{5.53}$$

3차원 주응력 공간에서의 파괴곡면은 그림 5.16에 도시된 것처럼 일점쇄선으로 표시된 평균주응력 σ_m 축에 평행한 6각주이며 $\sigma_m =$일정면과의 교선은 정육각형이 된다. 따라서 Tresca

모델은 중간주응력 σ_2와 평균주응력 σ_m의 영향을 받지 않는다. 이 규준을 평균응력 σ_m에 의하여 강도가 변화하는 재료의 파괴규준에 적용할 수 있도록 확장한 것이 식 (5.54)와 같은 확장 Tresca 모델이다.

$$(\sigma_1 - \sigma_3)/\sigma_m = a \tag{5.54}$$

여기서 $\sigma_m = (\sigma_1 + \sigma_2 + \sigma_3)/3$, a는 재료정수이다. 이 파괴곡면의 형상은 그림 5.17에 도시된 것처럼 6각추이고, σ_m = 일정면과의 교선은 Tresca 모델과 같은 모양의 정육각형이다.

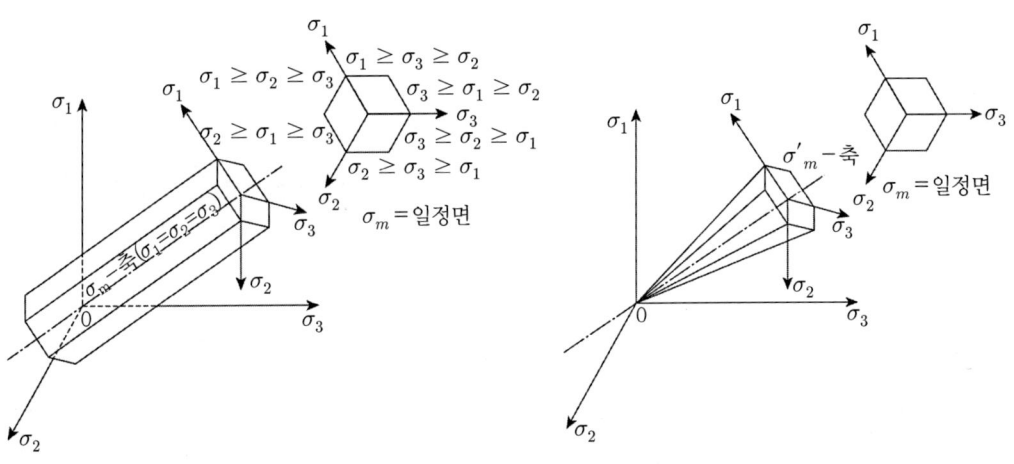

그림 5.16 Tresca 규준   그림 5.17 확장 Tresca 규준

(5) von Mises 모델

von Mises 모델은 전단탄성에너지가 어떤 일정치에 달하면 재료가 파괴(또는 항복)한다고 생각하여 다음과 같이 표시한다.

$$(\sigma_1 - \sigma_2)^2 + (\sigma_2 - \sigma_3)^2 + (\sigma_3 - \sigma_1)^2 = 9\tau_{oct}^2 = 2k^2 \tag{5.55}$$

여기서, τ_{oct}는 정팔면체전단응력이다. 이 규준은 중간주응력의 영향을 고려하고 있지만, 그림 5.18에 도시된 것처럼 파괴곡면은 σ_m축에 평행한 원주이므로 강도는 평균응력 σ_m의 변화에 영향을 받지 않는다.

이 모델을 평균응력 σ_m 에 따라 강도가 변화하는 재료에 적용할 수 있도록 확장한 것을 확장 von Mises 모델이라 부르며 다음과 같이 표시한다.

$$(\sigma_1 - \sigma_2)^2 + (\sigma_2 - \sigma_3)^2 + (\sigma_3 - \sigma_1)^2 = 9\tau_{oct}^2 = a^2\sigma_m^2 \tag{5.56}$$

여기서, a는 재료정수이다. 식 (5.56)에 의한 주응력공간내의 파괴면 형상이 그림 5.19에 도시된 것처럼 원추이고, σ_m = 일정면과의 교선은 von Mises 모델과 같은 모양의 원이 된다.

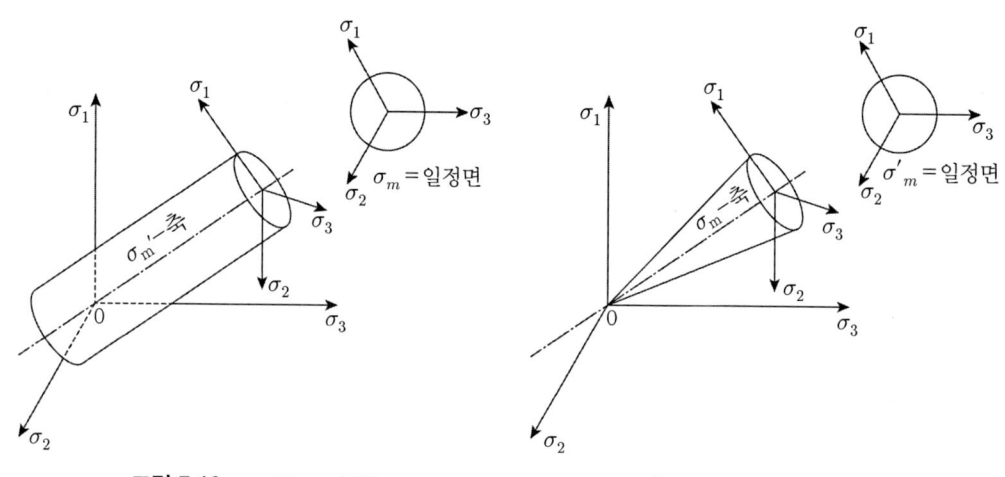

그림 5.18 von Mises 규준   그림 5.19 확장 von Mises 규준

5.3.4 최근의 소성모델

(1) Lade 모델

Lade(1984)는 유효점착력이 없는 재료의 3차원 파괴규준은 곡선의 파괴포락선을 가진다고 하였다.[14] 이 모델은 제1 및 제3 응력불변량 항으로 식 (5.57)과 같이 제안되었다. 여기서 제1 및 제3 응력불변량은 식 (7.2) 및 (7.4)와 같다.

$$(I_1^3/I_3 - 27)(I_1/P_a)^m = \eta_1 \tag{5.57}$$

여기서, P_a는 응력의 단위로 표시된 대기압이고, η_1과 m은 재료에 따라 결정되는 재료정수이다. 식 (5.57)로 얻어지는 파괴면은 주응력공간상에서 그림 5.20(a)에서 보는 것처럼 응력축의 원점에서 정점을 가지는 비대칭 총알모양이다. 정점에서의 각도는 η_1의 값에 따라 증가한다. 또한 이 파괴면은 정수압축에 대해 볼록한 형태를 가지며 곡률은 m값에 따라 증가한다. $m=0$인 경우 파괴면은 직선이 된다. 그림 5.20(b)는 $m=0$이고 η_1이 1, 10, 10^2 및 10^3인 정팔면체면(I_1 = 일정)상의 파괴면의 단면도이다.

η_1이 증가할수록 파괴면 단면형상은 원형에서 부드럽고 매끄러운 모서리를 가지는 삼각형으로 변하고 있다. $m=0$일 때는 이들 단면은 I_1값에 따라 변화하지 않는다. 그러나 $m>0$인 경우는 파괴면의 단면형상은 I_1의 값이 증가함에 따라 삼각형에서 원형 쪽으로 변한다.

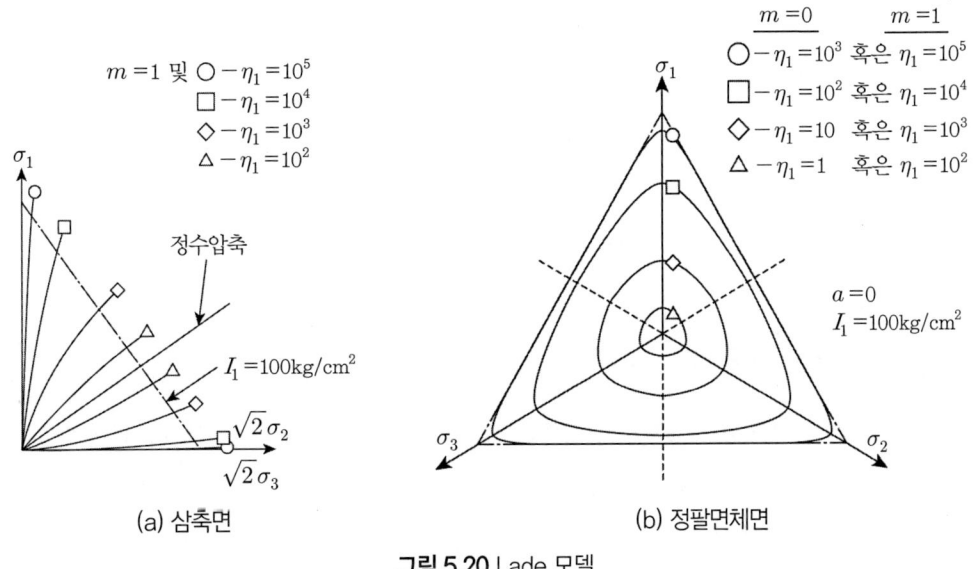

그림 5.20 Lade 모델

(2) Matsuoka-Nakai 모델

3차원 응력장에서 흙의 역학거동을 설명하기 위하여 도입된 공간활동면(Spetical mobilized plane)의 개념에 의거하여 Matsuoka와 Nakai(1974)는 파괴규준을 응력불변량의 항으로 식 (5.58)과 같이 제안하였다.[15]

$$I_1 I_2 / I_3 = k \tag{5.58}$$

여기서, k는 재료정수이며 응력불변량은 식 (7.2)~(7.4)와 같다. 이 규준은 그림 5.21에서 보는 것처럼 삼축압축 및 삼축신장상태에서는 Mohr-Coulomb 모델에 일치하나, 중간주응력의 영향을 고려하므로 인하여 정팔면체상의 파괴면은 Mohr-Coulomb 파괴면을 외측으로 둘러싸고 있다. 즉, 삼축압축과 삼축신장 사이의 파괴면은 직선이 아니다.

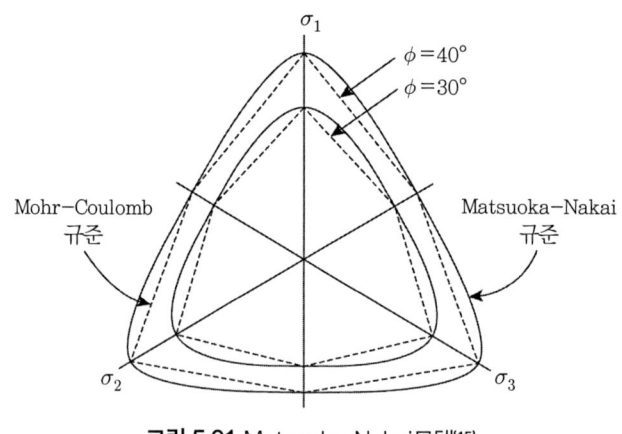

그림 5.21 Matsuoka-Nakai모델[15]

5.3.5 각 소성모델의 평가

자갈, 모래 실트, 점토등과 같은 마찰재료(frictional material)에는 유효점착력이 없거나 거의 무시할 수 있을 정도이다. Mitchell(1976)은 광범위한 유효응력에 걸친 시험으로 실질적인 유효응력 파괴포락선은 곡선이고, 고도의 과압밀점토의 경우에도 유효점착력은 없거나 매우 작음을 보였다(단, Chemical bonding(cementation) 현상이 없는 경우).[16]

몇몇 구성모델은 마찰재료의 파괴상태로 확장 Tresca 모델 또는 확장 von Mises(또는 Drucker-Prager) 모델을 채택하고 있다. 이들 두 모델에 의하면 평균수직응력이 일정한 상태에서 압축강도와 신장강도는 동일하다.

Bishop(1966)은 이들 두 파괴규준은 원칙적으로 사질재료의 거동을 나타낼 수 없다고 하였다.[8] 그림 5.22(a)는 모든 응력이 압축(+)인 주응력공간의 외측 부분까지 이들 규준의 파괴면이 연장되어야 함을 지적하고 있다. 즉, 삼축압축상태에서 얻은 마찰력이 큰 경우, 삼축신장

부근의 응력상태는 세 주응력 중 하나는 부(-)값을 가지는 응력 공간에 존재하게 된다. 그러나 이것은 유효점착력이 없는 재료에 대해서는 분명히 모순된다. 삼축압축상태의 마찰각이 작은 경우일지라도 이들 두 규준은 마찰재료의 삼차원 유효강도변화에 대한 실험 결과를 올바르게 나타내고 있지 못하다.

한편 Mohr-Coulomb 모델은 그림 5.22(b)와 같이 일그러진 육각형의 파괴면을 보이며 마찰각이 90°에 가까울수록 삼각형의 파괴면에 근접해간다.

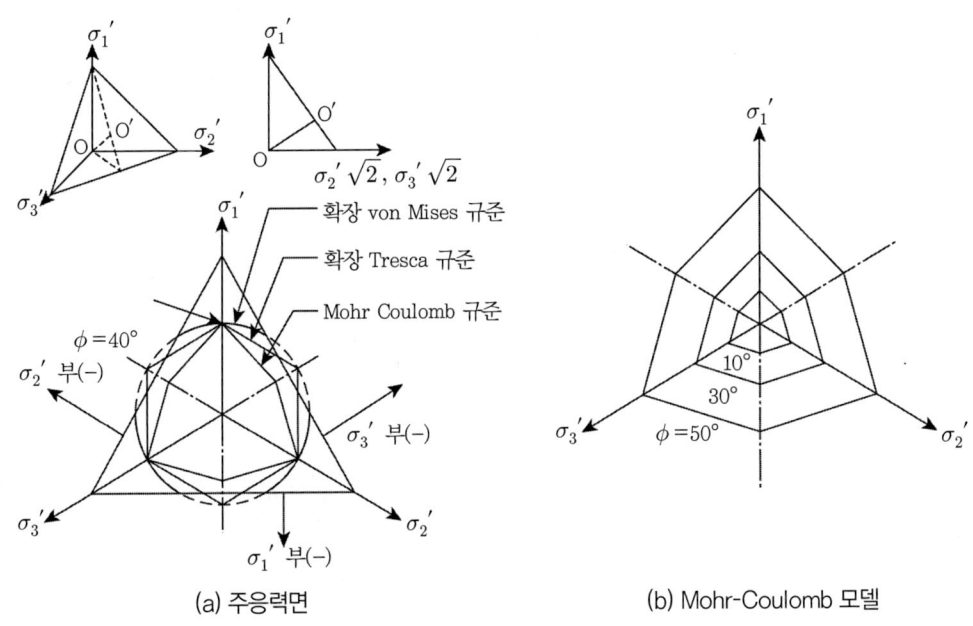

(a) 주응력면   (b) Mohr-Coulomb 모델

그림 5.22 파괴규준의 비교

Mohr-Coulomb 모델에는 중간주응력이 고려되어 있지 않으며, 정수압축을 포함하는 Rendulic 면(이를 삼축면(Triaxial plane)이라고도 함)과의 교선인 파괴 궤적은 직선이 된다. 그러나 마찰재료의 강도에는 중간주응력의 영향이 큼을 그림 5.23과 같은 입방체형 삼축시험 결과로부터 밝혀졌다.[4,10] 더욱이 정팔면체상의 시험적 파괴선은 직선이 아니었고, 각 주응력축의 투영축에 수직으로 교차하고 있었다.

또한 시험 결과에 의하면 삼축면상의 파괴선은 곡선을 보이고 있다. 그러나 마찰재료의 이와 같은 중요한 사항을 Mohr-Coulomb 모델에서는 다룰 수 없게 되어 있다.

그림 5.24는 각 모델에 대해 평균응력 σ_m 및 중간주응력 σ_2의 의존도를 알아보기 위하여

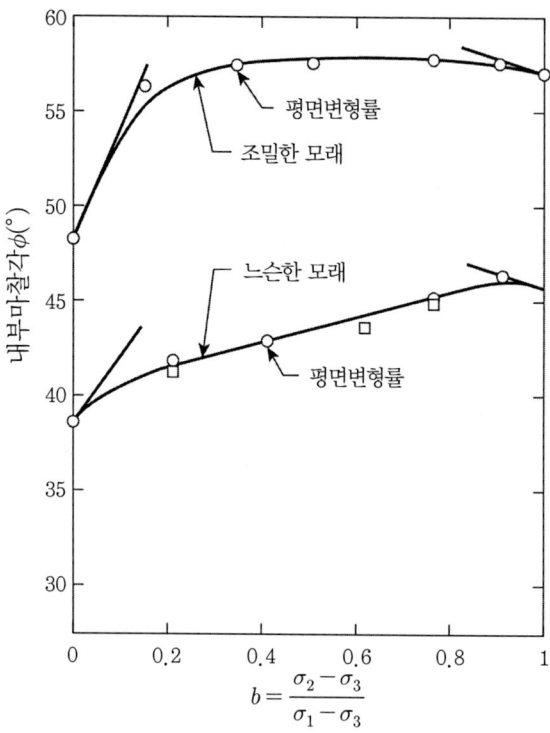

그림 5.23 중간주응력 변화에 따른 내부마찰각(Lade & Duncan, 1973)[10]

파괴곡면과 삼축면 및 σ_m 일정면과의 교선형상을 표시한 그림이다. 그림 중 θ 및 b는 중간주응력의 크기를 나타내는 변수로 다음과 같이 구한다.

$$\theta = \tan^{-1}[\sqrt{3}(\sigma_2 - \sigma_3)/((\sigma_1 - \sigma_2) + (\sigma_1 - \sigma_3))] \tag{5.59}$$

$$b = (\sigma_2 - \sigma_3)/(\sigma_1 - \sigma_3) \tag{5.60}$$

그림으로부터 알 수 있는 것처럼 확장 von Mises 모델, Matsuoka-Nakai 모델 및 Lade 모델은 모두 중간주응력의 영향을 고려하고 있다.

그러나 Matsuoka-Nakai 모델은 삼축압축 및 삼축신장 응력상태에서 Mohr-Coulomb의 모델에 일치하는 특징을 가지고 있다. 따라서 삼축면에서는 그림 5.24(a)에서 보는 것처럼 Mohr-Coulomb의 파괴선과 동일하게 나타나고 있다. 그러나 앞에서도 인용한 것처럼 Mitchell의 시험결과에 의하면 실질적인 유효응력파괴포락선은 곡선으로 밝혀지고 있다 한편 Lade 모델은 평균응력 σ_m의 영향도 고려하고 있으며 삼축신장응력 상태에서는 그림 5.24(b)에서 보는 것처럼 Mohr-Coulomb 모델과 일치하지 않고 있다. 또한 삼축면에서 파괴선은 그림 5.24(a)에 도시된 것처럼 곡선으로 되는 점이 특징이다.

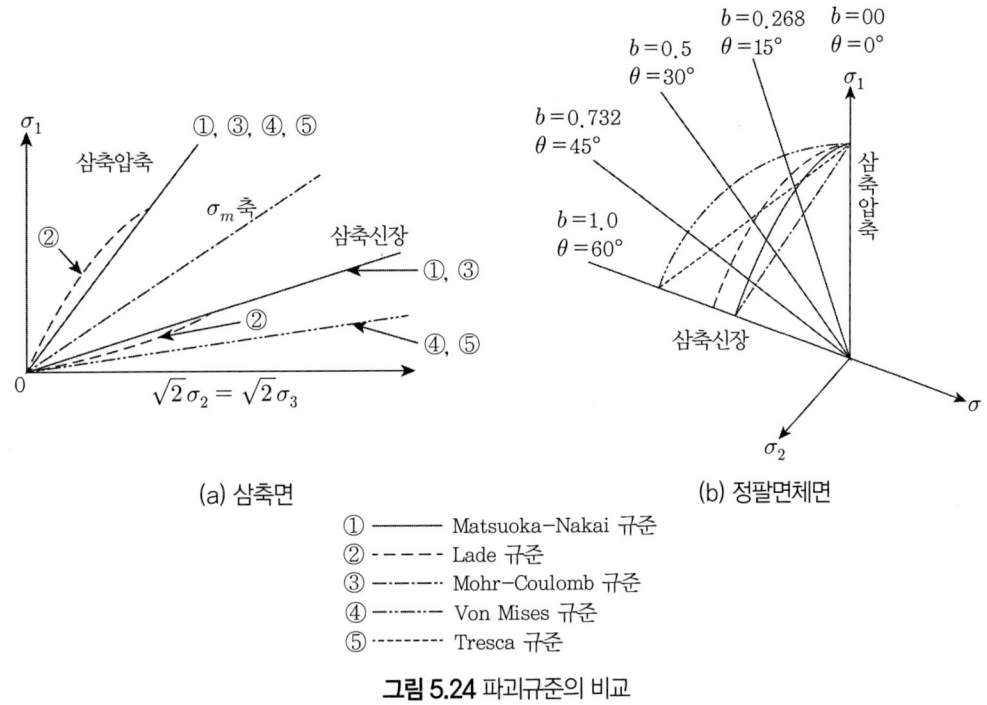

① ——— Matsuoka-Nakai 규준
② ----- Lade 규준
③ —·—·— Mohr-Coulomb 규준
④ —··—··— Von Mises 규준
⑤ ········ Tresca 규준

그림 5.24 파괴규준의 비교

5.3.6 시험 결과

삼축시험은 흙의 강도특성을 파악하기 위한 요소시험으로 예부터 많이 사용되고 있다. 삼축시험이라고 하면 통상 원통형 공시체에 대한 축대칭 삼축시험을 가리킨다(Bishop & Henkel(1962)).[7,18]

그러나 이 시험 방법은 원통형 공시체를 사용하는 관계로 요소 내의 응력상태가 항상 축대칭상태에 있게 된다. 그러나 실제 지반 내의 응력상태는 축대칭상태와 달리 세개의 주응력의 크기가 다른 경우도 많이 있으므로 정확한 파괴규준을 확립하려면 현장에 보다 근접한 상태의 요소시험을 실시할 필요가 있다. 즉, 흙 요소에 서로 다른 세 주응력을 재하시킬 수 있는 다축시험 장치가 필요하게 된다.

다축시험으로 최근에 고안되어 주로 사용되고 있는 시험은 크게 둘로 구분될 수 있다. 하나는 입방체형 삼축시험(cubical triaxial test)이며,[11] 다른 하나는 비틀림전단시험(torsion shear test)[1,2,13] 이다. 이 중 입방체형 삼축시험은 입방형공시체에 서로 다른 세 주응력을 각각 독립적으로 재하시킬 수 있게 한 시험이다.

한편 비틀림전단시험은 중공원통형 공시체(hollow cylindrical specimen)를 사용하여 공시체의 내측면과 외측면에는 구속측압을 가하고 공시체 상하단에 연직하중 및 비틀림 하중을 가하여 각각 다른 세 주응력이 공시체 내에 발생될 수 있도록 하는 시험이다.

입방체형 삼축시험은 세 주응력축의 방향이 항상 고정되어 있는 데 반하여 비틀림전단시험에서는 주응력축의 방향이 전단진행과 함께 회전하게 되어 주응력회전의 효과도 고려할 수 있는 장점이 있다.

(1) 재료정수

식 (5.57)의 Lade 모델에서 재료에 따라서 정하여지는 재료정수 η_1과 m은 요소시험으로 얻어진다. 파괴 시의 $(I_1^3/I_3 - 27)$과 (P_a/I_1)의 관계를 그림 5.25와 같은 양면대수지에 정리하여 η_1과 m을 결정한다.

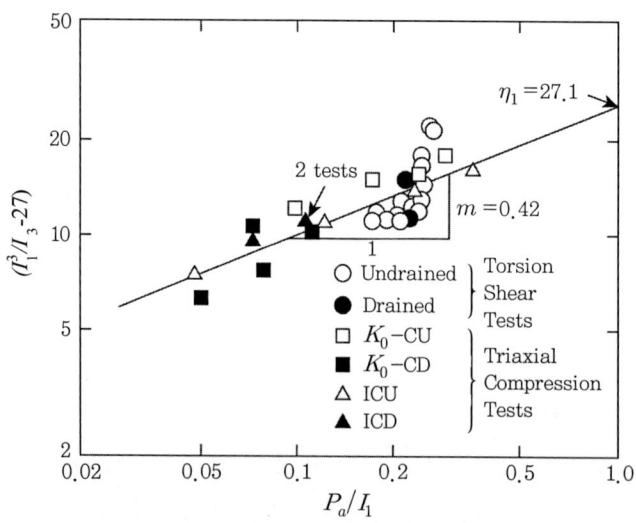

그림 5.25 재료정수 η_1과 m의 결정(Hong and Lade, 1989)[9]

즉, η_1은 (P_a/I_1)이 1인 위치에서 회귀분석 직선의 종축 좌표치로 정하여지며 m은 그 직선의 기울기로 정해진다. 이들 재료정수를 얻기 위해서는 응력을 측정할 수 있는 시험이면 모두 사용될 수 있다. 그러나 $b=0$인 축대칭 삼축시험과 같이 되도록 간편한 시험을 사용하는 것이 유리하다.

(2) 등방성 흙

그림 5.26은 초기등방성을 가지도록 마련된 조밀한 상태의 Montery No.O Sand(Lade & Duncan, 1973)[10]에 대한 입방체형 삼축압축시험 결과를 $I_1 = 5\text{kg/cm}^2$인 정팔면체상에 유효응력항으로 투영·정리한 결과이다.

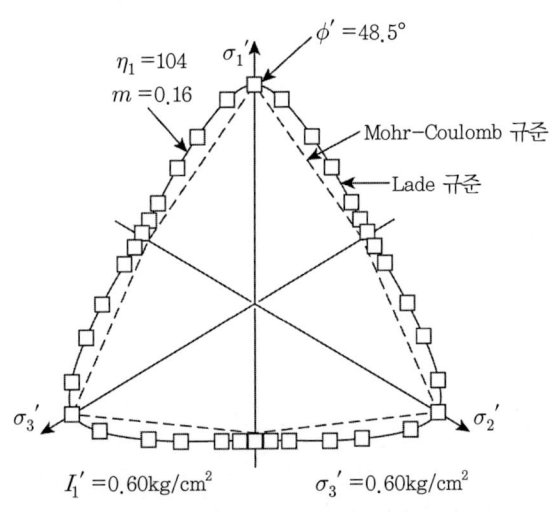

그림 5.26 Montery No. O Sand[10]

이 모래는 석영과 장석의 성분으로 구성되어 있으며 평균직경은 0.43mm이고 균등계수는 1.53, 비중은 2.645, 간극비 $e=0.57$, 상대밀도 $D_r=98\%$였다. 삼축압축 시의 내부마찰각은 48.5°였고 η_1과 m은 각각 104와 0.16이었다.

그림 중 굵은 실선은 식 (5.57)의 Lade[10]에 의한 파괴면이고 점선은 Mohr-Coulomb[10]에 의한 파괴면이다. 이 결과에 의하면 이 모래시료의 파괴강도는 Lade의 파괴규준과 아주 잘 일치하고 있으나 Mohr-Coulomb의 파괴규준은 중간주응력이 최소주응력과 같지 않은, 즉 $b>0$인 경우의 시험치를 과소평가하고 있음을 알 수 있다. 따라서 Lade의 파괴규준은 초기등방성을 가지는 모래지반의 파괴규준으로 적합함을 알 수 있다.

정규압밀점토시료에 대한 입방체형 삼축시험 결과는 그림 5.27(a)와 같다(Lade, 1984).[14] 사용된 점토시료는 EPK(Edgar Plastic Kaolinite) 점토로 K_o-압밀에 의한 고유이방성을 제거시키

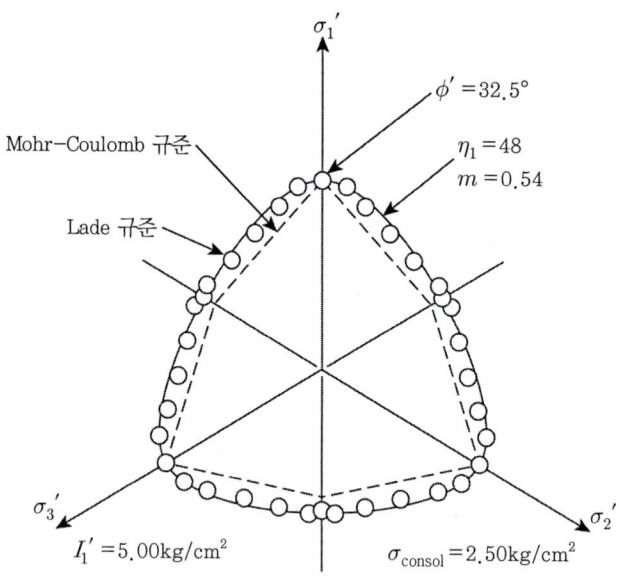

(a) Edgar Plastic Kaolinite Clay[14]

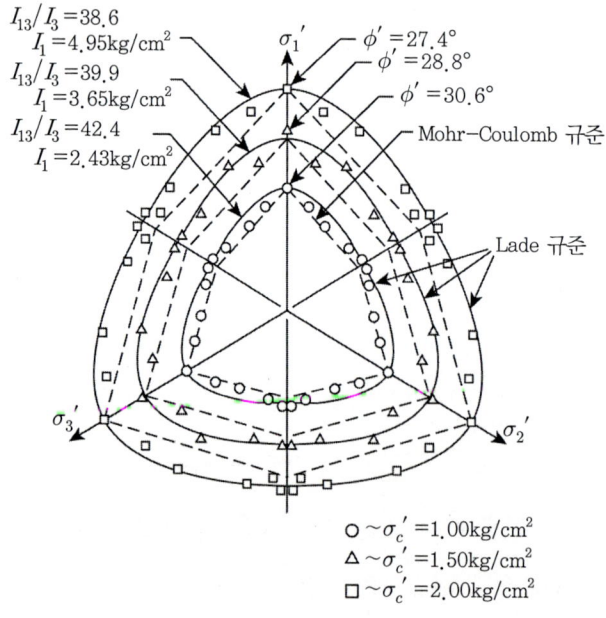

(b) Grundite Clay[12]

그림 5.27 점토의 삼축시험 결과

기 위하여 실내에서 반죽성형하여 등방성을 가지도록 하였다. 이 경우도 그림 5.26의 모래시료의 경우와 동일하게 Lade의 파괴규준이 점토시료의 파괴강도와 잘 일치하고 있음을 알 수 있다.

Lade와 Musante(1978)는 Illite계 점토인 Grundite 점토에 대해 EPK 점토와 동일한 방법으로 실내에서 반죽성형한 등방성 점토시료를 준비하여 입방체형 삼축시험을 시험한 결과 그림 5.27(b)와 같이 양호한 결과를 얻었다.[12]

Tsai와 Lade(1985)는 Lade 모델을 등방성 과압밀점토에까지 확대 적용시킬 수 있는지를 확인하기 위하여, 반죽성형한 과압밀 EPK 점토에 대해서도 그림 5.28과 같은 좋은 결과를 얻었다.[19]

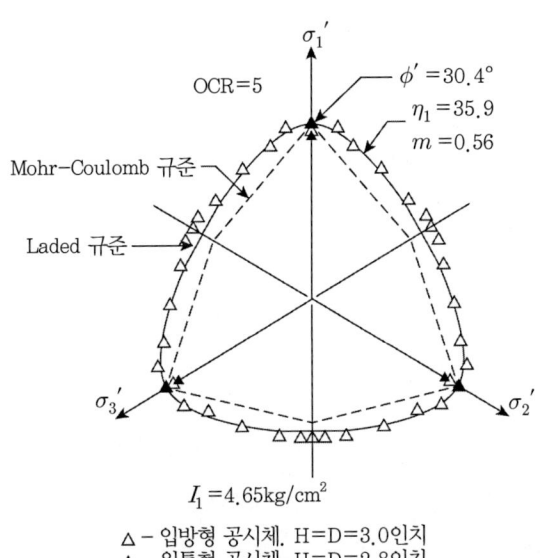

그림 5.28 과압밀 Edgar Plastic Kaolinite Clay[19]

결국 Mohr-Coulomb 모델은 $b>0$인 등방성 흙의 파괴강도를 과소산정하고 있는 반면에 Lade 모델은 등방성 흙의 파괴강도 산정에 적용될 수 있다고 할 수 있다. Matsuoka-Nakai 모델도 중간주응력을 고려하고 있기는 하지만 삼축신장응력상태($b=1.0$)에서는 Mohr-Coulomb 모델과 동일하므로 결국 실제 파괴강도를 과소산정하고 있다고 할 수 있다.

즉, 그림 5.23에서도 설명된 것처럼 $b=1$인 삼축신장의 경우 Mohr-Coulomb 모델은 삼축압축과 동일한 내부마찰각을 가지게 되지만 실제 시험 결과는 삼축신장이 삼축압축보다 큰 내부마찰각을 보이고 있다.

(3) 이방성 흙

이방성을 가지는 흙에 적용하기 적합한 파괴규준을 확립하기 위하여 모래와 점토시료에 대해 입방체형 삼축압축시험을 각각 그림 5.29 및 그림 5.30과 같이 실시하였다. 즉, 모래시료에 대한 삼축시험은 직교이방성 구조를 가지도록 실내에서 준비한 Cambria 모래에 대해 실시하였으며(Ochiai & Lade, 1985)[17] 점토시료에 대한 삼축시험은 압밀퇴적된 지반에서 직접 채취한 San Fransisco Bay Mud를 실내에서 1차원 압밀을 추가로 가한 후 과압밀비가 5가 되도록 하여 실시하였다.[4,5]

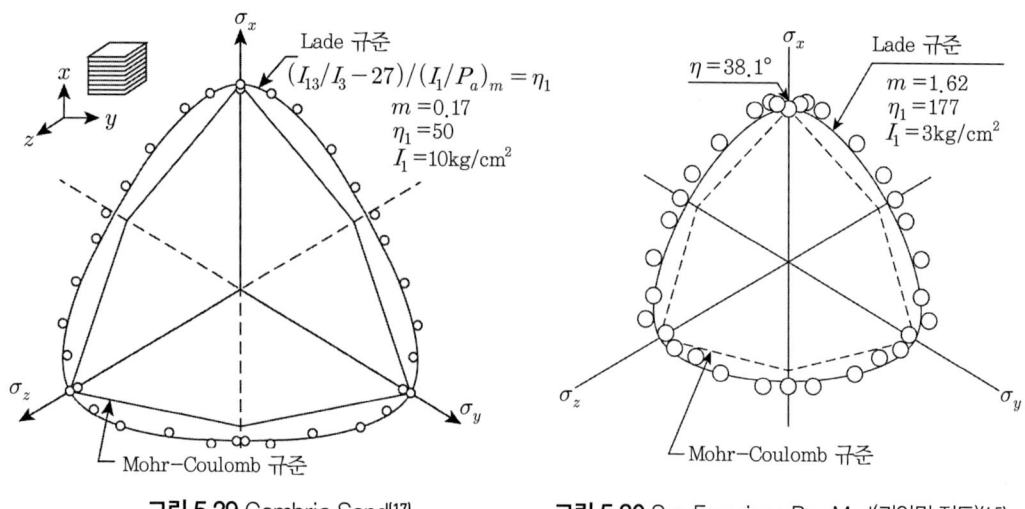

그림 5.29 Cambria Sand[17]   그림 5.30 San Francisco Bay Mud(과압밀 점토)[4,5]

이들 이방성 흙의 방향성을 나타내기 위하여 그림 5.31(a)와 같이 입방형 공시체의 방향을 Cartesian 좌표계로 결정 사용하였다. 즉, x축은 직교이방성 공시체의 회전대칭축에 일치시켰다. 따라서 그림 5.31(b) 및 (c)의 정팔면체면상에 표시된 각도 θ는 σ_x축에서 응력점 $P(\sigma_x, \sigma_y, \sigma_z)$까지의 시계방향 각도이며 식 (5.59) 대신에 식 (5.61)과 같이 계산된다.

$$\tan\theta = \sqrt{3}\,\frac{\sigma_y - \sigma_z}{(\sigma_x - \sigma_y) + (\sigma_x - \sigma_z)} \tag{5.61}$$

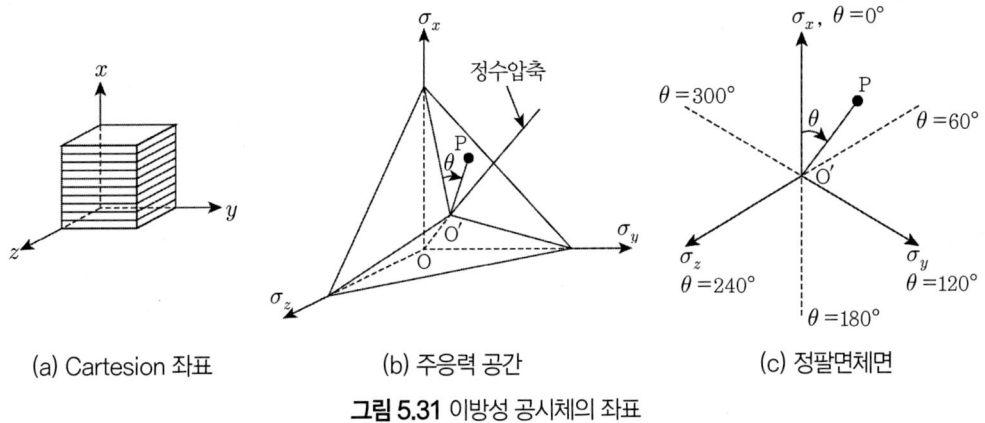

그림 5.31 이방성 공시체의 좌표

그림 5.29 및 그림 5.30에 도시된 입방형 삼축시험은 θ가 0°에서 180°까지의 범위에 대해 실시되었다. 이들 시험 결과 흙의 초기 직교이방성구조는 파괴 이전의 흙의 응력-변형률거동에는 크게 영향을 미쳤으나 파괴강도는 등방체의 파괴규준으로 제안된 Lade 모델과 매우 양호하게 일치함을 보였다. 이는 대부분의 흙의 파괴는 큰 전단변형에서 발생되므로 이 전단변형은 공시체 내의 흙의 구조를 상당히 변화시켜 파괴 시의 구조는 등방체의 구조에 근접하여 감에 기인한 것으로 판단된다. 결국 Lade의 파괴규준은 이방성 구조를 가지는 흙의 삼차원 파괴강도 산정에도 실용적으로 사용될 수 있음을 알 수 있다.

(4) 주응력 회전

자연퇴적점토지반에서는 K_0-응력상태로 압밀이 되며 이러한 점토지반에 구조물이 축조되면 응력의 크기가 변화됨과 동시에 주응력축의 방향도 회전하게 된다. 이러한 주응력의 크기와 방향의 변화는 응력-변형거동에 크게 영향을 미칠 것이다. 따라서 흙의 거동에 대해 충분히 이해하기 위해서는 주응력축 회전의 영향을 파악하는 것이 대단히 중요하다. 그러나 통상의 축대칭삼축시험이나 입방체형 삼축시험으로는 전단시험 중 주응력을 회전시킬 수가 없다. 여기에 전단시험 중 주응력 회전을 가능하게 하기 위하여 비틀림전단시험이 개발 사용되고 있다(Lade, 1981[13]; 홍원표, 1988[1-3]). 비틀림전단시험에 사용된 중공원통형 공시체에 작용하는 응력을 원통좌표로 표시한 것이 그림 5.32(a)이다. 공시체중의 미소요소에 작용하는 수직응력과 전단응력으로 Mohr의 응력원을 그려보면 그림 5.32(c)와 같이 되며 최대주응력

σ_1 및 최소주응력 σ_3는 식 (5.62)에 의하여 산출될 수 있다.

$$\begin{matrix}\sigma_1\\\sigma_3\end{matrix} = \frac{1}{2}(\sigma_z + \sigma_\theta) \pm \sqrt{(1/4)(\sigma_z - \sigma_\theta)^2 + \tau_{z\theta}^2} \qquad (5.62)$$

한편 주응력 σ_1의 방향은 식 (5.63)에 의해 구해진다.

$$\tan 2\psi = \frac{2\tau_{z\theta}}{\sigma_z - \sigma_\theta} \qquad (5.63)$$

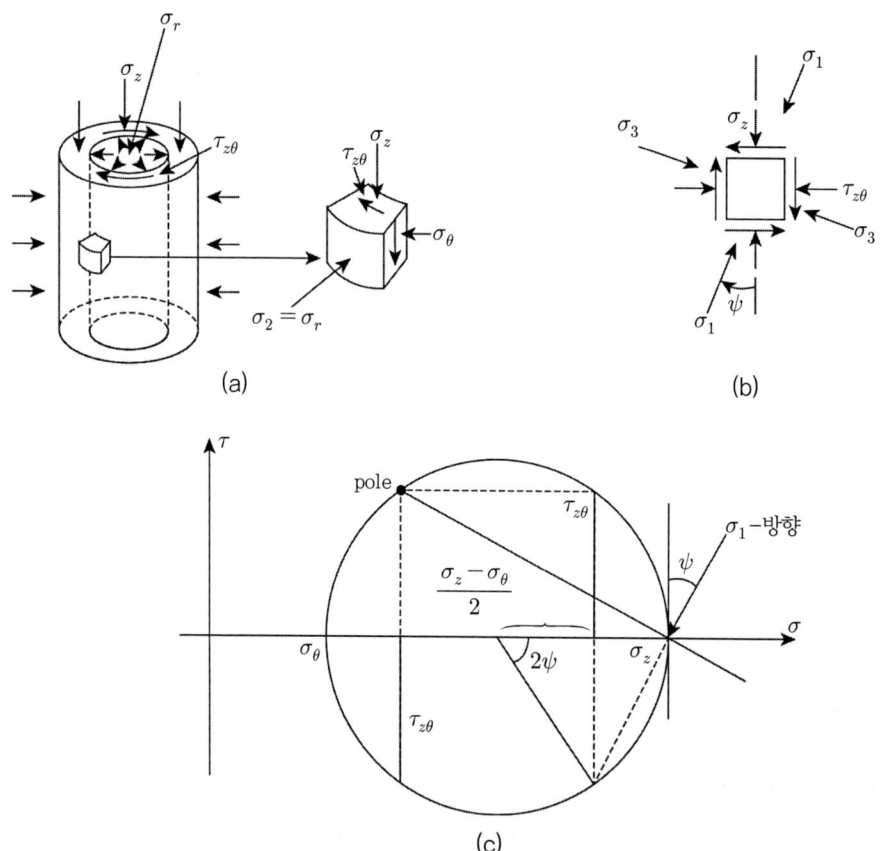

그림 5.32 비틀림 전단시험에 의한 주응력 회전[9]

실내에서 반죽성형하여 K_0-압밀을 한 EPK(Edgar Plastic Kaolinite) 점토공시체에 대해 응력경로를 여러 가지로 변경하면서 실시된 비틀림전단시험 결과는 그림 5.33과 같다.[9]

이 그림은 시험 결과를 연직축차응력 $(\sigma_z - \sigma_\theta)$와 전단응력 $\tau_{z\theta}$의 관계로 정리한 것이다. 그림 중 곡선은 식 (5.57)의 Lade 모델에 의하여 구하여진 파괴면이다.

이 그림에서 식 (5.57)에 의한 파괴면은 시료의 파괴강도와 실용적으로 잘 일치함을 알 수 있다. $b=0$인 삼축압축의 경우는 Lade 파괴규준이 시험치를 약간 크게 산정하고 있음이 보이고 있다. 그러나 그 오차는 적은 것으로 판단된다. 이 결과에 의하면 K_0-압밀점토의 파괴강도는 응력경로나 주응력회전에 영향을 크게 받지 않음을 알 수 있다. 따라서 비틀림전단시험 결과로부터 경험적으로 얻은 파괴면은 실용상 식 (5.57)의 Lade 모델로 모형화시킬 수 있다. 결국 K_0-압밀점토에 대한 응력경로나 주응력회전은 주로 파괴 이전의 응력-변형거동에 영향을 주나 파괴강도에는 영향을 주지 않는다고 하겠다. 이는 점토 시료의 파괴상태는 전단변형이 상당히 크게 발생한 후에 발생되므로 이때는 점토공시체제의 초기 구조가 상당히 변화된 것으로 판단된다.

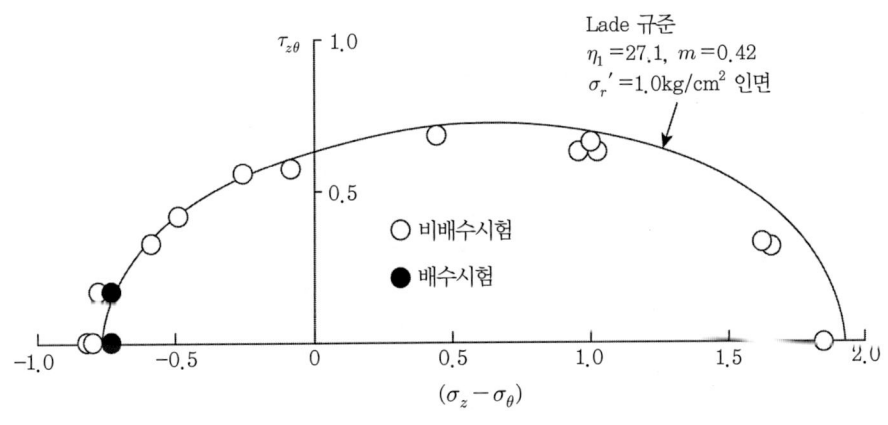

그림 5.33 비틀림 전단시험 결과[9]

이상에서 토질역학에 활용되고 있는 각종 파괴규준을 열거 고찰하고 시험결과와 비교 검토해보았다. 확장 Tresca 모델과 확장 von Mises 모델은 유효점착력이 없는 마찰재료의 파괴기준으로는 부적합하다. 왜냐하면 이들 모델은 $b=1$인 삼축신장 부근 응력상태에서는 세 주응력 중 하나의 주응력은 부(-)가 되는 응력 공간에 존재하게 되며 압축강도와 신장강도가 동일하게 되는 모순이 있다.

    Mohr-Coulomb 모델은 이러한 모순을 해결하여 토질역학에서 많이 사용되고 있다. 그러나 Mohr-Coulomb 모델에는 중간주응력의 영향이 고려되어 있지 않으며 삼축면에서의 파괴포락선도 직선으로 표현된다. 그러나 최근의 시험 결과에 의하면 파괴강도는 중간주응력의 영향을 많이 받고 있으며 삼축면에서의 파괴포락선도 곡선으로 밝혀졌다. Matsuoka-Nakai는 중간주응력의 영향을 고려함으로써 Mohr-Coulomb의 결점을 보완하였으나 삼축압축과 삼축신장 시의 내부마찰각이 동일하다고 한 점은 Mohr-Coulomb의 결점을 개선시키지 못하고 있다.

    따라서 삼축면에서의 파괴포락선은 여전히 직선으로 남아 있게 되었다. 실제 시험 결과에 의하면 이들 규준은 $b=1$인 삼축신장 시의 내부마찰각을 과소평가하고 있었다. Lade 모델은 파괴포락선을 곡선으로 표현하고 중간주응력의 영향도 고려하므로 Mohr-Coulomb 모델의 결점을 개선하였다.

    입방체형 공시체를 사용하는 삼축시험기로 등방성 흙에 실시된 3차원 삼축시험 결과 Lade 모델은 모래와 점토의 실험적 3차원 파괴강도를 잘 평가하여 보여주고 있었다. 이 모델은 이방성 입자구조를 가지는 흙의 3차원 파괴규준으로서도 충분한 실용성을 가지고 있었다. 또한 중공원통형 공시체를 사용하는 비틀림전단시험에 의한 K_0-압밀점토의 파괴강도도 Lade 모델에 의하여 잘 평가되어질 수 있음을 알았다.

참고문헌

(1) 홍원표(1988a), '흙의 비틀림전단시험에 관한 기초적연구', 대한토질공학회지, 제4권, 제1호, pp.17-27.

(2) 홍원표(1988b), '비틀림전단시험에 의한 K_0 - 압밀점토의 거동', 대한토목학회논문집, 제8권, 제1호, pp.151-157.

(3) 홍원표(1988c), 'K_0 - 압밀점토의 주응력회전효과', 대한토목학회논문집, 제8권, 제1호, pp.159-164.

(4) 홍원표(1988d), '중간주응력이 과압밀점토의 거동에 미치는 영향', 대한토목학회논문집, 제8권, 제2호, pp.99-107.

(5) 홍원표(1988e), '이방성과압밀점토의 강도특성', 대한토질공학회지, 제4권, 제3호, pp.35-42.

(6) 홍원표(1999), 흙의 역학기초, 중앙대학교 대학원 강의교재1.

(7) Bishop, A.E. and Henkel, D.J.(1962), The Measurement of Soil Properties in the Triaxial Test, 2nd ed., Armold, London.

(8) Bishop, A.W.(1966), "The strength of soils as engineering materials", 6th Rankine Lecture, Geotechnique, Vol.16, No.2, pp.91-130.

(9) Hong, W.P. and Lade, P.V.(1989), "Elasto-plastic behavior of Ko-consolidated clay in torsion shear tests", Soils and Foundations, Vol.29, No.2, pp.127-140.

(10) Lade, P.V. and Duncan, I.M.(1973), "Cubical triaxial tests on cohesionless soil", Jour. SMFD, ASCE, Vol.99, No. SM10, pp.793-812.

(11) Lade, P.V.(1978), "Cubical triaxial apparatus for soil testing", Geotechnical Testing Journal, Vol.1, No.2, pp.93-101.

(12) Lade, P.V. and Musante, H.M.(1978), "Three-dimensional behavior of remolded clay", Jour. GED, ASCE, pp.193-209.

(13) Lade, P.V.(1981), "Torsion shear apparatus for soil testing", Laboratory Shear Strength of Soil, ASTM STP 740, R.N. Yong and F.C. Townsend eds, American Society for Testing and Materials, pp.145-163.

(14) Lade, P.V.(1984), "Failure criterion for frictional materials", Mechanics of Engineering Materials, Chapter 20, Editted by C.C. Desai and R.H. Gallager, John Wiley & Sons, Inc. New York, pp.385-402.

(15) Matsuoka, H. and Nakai, T.(1974), "Stress-deformation and strength characteristics of soil under three different principal stress", 日本土木學會論文集, No.232, pp.59-70.

(16) Mitchell, J.K.(1976), Fundamentals of Soil Behavior, John Wiley & Sons, Inc, New York.

(17) Ochiai, H. and Lade, O.V.(1983), "Three-dimensionsl behavior of sand with anisotropic fabric", Jour. GED, ASCE, Vol.109, No.GT10, pp.1313-1328.

(18) Saada, A.S. and Townsend, F.C.(1981), "State of the Art", Laborratory Strength Testing of Soils", ASTM STP 740, R.N. Yong and F.C. Townsend eds, American Soceity for Testing and Materials, pp.7-77.

(19) Tsai, J. and Lade, P.V.(1985), "Three-dimensional behavior of remolded overconsoildated clay", Reports No. UCLA, ENG 85-09.

(20) Vallinppam, S.(1981), Continum Mechanics Fundamentals, A.A. Balkema, Rotterdam, pp.116-120.

Chapter
06

Cam Clay 모델

Chapter 06 Cam Clay 모델

지반에 하중이 가하여지면 응력의 상태에 따라 변형이 발생한다. 이러한 지반의 거동해석 시 그 지반의 응력-변형률특성과 파괴 시의 응력상태를 명확히 파악하기 위하여 흙의 구성모델이 필요하게 되었다.[1]

지금까지 흙의 구성식을 확립하기 위하여 여러 가지 접근법이 시도되었다. 이들을 대별하면, 미시적 접근법과 거시적 접근법으로 크게 둘로 나눌 수 있다.[1] 전자는 흙의 미시적 구조의 거동을 해석하며, 그것을 기초로 흙의 구성식을 구하려고 하는 것이므로 물성론적 접근법이다. 여기에는 흙의 구조 해석과 함께 Micro 레오로지나 입상체역학이 열거된다. 한편 후자의 접근법은 흙의 미시적인 내부구조와는 관계없이, 흙의 거시적 거동에 근거하여 흙의 구성식을 구하려는 것이므로 현상론적인 접근법이다. 여기에는 Micro 레오로지나 탄소성론, 탄점소성론이 연결될 수 있다.

제6장에서는 토목공학에서 여러 가지 경계치 문제를 해석하는 입장에서 가장 효과적이라 생각되는 탄소성론적 접근법으로부터 구해진 구성식의 하나인 Cambridge 학파에 의해 개발된 Cam Clay 모델을 설명한다.

6.1 한계상태선과 상태경계면

그림 6.1은 등방압밀공시체에 대한 배수 및 비배수 삼축압축시험의 파괴 시의 상태를 나타내고 있다. 배수, 비배수에 관계없이 $q'-p'$면에서는 원점을 지나는 직선으로, $v-p'$면에서

는 정규압밀선의 형태와 닮은 하나의 곡선으로 시험 결과가 잘 표현될 수 있음을 알 수 있다.[12]

이와 같은 $q'-p'-v$ 공간에서의 유일한 파괴선을 한계상태선이라 정의한다.[8] 이 상태선의 특징은 등방압밀공시체의 파괴는 응력경로에 관계없이 공시체의 응력상태가 이 한계상태선에 도달하였을 때 발생됨에 있다. 여기서 이야기하는 파괴란 응력과 체적이 변화하지 않고 전단변형만이 발생된 상태, 즉 잔류강도상태에 해당하는 상태를 나타내고 있다.

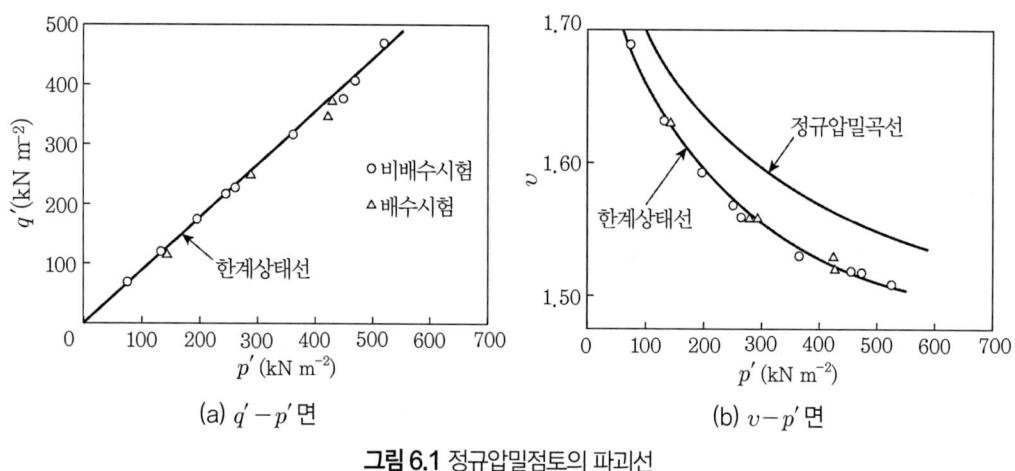

그림 6.1 정규압밀점토의 파괴선

한계상태선을 $q'-p'$ 면에 투영(그림 6.1(a) 속 직선)하면 식 (6.1)과 같이 표시된다.

$$q' = Mp' \tag{6.1}$$

여기서 M은 직선의 기울기이다. 한편 $v-p'$ 면상에 한계상태선을 투영하면 곡선이 된다. 이것을 $v-\ln p'$ 면상에 그리면 그림 6.2에 도시된 것처럼 정규압밀곡선에 평행한 직선으로 표시된다. 두 직선은 다음의 식으로 표시된다.

$$\text{정규압밀선에 대해 } v = N - \lambda \ln p' \tag{6.2}$$
$$\text{한계상태선에 대해 } v = \Gamma - \lambda \ln p' \tag{6.3}$$

여기서, N 및 Γ는 각각 정규압밀선 및 한계상태선상의 $p'=1.0 \text{kN/m}^2$에 대응하는 v의 값으로 정의된다. 또 λ는 직선의 기울기로 압축지수이다.

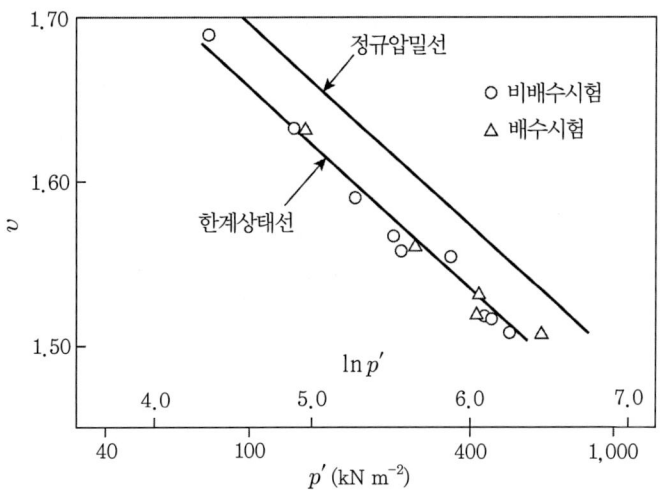

그림 6.2 $v-\ln p'$ 면상의 한계상태선(Parry(1960)의 시험 결과[6] 포함)

한계상태선은 그림 6.3에 도시된 것처럼 $q'-p'-v$ 공간에서 하나의 곡선으로 표시된다. 이것은 p'가 증가하고 v가 감소함에 따라 위로 이동(p'가 증가)한다.

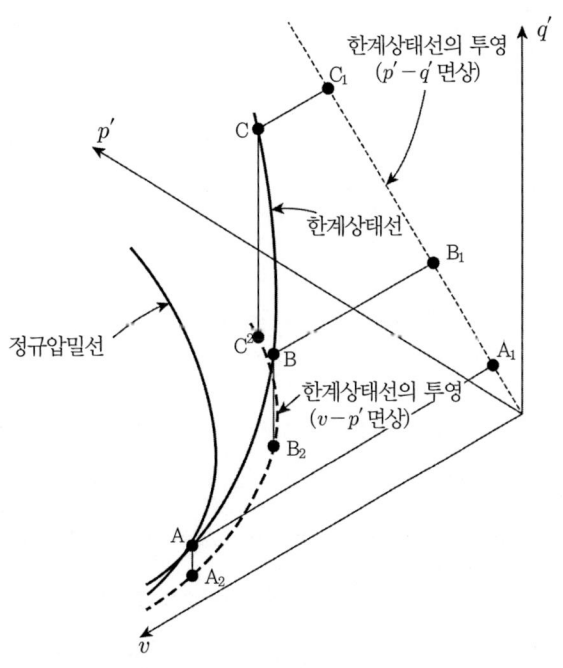

그림 6.3 $q'-p'-v$ 공간에서의 한계상태선

한계상태선상의 점 ABC는 $q'-p'$면상에서는 A_1, B_1, C_1으로, $q'=0$ 면상에서는 A_2, B_2, C_2로 표시되어 있다.

그림 6.4(a) 및 (b)는 각각 비배수조건 및 배수조건에서의 삼축시험의 $q'-p'-v$ 공간 내의 경로를 나타내고 있다.

그림 6.4(a)의 사선 부분 면적 ACDE는 v 일정면에서 $q'-p'$면에 평행하며, 그림 6.4(b)에서의 ACB_1A_1면은 '배수면'이고 v축에 평행하며 $q'-p'$면에의 투영이 경사 3을 가지는 직선이 되는 면이다. 각각 등방압밀상태 A에서 시험하며, 경사면 내를 통하는 한계상태선상의 B점에 도달한다.

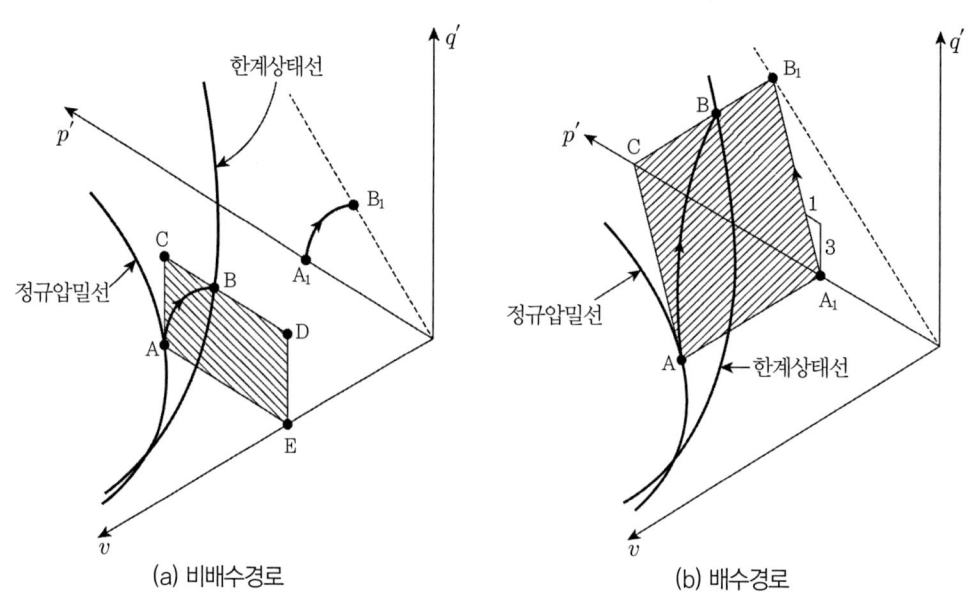

그림 6.4 $q'-p'-v$ 공간에서의 상태경로

그림 6.5는 여러 초기압밀압을 가지는 공시체의 상태경로를 $q'-p'-v$ 공간에 표시한 것이다. 비배수, 배수에 관계없이 정규압밀선에서 출발하여 한계상태선에 도달하는 것은 분명하며, 전체로서 하나의 곡면을 형성하고 있다. 여기서 비배수, 배수에 관계없이 하나의 곡면을 형성하는가의 여부를 검증하기 위하여 정규압밀점토의 배수시험의 유효응력경로를 ABC와 정규압밀점토의 비배수시험의 유효응력경로 DBE가 B점에서 동일한 v를 가지는가를 검토한다(그림 6.6 참조).

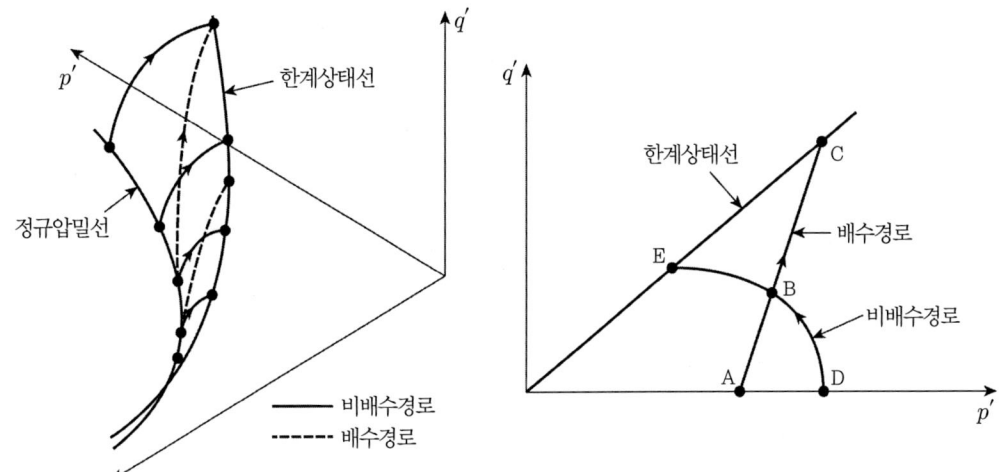

그림 6.5 $q'-p'-v$ 면상의 일련의 배수경로 및 비배수경로

그림 6.6 $q'-p'$ 면상의 배수경로 및 비배수경로

그림 6.7은 일련의 배수시험에 대해 $q'-p'$ 면상에 v 일정의 시험 결과를 그린 그림이다.[7,8] 이 시험 결과가 그림 6.8에 표시된 비배수시험의 v 일정 시험 결과와 동일한 형태를 보이며 일치하는가를 검토하면 상기의 검토가 계통적으로 행해질 수 있다.

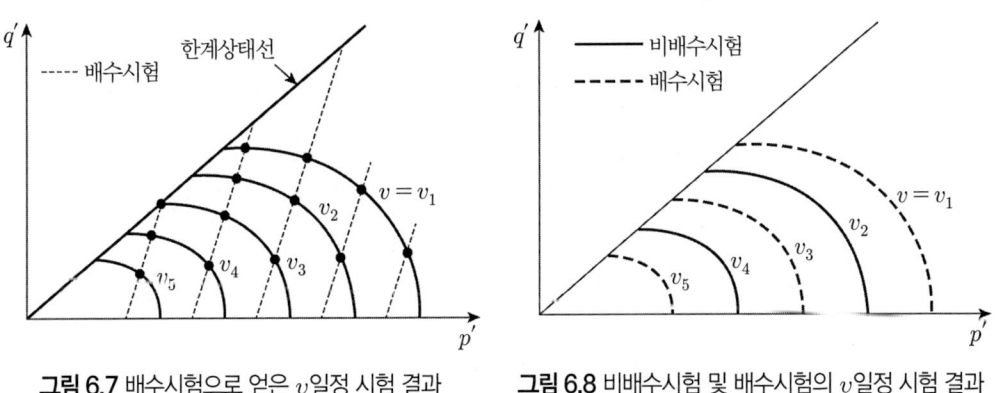

그림 6.7 배수시험으로 얻은 v 일정 시험 결과

그림 6.8 비배수시험 및 배수시험의 v 일정 시험 결과

그림 6.9는 σ_a' 과 $\sqrt{2}\,\sigma_r'$ 을 축으로 하는 면에 함수비일정의 시험 결과를 비배수, 배수의 양시험에 대해 정리한 그림이다.[7] 이 그림으로부터 양자는 동일하게 일치하고 있음을 볼 수 있다.[4]

더욱이 비배수경로 및 배수경로를 직접 비교하기 위해 q' 와 p' 를 등가압밀압 p_e' 로 나눈 값, 즉 $q'/p_e'-p'/p_e'$ 면을 생각해보자. 등가압밀압 p_e' 는 임의의 v 에서의 정규압밀선상의

평균유효수직응력을 나타내며, 식 (6.4)로 표현된다.

$$p_e' = \exp[(N-v)/\lambda] \tag{6.4}$$

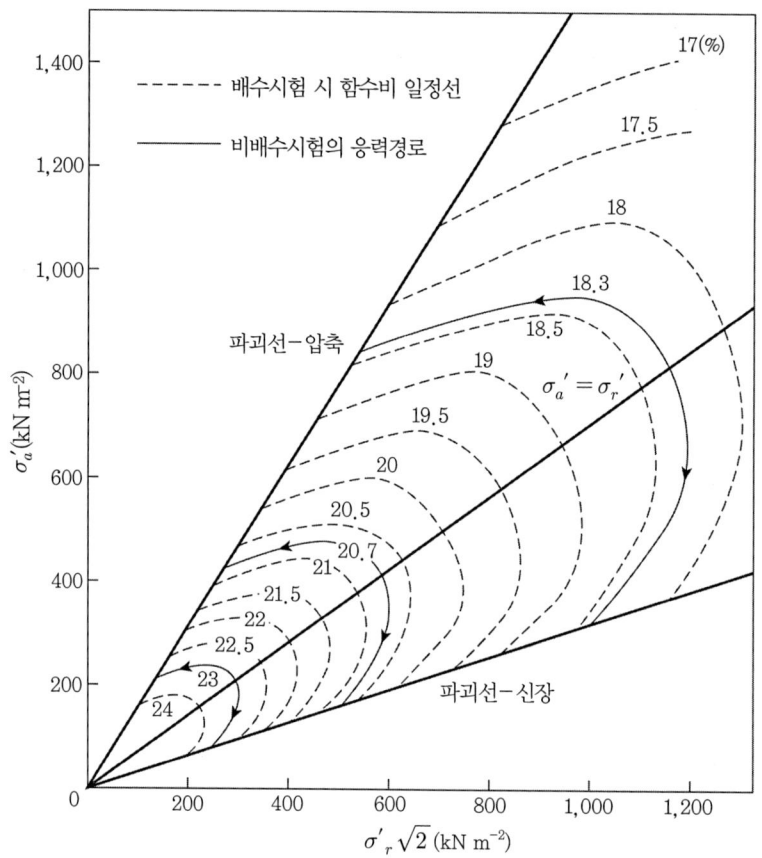

그림 6.9 비배수시험 및 배수시험에 대한 함수비 일정 시험 결과(Henkel, 1960)[4]

$q'-p'-v$ 공간에 비배수경로, 배수경로를 재차 표시한 것이 그림 6.10이다. 비배수경로 A_1, B_1, A_2B_2, A_3B_3는 각각 $v=v_1$, v_2, v_3에 대응하는 여러 경로를 나타내고 있으나, 상기 $q'/p_e' - p'/p_e'$ 면에는 그림 6.11에 도시한 것처럼 하나의 경로로 도시된다.

한편 배수경로 $A_1D_2B_3$에서는 v가 연속적으로 변화된다. 여기서 각각의 v에 대응하는 p_e'를 이용하면 $q'/p_e' - p'/p_e'$ 면상에 이 배수경로를 그리면 그림 6.12와 같이 되며, 그림 6.11의 비배수경로와 동일한 모양이 얻어진다.[2]

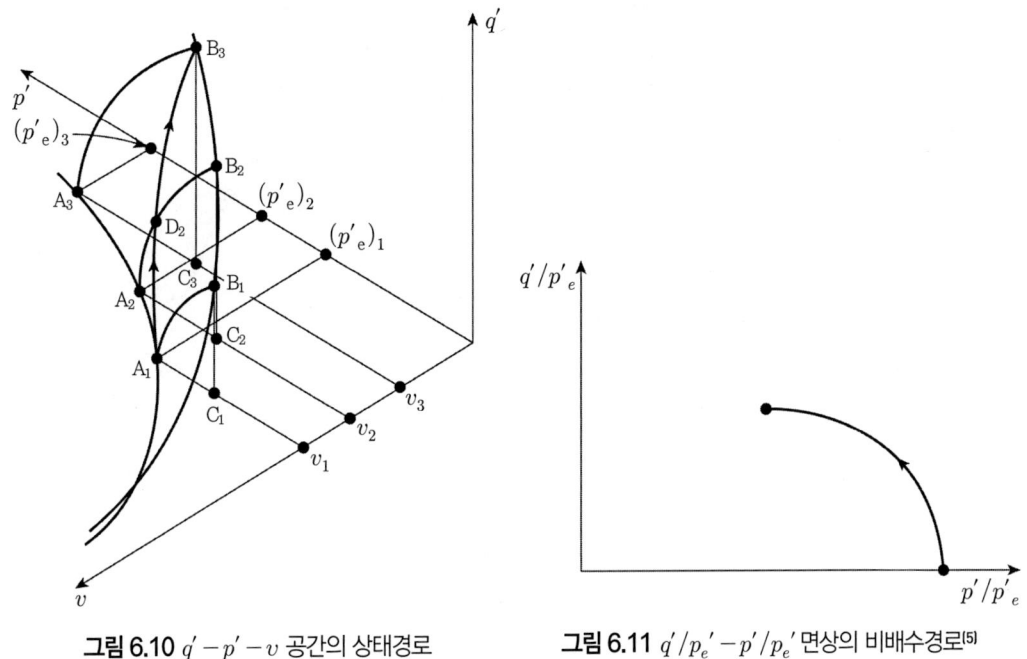

그림 6.10 $q'-p'-v$ 공간의 상태경로

그림 6.11 $q'/p_e'-p'/p_e'$ 면상의 비배수경로[5]

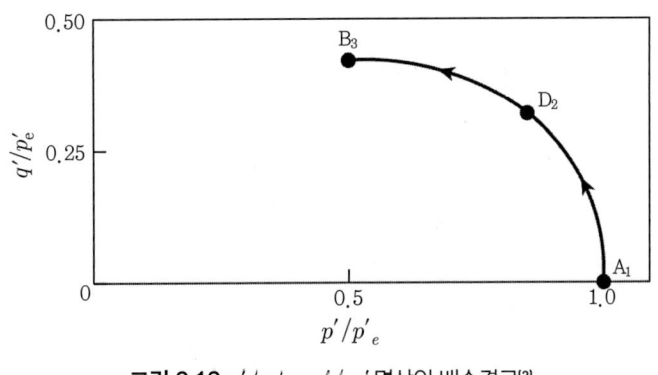

그림 6.12 $q'/p_e'-p'/p_e'$ 면상의 배수경로[7]

그림 6.13은 정규압밀점토의 비배수시험, 배수시험 및 p' 일정시험의 경로를 $q'/p_e'-p'/p_e'$ 면에 나타낸 그림이다. 시험조건에 관계없이 동일한 곡선이 얻어짐을 확인할 수 있다.

이상의 결과로써 각종 경로에 따라 $q'-p'-v$ 공간에 형성되는 곡면은 동일하며 독특한 곡면을 형성한다고 결론지을 수 있다. 이 곡면을 상태경계선(state boundry surface)이라 한다.[8]

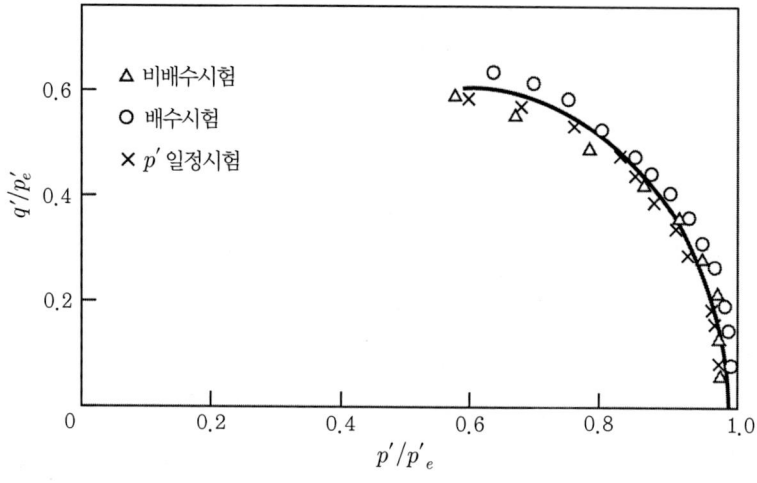

그림 6.13 여러 조건하의 정규압밀점토의 상태경로[3]

6.2 탄성변형과 소성변형 – 탄성벽

일반적으로 탄소성체의 변형은 그림 6.14와 같이 표현됨은 이미 설명하였다. 흙에서 회복 변형률(탄성변형률)과 비회복변형률(소성변형률)은 등방압축거동에 의해서 명확히 나타난다.

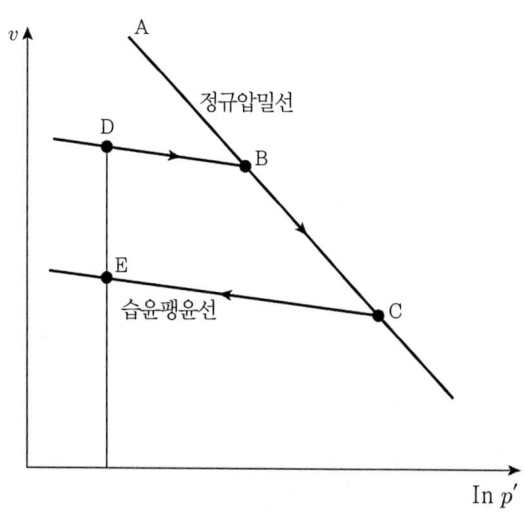

그림 6.14 등방압축 - 팽창 시의 점토의 탄소성거동

포화점토의 정규압밀곡선은 그림 6.14의 ABC와 같이 표현된다. 지금 B점에서 제하(unloading)하여 D점에서 재재하(reloading)한 후 B점을 지나 C점에 도달한 후 다시 제하하여 E점에 도달하였다고 하자.

공시체는 동일한 p' 하중하에서 D점으로부터 E점까지 체적 v가 감소하였다. 즉, DBCE라는 경로에서 비회복(소성)변형이 발생된 것이다. DB, CE에서의 변형은 탄성변형이므로 소성변형은 BC 간, 즉 상태경계면의 일부에서 생기게 된다. 이것은 그림 6.14의 AB 간에 소성변형이 발생한 것과 같다.

여기서 소성변형률은 공시체가 상태경계면상을 움직일 때만 생긴다고 생각된다. 즉, 상태경계면하의 경로에서는 변형률이 탄성적이며 회복적인 변형률이 된다.

D점에서 E점으로 가는 다른 경로의 하나로 그림 6.15에 표시된 것처럼 DGKE를 생각할 수 있다. 이것은 D점에서 p' 일정 상태하의 전단시험을 행한 경우이다. 즉, D점에서 q'를 증가시키면 G점에서-상태경계면에 부딪혀 G점에서 E점의 위쪽에 있는 K점까지 상태경계면을 따라 이동하며, K점에서 q'를 감소시키면 탄성적 변형에 의하여 E점에 도달한다.

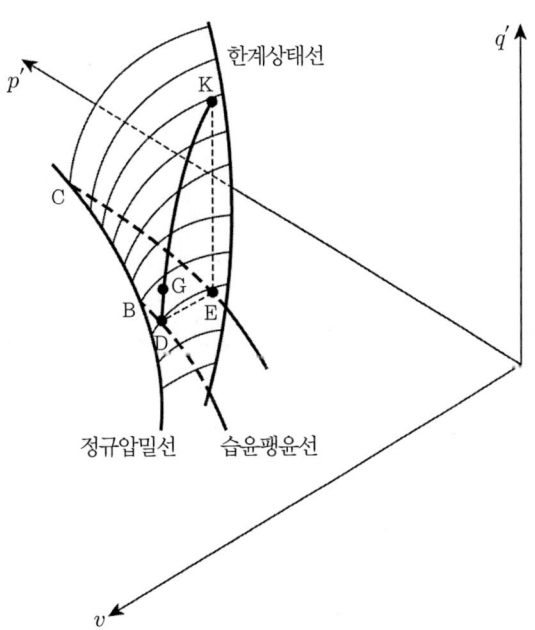

그림 6.15 $q'-p'-v$ 공간에서 D로부터 E까지의 상태경로

D점에서 E점으로 이동하는 각종 경로는 반드시 상태경계면상에서 이동하며 그 사이에 소성변형률이 생긴다. 한편 D점에서 시작되는 경로에서 소성변형이 생기지 않는 경로의 범위는 한정되어 있으며, DB의 습윤팽윤선에 수직한 곡면에서 상태경계면의 아래 부분만이다. 이 곡면은 그림 6.16에 표시된 HDBGI이며, 탄성벽이라 부른다. 각 습윤팽윤선에 대응하여 무수한 탄성벽이 존재한다.

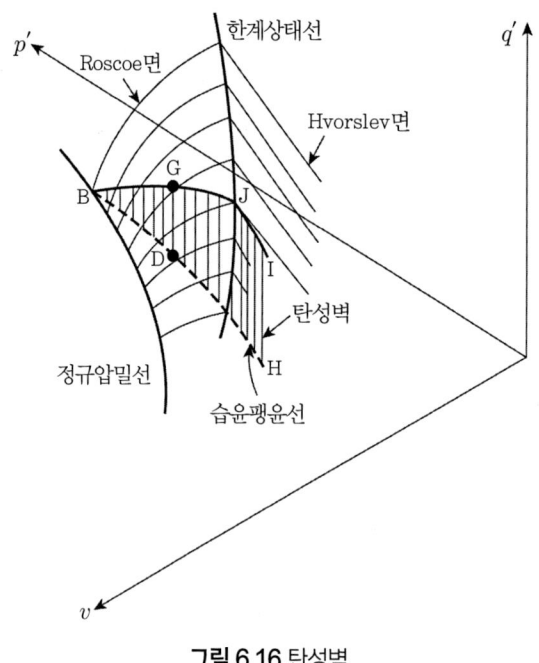

그림 6.16 탄성벽

만약 공시체의 상태가 상태경계면 아래쪽에 있으면 거동은 탄성적이며, 응력과 변형률은 탄성론으로 관계 지어질 수 있다. 그러나 공시체의 상태가 상태경계면상에 있으면, 탄성변형률과 소성변형률이 함께 생기며 소성변형률은 소성론으로 구한다.

6.3 탄성변형률

탄성론에 의하면, 탄성변형률증분은 유효응력증분으로 식 (4.73) 및 (4.74)로부터 다음과 같이 표현될 수 있다.

$$\delta\epsilon_v^e = \frac{1}{K'}\delta p' + 0 \cdot \delta q' \tag{6.5}$$

$$\delta\epsilon_s^e = 0 \cdot \delta p' + \frac{1}{3G'}\delta q' \tag{6.6}$$

여기서 ϵ_v^e과 ϵ_s^e는 각각 체적변형률과 전단변형률의 탄성성분, K'는 체적탄성계수, G'는 전단탄성계수이다.

앞 절의 탄성벽에 의하면, 과압밀점토에 대한 상태경계면하의 경로는 임의의 탄성벽 내에 있을 것이므로, 과압밀흙의 상태경로는 우선 탄성벽과 적당한 '배수면' 또는 '비배수면' 사이의 교선을 따라 진행된다.

그림 6.17(a)에는 체적-일정시험에 대한 비배수면과 탄성벽과의 교선 DG를 나타내고 있다. 이 경로는 D에서 G에 연직으로 상승하여 G에서 상태경계면에 도달한다. G보다 계속 재하하면 상태경계면과 비배수면과의 교선 GF를 따라 한계상태선상의 F에 도달하여 공시체는 파괴한다.

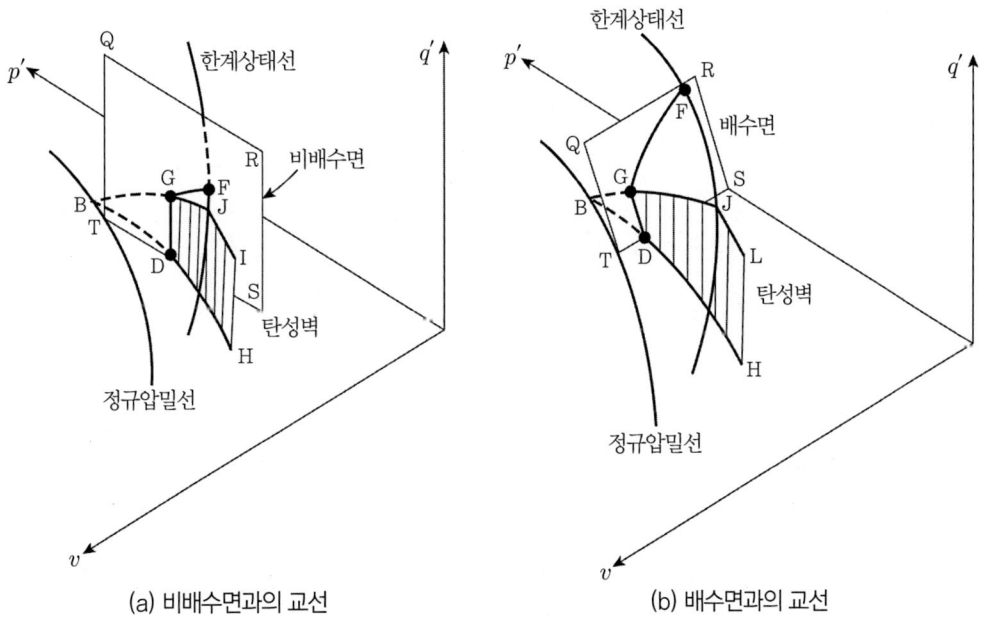

(a) 비배수면과의 교선   (b) 배수면과의 교선

그림 6.17 비배수면 또는 배수면과 탄성벽의 교선

포화토의 비배수시험에서는 $\delta\epsilon_v = 0$이므로, 식 (6.5)로부터 다음과 같은 식을 도출할 수 있다.

$$\delta p' = 0 \tag{6.7}$$

이로부터 그림 6.17(a)의 상태경로 DG가 연직상방향으로 상승하는 것을 재확인할 수 있다. 한편 그림 6.17(b)에서도 배수면과 탄성벽 사이의 교선 DG를 나타내고 있다. 이 경로는 배수삼축압축시험에서의 등방탄성거동 시의 경로이다. 이 경로 DG는 탄성벽이 곡면이므로 직선이 되지 않고 p'의 증가에 따라 체적이 감소한다. G점에 도달한 후 더 재하하면 상태경계면과 배수면과의 교선 GF에 따라 상태경계면상을 이동하여, 한계상태선상의 F점에 도달하여 공시체는 파괴된다. 탄성벽은 팽창선 BDH상에 연직으로 세워 있으므로 다음 식으로 주어진다.

$$v^e = v_k - \kappa \ln p' \tag{6.8}$$

$$\text{또는 } \delta v^e = \kappa(\delta p'/p') \tag{6.9}$$

$\delta\epsilon_v^e = -\delta v/v$ 이므로

$$\delta\epsilon_v^e = -(\kappa/vp')\delta p' \tag{6.10}$$

따라서 식 (6.5)과 (6.10)을 참조하면 K'는 다음 식으로 표현된다.

$$K' = vp'/\kappa \tag{6.11}$$

탄성론에 의하면,

$$\frac{G'}{K'} = \frac{E'}{2(1+\nu')}\frac{3(1-2\nu')}{E'} = \frac{3(1-2\nu')}{2(1+\nu')} \tag{6.12}$$

식 (6.11)과 (6.12)로부터 식 (6.13)을 구할 수 있다.

$$G' = \frac{vp'}{\kappa} \frac{3(1-2\nu')}{2(1+\nu')} \tag{6.13}$$

식 (6.13)을 식 (6.6)에 대입하면

$$\delta\epsilon_s^e = \frac{2k(1+\nu')}{9vp'(1-2\nu')} \delta q' \tag{6.14}$$

식 (6.10) 및 (6.14)로 그림 6.17(b)의 DG와 같은 배수시험 시의 흙의 응력-변형률관계를 정할 수 있다. 이들 식은 상태경계면하에서는 상태경로를 어떻게 취하여도 성립한다. 왜냐하면 이 경우 $\delta\epsilon_v^e = \delta p' = 0$이기 때문이다.

6.4 지반의 소성론

흙의 소성변형률은 상태경로가 상태경계면상에 있을 때만 발생한다. 따라서 상태경계면은 항복곡면이라 생각되어, 하나의 전형적인 항복곡선은 상태경계면과 탄성벽의 교선이 된다. 그림 6.18(a)에 도시된 것처럼 탄성벽의 상단 BI를 $q' - p'$면에 투영하면 항복곡선은 LM이 된다.

공시체가 탄성벽 HBI상에 있기 위해서는 $v - p'$면상에서는 그림 6.18(c)에 표시된 팽창선 L″M″상에 있지 않으면 안 된다. 그 밖의 탄성벽은 각각 다른 탄성벽을 가지게 된다(그림 6.19 참조). 만약 공시체가 그림 6.19의 Q상태에서 QS의 응력증분을 받았다고 하면, 공시체의 체적은 Δv만큼 변화하여 $v - p'$면에서 탄성벽 BB에서 CC로 이동한다. 동시에 $q' - p'$면에서는 항복곡선 BB가 변형률변화에 의하여 새로운 항복곡선 CC로 넓어진다.

흙의 경화법칙을 구하기 위하여 다시 등방압밀-팽윤선을 생각해보기로 한다(그림 6.20 참조). 이미 설명한 것처럼 팽윤선 EC, DB상에서는 소성변형률이 생기지 않고 탄성적 거동을 하고 BC 사이에서는 비회복의 소성체적변형률이 생긴다. 이 소성변형률의 크기는 $p' = p_D'$에서 D점 및 E점의 체적을 비교함에 의하여 얻어진다. D점에서 E점으로의 체적의 증가량 Δv는 다음과 같다.

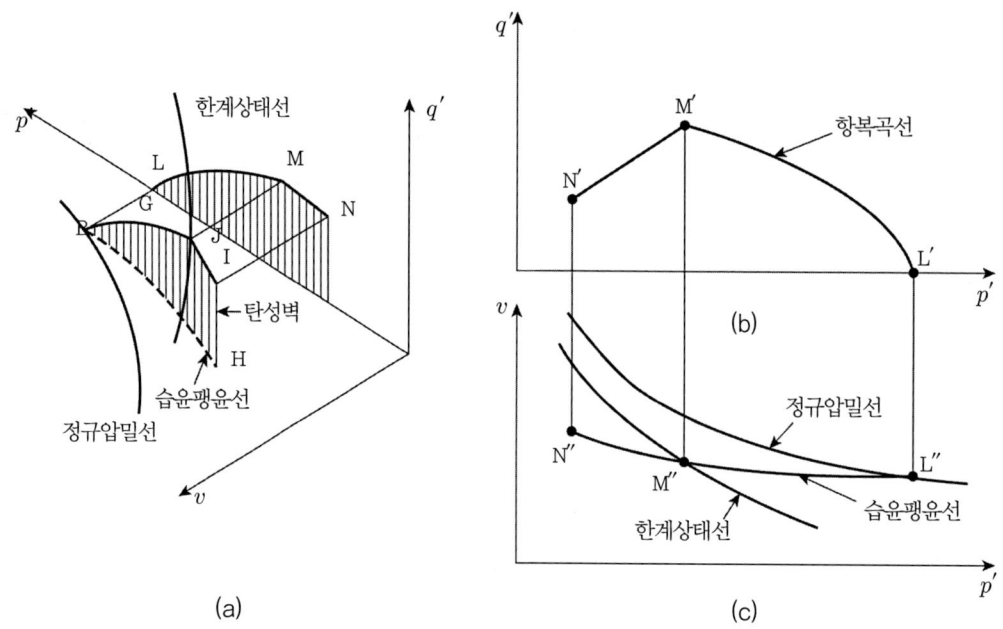

그림 6.18 탄성벽과 대응하는 항복곡면

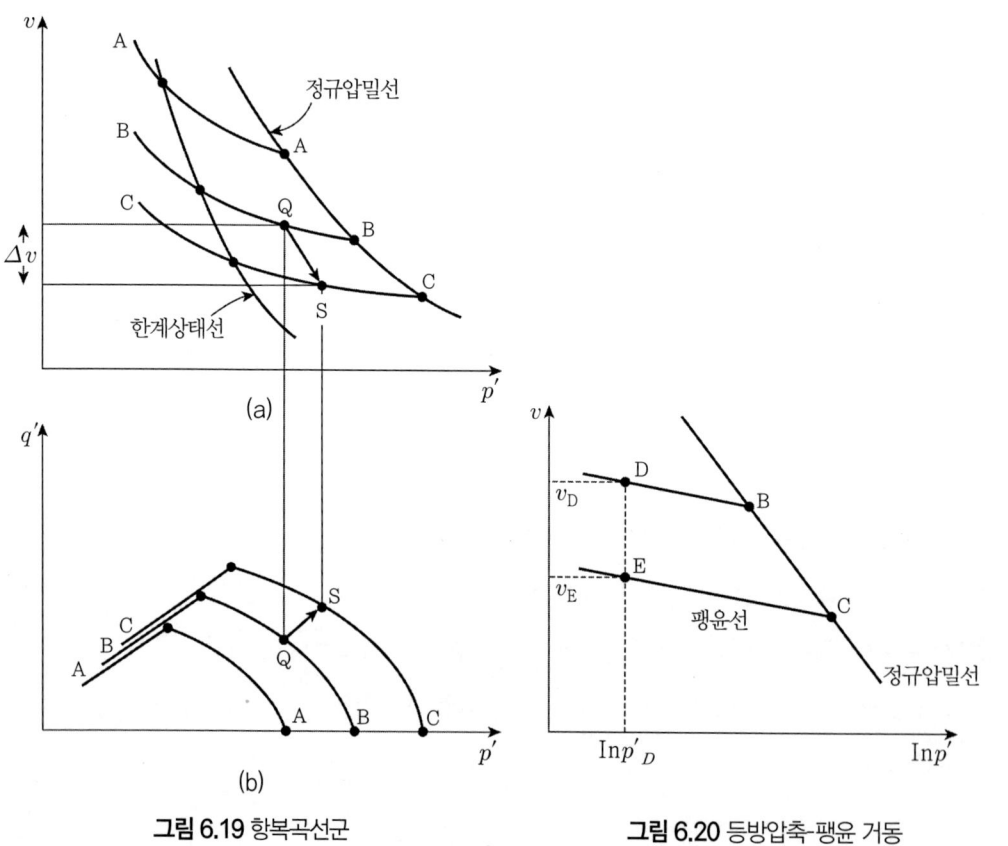

그림 6.19 항복곡선군

그림 6.20 등방압축-팽윤 거동

$$\Delta v = v_E - v_D \tag{6.15}$$

따라서 소성체적변형률의 증분은 다음과 같다.

$$\delta \epsilon_v^p = -\Delta v/v_D = (v_D - v_E)/v_D \tag{6.16}$$

식 (6.16)은 DB상의 탄성벽의 어느 상태에서부터 EC상의 탄성벽의 어딘가로 이동할 때의 소성변형률증분을 나타내고 있다. 따라서 그림 6.19(b)의 QS와 같은 하중 증가에 대해 초기 및 최종의 항복곡선(각각 BB 및 CC)과 그에 대응하는 탄성벽(그림 6.19(a)의 BB와 CC)를 정할 수 있다면, 그때의 소성체적변형률증분은 식 (6.16)과 같은 식으로 계산될 수 있다. 이것은 경화법칙과 등가이다. 왜냐하면 처음의 탄성벽에서 다음의 탄성벽으로의 응력변화에 따른 소성체적변형률증분을 구할 수 있기 때문이다.

흙의 흐름법칙을 검토하기 위하여 그림 6.21에 표시된 것처럼 q', $\delta\epsilon_s^p$와 p', $\delta\epsilon_v^p$를 축으로 한 면상에 그 성분을 $\delta\epsilon_s^p$ 및 $\delta\epsilon_v^p$로 하여 소성변형률증분벡터를 그린다. 이들은 응력변형률의 불변량(q', ϵ_s와 p', ϵ_v)를 관련짓는다. 즉, 흐름법칙은 이 그림상에 소성변형률증분벡터(QR)의 구배($\delta\epsilon_s^p/\delta\epsilon_v^p$)를 응력벡터 OQ와 관련짓는다. 소성론에서는 일반적으로 소성변형률증분 벡터(QR)의 방향은 재하된 응력증분의 방향에는 관계없이 재하응력(OQ)의 벡터에만 의존함에 주

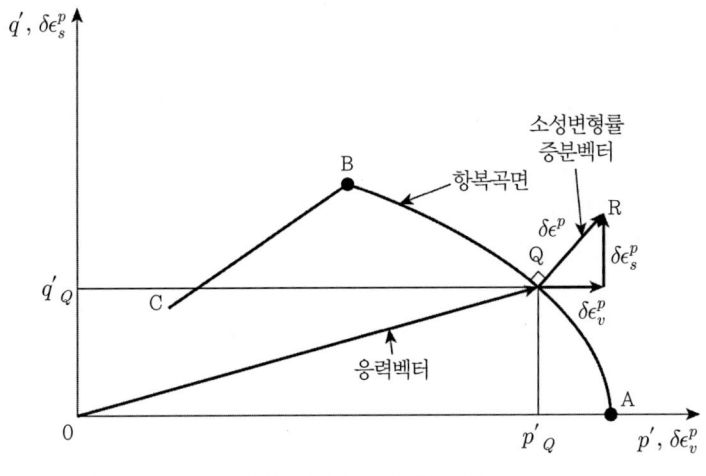

그림 6.21 항복 시의 변형률증분

의하기 바란다.

따라서 흐름법칙은 다음 식으로 표현된다.

$$\frac{\delta\epsilon_s^p}{\delta\epsilon_v^p} = F\left[\frac{q'}{p'}\right] \tag{6.17}$$

소성론에서의 관련흐름법칙에 따르면, 소성변형률증분벡터의 방향은 항복곡선에 직교한다. 따라서 그림 6.21에서 응력상태(q_Q', p_Q')로부터의 응력증분에 의하여 생긴 소성변형률증분벡터(QR)는 Q에서 항복곡선의 외측법선벡터가 된다.

6.5 Cam Clay 모델

Can Clay 모델에서의 중요한 가정의 하나는 흐름법칙이 소성변형률증분의 법선법칙에 의거하고 있는 것이다. 다시 말하면 Can Clay 모델에서는 관련흐름법칙을 채용하고 있다는 것이다. 따라서 그림 6.21의 소성변형률증분 벡터는 항복곡선에 직교하므로, 흐름법칙 및 항복곡선을 완전히 특정하기 위해서는 항복곡선의 모양이 식 (6.17)의 흐름법칙을 결정하지 않으면 안 된다.

이를 위해서는 전단 중에 소산되는 에너지(소성일)에 관한 또 하나의 중요한 가정이 주어졌다. 즉, 외력에 의한 소산에너지증분 dW_E는 다음 식으로 주어진다.

$$dW_E = p'\delta\epsilon_v^p + q'\delta\epsilon_s^p \tag{6.18}$$

여기서 이 dW_E는 내부마찰의 소산에 기인한 내부소산에너지증분 dW_I와 같고, 다음 식으로 표현된다고 가정한다.

$$dW_E = dW_I = Mp'\delta\epsilon_s^p \tag{6.19}$$

여기서 M은 한계상태에서의 응력비이다. 식 (6.18) 및 (6.19)에 의거 다음의 흐름법칙이 구해진다.

$$\frac{\delta\epsilon_v^p}{\delta\epsilon_s^p} = M - \frac{q'}{p'} \tag{6.20}$$

한계상태에서는 위식의 우변이 0이 되므로 $\delta\epsilon_v^p = 0$이 되며 한계상태에서는 소성체적변형률증분이 생기지 않는 것을 나타내고 있다.

이것은 소성변형률벡터가 한계상태선상에서 q'축에 평행이 됨을 나타내고 있다.

한편 항복함수는 법선법칙을 나타내는 다음 식을 적분하여 얻어진다.

$$\frac{\delta\epsilon_v^p}{\delta\epsilon_s^p} = -\frac{dq'}{dp'} = \psi \tag{6.21}$$

우선 식 (6.20)을 (6.21)에 대입하면

$$\frac{dq'}{dp'} - \frac{q'}{p'} + M = 0 \tag{6.22}$$

식 (6.22)를 적분하면 항복함수가 다음 식으로 구해진다.

$$\frac{q'}{Mp'} + \ln\left[\frac{p'}{p_x'}\right] = 1 \tag{6.23}$$

여기서, p_x'는 그림 6.22에 표시된 것처럼 항복곡선과 한계상태선과의 교점 X에서의 p'값이다. 이때 이미 설명한 것처럼 X점에서의 소성벡터증분방향은 위쪽(q'축에 평행)이므로 항복곡선의 기울기는 X점에서 0이 된다.

이 p_x'는 여러 항복곡선에서 다른 값을 가진다. 즉, 그림 6.23에 표시된 것처럼 각 탄성벽의 상단부에 각각의 항복곡선이 존재하고 있다. 이 일련의 항복곡선이 하나의 곡면을 형성하여 이것이 이미 설명한 상태경계면이 된다.

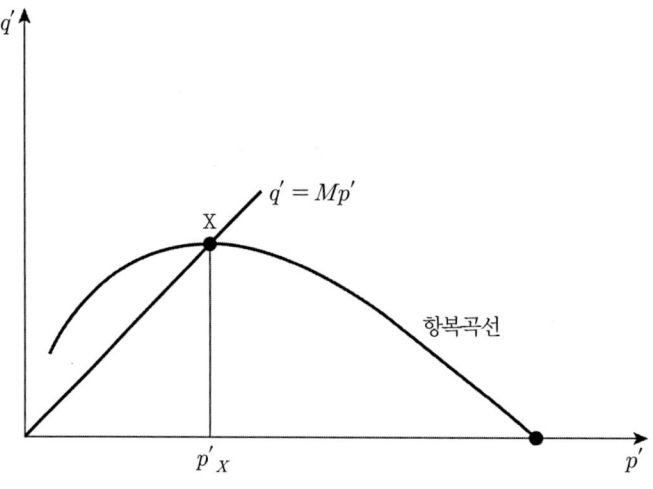

그림 6.22 Cam Clay 모델의 항복곡선

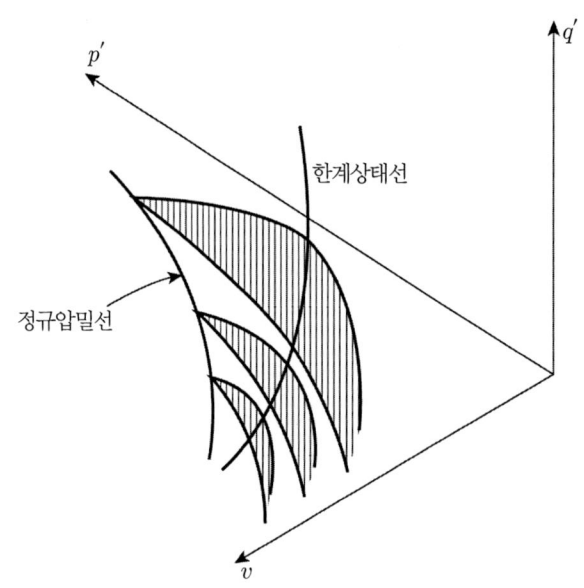

그림 6.23 Cam Clay 모델의 항복곡선군

　Cam Clay 모델의 상태경계면을 나타내는 방정식은 항복곡선, 특히 그 정점 $X(v=v_x, p'=p_x')$가 하나의 팽윤선상에 있으며, 더욱이 한계상태선상에 있다고 하는 것으로 구할 수 있다. 즉,

$$v_k = v + \kappa \ln p' = v_x + \kappa \ln p_x' \tag{6.24}$$

$$v_x = \Gamma - \lambda \ln p_x', \quad q_x' = M p_x' \tag{6.25}$$

식 (6.23), (6.24), (6.25)로부터 v_x와 p_x'를 소거하면 상태경계면의 방정식이 다음과 같이 얻어진다.

$$q' = \frac{Mp'}{\lambda - \kappa}(\Gamma + \lambda - \kappa - v - \lambda \ln p') \tag{6.26}$$

상태경계면은 $v-p'$면에서 정규압밀선이 된다. 즉, $q'=0$에서 식 (6.2)가 성립한다. 따라서 식 (6.26)을 참조하면,

$$N - \Gamma = \lambda - \kappa \tag{6.27}$$

식 (6.26)은 q', p' 및 v축에 토질정수 M, λ, κ, Γ로 도시한 곡면식으로 정의할 수 있다. 즉, 개략적인 Cam Clay 항복면은 그림 6.23에 도시한 바와 같다.

Cam Clay 모델로 배수재하에서의 하중증분에 의한 변형률을 예측할 수 있다. 예를 들면, 그림 6.24에서 보는 것처럼 응력이 q_A', p_A'이고 체적이 v_A인 항복점 A에서 배수응력증분을 받는다면 유효응력은 q_B', p_B'으로 변하고, 이때 소성체적변형률과 소성전단변형률을 산정할 수 있다.

그림 6.24(b)에 도시한 것처럼 응력증분으로 팽윤선 CC에 해당하는 탄성벽은 팽윤선 DD에 해당하는 탄성벽으로 이동한다. 따라서 그림 6.24(a)에서 팽윤선 사이의 연직 차이에 의한 소성체적변형률증분을 산정할 수 있다. 실제로 이 현상은 기하학적보다는 수학적으로 기술하는 것이 용이하다.

우선 한계경계면식 식 (6.26)은 다음과 같이 다시 쓸 수 있다.

$$v = \Gamma + \lambda - \kappa - \lambda \ln p' - \frac{(\lambda - \kappa) q'}{Mp'} \tag{6.28}$$

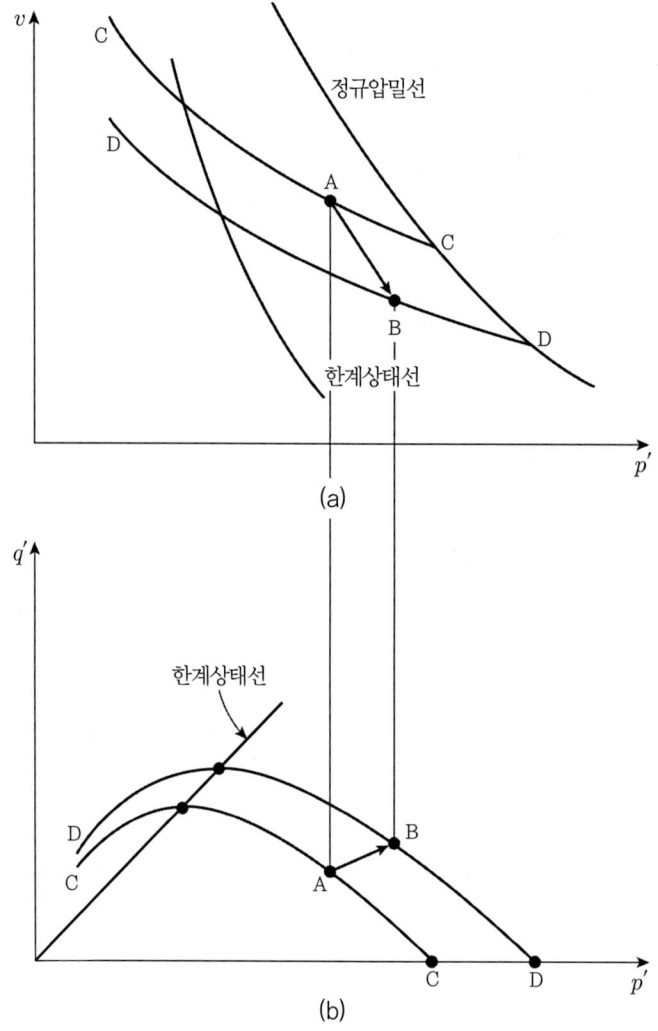

그림 6.24 배수재하에서의 Cam Clay 모델의 항복(yielding)과 경화(hardening)

이 식을 미분하면

$$dv = -\lambda \frac{\delta p'}{p'} - \frac{(\lambda-\kappa)\delta q'}{Mp'} + \frac{(\lambda-\kappa)q'\delta p'}{Mp'^2} \tag{6.29}$$

그러나 p'의 변화는 소성체적변화뿐만 아니라 탄성체적변화도 초래한다. 이 탄성체적변화는 식 (6.9)로 주어지는 팽윤선으로부터 다음과 같이 된다.

$$\delta v^e = -\kappa \left(\frac{\delta p'}{p'} \right) \tag{6.30}$$

소성(회복 불가능)체적변화는 식 (6.31)과 같이 표현할 수 있다.

$$\delta v^p = \delta v - \delta v^e \tag{6.31}$$

결국 소성체적변화는 식 (6.29)과 (6.30)으로부터 다음과 같이 산정한다.

$$\delta v^p = -\frac{\lambda - \kappa}{Mp'} \left[\left(M - \frac{q'}{p'} \right) \delta p' + \delta q' \right] \tag{6.32}$$

따라서 소성체적변형률은 다음과 같이 된다.

$$\delta \epsilon_v^p = -\frac{\delta v^p}{v} = -\frac{\lambda - \kappa}{Mvp'} \left[\left(M - \frac{q'}{p'} \right) \delta p' + \delta q' \right] \tag{6.33}$$

흐름법칙(식 (6.20))에 의하여 소성전단변형률의 크기는 다음과 같이 된다.

$$\delta \epsilon_s^p = -\frac{1}{[M - (q'/p')]} \delta \epsilon_v^p \tag{6.34}$$

하중증분에 의한 소성변형률은 식 (6.33)과 (6.34)로 산정되며 탄성체적변형률은 식 (6.30)으로 산정된다. Cam Clay 이론에서는 탄성전단변형률이 0이라는 가정이 추가되므로 Cam Clay 이론의 기본방정식에서는 하중증분에 의한 변형률은 식 (6.33), (6.34) 및 식 (6.30)으로 정의된다.

다음은 비배수시험에서 하중이 증분된 경우를 생각한다. 시험 중 체적 v는 일정하며 유효응력경로는 비배수면과 상태경계면의 교선으로 주어진다. 따라서 유효응력경로의 방정식은 식 (6.26)에서 $v = v_0 = N - \lambda \ln p_0'$ 라고 놓음으로써 얻어진다. 여기서 p_0'는 v_0에서의 정규압밀선상의 p'값이다. 결국 식 (6.27)을 이용하여 비배수응력경로의 방정식이 다음처럼 주어진다.

$$\frac{q'}{Mp'} + \frac{\lambda}{(\lambda - k)} \ln\left(\frac{p'}{p_0'}\right) = 0 \qquad (6.35)$$

비배수재하 시 발생하는 간극수압은 전응력경로가 정해지면 결정될 수 있다. 비배수 중의 상태경로는 그림 6.25의 벡터 AB로 주어진다.

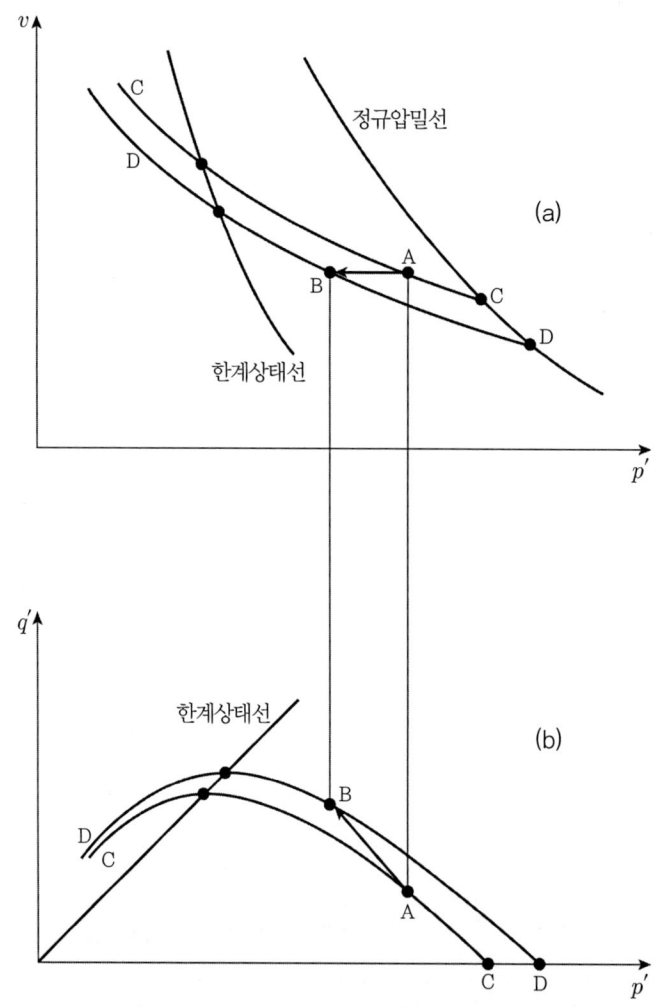

그림 6.25 비배수재하에서의 Cam Clay 모델의 항복(yielding)과 경화(hardening)

전체 체적변화는 없으나, 상태경로는 탄성벽 CC에서 탄성벽 DD로 이동하므로 소성(압축)변형률증분은 경로 AB에 걸쳐 생긴다. 그러나 p'는 A에서 B로의 재하증분 중에 감소하여 탄성(팽윤)체적변형률이 생겼을 것이다.

따라서 만약 전 체적이 일정하면, 탄성 및 소성체적변형률은 서로 같고 부호가 반대로 합계가 0이 되는 것은 분명하다. 탄성 및 소성 체적변형률 증분의 크기는 식 (6.9) 및 $\delta\epsilon_v^e + \delta\epsilon_v^p = 0$으로부터 다음 식과 같이 얻어진다.

$$\delta\epsilon_v^e = \frac{k\delta p'}{vp'} = -\delta\epsilon_v^p \tag{6.36}$$

또한 소성전단변형률증분은 식 (6.33)과 (6.34)에 의하여 다음과 같이 구해진다.

$$\delta\epsilon_s^p = \frac{k\delta p'}{vp'[M-(q'/p')]} \tag{6.37}$$

이상과 같이, Cam Clay 모델의 구성식이 증분형으로 주어졌다. 이 구성식에서의 토질정수는 M, λ, k, Γ이며, 통상의 압밀팽윤시험 및 삼축압축시험으로 결정될 수 있다.

이상에서 설명한 Cam Clay 모델의 구성식은 주로 압축응력상태를 생각하며 유도했으나 일반응력상태에 대해서도 유도할 수 있다. 즉, 일반응력상태에서 항복곡면 및 한계상태면은 그림 6.26에 도시된 것과 같으며, 이에 근거하면 일반응력상태의 Cam Clay 모델의 구성식이 얻어진다.

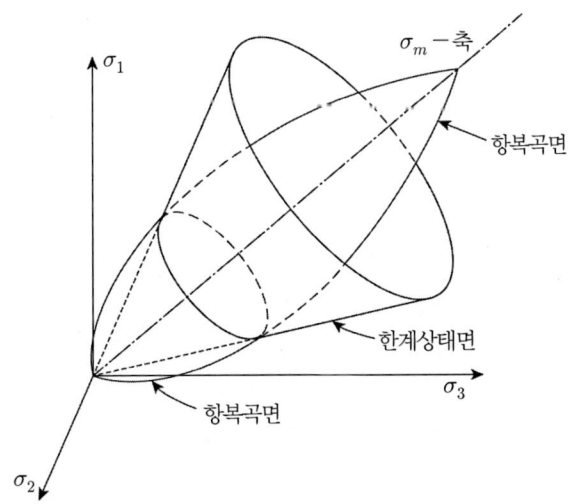

그림 6.26 Cam Clay 모델의 항복곡면과 한계상태면

참고문헌

(1) 홍원표(1999), 흙의 역학기초, 중앙대학교 대학원강의노트.

(2) Atkinson, J.H. and Bransby, P.L.(1978), The Mechanics of Soils, An Introduction to Critical State Soil Mechanics, The University Series in Civil Engineering, McGraw-Hill Book Company(UK).

(3) Balasubramaniam, A.S.(1969), Som factors influencing the stress-strain behavior of clay, PhD Thesis, University of Cambridge.

(4) Henkel, D.J.(1960), "The shear strength of saturated remoulded clay", In Proceeding of Research Conference on Shaer Strength of Cohesive Soils at Boulder, Colorado, pp.533-540.

(5) Loudon, P.A.(1967), Some deformation characteristics of Kaolin, PhD Thesis, University of Cambridge.

(6) Parry, R.H.G.(1960), Triaxial compression and Extension tests on remoulded saturated clay, Geotechnique, Vol.10, pp.166-180.

(7) Rendulic, I.(1936), "Pore-imdex and pore water pressure, Bauingenieur", Vol.17, p.559.

(8) Schofield, A.N. and Worth, C.P.(1968), Critical State Soil Mechanics, McGraw-Hill Bool Co., London.

Chapter
07

등방단일경화구성모델

Chapter 07 등방단일경화구성모델

토질역학 분야에서 Coulomb의 마찰이론이 도입된 이래 많은 파괴규준 및 구성모델들이 연구되었다. 대표적으로 1960년대 Cambridg 대학 연구팀에 의해 개발된 Cam clay 모델[16,17]과 1980년대 Lade 등에 의해 마찰재료를 대상으로 개발된 등방단일경화구성모델[6,8-10] 등을 들 수 있다. 그러나 이들 구성모델들은 최초재하(primary loading)만을 취급하는 등방경화(isotropic hardening) 개념에 근거하고 있다.

일반적으로 시간에 의한 영향을 고려하지 않은 많은 구성모델은 그 거동을 해석하기 위하여 시험에 의한 결과와 탄소성이론을 기본으로 하고 있다. Drucker and Prager(1957)에 의해 금속에서의 소성이론을 흙에 확장·적용시킨 이래 흙의 거동을 해석하기 위한 구성모델이 Roscoe and Burland(1968), Dimaggio and Sandler(1971),[5] Lade(1977),[7] Mroz et al.(1981),[12] Desai and Faruque(1984)[4] 등에 의해서 개발되어오고 있다.

제7장에서는 여러 가지 구성모델 중 Lade & Kim(1988)[9,10]에 의해 개발 제안된 등방단일경화 구성모델(Isotropic Single Hardening Constitutive Model)에 관해 설명한다. 이 구성모델은 모래, 점토, 콘크리트, 암 등과 같은 마찰물질에 대해 사용 가능한 흙의 구성식을 여러 가지 실내시험의 결과로부터 유도한 모델이다.

이 모델은 일경화 시(work hardening) 하나의 항복면을 가지는 것과 항복면과 소성포텐셜면을 구분하는 비관련흐름법칙을 사용하는 것이 특징이라 할 수 있다(Kim and Lade 1988; Lade and Kim, 1988a; 1988b).[6,9,10] 이 모델을 적용하기 위해서는 11개의 계수를 결정해야 하며 이는 등방압축시험과 통상적인 원통형 공시체 삼축압축시험을 통해서 결정할 수 있다.

어떤 물체에 하중이 작용하여 변형이 발생하면 시간에 의한 영향을 고려하지 않는 경우 일반적으로 이 변형을 탄성변형과 소성변형의 두 가지로 분류하여 식 (7.1)과 같이 나타낸다.

$$d\epsilon_{ij} = d\epsilon_{ij}^e + d\epsilon_{ij}^p \tag{7.1}$$

이 모델은 식 (7.1)에서 탄성거동은 Hooke의 법칙을 따르고, 소성거동은 파괴규준과 비관련흐름법칙 및 일경화에 따른 항복규준 등으로 이를 분류하여 응력불변량의 항으로 나타내었다. 여기서 응력불변량이란 제1응력불변량 I_1, 제2응력불변량 I_2 및 제3응력불변량 I_3으로 구분할 수 있으며 이들 응력불변량은 각각 식 (7.2)~(7.4)와 같다.

$$I_1 = \sigma_1 + \sigma_2 + \sigma_3 = \sigma_x + \sigma_y + \sigma_z \tag{7.2}$$

$$\begin{aligned} I_2 &= -(\sigma_1\sigma_2 + \sigma_2\sigma_3 + \sigma_3\sigma_1) \\ &= \tau_{xy}\tau_{yx} + \tau_{yz}\tau_{zy} + \tau_{zx}\tau_{xz} - (\sigma_x\sigma_y + \sigma_y\sigma_z + \sigma_z\sigma_x) \end{aligned} \tag{7.3}$$

$$\begin{aligned} I_3 &= \sigma_1\sigma_2\sigma_3 \\ &= \sigma_x\sigma_y\sigma_z + \tau_{xy}\tau_{yz}\tau_{zx} + \tau_{yx}\tau_{xy}\tau_{xz} \\ &\quad - (\sigma_x\tau_{yz}\tau_{xy} + \sigma_y\tau_{zx}\tau_{xz} + \sigma_z\tau_{xy}\tau_{yx}) \end{aligned} \tag{7.4}$$

7.1 탄성거동

흙의 응력상태에 따른 비선형탄성거동에 대한 등방모델이 Lade & Nelson(1987)[11]과 Lade(1988)[8]에 의해서 소개되었다.

이 모델은 0에서 0.5 사이의 포아송비 값을 가지는 재료에 대해서는 그 거동이 항상 일정한 포아송비를 가진다는 가정하에 탄성계수 E를 에너지보존원리를 이용하여 식 (7.5)와 같이 나타내었다.

$$E = MP_a\left[\left(\frac{I_1}{P_a}\right)^2 + R\frac{J_2'}{P_a^2}\right]^\lambda \tag{7.5}$$

여기서,

$$R = 6(1+\nu)/(1-2\nu) \tag{7.6}$$

I_1은 제1응력불변량(식 (7.2) 참조)이며, J_2'는 축차응력의 제2불변량으로 식 (7.7)로 나타낼 수 있다.

$$J_2' = \frac{1}{6}\left[(\sigma_x - \sigma_y)^2 + (\sigma_y - \sigma_z)^2 + (\sigma_z - \sigma_x)^2\right] + \tau_{xy}^2 + \tau_{yz}^2 + \tau_{zx}^2 \tag{7.7}$$

식 (7.5) 속의 P_a는 대기압으로 E, I_1, $\sqrt{J_2'}$에 대한 단위를 조절하기 위하여 사용되었으며, 계수 M과 λ는 무차원 상수이다.

식 (7.5)는 그림 7.1(a)에서 보는 것처럼 이를 삼축평면상에 도시하였을 시 포아송비 ν에 따라 정수압축에 대칭이 되는 타원곡면을 형성하여 $\nu=0$, $R=6$일 때는 완전한 원을 이루고 포아송비가 증가할수록 그 모양이 길쭉한 타원모양으로 변하여 $\nu=0$이고 $R=\infty$가 되었을 때는 정수압축과 일치하는 직선의 형태를 이루게 된다.

그리고 이 식을 다시 $I_1=0$인 정팔면체평면상에 도시하면, 그림 7.1(b)에서 보는 것처럼 삼축평면에서의 정수압축에 수직인 면으로서, 포아송비 ν에 따른 원의 모양이 나타난다. 여기

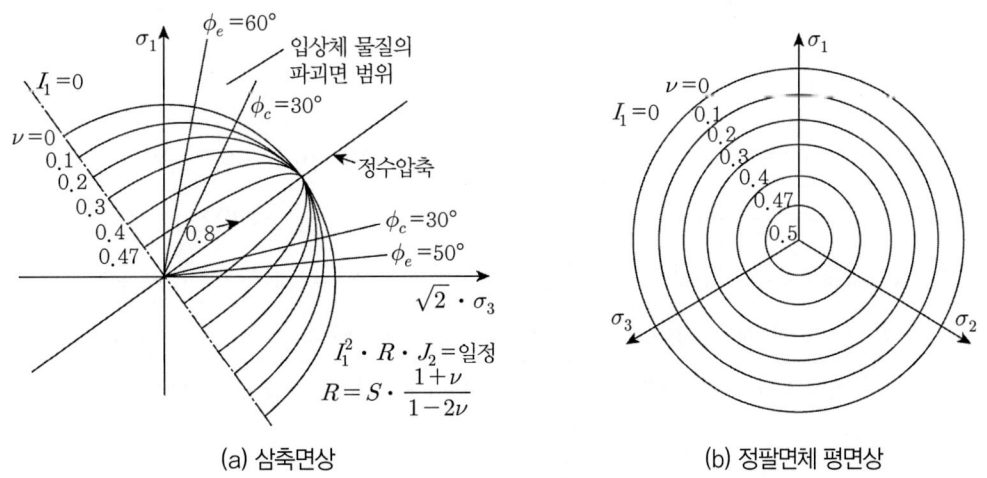

그림 7.1 탄성계수 등고선[8]

서 $\nu=0$일 때 가장 큰 원을 형성하게 되며 ν가 증가함에 따라 원은 점점 작아져 $\nu=0.5$에서는 하나의 점으로 변하게 된다.

이를 다시 3차원 공간에서 도시하면 일정한 ν에 대한 식 (7.5)는 그림 7.2에서와 같은 타원형의 구를 형성하게 된다.

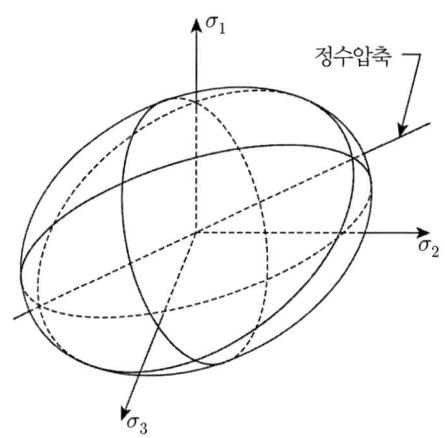

그림 7.2 (탄성계수가 일정한 경우) 식 (7.5)에 의한 타원면

한편 포와송비는 식 (7.8)과 같이 제하에서 재부하로 전환되는 순간의 체적변형률증분대 최대주변형률증분의 비를 구하여 결정하도록 제안하였다.

$$\nu = -\frac{\dot{\epsilon}_3}{\dot{\epsilon}_1} = \frac{1}{2}\left(1 - \frac{\dot{\epsilon}_v}{\dot{\epsilon}_1}\right) \tag{7.8}$$

Lade(1988)[8]는 포아송비 결정 시 이에 대한 최선의 선택을 위해 그림 7.3의 하단부 축변형률에 대한 체적변형률 곡선에서 보는 것처럼 식 (7.8)의 $\dot{\epsilon}_v/\dot{\epsilon}_1$을 응력반전 시 정수압축 부근에서 제하(unloading)로부터 재부하(reloading)로 변하는 초기의 기울기를 이용하도록 제안하였다.

그리고 탄성계수에 대한 계수결정을 위해서 실험으로부터의 탄성계수를 그림 7.3의 상부 그림에서의 응력변형률 곡선으로부터 하중이 Unloading과 Reloading이 시작되는 초기의 접선계수 값을 정하였으며 이때의 응력상태는 응력반전이 발생하는 초기치 값으로 제안하였다.

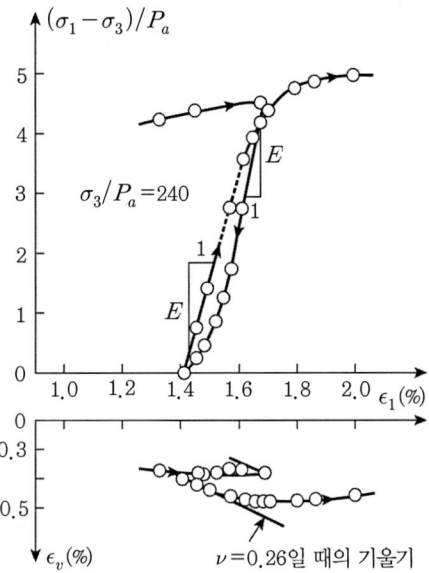

그림 7.3 느슨한 Santa Monica 해변 모래의 통상적(Unloading-Reloading) 삼축시험으로 탄성계수와 포아송비를 결정(Lade, 1988)[8]

식 (7.5)의 재료에 대한 계수 M과 λ의 결정은 그림 7.4에서와 같이 가로축에 $[(I_1/P_a)^2 + RJ_2'/P_a^2]$를 두고, 시험으로부터 구한 탄성계수 E를 단위조절을 위해 사용한 대기압 P_a로 나눈 (E/P_a)를 세로축으로 하여 이들을 회기분석함으로써 계수를 결정할 수 있다. 여기서

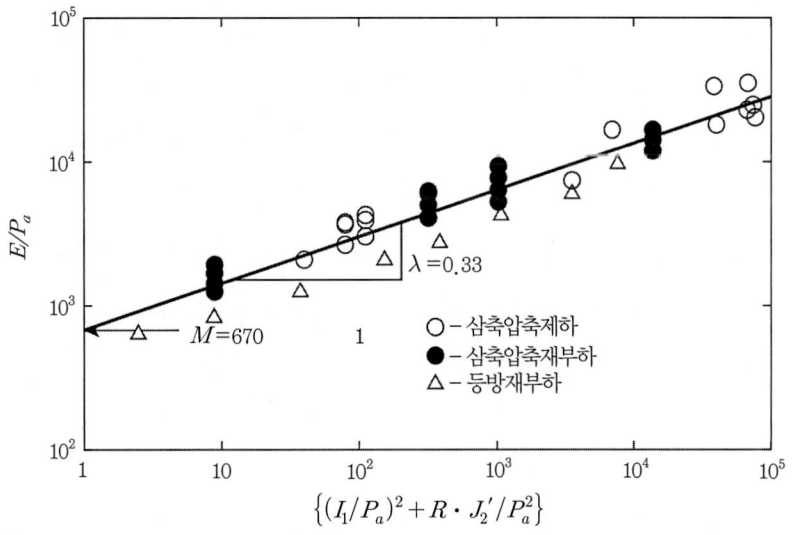

그림 7.4 중간밀도 Sacramento 강모래(e_i = 0.71, D_r = 78%)의 탄성계수(Lade, 1988)[8]

λ는 회기 분석한 결과의 기울기이며 M은 가로축 값이 1일 때의 절편 값이다.

7.2 파괴규준

Lade(1988)는 마찰물질에 대한 재료의 3차원 파괴규준은 곡선형태의 파괴포락선을 가진다고 하였다. 이 규준은 제1응력불변량 및 제3응력불변량의 항으로 다음과 같이 제안되었다.[8]

$$\left(\frac{I_1^3}{I_3} - 27\right)\left(\frac{I_1}{P_a}\right)^m = \eta_1 \tag{7.9}$$

여기서, I_1은 식 (7.2)로 주어진 제1응력불변량이고, I_3는 제3응력불변량으로 식 (7.4)로 정의된다. 그리고 P_a는 응력의 단위로 표현된 대기압이며, η_1과 m은 무차원상수로서 파괴곡면의 형상을 지배하는 매개변수이다.

위 식으로부터 얻어지는 파괴면은 주응력공간상에 그림 7.5(a)에서 보는 것처럼 응력축의 원점에서 정점을 가지는 비대칭 탄알모양이며 정점에서의 각도는 삼축시험과 같은 간단한 시험으로 결정되고 η_1의 값에 따라 증가한다. 또한 이 파괴면은 정수압축에 대해 볼록한 형태를 가지고 곡면의 곡률은 m값에 따라 증가한다.

만약 $m=0$이면 파괴면은 직선 모양이 되고, $m>1.979$이면 파괴면은 점점 정수압축에 대해 볼록해져 그림에서와 반대의 형태를 가진다. 콘크리트와 암에 대한 많은 실험 결과들의 분석을 통해 m값은 1.5를 초과하는 경우가 거의 없다고 하였다. m이 일정하고 η_1값이 증가 시 정팔면체상에서 절단면의 모양은 원형에서 끝이 둥근 삼각형모양으로 변한다. $m=0$일 때 이들 단면은 I_1값에 따라 변화하지 않으나, $m>0$인 경우는 파괴면의 단면형상은 I_1의 값이 증가함에 따라 삼각형에서 원형 쪽으로 변한다. 그림 7.5(b)는 $m=0$이고 η_1이 1, 10, 102, 103인 정팔면체면(I_1 일정)상의 파괴면의 단면도이다.

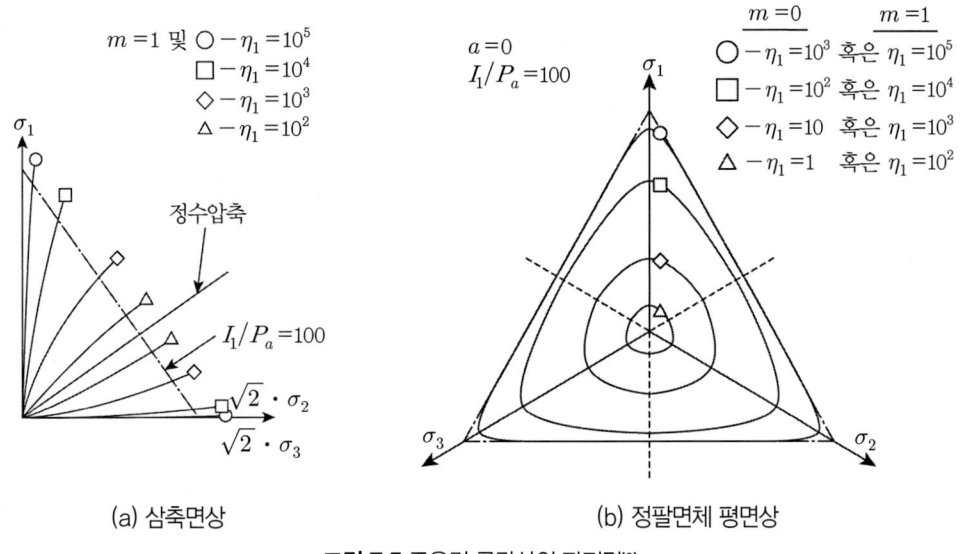

(a) 삼축면상　　　(b) 정팔면체 평면상

그림 7.5 주응력 공간상의 파괴면[8]

7.3 소성포텐셜

등방단일경화구성모델의 가장 중요한 요소 중 하나가 소성변형률증분벡터를 결정하는 소성포텐셜함수 g_p를 들 수 있다. 이것은 소성변형률증분벡터가 소성포텐셜함수 g_p로부터 결정된다는 것이다. 즉, 소성변형률증분벡터가 응력경로에는 무관하고 응력상태로부터 결정된다는 것을 의미하는 것으로서 비관련흐름법칙이 적용됨을 알 수 있다. 위와 같은 사실은 Poorooshasb et al.(1985)[13,14]과 Lade and Duncan(1976)에 의해 증명되었다. 소성변형률증분벡터는 다음과 같은 식으로 표현할 수 있다.

$$d\epsilon_{ij}^p = d\lambda_p \frac{\partial g_p}{\partial \sigma_{ij}} \tag{7.10}$$

여기서, g_p는 소성포텐셜함수이고 $d\lambda_p$는 변형률의 크기를 결정하는 상수이다.

그림 7.6은 점착력이 없는 모래에 대한 삼축압축실험에서 응력에 따른 $d\epsilon^p$의 방향을 보여주고 있다. 등방압밀 시 정수압축을 따라서 그려진 $d\epsilon^p$의 방향은 이상적인 등방체거동과 일

치하여 정수압축과 가까운 응력의 초기단계에서 그 방향은 정수압축에 수직인 선을 기준으로 원점 쪽으로 향하여 소성체적변화가 압축의 경향을 보이고 있으며, 파괴 시의 응력단계에서는 방향이 원점의 반대편으로 향하여 소성체적변화가 점점 팽창하고 있음을 보여주고 있다.

Kim & Lade(1988)[6]는 모래, 점토 및 콘크리트 등과 같은 여러 가지 마찰재료에 대한 시험결과로부터 그림 7.6에서와 같은 소성변형률증분벡터에 대해 수직인 짧은 선을 연결함으로써 이들이 삼축평면에서 약간 뒤틀린 듯한 곡선군이 그려짐을 발견하였다. 이 소성포텐셜곡면군의 모양은 재료에 따라 조금씩 다르지만 대체로 유사한 모양을 나타낸다.

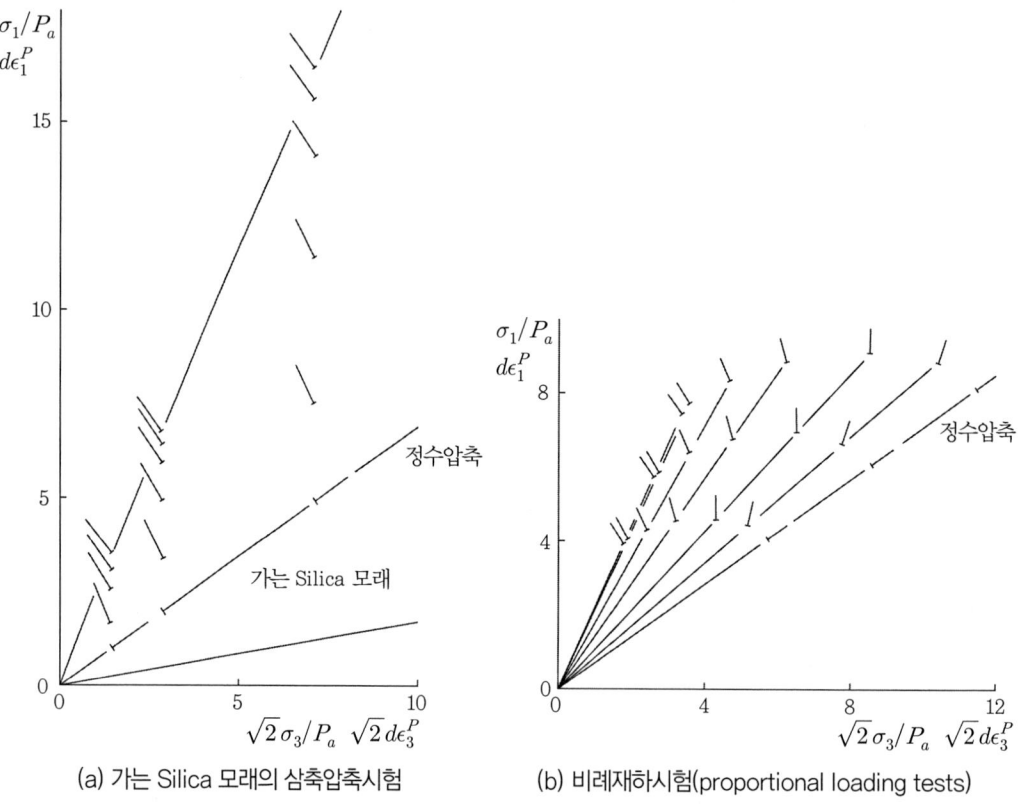

(a) 가는 Silica 모래의 삼축압축시험   (b) 비례재하시험(proportional loading tests)

그림 7.6 소성변형률증분벡터(Kim & Lade, 1988)[6]

그림 7.7은 Yamada & Ishihara(1079)[18]에 의해 보고된 Fuji 강모래에 대한 입방체형 삼축압축시험에서 구한 소성변형률증분벡터의 방향을 정팔면체평면에 나타낸 것이다. 소성변형률증분은 흐름법칙으로 계산되는데, 식 (7.10)에서 g_p는 소성포텐셜함수이고, $d\lambda_p$는 양의 비례

상수이다. 소성포텐셜함수는 무차원 재료상수와 응력불변량의 항으로 식 (7.11)과 같이 표현된다. ψ_1, ψ_2, μ는 소성포텐셜의 형태를 지배하는 무차원상수이다.

여기서는 소성변형률증분벡터에 수직인 면이 응력의 초기단계에서는 거의 원형에 가깝고 응력이 증가하여 파괴점에 접근할수록 곡면이 원형에서 둥근 삼각형모양으로 변해감을 관찰하였다. 이러한 삼축평면과 정팔면체에서의 검토로부터 Kim & Lade(1988)[6]는 소성포텐셜함수를 식 (7.11)과 같이 제안하였다.

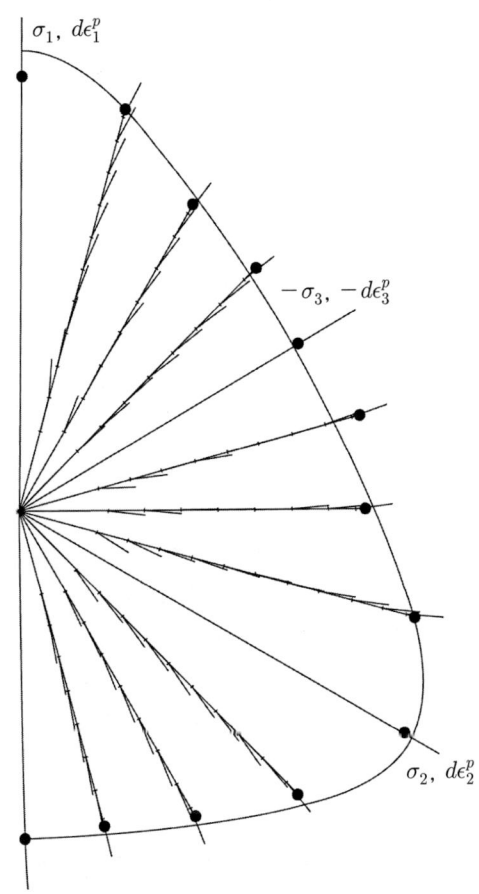

그림 7.7 Fuji 강모래의 정팔면체 평면상의 소성변형률증분방향(Yamada & Ishihara, 1979)[18]

소성변형률증분은 흐름법칙으로 계산되는데, 식 (7.10)에서 g_p는 소성포텐셜함수이고, $d\lambda_p$는 양의 비례상수이다. 소성포텐셜함수는 무차원 재료상수와 응력불변량의 항으로 식 (7.11)과 같이 표현된다. ψ_1, ψ_2, μ는 소성포텐셜의 형태를 지배하는 무차원 상수이다. ψ_2는 정수압축과의 교점을 조정하는 계수이고, 지수 μ는 곡률의 정점을 결정하는 계수이다.

$$g_p = \left(\Psi_1 \frac{I_1^3}{I_3} - \frac{I_1^2}{I_2} + \Psi_2\right)\left(\frac{I_1}{P_a}\right)^\mu \tag{7.11}$$

세 개의 응력불변량(제1응력불변량 I_1, 제2응력불변량 I_2 및 제3응력불변량 I_3)은 식 (7.2), (7.3), (7.4)로부터 구한다. 그리고 ψ_1은 함수의 형태를 삼각형 모양(I_3항으로부터)과 원형(I_1항으로부터)의 형태를 결정하는 형상계수로서 파괴규준으로부터 구한 m을 이용하여 식 (7.12)와 같이 제안하였다.[6]

$$\psi_1 = 0.00155 m^{-1.27} \tag{7.12}$$

한편 ψ_2는 정수압축과의 교점을 조정하는 계수이고, 지수 μ는 곡률의 정점을 결정하는 계수이다.

식 (7.11)의 소성포텐셜함수를 식 (7.10)에서와 같이 응력으로 미분하면 변형률에 관한 식 (7.13)을 구할 수 있다.

$$\begin{bmatrix} d\epsilon_x^p \\ d\epsilon_y^p \\ d\epsilon_z^p \\ \gamma_{yz}^p \\ \gamma\epsilon_{yz}^p \\ \gamma\epsilon_{xy}^p \end{bmatrix} = d\lambda_p \cdot \left[\frac{I_1}{P_a}\right]^\mu \begin{bmatrix} G - (\sigma_y + \sigma_z) \cdot \frac{I_1^2}{I_2^2} - \Psi_1 \cdot (\sigma_y \cdot \sigma_z - \tau_{yz}^2) \cdot \frac{I_1^3}{I_3^2} \\ G - (\sigma_z + \sigma_x) \cdot \frac{I_1^2}{I_2^2} - \Psi_1 \cdot (\sigma_z \cdot \sigma_x - \tau_{zx}^2) \cdot \frac{I_1^3}{I_3^2} \\ G - (\sigma_x + \sigma_y) \cdot \frac{I_1^2}{I_2^2} - \Psi_1 \cdot (\sigma_x \cdot \sigma_y - \tau_{xy}^2) \cdot \frac{I_1^3}{I_3^2} \\ 2 \cdot \frac{I_1^2}{I_2^2} \cdot \tau_{yz} - 2 \cdot \Psi_1 \cdot (\tau_{xy} \cdot \tau_{zx} - \sigma_x \cdot \tau_{yz}) \cdot \frac{I_1^3}{I_3^2} \\ 2 \cdot \frac{I_1^2}{I_2^2} \cdot \tau_{zx} - 2 \cdot \Psi_1 \cdot (\tau_{xy} \cdot \tau_{yz} - \sigma_y \cdot \tau_{zx}) \cdot \frac{I_1^3}{I_3^2} \\ 2 \cdot \frac{I_1^2}{I_2^2} \cdot \tau_{xy} - 2 \cdot \Psi_1 \cdot (\tau_{yz} \cdot \tau_{zx} - \sigma_z \cdot \tau_{xy}) \cdot \frac{I_1^3}{I_3^2} \end{bmatrix} \tag{7.13}$$

여기서, G는 식 (7.14)와 같다.

$$G = \psi_1(\mu+3)\frac{I_1^2}{I_3} - (\mu+2)\frac{I_1}{I_2} + \psi_2\mu\frac{1}{I_1} \tag{7.14}$$

주응력만이 작용하였을 시 소성변형률증분벡터를 주응력공간에 도시하면 식 (7.13)은 다음과 같이 표현할 수 있다.

$$\begin{bmatrix} d\epsilon_1^p \\ d\epsilon_2^p \\ d\epsilon_3^p \end{bmatrix} = d\lambda_p \cdot \left[\frac{I_1}{P_a}\right]^\mu \begin{bmatrix} G-(\sigma_2+\sigma_3)\cdot\frac{I_1^2}{I_2^2}-\Psi_1\cdot(\sigma_2\cdot\sigma_3)\cdot\frac{I_1^3}{I_3^2} \\ G-(\sigma_3+\sigma_1)\cdot\frac{I_1^2}{I_2^2}-\Psi_1\cdot(\sigma_3\cdot\sigma_1)\cdot\frac{I_1^3}{I_3^2} \\ G-(\sigma_1+\sigma_2)\cdot\frac{I_1^2}{I_2^2}-\Psi_1\cdot(\sigma_1\cdot\sigma_2)\cdot\frac{I_1^3}{I_3^2} \end{bmatrix} \tag{7.15}$$

여기서, 식 (7.14)의 G는 다음과 같은 방법으로 결정할 수 있다. 우선 소성변형률증분의 비를 결정해야 한다.

$$\nu_p = -\frac{d\epsilon_3^p}{d\epsilon_1^p} \tag{7.16}$$

식 (7.15)를 식 (7.16)에 대입하면 식 (7.17)을 구할 수 있다.

$$\zeta_y = \frac{1}{\mu}\zeta_x - \psi_2 \tag{7.17}$$

여기서,

$$\zeta_x = \frac{1}{1+\nu_p}\left[\frac{I_1^3}{I_2^2}(\sigma_1+\sigma_2+2\nu_p\sigma_3) + \psi_1\frac{I_1^4}{I_3^2}(\sigma_1\sigma_3+\nu_p\sigma_3^2)\right] - 3\psi_1\frac{I_1^3}{I_3} + 2\frac{I_1^2}{I_2} \tag{7.18}$$

$$\zeta_y = \psi_1 \frac{I_1^3}{I_3} - \frac{I_1^2}{I_2} \tag{7.19}$$

식 (7.17)의 $1/\mu$와 ψ_2는 삼축압축시험 결과에 대해 가로축에 ζ_x를 두고 세로축에 ζ_y를 두어 회기분석을 실시하여 그 기울기의 역수를 μ로 하고 ψ_2는 절편으로부터 구할 수 있다.

7.4 항복규준과 소성일경화법칙

공학적 재료에 대한 탄소성응력변형률 이론을 발전시키기 위해서는 소성항복의 발생규준이 필요하다. 이 규준이 탄소성모델상의 항복의 발생기준인데, 이 기준은 기본적으로 실험적 고찰에 중점을 두고 있으며, 때로는 물질에서 표현된 소성거동의 형태에 관한 가정과도 결합되기도 한다.

그러나 적당한 항복곡면을 구별하는 데는 두 가지 어려운 점이 있는데, 첫째는 마찰재료에 대해 항복은 연속적으로 진행하기 때문에 응력-변형률 곡선상에서 항복점을 구별하기가 쉽지 않은 점이고, 둘째는 소성이론에서 항복곡면은 소성변형률증분벡터를 정의하는 경화(연화) 정수와 반드시 연관되어 있기 때문이다.

그래서 항복거동을 연구하기 위해 사용되는 것이 소성일 궤적이고, 이는 복잡한 응력경로를 필요로 하는 실험을 포함하지 않고, 응력-변형률 곡선상에서 항복점의 결정을 쉽게 할 수 있다는 이점이 있다. 흙은 등방압밀 시 탄성변형과 소성변형이 발생하는데, 소성일은 단순히 등방압력의 증가에 의해 행하여지며 압력에 의한 함수로 다음 식과 같이 표현된다.

$$W_p = CP_a \left[\frac{I_1}{P_a} \right]^p \tag{7.20}$$

여기서, I_1은 제1응력불변량이며, P_a는 공기압이고, C, p는 무차원 상수이다. C와 p에 대한 변수 값은 (W_p/P_a)와 (I_1/P_a)의 관계를 대수용지에 도시하여 구할 수 있다.

그림 7.8은 가는 Silica 모래에 대한 실험 결과로 (W_p/P_a)와 (I_1/P_a)의 관계를 도시한 일례

이다. 이 그림에서 보는 것처럼 (W_p/P_a)와 (I_1/P_a)의 관계는 거의 직선의 경향을 보인다.[6] 이 그림에서 C는 $(I_1/P_a)=1$일 때 y축인 (W_p/P_a)의 값이고, p는 이 직선의 기울기이다.

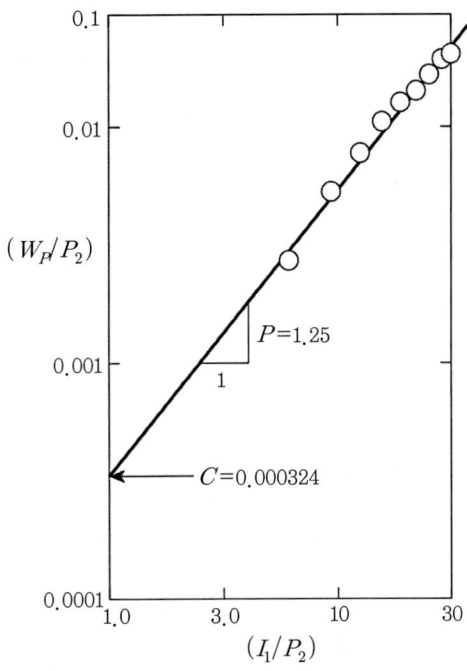

그림 7.8 경화법칙으로 가는 Silica 모래의 무차원 상수 C, p 구하기(Kim & Lade, 1988)[6]

그림 7.9(a)와 (b)는 구속압이 각각 1, 2, 5kg/cm²인 가는 Silica 모래에 대한 배수시험 결과와 EPK 점토를 재성형한 4개의 정규압밀시료에 대한 비배수시험 결과로부터 얻은 소성일의 결과를 보여주고 있다.

여기서 점토와 모래 모두에 대해 낮은 응력단계에서는 소성일이 응력단계에 따라 서서히 증가하다가 응력이 더 증가하여 파괴선에 접근할수록 소성일의 증가비율이 매우 빠르게 증가하는 유사한 경향을 볼 수 있다. 그리고 모양에서는 점토가 모래에 비해 소성일 궤적으로 둘러싸인 지역이 더 짧고 둥글게 나타나고 있음을 볼 수 있다. 즉, 이것은 체적변화 때문에 등방압축하의 소성일이 모래보다 점토에서 상대적으로 더 큼을 의미한다.

그림 7.10은 Yamada and Ishihara(1979)[18]가 $\psi_1 = 0.00472$인 가는 Silica 모래의 입방체형 삼축 압축실험 결과를 정팔면체상에 도시한 소성일의 변화를 제시해주었다. 소성일궤적은 낮은 응

력단계에서는 원형이나 점진적으로 응력이 파괴점에 가까워짐에 따라 끝이 둥근 삼각형 모양으로 변함을 볼 수 있다. 또한 소성변형률증분 방향이 소성일궤적의 수직방향과 일치함을 보여주고 있다.

반면에 그림 7.9의 삼축평면상에서는 벡터방향이 소성일 궤적의 수직방향과 일치하지 않고 있음을 볼 수 있다. 즉, 파괴 시 항복곡면에 대한 수직방향은 실험에 의한 수직보다는 물질의 팽창(dilation)에 더 의존한다는 것을 의미한다. 이런 점이 비관련흐름법칙의 도입을 필요로 하게 한다.

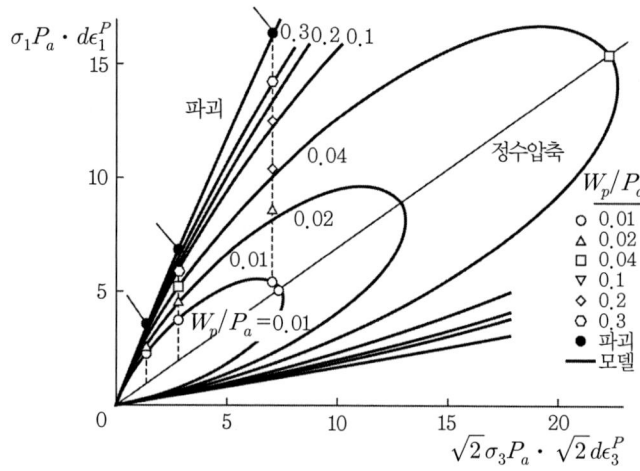

(a) 가는 Silica 모래의 배수시험

(b) EPK 점토의 비배수시험

그림 7.9 삼축압축면에 도시된 소성일 등고선의 실험 결과(Kim & Lade, 1988)[6]

또한 그림 7.10으로부터 파괴 시 소성일궤적은 파괴곡면보다 더욱 둥글고 그 소성변형률 증분벡터 방향이 소성일 궤적에 수직임을 알 수 있으며 이 소성일궤적을 설명하기 위한 함수, 즉 등방항복함수를 식 (7.21)과 같이 제안하였다.

$$f_p' = \left[\Psi_1 \cdot \frac{I_1^3}{I_3} - \frac{I_1^2}{I_2} \right] \cdot \left[\frac{I_1}{P_a} \right]^h \cdot e^q \tag{7.21}$$

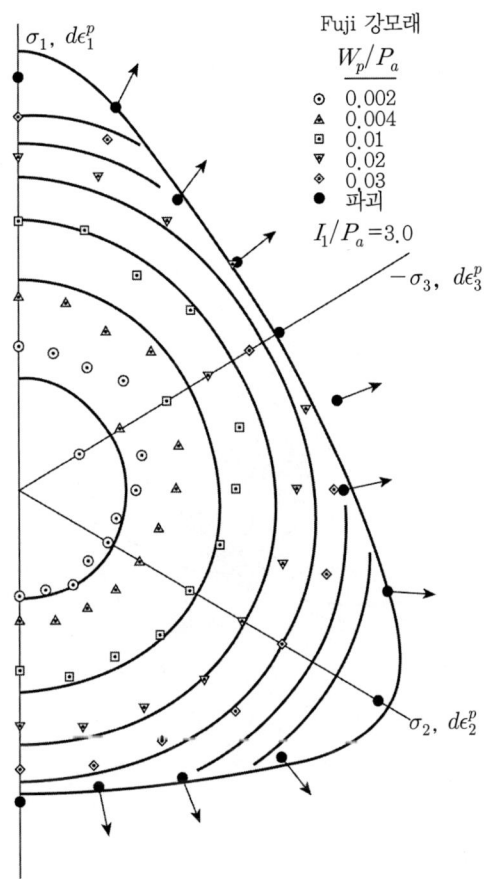

그림 7.10 정팔면체상에 도시한 Fuji 강모래의 소성일 등고선(Ymada & Ishihara, 1979)[18]

여기서, ψ_1은 삼각형 모양(I_3항으로부터)과 원형(I_1항으로부터) 사이의 형상계수이며, 변수 h는 일정하고, q는 응력단계에 따라 변하는 함수로 다음과 같이 구분할 수 있다.

$q=0$　　　등방압축 시

$0<q<1$　　경화 시

$q=1$　　　파괴응력 시

　　항복곡면은 그림 7.11에서처럼 절단면이 둥근 삼각형 모양을 가진 눈물방울 형태이며 원점을 제외한 전 응력공간상에서 연속적이다. 그림 7.10에 그려진 항복곡면군은 식 (7.21)에서 f_p가 일정할 때 곡선으로서 소성일과는 직접적인 관련이 없다.

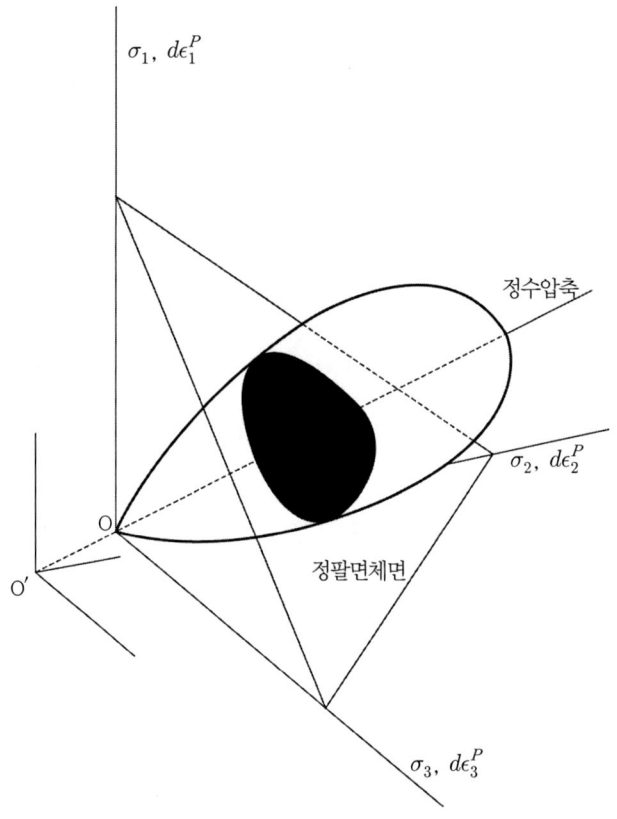

그림 7.11 주응력 공간에서의 항복곡면(Kim & Lade, 1988)[6]

　　그러나 항복함수는 소성일궤적의 경향을 설명하는 데 매우 적절하다. 또한 식 (7.21)은 항복곡면의 등방체적팽창을 나타내고 등방체의 일경화 응력-변형률모델에 적합하다 할 수 있다. 등방압축상태의 경우 식 (7.21)은 다음과 같다.

$$f_p' = (27\psi_1 + 3)\left[\frac{I_1}{P_a}\right]^h \tag{7.22}$$

이 식을 사용하여 등방압축에 대한 소성일 방정식을 유도하면,

$$W_p = DP_a f_p''^{\rho} \tag{7.23}$$

즉, $f_p''^{\rho} = \left(\frac{1}{D}\right)^{\frac{1}{\rho}}\left(\frac{W_p}{P_a}\right)^{\frac{1}{\rho}} \tag{7.24}$

여기서, D와 ρ는 다음과 같이 정의된다.

$$D = \frac{C}{(27 \cdot \Psi_1 + 3)^{\rho}} \tag{7.25}$$

$$\rho = \frac{P}{h} \tag{7.26}$$

식 (7.23)은 항복기준 f_p''와 소성일 W_p 사이에 독특한 관계를 설정하고, 모든 응력상태에 대한 일-경화 관계로서 사용된다.

7.4.1 계수 h의 결정 방법

동일한 소성일 궤적 상에 있는 두 응력점 A, B를 고려해보자. 이 두 점은 같은 항복면상에 위치하므로 $f_{PA}' = f_{PB}'$로부터 식 (7.27)이 성립한다.

$$\left[\Psi_1 \cdot \frac{I_{1A}^3}{I_{3A}} - \frac{I_{1A}^2}{I_{2A}}\right] \cdot \left[\frac{I_{1A}}{P_a}\right]^h \cdot e^{qA} = \left[\Psi_1 \cdot \frac{I_{1B}^3}{I_{3B}} - \frac{I_{1B}^2}{I_{2B}}\right] \cdot \left[\frac{I_{1B}}{P_a}\right]^h \cdot e^{qB} \tag{7.27}$$

여기서, 첨자 A와 B는 A점과 B점에서의 응력을 나타내며, 만약 A점이 정수압축상에 있고 ($q=0$), B점이 파괴포락선상($q=1$)에 있다면,

$$(27\psi_1 + 3)\left[\frac{I_{1A}}{P_a}\right]^h = \left[\Psi_1 \cdot \frac{I_{1B}^3}{I_{3B}} - \frac{I_{1B}^2}{I_{2B}}\right] \cdot \left[\frac{I_{1B}}{P_a}\right]^h \cdot e \tag{7.28}$$

그러므로
$$h = \log\frac{\left[\psi_1 + \frac{I_{1B}^3}{I_{3B}} - \frac{I_{1B}^2}{I_{2B}}\right]e}{27\psi_1 + 3} \Big/ \log\frac{I_{1A}}{I_{1B}} \tag{7.29}$$

7.4.2 변수 q의 결정 방법

변수 q는 응력 수준 S에 따라 변하며 식 (7.30)과 같이 정의된다.

$$q = \frac{\alpha \cdot S}{1 - (1-\alpha) \cdot S} \tag{7.30}$$

여기서, 응력 수준 S는 식 (7.31)과 같이 정의한다.

$$S = \frac{f_n}{\eta_1} = \frac{1}{\eta_1}(I_1^3/I_3 - 27)\left[\frac{I_1}{P_a}\right]^m \tag{7.31}$$

여기서, f_n은 마찰재료에 대한 파괴를 설명하기 위해 사용된 함수이고 η_1은 파괴 시 f_n의 값이다. 응력 수준 S는 정수압축상태의 0으로부터 파괴 시 1까지 변한다. q의 값은 식 (7.32)와 (7.33)을 사용하여 시험 결과로부터 결정될 수 있다.

$$q = \ln\frac{\left[\frac{W_p}{DP_a}\right]^{\frac{1}{\rho}}}{\left[\psi_1\frac{I_1^3}{I_3} - \frac{I_1^2}{I_2}\right]\left[\frac{I_1}{P_a}\right]^h} \tag{7.32}$$

그림 7.12는 응력 수준 S에 따른 q의 변화를 보여준다. 단, $0 < q < 1$의 범위에서 비율은 특히 중요하다. 왜냐하면 항복과 소성일 사이의 다른 관계가 연화법칙에서 적용된다. 경화부

분의 변이는 쌍곡선으로 표현·설명된다.

$$S = \frac{q}{\alpha + \beta q} \tag{7.33}$$

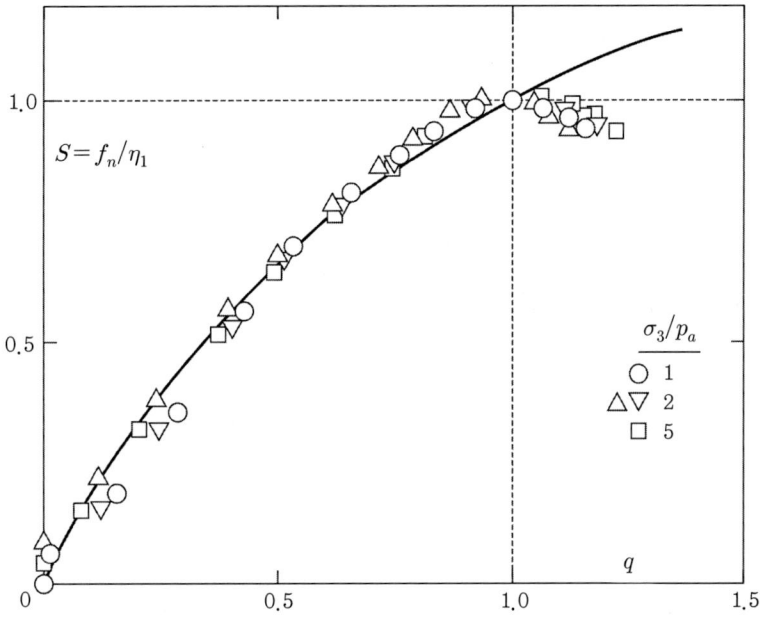

그림 7.12 가는 Silica 모래의 S와 q의 관계(Kim & Lade, 1988)[6]

곡선이 (1, 1)를 통과하기 때문에 $\beta = 1 - \alpha$이다. α는 응력 수준 $S = 0.8$일 때 가장 좋은 값이 구해지므로 이를 식 (7.33)에 대입하면,

$$\alpha = \frac{1-S}{S}\frac{q_s}{1-q_s} = \frac{1}{4}\frac{q_{80}}{1-q_{80}} \tag{7.34}$$

가는 Silica 모래는 $q_{80} = 0.67$일 때 $\alpha = 0.51501$이다. 결론적으로 q는 식 (7.30)과 같이 표현된다.

식 (7.21)의 항복함수는 변수 h와 q를 결정함으로써 정의되고, 소성일은 항복이 진행되는 동안 식 (7.23)으로부터 구해진다.

7.5 등방단일구성모델의 계수결정 사례

해석 대상 시료는 미국 California에 위치하는 Santa Monica 해변 모래이다.[1,2] 이 모래는 사용하기 전 물로 씻어 모래 중에 포함되어 있는 염분과 불순물을 제거하고 입자의 분포를 균등하게 하기 위해 40번체를 통과하는 것을 대상 시료로 결정하였다. 여기서는 중간 정도 밀도 모래에 대한 시험 결과로부터 계수값들을 결정하기로 한다.[3]

7.5.1 사용시료의 물리적 특성

등방단일경화구성모델은 마찰물질을 위한 구성모델로서 탄성이론과 소성이론이 그 기본 개념이 되고 있다. 이 모델은 11개의 계수를 가지고 있으며 이들 계수는 통상 축대칭공시체를 사용한 삼축압축시험 및 등방압축시험 결과를 활용하여 구할 수 있다.

표 7.1은 미국 California에 위치하는 Santa Monica 해변 모래의 물성치를 정리한 표이다.[2]

이 모래의 구성광물을 살펴보면 표 7.1에서 보는 것처럼 석영과 장석이 각각 약 45%씩 차지하여 흙구성의 주류를 이루고 있으며 자철광이 약 8% 그리고 잔여광물 2% 정도로 구성되어 있다. 또한 균등계수는 1.58, D_{50}은 0.265mm이고 비중은 2.66이며 최대간극비는 0.91, 최소간극비는 0.60이다.

표 7.1 미국 California주 Santa Monica 해변 모래의 특성[2]

광물구성	석영	45.0%
	장석	45.0%
	자철광	8.0%
	잔여광물	2.0%
체분석	D_{10}(mm)	0.18
	D_{60}(mm)	0.28
	$C_U = D_{60}/D_{10}$	1.58
	D_{50}(mm)	0.265
비중(G_S)		2.66
최대건조밀도(g/cm³)		1.653
최소건조밀도(g/cm³)		1.392
최대간극비(e_{max})		0.91
최소간극비(e_{min})		0.60

7.5.2 사용시료의 압축 특성

Prabucki and Lade(1990)[15]는 Santa Monica 해변 모래의 압축특성을 조사하기 위해 등방압축시험과 입방체형 삼축시험을 실시하였다. 그림 7.13과 그림 7.14는 Prabucki & Lade(1990)에 의해 Santa Monica 해변 모래에 관해 실시된 등방압축시험과 6회의 삼축압축시험기를 이용하여 모래의 탄성거동을 관찰하기 위해 Loading과 Unloading 시 삼축압축시험 결과를 도시한 그림이다.

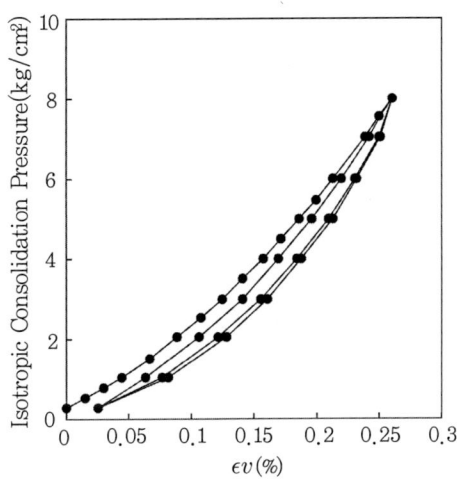

그림 7.13 Santa Monica 해변 모래의 등방압축시험거동(Prabucki and Lade, 1990)[15]

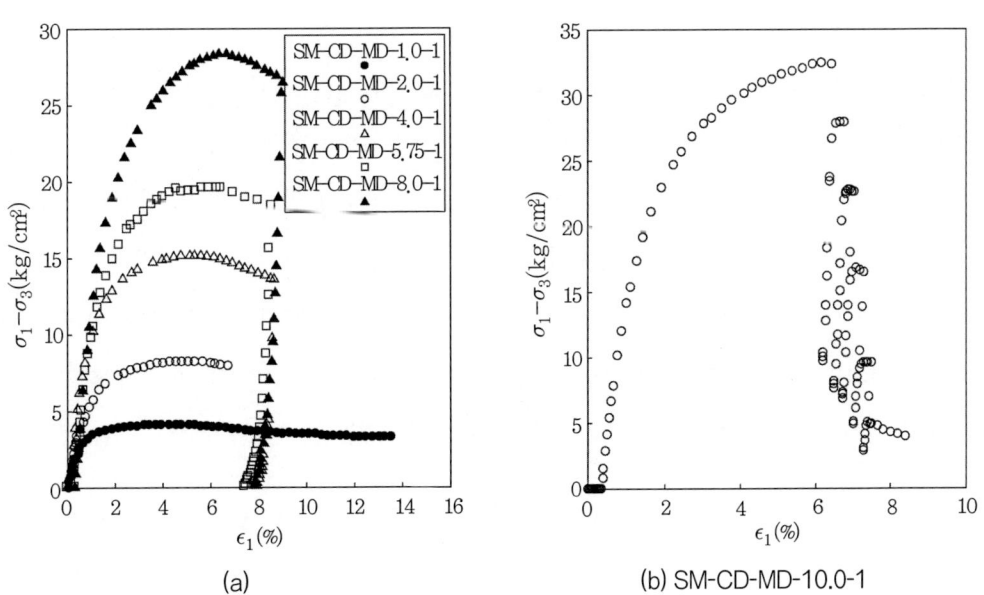

그림 7.14 Santa Monica 해변 모래의 삼축압축시험 결과(Prabucki and Lade, 1990)[15]

한편 그림 7.15는 구속압 σ_3를 1kg/cm², 0.5kg/cm² 및 2kg/cm²으로 한 경우의 입방체형 삼축시험 결과이다.

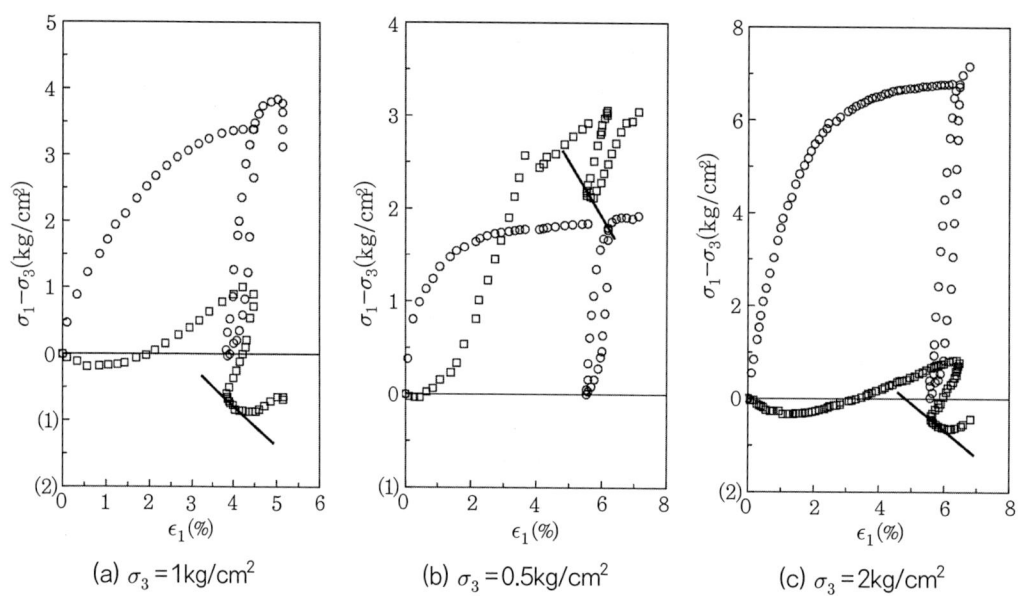

그림 7.15 Santa Monica 해변 모래의 입방체형 삼축시험 결과(Prabucki and Lade, 1990)[15]

7.5.3 탄성 특성계수 M과 λ

식 (7.5)로 제시된 탄성거동에 대한 계수 M과 λ를 결정을 하기 위해서 우선 식 (7.8)의 축변형률에 대한 체적변형률의 관계로부터 Poisson비를 0.2로 결정하였다.

또한 탄성계수 결정 시 필요한 식 (7.5)의 계수 M과 λ의 결정을 위해 입방체형 삼축시험과 원통형 삼축시험의 결과를 이용하여 횡축에는 $[(I_1/P_a)^2 + RJ_2'/P_a^2]$의 값을, 종축에는 시험으로부터 구한 탄성계수의 무차원 값인 E/P_a를 그림 7.16과 같이 도시하였다. 여기서 그림 7.16 시험 결과치에 대한 회기분석을 실시하여 M은 횡축값이 1일 때의 종축의 절편값이며, λ는 그 기울기로서 그 값을 각각 628과 0.279로 결정하였다.

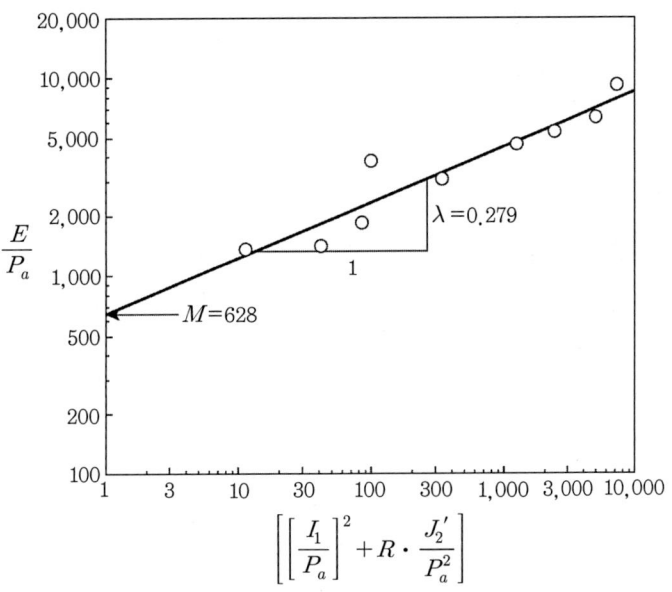

그림 7.16 탄성계수 E를 결정하기 위한 M과 λ

7.5.4 파괴규준계수 η_1과 m

식 (7.9)로 제시된 파괴규준의 계수는 그림 7.17에 나타낸 것처럼 양면대수지에 파괴 시의

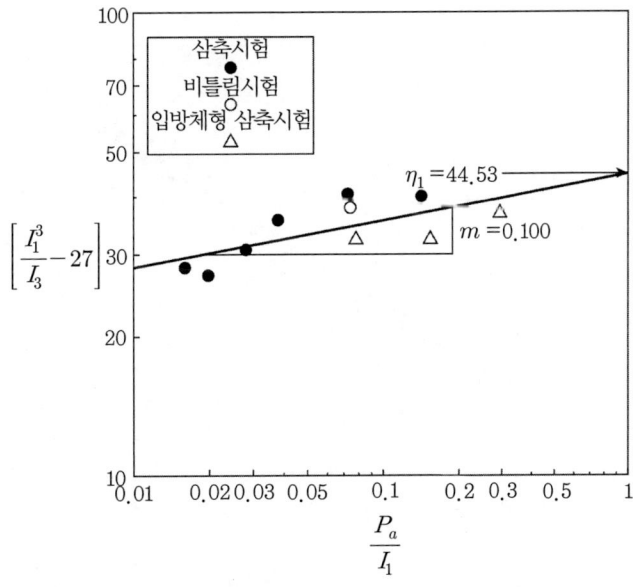

그림 7.17 파괴기준계수 η_1과 m

$(I_1^3/I_3 - 27)$과 (P_a/I_1)의 관계를 각각 종축과 횡축의 값으로 도시함으로써 구할 수 있다. η_1과 m은 이들 값을 회귀분석하여 구한 직선의 절편과 기울기로부터 각각 44.53과 0.1로 결정하였다.

7.5.5 소성포텐셜함수계수 Ψ_2와 μ

식 (7.11)에 의해 제시된 소성포텐셜함수 g_p의 계수는 삼축압축시험 결과로부터 결정할 수 있다. 그림 7.18은 소성포텐셜함수 관련 계수 Ψ_2와 μ를 결정하기 위하여 6회의 삼축시험 결과를 하나의 도면에 나타낸 결과로, 식 (7.18)과 식 (7.19)에 제시된 ζ_x와 ζ_y에 대한 관계로부터 Ψ_2는 -3.714로 결정하였으며 μ는 2.334로 하였다.

7.5.6 항복함수와 일경화법칙

항복함수의 q를 결정하기 위해서는, 먼저 등방압축시 소성일을 나타내는 식 (7.25)~(7.26)의 C와 p를 결정해야 한다. 이 계수를 결정하기 위하여 등방압축시험[15]으로부터 제1응력불변량에 대한 소성일의 관계를 대수용지에 그림 7.19와 같이 나타내었다.

여기서 C는 I_1이 1일 때 절편으로 0.000202를 구할 수 있었으며, p는 기울기로서 1.553을

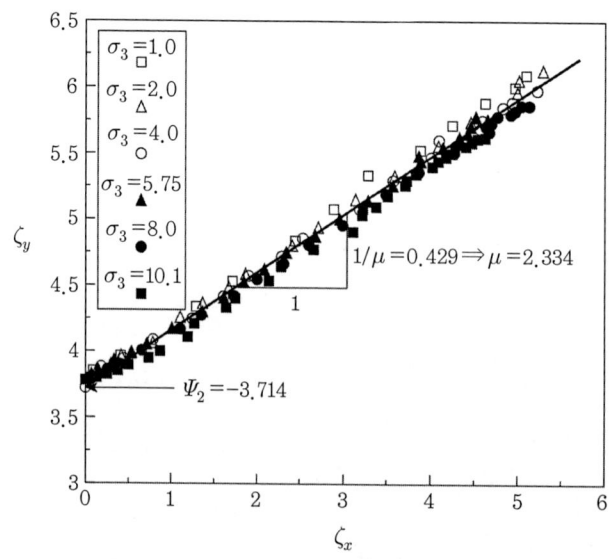

그림 7.18 소성포텐셜함수 결정용 계수 Ψ_2와 μ

얻을 수 있었다. 그리고 h는 삼축압축시험 결과로부터 평균값 0.806으로 결정하였다.

그림 7.20은 q의 관계가 가장 잘 성립하는 값을 $S_{0.8}$에 대한 α의 값으로 판단하고 α를 0.324로 결정하였다.

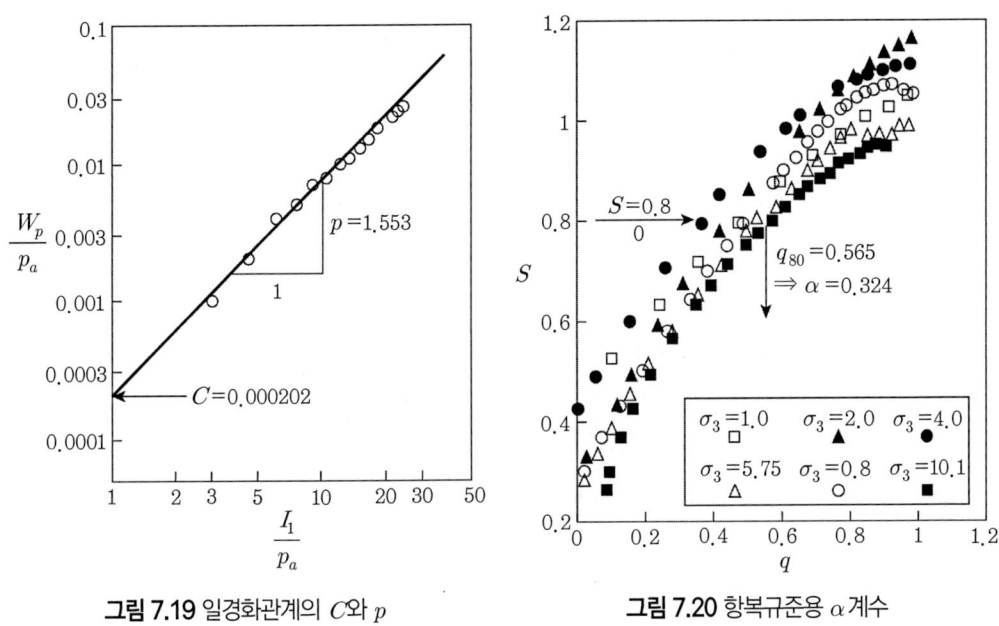

그림 7.19 일경화관계의 C와 p **그림 7.20** 항복규준용 α 계수

7.5.7 등방단일구성모델계수

이상으로부터 등방단일경화구성모델에 필요한 11개의 계수로 결정한 결과를 요약·정리하면 표 7.2와 같다.

표 7.2 Santa Monica 해변 모래의 계수(Hong & Nam, 1993)[3]

탄성거동			파괴규준		소성포텐셜		항복규준		경화함수	
M	λ	ν	m	η_1	Ψ_2	μ	h	α	C	p
628	0278	0.2	0.1	44.53	-3.714	2.334	0.806	0.324	0.000202	1.533

| 참고문헌 |

(1) 남정만(1993), '대응력반전 시 모래의 거동에 관한 연구', 중앙대학교대학원. 공학박사학위논문.

(2) 이재호(1995), '이동경화구성모델에 의한 모래의 거동예측에 관한 기초적 연구', 중앙대학교대학원, 공학석사학위논문.

(3) 홍원표·남정만(1994a), '등방단일경화구성모델에 의한 모래의 3차원거동 예측', 한국지반공학회지, 제10권, 제1호, pp.103-116.

(4) Desai, C.S. and Faruque, M.O.(1984), "Constitutive Model for Geological Materials", Journal of Eng. Mech. Division., ASCE, Vol.110, Sept.

(5) Dimaggio, F.L. and Sandler, I.S.(1971), "Mathematical model for granular soil", Journal of the Engrg Mechanics Division, ASCE, Vol.97, No.EM3, pp.935-950.

(6) Kim, M.K., and Lade, P.V.(1988), "Single Hardening Constitutive Model for Frictional Materials I. : Plastic Potential Function", *Computers and Geotechnics 5*, pp.307-324.

(7) Lade, P.V.(1977), "Elasto-plastic stress-strain theory for cohesionless soil with curved yield surfaces", *International Journal of Solids and Structures, Pergamon Press, Inc.*, New York, N.Y., Vol.13, pp.1019-1035.

(8) Lade, P.V.(1988), "Model and Parameter for the Elastic Behavior of Soils", Proc. 6th. Int. Conf. Numerical Methods Geomechanics, Innsbuk, Austria, pp.359-364.

(9) Lade, P.V. and Kim, M.K.(1988a), "Single Hardening Constitute Model for Frictional Materials, II, Yield Criterion and Plastic Work Contours", *Computers and Geotechnics*, Vol.6, pp.13-29.

(10) Lade, P.V. and Kim, M.K.(1988b), "Single Hardening Constitutive Model for Frictional Materials III. : Comparisons with Experimental Data", *Computers and Geotechnics*, pp.31-47.

(11) Lade, P.V. and Nelson, R.B.(1987), "Modelling the Elastic Behavior of Granular Materials", Int. J. Numer. Anal. Methods Geomech., Vol.11, pp.521-542.

(12) Mroz, Z. Norris, V.A. and Zienkiewics(1981), "An anisotropic, critical state model for soils subject to cyclic loading", Geotechnique 31, No.4, pp.451-469.

(13) Poorooshasb, H.B. and Pietruszczak, S.(1985), "A Generalized Flow Theory for Sand, Soils and Foundations", Vol.26, No.2, pp.1-15.

(14) Poorooshasb, H.B. and Pietruszczak, S.(1985,a), "On Yielding and Flow of Sand; A Generalized Two-Surface Model", Computer and Geotechnics, Vol.1, No.1, pp.33-58.

(15) Prabucki, M.J. and Lade, P.V.(1990), "Triaxial Compression Tests on Santa Monica Beach Sand. 1"

Report PL-CDT-SMB-1, UCLA-ENG-91-03,Aug.

(16) Roscoe, K.H. Schofield, A.N. and Thurairajah, A.(1963), "Yielding of Clays in States Wetter than Critical", Geotechnique, Vol.13, No.3, pp.211-240.

(17) Schofield, A. and Wroth, P.(1968), "Critical State Soil Mechanics", McGraw-Hill.

(18) Yamada, Y. and Ishihara, K.(1979), "Anisotropic Deformation Characteristics of Sand under Three dimensional Stress Conditions", Soils and Foundations, Vol.19, No.2, pp.79-94.

Chapter
08

이동경화구성모델

Chapter 08 이동경화구성모델

전통적인 개념에서 소성론은 탄성영역을 포함하는 항복곡면이 하중재하상태에서 파괴곡면과 교차할 때까지 일률적으로 등방·팽창한다.[8-13,33,34] 그러나 이러한 등방경화거동은 복잡한 응력경로를 갖는 재료의 거동을 나타내는 경우에는 적합하지 못하다.[2-4] 일축재하상태에서 한쪽상태의 초기소성변형이 반대쪽 상태에 계속 일어나는 소성변형에 대해서 재료의 저항이 감소한다는 바우싱거 효과(Bauschinger effect)는 잘 알려져 있다. 다시 말하면, 한쪽방향으로 단순하게 재하된 공시체가 필요한 만큼의 대응력반전을 겪게 되면 공시체는 반대방향에서 등방으로 팽창된 항복면에 도달하기도 전에 항복이 시작된다.

등방경화와 이동경화의 형태가 그림 8.1에 도시되어 있다. 이들 그림에 정팔면체평면상의 Von-Mises의 항복면 형태를 도시하고 있다. 바우싱거효과는 대응력반전 시 응력반전경로가 등방항복곡면에 도달하기에 앞서 이동하는 이동항복면과 교차하는 것으로 가정할 수 있다.[14]

이와 같은 가정으로 항복곡면을 이동시키고, 회전시키고, 비틀고, 서로 조합하면서 이동경화로서 세시해왔다. 예를 들어, Ishlinski(1954)와 Prager(1956)[32]는 항복면 이동의 형태를 소개되었다.[15] 한편 항복면의 회전은 Baltov & Sawczuk(1965)가, 항복면의 비틀림은 Phillips 등(1975)이 각각 제시하였다.

Mroz & Iwan(1967)은 항복면 안에 끼워 넣어진 항복면의 무리가 팽창하면서 이동한다고 제안하였고 경화거동은 각각의 항복면에 대한 경화계수가 일정하다는 가정으로 서술하였다.[27] Dafalias & Popov(1975) 그리고 Krieq(1975)는 중간의 항복면을 가진 두 개의 항복면만을 고려하고 경화계수는 그 사이에서 존재한다는 모델의 수정안을 제시하였다.[33] 이동경화 개념에 관하여 매년 수없이 많은 변화와 접근 방법이 개발되고 적용되고 있다.[16,36] 이러한 노력들로 새로운 경화법칙을 세우게 되었고 일반적인 응력경로, 주응력회전, 반복재하에 따른 복잡한 거동을 예측하게 되었다.

제8장에서는 먼저 이동경화모델의 종류에 대해 간략하게 분류·설명한 후 Inel(1992)[16]에 의해 연구된 이동경화구성모델을 중심으로 삼축평면상에서의 대응력반전 시 거동을 해석할 수 있는 이론적 개념을 정리하고자 한다.[17-25]

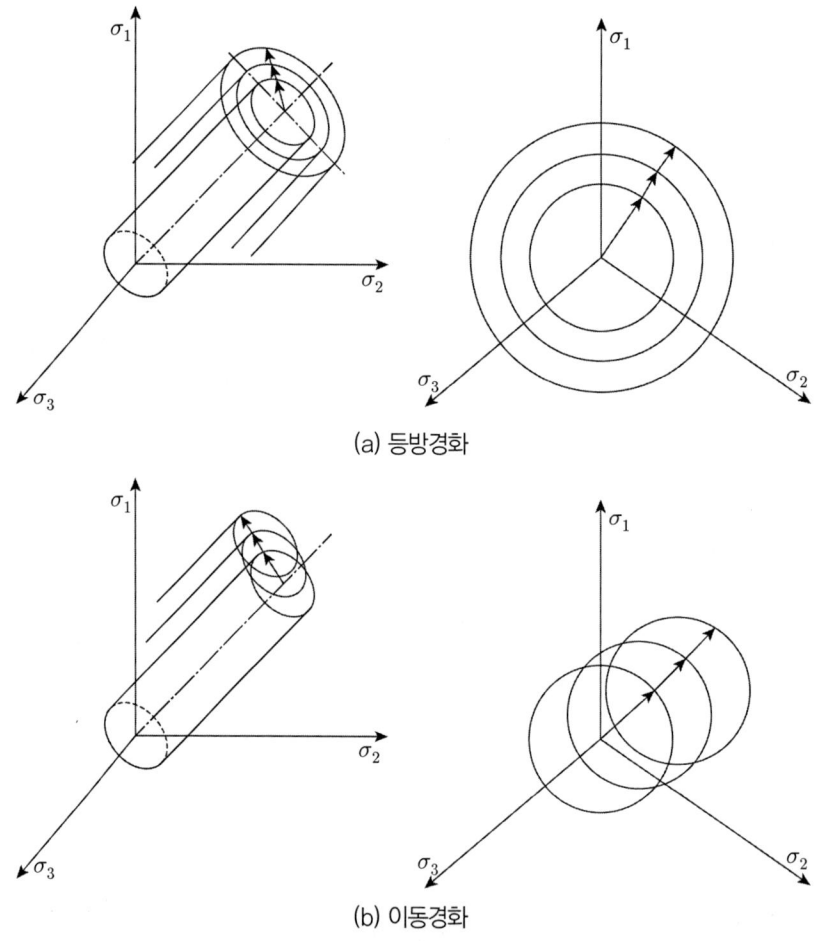

(a) 등방경화

(b) 이동경화

그림 8.1 등방경화와 이동경화의 형태

8.1 이동경화모델의 종류

이재호(1995)는 이동경화모델의 종류를 Prager 모델, 둥지항복면모델, 경계면모델 및 회전에 의한 이동경화모델의 네 가지로 분류하여 다음과 같이 정리한 바 있다.[1] 이들 모델을 간략하게 설명하면 다음과 같다.

8.1.1 Prager 모델

Prager(1955)[32]는 소성영역에서의 물질의 복잡한 거동을 설명하기 위하여 이동경화모델을 소개하였다. 그림 8.2(a)는 일축응력(uniaxial stress)상태에서의 이동경화모델을 나타낸다. 우선 구멍난 판 A는 마찰의 영향이 없는 유도장치 B 사이에서 활동한다. 그리고 핀 C는 구멍 안에서 마찰 없이 이동하고 핀이 구멍의 양 끝에 왔을 때만 판 A를 움직인다.

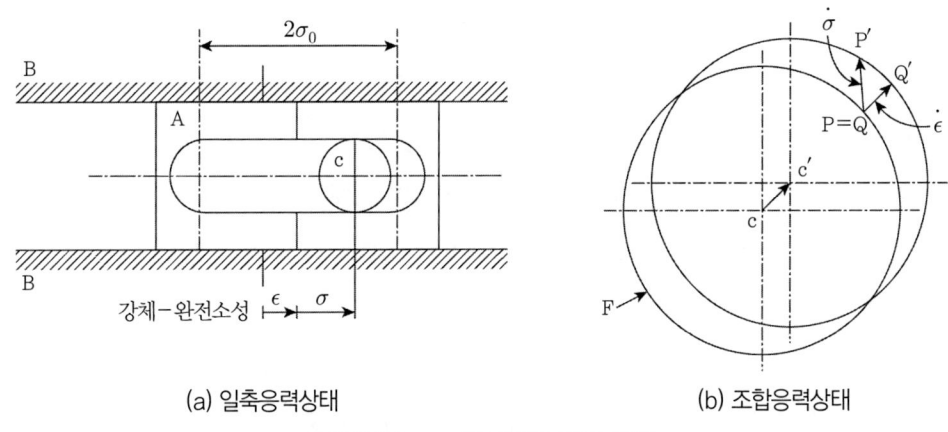

(a) 일축응력상태　　　　　　　　(b) 조합응력상태

그림 8.2 Prager(1955)의 이동모델[32]

판 A, 유도장치 B, 핀 C는 본래 일직선 상태로 되어 있다. 핀의 변위는 구멍에 대해 응력 σ로 나타내고, 구멍의 변위는 유도장치에 내해 변형률 ϵ으로 나타낸다. 제하와 재재하의 역방향 경우에 핀은 뒤로 움직이며 구멍의 반대 끝에 접촉하고 나서야 소성변형률 반전이 발생한다.

한편 조합응력(combined stress)상태에서는 구멍 A를 그림 8.2(b)와 같이 프레임 F로써 나타낼 수 있다. 핀 P를 프레임 F 위에 있는 Q점에 일치시켜놓으면 핀이 미소변위 PP′를 줌에 따라 프레임도 수직한 방향으로 Q에서 Q′점으로 움직일 것이다. PP′ 벡터와 QQ′ 벡터는 각각 응력증분과 변형률증분을 나타내며 벡터 CC′는 프레임의 중심이동을 나타낸다.

항복면이 초기모양의 변화 없이 이동한다고 가정하면 항복조건은 다음과 같이 나타낼 수 있다.

$$f(\sigma_{ij} - \alpha_{ij}) = k^2 \tag{8.1}$$

여기서, α_{ij}는 항복면의 중심이동량을 나타낸다.

8.1.2 둥지항복면(nested yield surface)모델

Mroz(1967)는 '소성계수의 장(場)' 개념을 도입함으로써 등방성과 이동경화법칙을 조합하는 일-경화모델을 제안하였다.

그림 8.3(a)는 일축응력하에서 제안된 물질의 응력-변형률 관계를 나타내고 있다. 응력-변형률 곡선은 접선계수 E_1, E_2, E_3, $\cdots$ E_n을 갖는 n선형의 구간으로 근사시킬 수 있다. 응력공간상에서 응력-변형률곡선에 대응하는 항복면은 f_0, f_1, f_2, $\cdots$ f_n으로 나타낼 수 있는데, 여기서 f_0는 초기항복면이고 f_1, f_2, $\cdots$ f_n은 일정한 소성계수의 범위로서 정의된다. 그림 8.3(b)는 일련의 동심원으로 나타낸 항복곡면들을 보여주고 있다.

Mroz(1967)은 모든 항복곡면이 응력공간에서 곡면의 형태는 변화하지 않고 이동한다고 가정하였다. 만일 초기에 등방성 재료라면 모든 곡면 f_0, f_1, f_2, $\cdots$ f_n은 닮은 꼴이 되고, 동심원점을 둘러쌓고 있다.

그림 8.3(c)는 응력상태가 B점에 도달하였을 때의 상황을 나타낸다. 응력점이 0으로부터 연직축을 따라 이동하면 응력점은 A에서 탄성한계에 도달하고 원 f_0는 B에서 원 f_1에 도달할 때까지 응력점과 연직축을 따라 이동하게 된다. 나머지 원들은 이 구간에서는 모두 고정되어 있다. A와 B 사이의 소성변형률은 소성접선계수 E_1^p로 정의된다.

그림 8.3(d)는 응력상태가 C점에 도달하였을 때의 상황을 나타낸다. 더욱 재하가 진행되면 원 f_0과 원 f_1이 서로 접촉하게 되고 원 f_2와 만나게 될 때까지 연직축을 따라 움직인다. B와 C 사이의 소성변형률은 접선계수 E_2에 대응하는 접선소성계수 E_2^p로 정의된다. C로부터 세 원 f_0, f_1, f_2는 D방향 응력점으로 이동한다.

그림 8.3(e)는 응력상태가 E점에 도달하였을 때의 상황을 나타낸다. 방향반전 시 제하와 재재하의 과정을 생각해보면 응력점은 E로부터 G까지 원 f_0 안에서 움직이는 동안 탄성변형만이 발생한다. G점은 원 f_0상에 존재하게 되는데, 그림 8.3(e)에서 연직축을 따라 맞은편에 있게 된다.

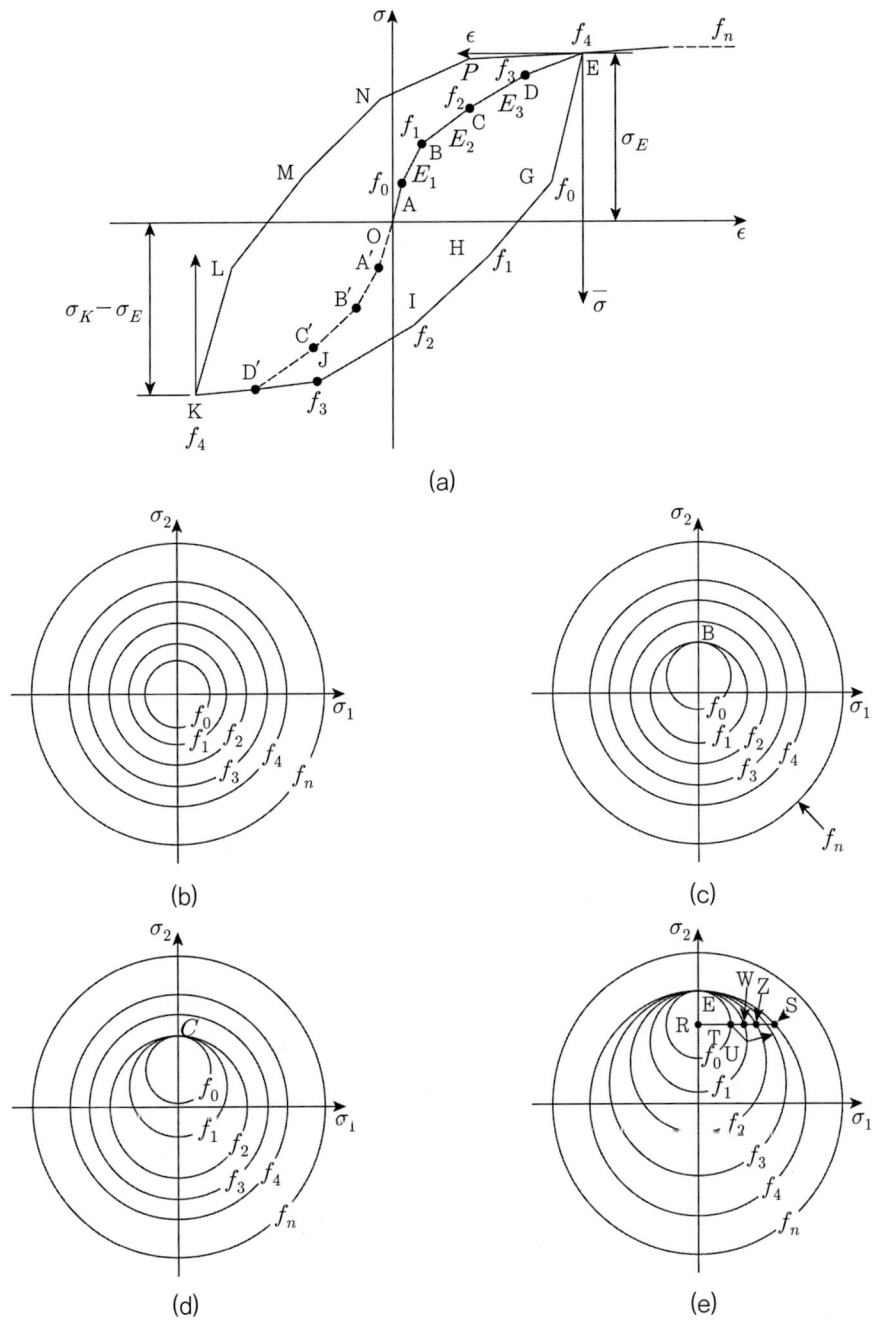

그림 8.3 둥지항복면 개념(Mroz, 1967)[27]

Mroz 모델은 Prager의 이동 일-경화 모델의 일반적인 경우로서 여겨질 수 있는데, 이는 현재의 계수값이 일정하지 않고 곡면 $f_0, f_1, f_2, \cdots f_n$의 상대적인 형상으로 결정되기 때문이다.

8.1.3 경계면모델

경계면(bounding surface)모델은 Dafalias와 Popov에 의해 처음 소개되었다. 경계면모델은 항복면 또는 재하면으로 불리는 내부의 곡면과 경계면으로 불리는 바깥곡면으로 분리되어 있다. 경계면은 일종의 등방경화규칙을 따르지만, 재하곡면의 경화는 현재의 응력점으로부터 제안된 규칙에 따라 결정되어진 경계면상의 거리의 함수인 소성경화계수에 의해 정의된다.

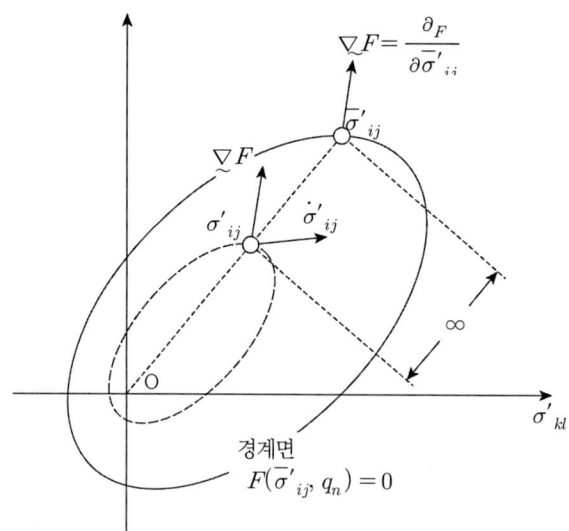

그림 8.4 경계면모델 개념(Dafalias & Herrman, 1982)

8.1.4 회전에 의한 이동경화

회전에 의한 이동경화는 먼저 Hashiguchi(1977)에 의해 제시되었고 그 이후 많은 학자들에게 연구되었다. 그림 8.5는 Pooroosharb과 Pietruszczak(1985, 1986)[29,30]이 제안한 항복면의 회전 상태를 나타내고 있다.

제안된 구성관계에는 두 개의 곡면무리를 사용한다. 첫 번째 것은 경계면으로 되어 있고, 두 번째 것은 항복면(yield surface)으로 되어 있다.[34,35]

경계면은 초기재료의 재하과정에서 생성되는 반면, 항복면은 재료가 탄성거동을 나타내는 모든 경로를 포함하고 있다. 그림 8.5(a)는 정팔면체평면상의 두 곡면의 형상을 나타내고 있고, 그림 8.5(b)는 주응력공간에서의 곡면의 거동을 보여주고 있다.

재하과정이 응력반전을 포함하지 않으면 경계면은 한계상태(파괴)에 도달할 때까지 팽창한다. 그러나 응력반전시에는 재료의 거동이 경계면 내부의 영역을 움직이는 항복면에 의해 결정된다. 만일 응력점이 경계면에 도달할 때까지 재하가 계속된다면 곡면은 경계면 바깥으로 움직이게 되고, 전체 재하이력은 사라지게 되어 초기재료와 같은 거동을 하게 된다.

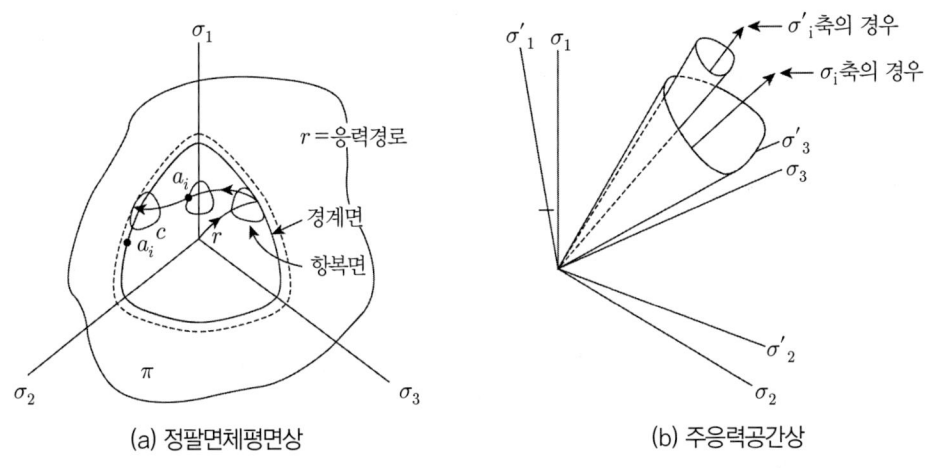

(a) 정팔면체평면상   (b) 주응력공간상

그림 8.5 회전에 의한 이동경화(Poorooshab & Pietruszczak, 1985)[29,30]

8.2 항복곡면의 정의와 운동

등방단일경화모델에서는 항복곡면과 소성포텐셜면의 위치와 크기가 하나의 스칼라값으로 기술될 수 있다. 이러한 스칼라값은 항복곡면과 정수압축이 교차할 시의 정수압응력값에 내응하는 항복함수값이나 소성포텐셜함수값으로 여길 수 있다.[12] 또한 실시된 소성일과 같은 함수로 스칼라 특성을 규정지을 수 있다. 이러한 방법은 등방경화에 한하여 성립되며 항복곡면의 이동이나 회전이 없이 등방으로 팽창할 때만 적합하다.

항복곡면이 회전될 경우에는 각 곡면들의 좌표가 확실히 정해져야 한다. 다시 말하면, 곡면을 정의하는 데 각 곡면의 회전은 정수압축을 기준으로 표현될 수 있다. 이때 임의의 항복곡면의 상대적인 회전을 결정하기 위해서는 그림 8.6에서 보는 것처럼 회전된 가상정수압축(Pseudo Hydrostatic Axis, PHA)을 사용한다. 따라서 삼축평면에서 회전을 표현하기 위하여 필요한 변수는 본래의 정수압축과 가상정수압축 사이의 각도 α가 된다.

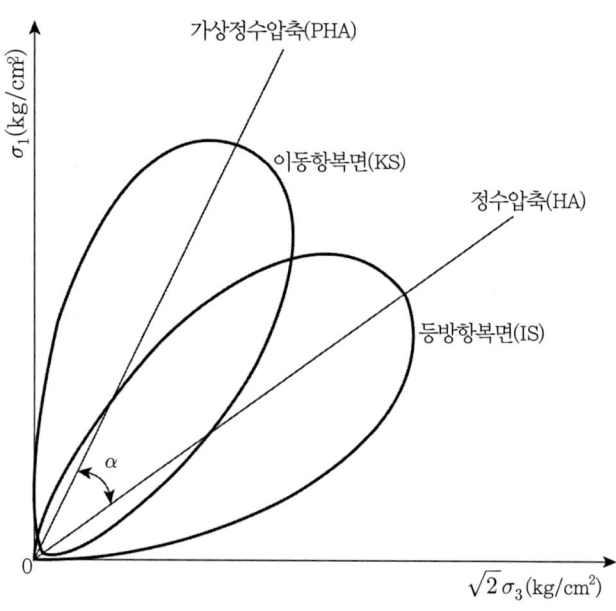

그림 8.6 삼축면에서의 항복면의 회전

등방경화는 항복면이 단순히 최초재하상태에서 등방팽창할 경우에만 타당하다. 항복면에서 제하로 응력반전이 일어날 경우에는 이동경화규칙이 적용되어야 한다.

등방항복면(Isotropic Surface, IS)은 응력반전과 관계된 모든 활동을 경계 짓는 한계면으로 작용한다. 응력반전이 고정된 방향으로 진행되어 등방항복면에 해당하는 응력 수준과 동일한 응력 수준에 도달하면 등방경화가 발생되고 이동경화로 인한 모든 과거 이력들은 지워진다. 그리고 파괴면과 흙의 탄성거동은 대응력반전에 의해 영향을 받지 않는다. 연화(softening)는 단일경화모델에서와 같이 취급되고 파괴는 응력 수준이 초기재하 응력반전에 관계없이 파괴면에 도달하였을 때 발생한다.

이동경화과정은 그림 8.6에서 보는 것처럼 가상정수압축을 따라 원점주위로 회전하는 제2의 이동항복면(Kinematic Surface, KS)으로 도시된다.

최초재하로부터 초기응력반전 시 가상정수압축 PHA는 그림 8.7에 도시된 것처럼 응력반전점을 통과하며 지나간다. 이러한 방식으로 이동항복면의 방위와 크기 모두가 초기에 응력반전점에 의해 결정된다.

계속해서 현재응력 수준이 등방항복면에 대해 이전의 최대응력 수준에 도달할 때까지 이동항복면은 등방항복면과 일치하도록 팽창하며 회전한다고 보는 것이다. 항복곡면의 최대응력점은 곡면과 정수압축 또는 가상정수압축과의 교차점이나 대상항복곡면상에서 제1응력불변량 I_1이 최대가 되는 응력점으로 정의한다.

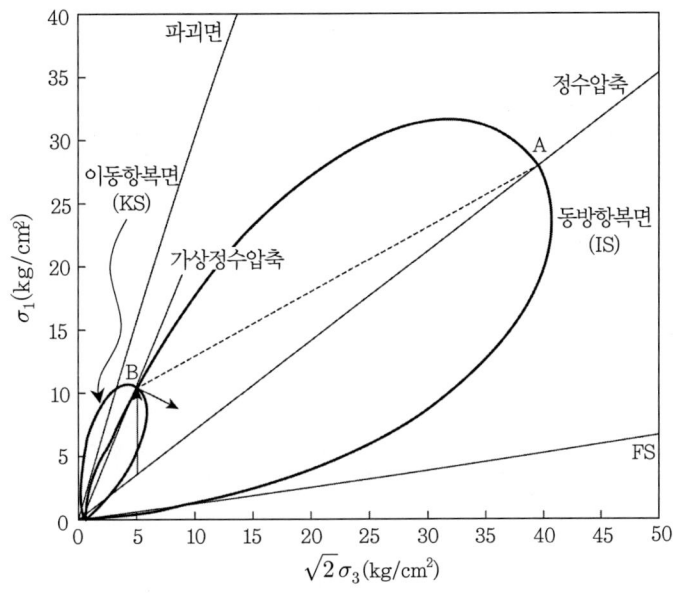

그림 8.7 삼축면에서의 초기응력반전

그림 8.7과 그림 8.8에 이동항복면의 연속적인 거동을 삼축평면상에 도시하였다. 먼저 그림 8.7에서는 최초재하로부터 응력반전으로 생긴 이동항복면를 보여주고 있다. 초기응력반전점은 이동항복면의 최대응력점이 된다. 따라서 이 응력점으로부터 이동항복면의 초기 크기와 가상정수압축의 초기 방향을 결정하게 된다.

다음으로 그림 8.8에서는 등방항복면 내부로 응력경로가 진행될 경우 이동항복면의 이동과 발달상태를 나타내고 있다. 초기이동항복면와 등방항복면의 교차점을 탄성범위로 정의하고 초기이동항복면 밖으로 응력경로가 진행될 때만 이동항복면이 회전하고 팽창한다. 이동항복면에 대한 최대응력점 C의 위치는 다음 두 조건에 의해 결정된다(그림 8.8 참조).

(1) 그림 8.7에 도시된 것처럼 C점은 초기이동항복면의 최대응력점 B와 등방항복면의 최대응력점 A를 연결하는 직선상에 존재해야 한다.
(2) 현재응력점 D는 그림 8.8에서 보는 것처럼 이동항복면상에 존재해야 한다.

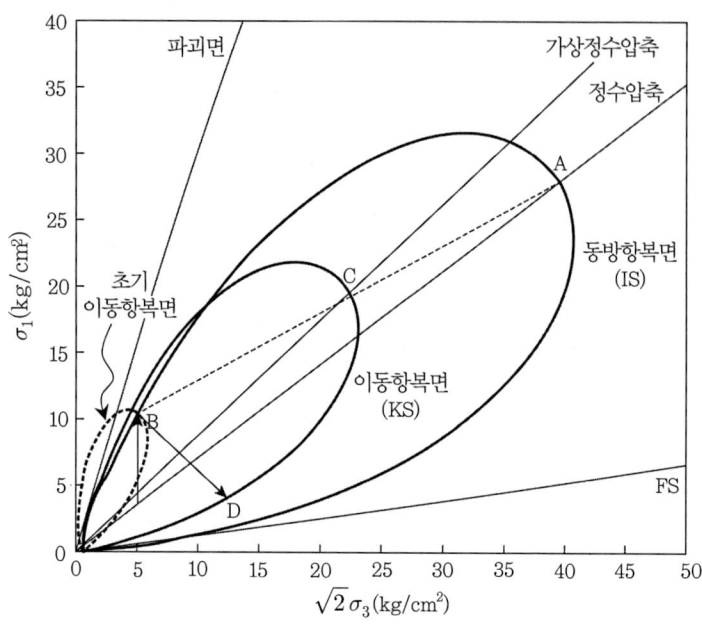

그림 8.8 삼축면에서의 이동항복면의 발달

응력상태가 등방항복면에 도달하였을 때 이동항복면의 최대응력점 C는 등방항복면의 최대응력점 A와 일치하게 된다. 즉, 이때 이동항복면은 등방항복면으로 합병된다. 등방항복면 내부의 응력경로는 여러 번의 응력반전을 겪을 수 있다. 예를 들면, 반복재하, 제하, 재재하로도 이루어질 수 있다. 이것은 새로운 이동항복면은 응력경로에 따라 결정됨을 의미한다.

만일 현재 진행 중인 이동항복면 내에서 제하에 해당하는 응력반전이 이루어진다면 모든 이동항복곡면들의 이동과 성장에 동일한 규칙들이 적용된다. 즉, 새로운 이동항복면은 이전의 이동항복면과 합치될 때까지 동일한 방식에 따라 형성된다.

이런 경우 반전이 있기 전 마지막 이동항복면은 기억되어야 한다. 왜냐하면 새로운 이동항복면은 이전의 이동항복면과 종국에 가서는 일치하도록 전개되어야 하기 때문이다. 기억되어야 하는 마지막 이동항복면은 단순히 기억면(Memory Surface, MS)으로 정의한다. 등방항복면 내에서 두 번째 응력반전이 발생하기 전에는 등방항복면이 기억면으로 취급된다. 새로운 이동항복면이 생성될 때마다 이전 이동항복면은 기억면이 되고 이전 기억면은 모델에서 지워질 것이다. 따라서 어느 주어진 점에서 저장되는 곡면들의 수는 3개의 곡면(등방항복면, 기억면, 이동항복면)이면 된다.

기억면의 영향은 그림 8.9~8.11에 도시된 바와 같다. 먼저 그림 8.9에서 보는 것처럼 그림 8.7과 그림 8.8의 응력반전 시 새로운 이동항복면이 생성되고, 이전의 이동항복면은 기억면으로 저장된다.

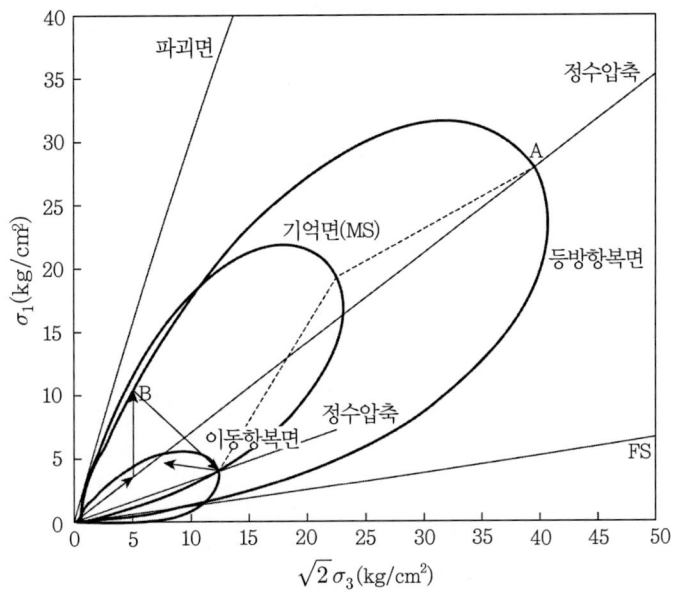

그림 8.9 삼축면에서의 제2차 응력반전

다음으로 그림 8.10에서는 응력반전이 연속되고 기억면이 될 이동항복면의 발달이 도시되어 있다. 이와 같은 응력반전이 일어나면 그림 8.10 이전 기억면은 모두 소멸되고 이전의 이동항복면은 새로운 기억면이 된다.

그림 8.11은 제3차 응력반진이 계속됨에 따라 후속 단계가 어떻게 취급되는지 보여주고 있다. 즉, 새로운 이동항복면이 생성되고 이전의 이동항복면은 새롭게 기억면으로 되어 이전의 기억면은 지워진다. 각각의 곡면들의 성장의 선에 해당하는 것을 이 그림에선 점선으로 나타냈다.

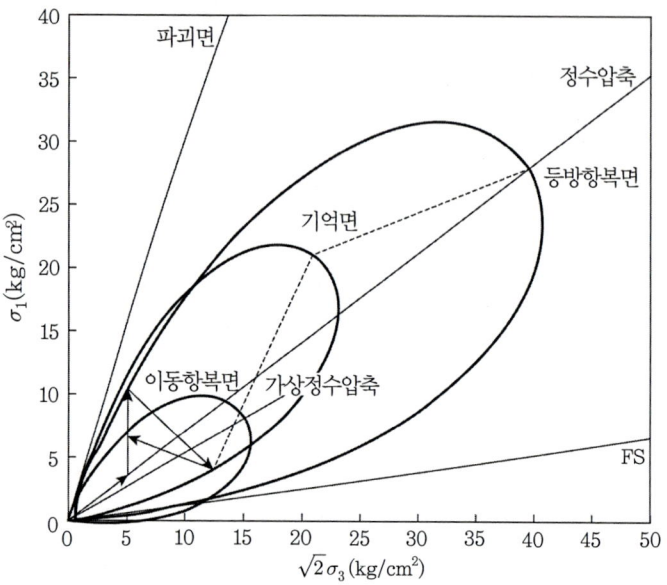

그림 8.10 삼축면에서의 기억면으로 향하는 이동항복면의 발달

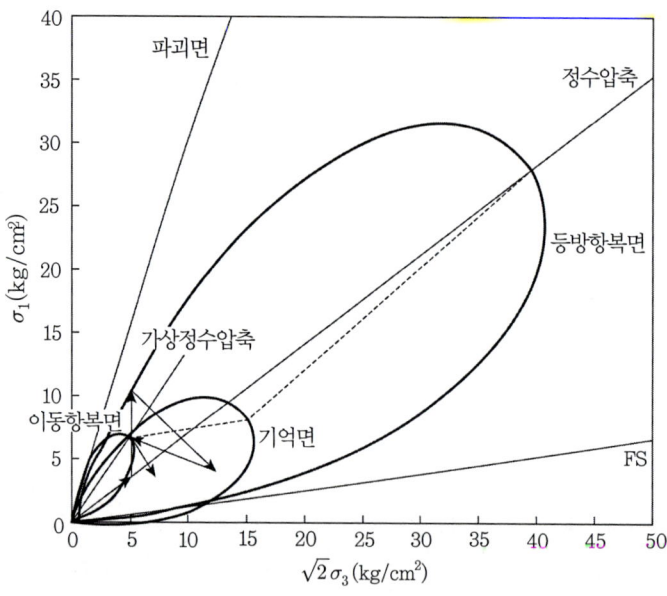

그림 8.11 삼축면에서의 제3차 응력반전

8.3 삼축평면에서의 이동메커니즘

삼축평면에서의 이동메커니즘은 평면의 회전으로 이루어져 있는데, 이는 회전각도를 이용하여 정의할 수 있다. 이 경우 각도 α는 정수압축과 이동항복면의 방위를 정의하는 가상정수압축 사이의 각도로 정의한다.

삼축평면상에서 별표로 표시된 회전응력값은 다음과 같이 산정될 수 있다.

$$\begin{pmatrix} \sigma_1^* \\ \sigma_3^* \end{pmatrix} = \begin{bmatrix} \cos\alpha & \sin\alpha \\ -\sin\alpha & \cos\alpha \end{bmatrix} \begin{pmatrix} \sigma_1 \\ \sigma_3 \end{pmatrix} \tag{8.2}$$

회전각은 초기응력반전점으로부터 초기등방항복면의 최대응력점까지 이동항복면의 이동에 대해 직선조건(straight line condition)을 따르고 또한 현재의 응력점이 이동항복면상에 존재해야 한다는 조건을 만족시킴으로써 얻어낼 수 있다. 직선조건은 다음과 같이 나타낼 수 있다.

$$\begin{aligned} \sigma_{1C} &= \sigma_{1B} + \kappa(\sigma_{1A} - \sigma_{1B}) \\ \sigma_{3C} &= \sigma_{3B} + \kappa(\sigma_{3A} - \sigma_{3B}) \end{aligned} \tag{8.3}$$

여기서, 첨자 A, B, C는 그림 8.8에 표시된 것처럼 각각 등방항복면의 최대응력점, 초기응력반전점 그리고 이동항복면의 최대응력점을 나타낸다. 그림 8.8과 8.9에서 나타나듯이 κ는 B에서 A까지 거리의 항으로 된 이동항복면의 최대응력점의 변위를 나타내는 스칼라비이다. 회전각은 삼축평면상에 A점과 C점의 스칼라적을 사용하여 정의할 수 있다.

$$\cos\alpha = \frac{\vec{r_A} \cdot \vec{r_C}}{|\vec{r_A}| \; |\vec{r_C}|} \tag{8.4}$$

응력반전 시 초기회전각은 삼축평면에서 점 A와 B를 스칼라적으로 정의할 수 있다.

$$\cos\alpha_{AB} = \frac{\vec{r_A} \cdot \vec{r_B}}{|\vec{r_A}| \; |\vec{r_B}|} = \frac{\sigma_{1A}\sigma_{1B} + 2\sigma_{3A}\sigma_{3B}}{\sqrt{(\sigma_{1A}^2 + 2\sigma_{3A}^2)(\sigma_{1B}^2 + 2\sigma_{3B}^2)}} \tag{8.5}$$

식 (8.3)은 스칼라변위비 κ의 함수로 회전각을 표현하는 데 사용되며 다음과 같이 된다.

$$\cos\alpha = \frac{(\xi - \cos\alpha_{AB})\kappa + \cos\alpha_{AB}}{\sqrt{(1 - 2\xi\cos\alpha_{AB} - \xi^2)\kappa^2 + 2\xi\kappa\cos\alpha_{AB} + \xi^2}} \tag{8.6}$$

여기서,

$$\xi = \frac{|\vec{r_B}|}{|\vec{r_A}|} = \sqrt{\frac{(\sigma_{1B}^2 + 2\sigma_{3B}^2)}{(\sigma_{1A}^2 + 2\sigma_{3A}^2)}} \tag{8.7}$$

두 번째 조건에서는 현재의 응력점이 이동항복면상에 존재해야 한다는 점이다. 식 (7.21)에서 주어지듯이 등방항복함수의 우변항은 현재의 응력점뿐 아니라 회전된 응력직교좌표계 안에 있는 응력점의 함수로서 A와 B는 모두 알고 있는 값이고 미지항은 스칼라비 κ뿐이다.

$$f_p{'}(\vec{\sigma}^*) = f_p{'}(\vec{\sigma}, \alpha) = f_p{'}(\vec{\sigma}, \vec{r_A}, \vec{r_B}, \kappa) \tag{8.8}$$

반면에 식 (7.22)로 주어지는 항복함수의 우변은 이동항복면에 대해 최대응력점 C의 항으로 다시 쓸 수 있으며 다음과 같다.

$$\begin{aligned} f_p{''} &= (27\Psi_1 + 3)\left(\frac{I_{1C}}{p_a}\right)^h \\ &= (27\Psi_1 + 3)\left(\frac{I_{1B} + \kappa(I_{1A} - I_{1B})}{p_a}\right)^h \end{aligned} \tag{8.9}$$

여기서, I_{1A}, I_{1B}와 I_{1C}는 회전하지 않은 평면에서 응력점 A, B, C에 대한 제1응력불변량의 값을 나타낸다. 따라서 우변은 응력점 A, B 그리고 스칼라비 κ의 함수이다. 두 번째 조건을 만족시키기 위해서 회전된 응력좌표계에서 항복함수의 좌변과 우변은 같아야 한다.

$$f_p{}'(\vec{\sigma}, \vec{r_A}, \vec{r_B}, \kappa) = f_p{}''(\vec{r_A}, \vec{r_B}, \kappa) \tag{8.10}$$

미지수는 단지 κ뿐이므로 식 (8.10)은 수치해석적으로 구할 수 있다. 이러한 비선형 방정식을 푸는 반복과정은 κ값의 범위가 0~1 사이 값이라는 사실과 새로운 응력반전이 발생하지 않는 한 단순하게 증가한다는 사실로 비교적 간단하게 된다.

새로운 응력반전이 발생하면 새로운 이동항복면이 다루어지고 κ값은 초기 0의 값으로 줄어든다. 일단 κ의 값을 알게 되면 이에 대응하는 이동항복면의 회전과 새로운 위치는 쉽게 산정할 수 있다. 제8장에서 산정된 예측치는 이러한 접근 방법을 사용하여 이루어진다.

8.4 소성포텐셜의 거동

앞 절에서 기술한 식들을 이용하여 대응력반전 시 삼축평면에서의 항복거동을 해석할 수 있다. 즉, 항복면의 정의 및 회전과 팽창을 지배하는 규칙들로 임의의 재하시점에서의 항복상태를 해석할 수 있다. 마찬가지로 소성포텐셜 거동으로 소성변형률증분벡터의 방향을 결정하고 경화법칙으로 소성변형률증분벡터의 크기를 결정할 수 있다.

우선 소성포텐셜 거동은 항복면의 거동과 동일하다고 가정한다. 따라서 소성포텐셜은 항복곡면과 같은 공식에 의해 함께 회전하게 된다. 이러한 거동은 Lade(1977),[18] Lade & Boonyachut(1982)[21]에 의해 실험적으로 검토되었다.[28,31]

Lade & Boonyachut(1982)[21]는 소성포텐셜을 응력반전점과 현재응력점을 통과하는 원뿔(cone) 형태로 접근시켰다. 그리고 가상정수압축은 제하곡선이나 재재하곡선의 선형구간의 중간점을 통과하는 것으로 간주하였다.

일단 원뿔의 크기가 결정되고 나면 소성변형률증분벡터의 방향은 정수압축에 의해 결정되고 원뿔은 다시 돌아가서 회전된 가상정수압축에 대해 소성변형률증분벡터의 올바른 방향을 얻을 수 있다.

이러한 과정이 그림 8.12에 도시되어 있다. 그림 8.12(a)에서 B점에서 C점까지의 제하의 경우 제하 시 생성된 가상정수압축에 의해 C점의 응력 수준을 얻을 수 있다.

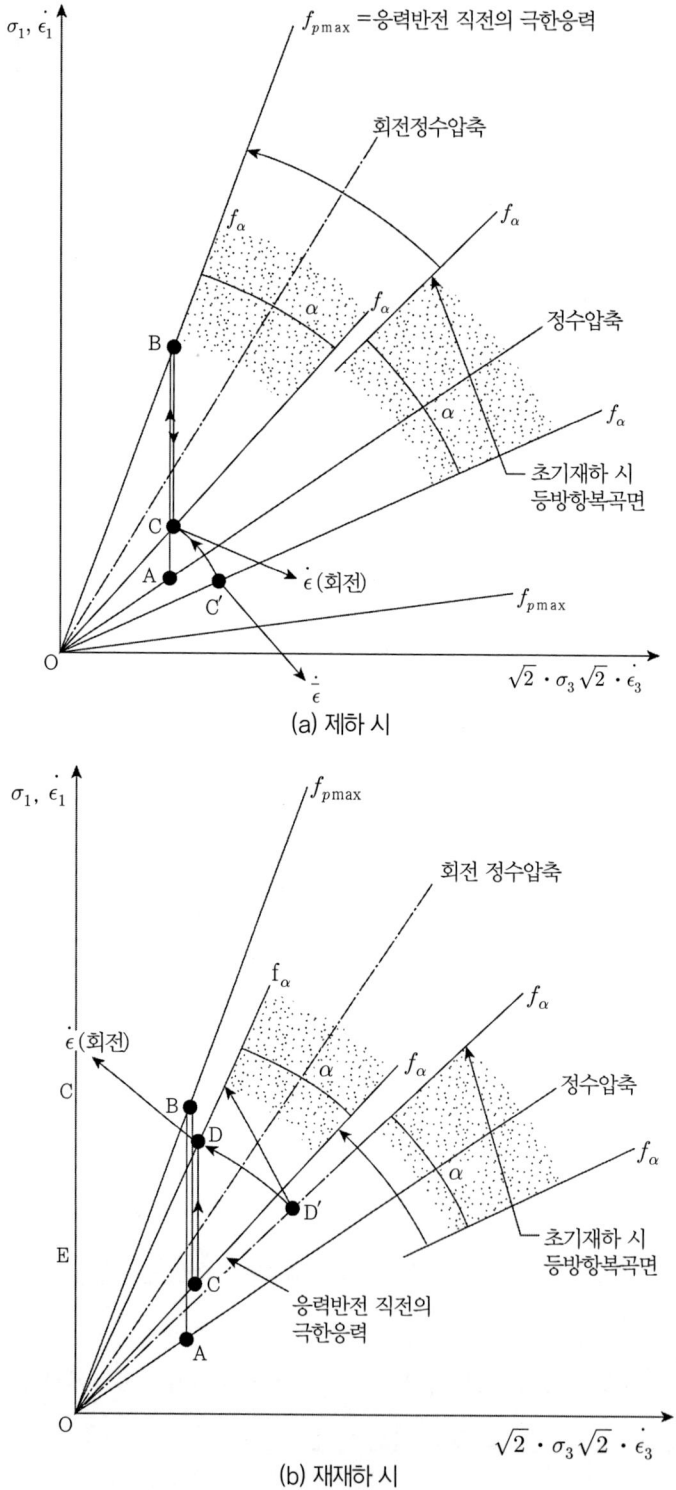

그림 8.12 대응력반전 시 삼축면에서의 탄성콘의 회전(Lade & Boonyachut, 1982)[20]

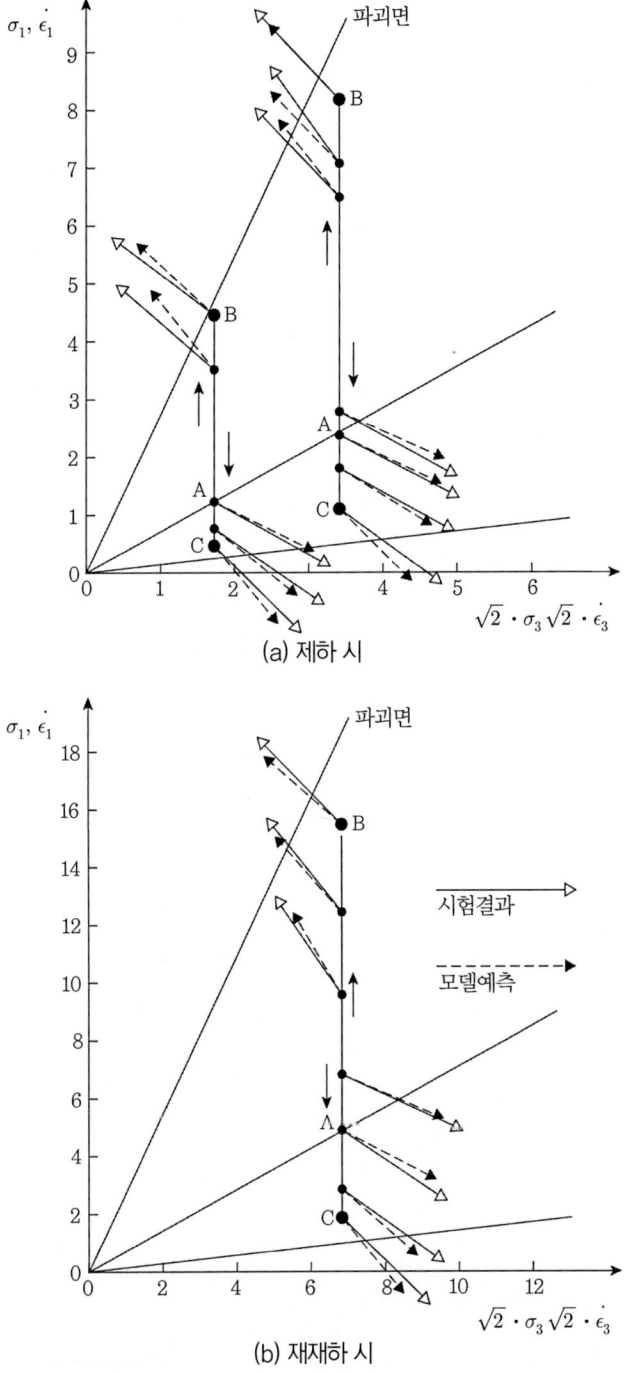

그림 8.13 삼축면에서의 응력경로와 소성변형률증분벡터(Lade & Boonyachut, 1982)[21]

이때 얻어진 응력 수준과 동일하도록 본래의 정수압축에 대한 C'점을 구한다. C'점의 소성변형률증분방향은 C점에 일치하도록 회전하여 C점에서의 소성변형률증분벡터의 방향을 구하게 된다.

재제하 시에도 동일한 개념으로 그림 8.12(b)에 도시되어 있다. 이러한 개념으로 소성변형률증분벡터방향의 예측이 Lade & Boonyachut(1982)에 의해 삼축시험으로 수행되었다.[7,21]

소성변형률증분벡터방향의 예측치와 시험치를 그림 8.13에 비교하였다. 이 그림에서 알 수 있듯이 삼축평면상의 소성변형률증분벡터의 방향을 예측하는데, 이 개념이 매우 성공적임이 나타났다.

이와 똑같은 개념이 본 모델의 소성포텐셜의 회전 시 적용되고 이에 따른 소성변형률증분벡터를 그림 8.14에서 볼 수 있다. 즉, 회전된 직교좌표계에서 결정된 소성변형률증분벡터를 정수압축을 가지는 본래의 좌표계로 회복시켜 나타낸다.

결국 Boonyachut 방법[21]과 Inel 방법[16]으로 구해진 소성변형률증분벡터의 성분은 개념상 동일한 결과를 준다.

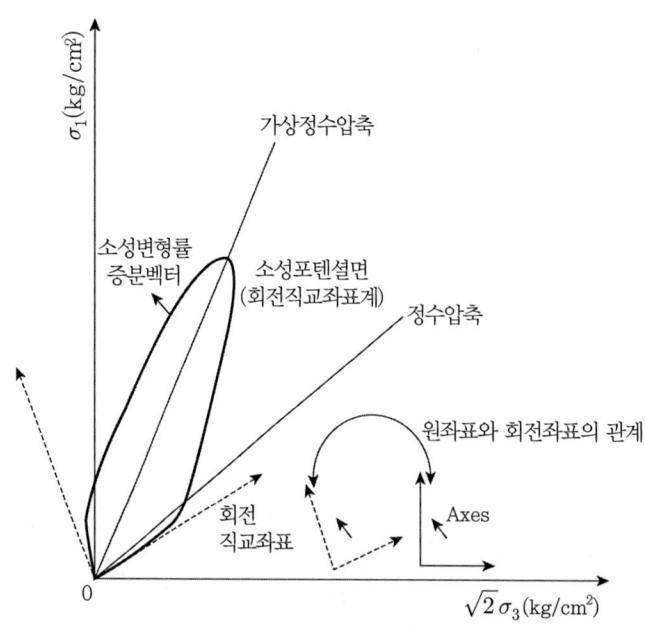

그림 8.14 삼축면에서의 소성포텐셜의 회전 시 소성변형률증분벡터

8.5 거동해석 결과

8.5.1 응력경로의 선택

이재호(1995)는 이동경화구성모델에 의한 모래의 거동을 예측하기 위하여 제하(unloading) 및 재재하(reloading)를 포함하는 12가지의 응력경로를 가정하여 해석을 실시한 바 있다.[11] 그림 8.15에 도시한 것처럼 이 중 기본적인 네 경우의 응력경로에 대한 응력-변형률을 이동경화모델로 예측해보도록 한다.

이동경화메커니즘에 의거한 응력 및 변형률을 예측하기 위하여 제하-재제하를 포함하는 4가지의 응력경로가 선택되었다. 선택된 응력경로의 특징은 크게 다음과 같이 3가지로 나눌 수 있다.[5-7]

(1) 구속압이 일정한 통상적인 삼축압축 경로
(2) 삼축압축 → 신장 경로
(3) 대응력반전을 포함한 다양한 응력경로로 이루어진 삼축압축 경로

모든 경로는 배수조건으로 파괴 시까지 가정하였으며, 그림 8.15에서 보는 것처럼 복잡성을 피하기 위하여 각 응력경로에 해당하는 경로를 분리하여 삼축평면상에 그림 8.15(a)~8.15(d)로 나타내었다.[22-26] 각각의 그림 중 원점에서 중앙부분에 실선으로 그려져 있는 직선은 σ_1, σ_2 및 σ_3가 모두 같은 정수압축을 도시한 선이다. 또한 정수압축 상부와 하부에 그려진 실선은 파괴면을 나타낸 선이다.

첫 번째 응력경로는 일정한 등방구속압 상태에서 응력반전을 시킨 경우로 응력반전 시 축차응력이 0이 되는 응력경로의 경우를 그림 8.15(a)에 도시하였다. 즉, 그림 8.15(a)의 No-a 응력경로의 경우는 우선 2kg/cm²까지 등방압을 가한 후 A점에서 축응력 σ_1이 4kg/cm²가 되는 B점까지 최초재하(축차응력이 2kg/cm²이 된다)한 후 축차응력이 0이 되는 A점까지 응력을 반전시킨다. 그런 후 다시 축차응력이 4kg/cm² 및 6kg/cm²이 되는 C점 및 D점까지 재재하, 제하의 응력반전을 반복하면서 최종적으로 파괴점 E점까지 재하시킨 경우이다.

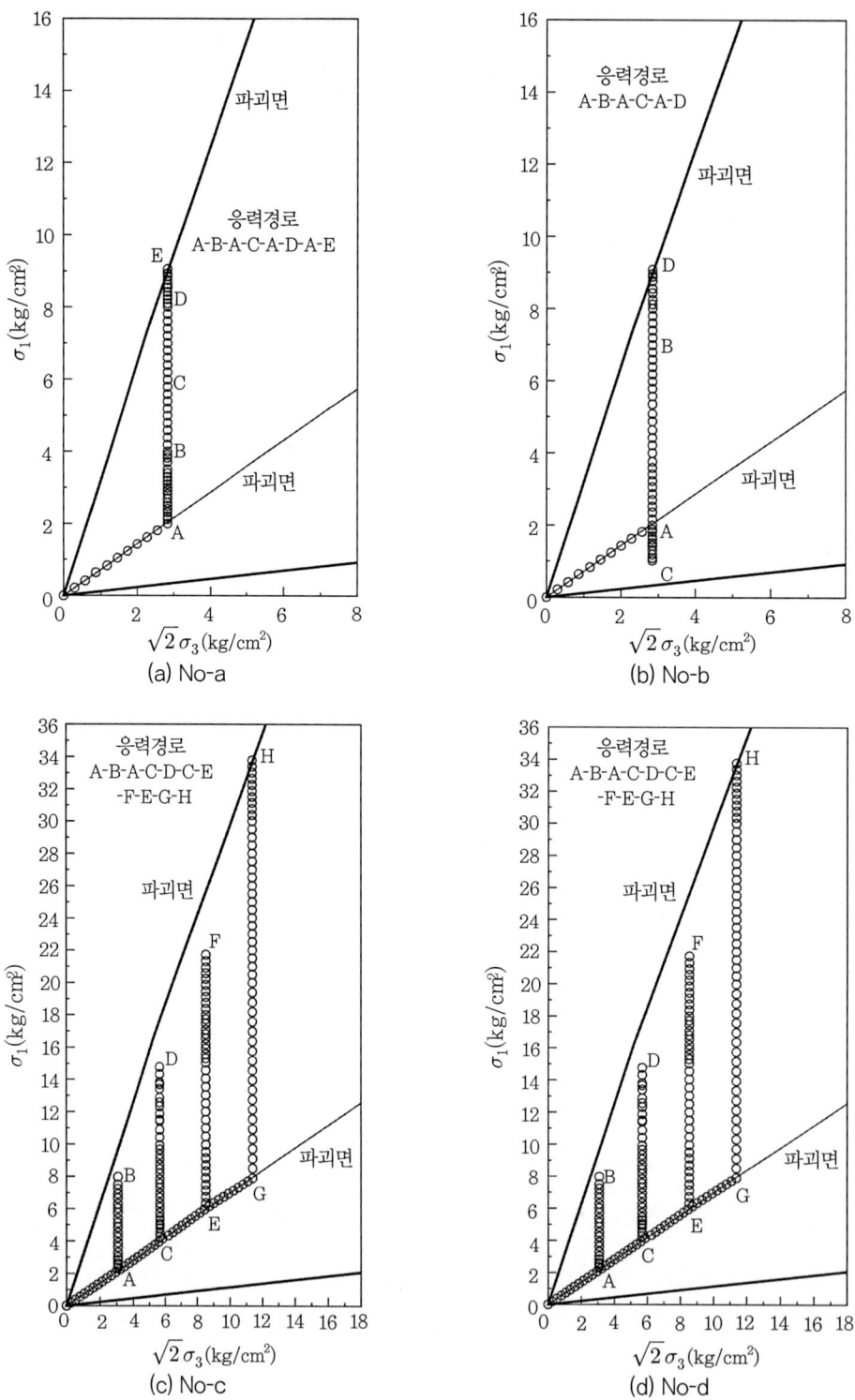

그림 8.15 삼축면상에서의 응력경로[1]

두 번째 응력경로로는 신장영역에서의 거동을 조사하기 위하여 삼축압축-신장 및 삼축신장-압축을 포함하는 경로로 그림 8.15(b)에 도시한 No-b의 응력경로로 결정하였다. 즉, No-b의 응력경로는 압축-신장 후 압축에서 파괴가 일어나는 경우로 $2kg/cm^2$의 등방구속압으로 등방압밀한 후 축응력이 $6kg/cm^2$이 되는 B점에서 응력반전을 유도하여 등방구속압까지 제하시킨 후, 다시 삼축신장 영역으로 축차응력이 $1kg/cm^2$가 되는 C점까지 재재하시킨 후 C점에서 응력반전이 이루어져 압축상태에서 파괴가 일어나는 경우이다. 이때 응력반전점 B점과 C점의 응력 수준($S=f_n/\eta_1$)은 압축과 신장에서 각각 42%와 10%로 파괴 시와 비교하여 비교적 낮은 응력 수준에서 응력반전되었음을 알 수 있다.

세 번째와 네 번째 응력경로로는 구속압을 변화시켜 다양한 응력경로를 가지는 경우를 그림 8.15(c)와 (d)에 각각 No-c 및 No-d의 응력경로로 도시하였다.

먼저 그림 8.15(c)의 No-c 응력경로의 경우는 등방압밀 후 응력 수준이 70%가 되도록 축차응력을 가한 경우이다. 즉, 첫 번째 주기는 구속압이 $2kg/cm^2$으로 B점까지 최초재하가 이루어진 후 A점으로 제하시킨다. 그런 후 등방구속압을 $4kg/cm^2$로 증가시킨다. 이어서 70%의 응력 수준까지 두 번째 응력반전이 이루어진다(C-D-C). 세 번째 응력반전인 E-F-E 응력경로는 등방구속압이 $6kg/cm^2$인 상태에서 진행되며 파괴는 $8kg/cm^2$의 등방구속압을 가지며 이루어지도록 결정하였다(G-H).

마지막으로 그림 8.15(d)의 No-d 응력경로의 경우는 제하 시 축응력은 일정한 상태에서 등방구속압이 증가하는 응력경로를 포함하고 있다. 먼저 $2kg/cm^2$의 구속압에서 응력 수준이 50%가 되는 B점까지 최초 재하한다. 그 후 축응력은 그대로 유지한 채 등방구속압을 $4kg/cm^2$으로 증가시킨다(B-C). C-D 경로는 $4kg/cm^2$의 등방구속압을 일정하게 유지하며 응력 수준이 50%가 될 때까지 압축시킨 경로이다. 또한 D-E 경로는 B-C 경로와 마찬가지로 축응력을 일정하게 유지하며 등방구속압을 $6kg/cm^2$까지로 증가시킨 제하경로이며, 이후에는 이 등방구속압을 유지하며 F점에서 파괴 시까지 축차응력을 증가시켰다.

8.5.2 응력-변형률거동 예측

그림 8.15에 도시된 네 가지 응력경로에 대해 이동경화구성모델을 적용하여 그 응력-변형률거동을 예측한 결과는 그림 8.16~8.19와 같다. 이들 해석 결과는 (a) 그림에는 축변형률

과 축차응력의 거동을 나타내고 (b) 그림에는 축변형률과 체적변형률의 거동을 도시하였다.

먼저 응력반전 시의 거동을 나타내는 그림 8.15(a)에 도시한 No-a 응력경로에 대한 해석 결과는 그림 8.16과 같다. 이 그림에서 보는 것처럼 이동경화구성모델로는 3회의 응력반전 시의 거동이 잘 산정되고 있다. 즉, 응력 수준이 낮은 경우는 제하가 발생하였을 때(A-B-A 경로)는 선형거동인 탄성거동이 예측되었지만, 보다 높은 응력 수준에서의 응력반전(A-C-A, A-D-A 경로) 시에는 반전초기에는 탄성거동을 나타내며 제하가 진행되는 동안 비선형 소성거동이 예측되고 있다. 또한 제하한 후 재재하 시에도 초기에는 선형거동이 발생하고 재하가 진행됨에 따라서 비선형 소성거동이 발생하기 시작한다.

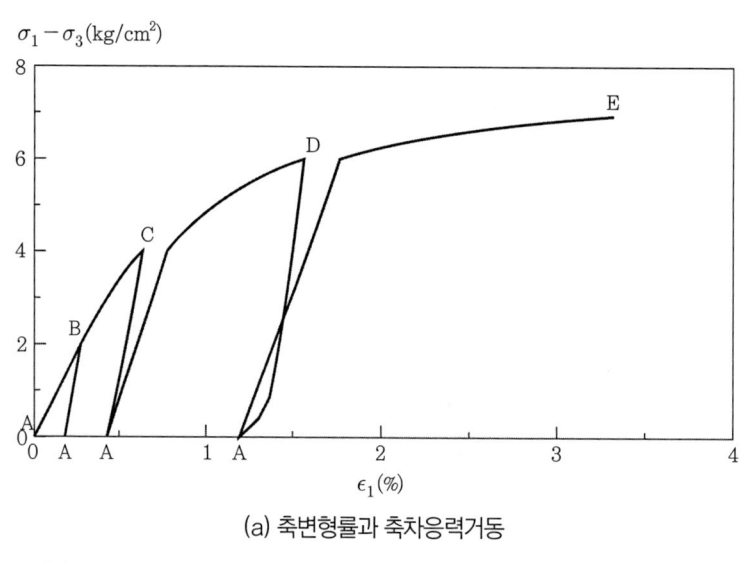

(a) 축변형률과 축차응력거동

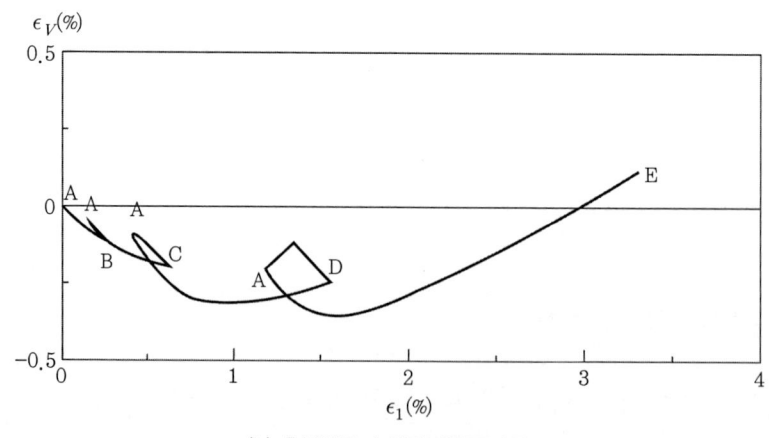

(b) 축변형률과 체적변형률거동

그림 8.16 이동경화구성모델로 예측한 No-a 응력경로에 대한 거동해석 결과

그리고 이전의 응력반전점을 지나 초기재하가 다시 진행되는 과정에서 본래의 곡선과는 일치하지 않는 갈라짐(offset)현상이 발생하고 있으며, 응력 수준이 높아짐에 따라 그 차이가 커지고 있다. 이는 재료의 전형적인 탄소성거동과 잘 일치하고 있음을 보여주고 있다. 따라서 이동경화구성모델이 모래의 거동을 예측하는 데 보다 합리적임을 나타내고 있다.

그림 8.15(b)에 도시한 No-b 응력경로는 삼축압축-신장 후 압축상태에서 파괴가 일어나는 응력경로에서의 변형률거동이다. 압축영역에서의 응력반전경로인 B-A 구간은 그림 8.17(a)에서 보는 것처럼 선형거동만이 나타났으나, 신장영역에서는 축변형률과 체적변형률 모두 비선형 소성거동이 유발되었다. 또한 압축영역에서의 재재하 시에는 거의 탄성적인 거동이 나타났으며, 축차응력이 $4kg/cm^2$가 되었을 때 이전의 곡선과 일치하지 않는 갈라짐(offset)현상이 발생하였다.

그리고 이후의 체적변형거동에서는 그림 8.17(b)에서 보는 것처럼 다이러턴시 거동이 잘 표현되고 있음을 알 수 있다.

No-c의 응력경로는 그림 8.18에서 보는 것처럼 각각의 등방구속압에 대해 응력 수준이 70%가 될 때까지 재하된 후 제하시킨 응력경로이다. 해석 결과 각 주기의 거동은 세 개의 반복주기 모두 동일하게 나타났다. 즉, 최초재하 시에는 축변형률에 대한 축차응력 및 체적변형률 관계가 비선형적으로 나타났고, 제하 시에는 B-A, D-C, F-G 응력경로에서 알 수 있듯이 탄성거동이 지배적이며 등방구속압 상태로 거의 접근하고 나서야 소성변형이 발생하였다.

한편 재재하 시에는 A-B, C-D, E-F, G-H 응력경로에서 보듯이 전 구간에 대해 선형적인 거동이 얻어졌다. 또한 파괴 시의 체적변형률은 팽창성의 경향을 나타내지만 그 값은 이전의 경우와는 달리 압축으로 나타났다. 이는 제하 후 재재하 시 초기에 큰 체적압축이 일어나는 것에 기인한 것으로 판단된다.

No-d 응력경로는 그림 8.19에서 보는 것처럼 제하 시 최대주응력은 일정하게 유지하고 구속압을 증가시켜 축차응력을 감소시킨 경우이다. 그림 8.19에서 보는 것처럼 제하경로인 B-C, D-E 구간은 최대주변형률이 발생하지 않고 있는 것으로 나타났다. 그러나 체적변형률은 큰 압축을 나타내고 있어 등방구속압의 증가에 따른 재료의 체적변형특성을 잘 반영하고 있음을 알 수 있다. 그리고 최초재하, 재재하 및 파괴 시 거동은 이전의 경우와 유사하게 나타났다.

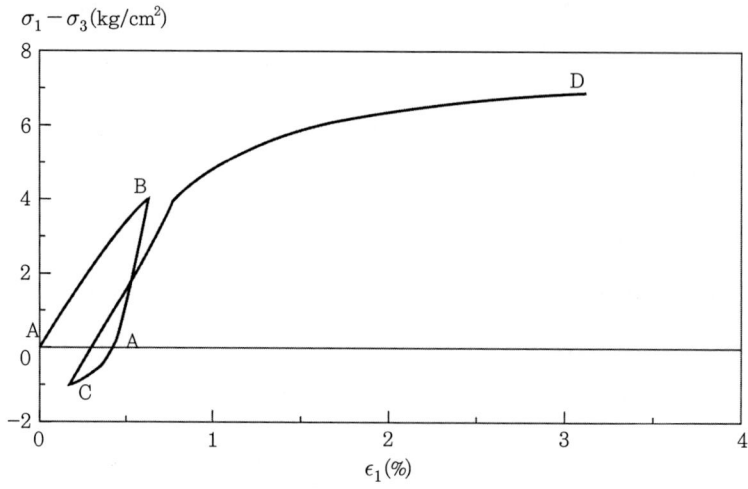

(a) 축변형률과 축차응력 거동

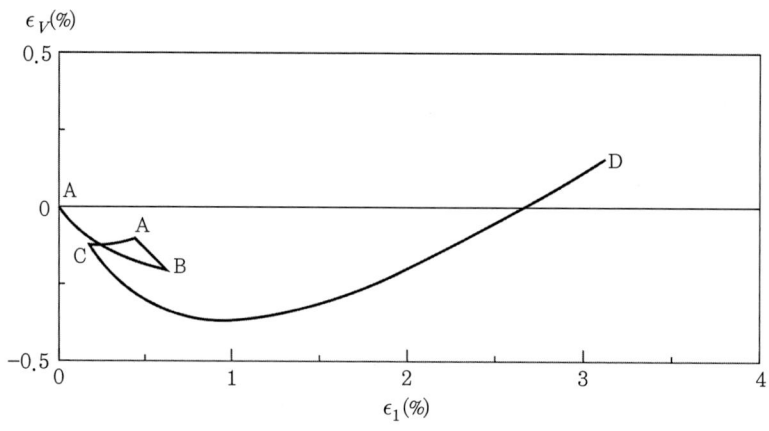

(b) 축변형률과 체적변형률거동

그림 8.17 이동경화구성모델로 예측한 No-b 응력경로에 대한 거동해석 결과

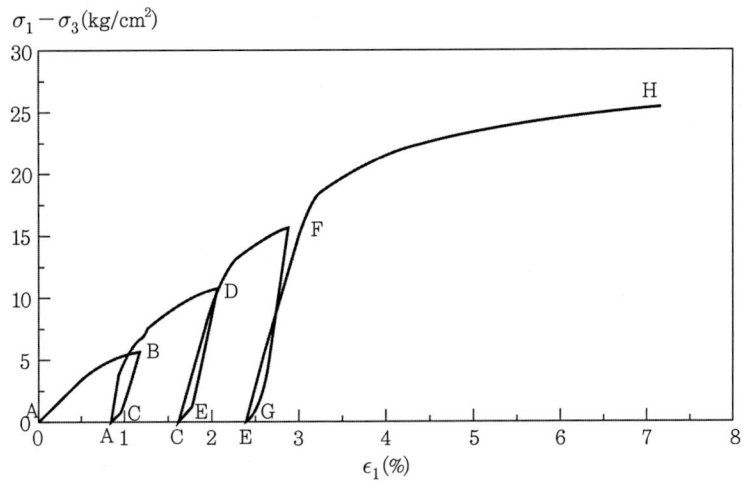

(a) 축변형률과 축차응력 거동

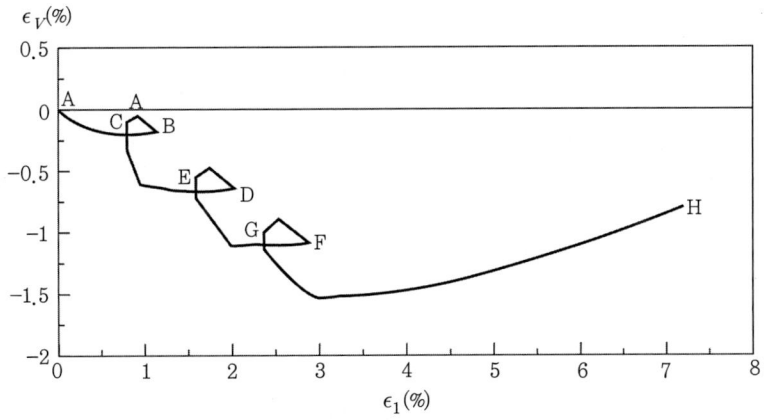

(b) 축변형률과 체적변형률거동

그림 8.18 이동경화구성모델로 예측한 No-c 응력경로에 대한 거동해석 결과

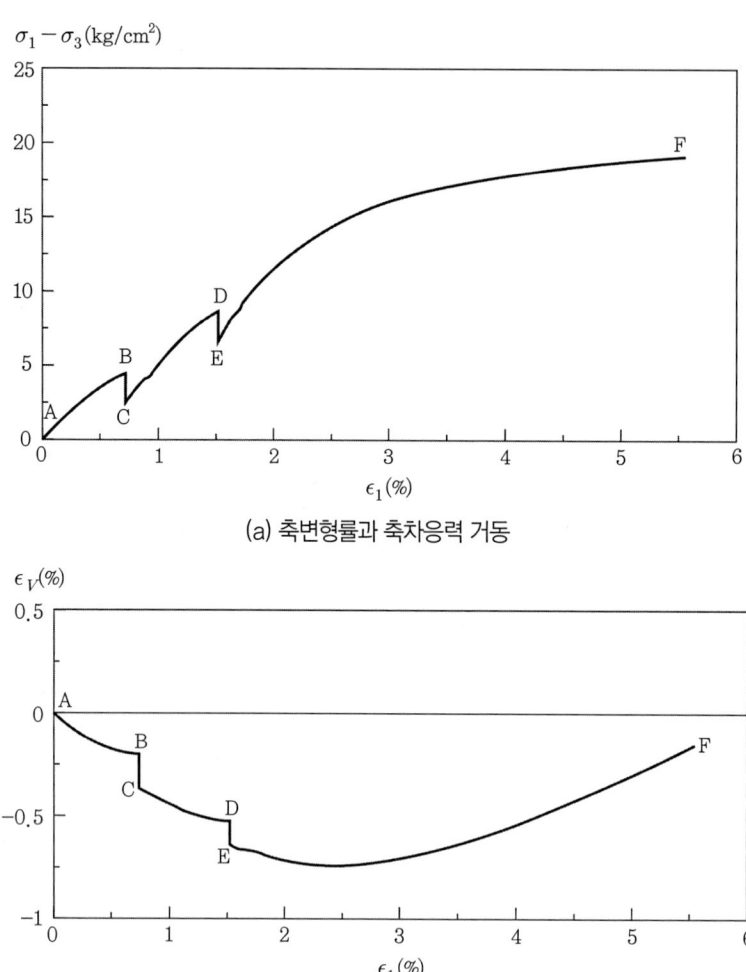

(a) 축변형률과 축차응력 거동

(b) 축변형률과 체적변형률거동

그림 8.19 이동경화구성모델로 예측한 No-d 응력경로에 대한 거동해석 결과

8.5.3 등방단일구성모델과의 비교

8.5.3절에서는 그림 8.15에서 선정된 응력경로에 대해 등방단일경화구성모델로의 해석결과를 이동경화구성모델의 해석 결과와 비교하여 그 차이점을 분석하고자 한다.

그림 8.20~8.23은 각각의 응력경로에 대한 이동경화구성모델과 등방단일경화구성모델의 해석 결과를 도시한 그림이다. 여기서 실선으로 나타낸 것이 이동경화모델의 해석 결과이고 흰 원으로 표시한 것이 등방단일경화모델의 해석 결과이다.[1]

우선 No-a 응력경로에서는 그림 8.20에서 보듯이 두 예측치가 잘 일치하지 않는다. 즉, 낮은 응력 수준에서 감하가 발생하였을 때(A-B-A 경로)는 똑같이 탄성거동이 예측되나, 보다 높은 응력 수준에서의 응력반전(A-C-A, A-D-A 경로) 시에는 이동경화모델이 비선형 소성거동을 예측하는 반면 단일경화모델에서는 모두 선형적인 탄성거동만을 예측하게 된다. 이는 등방적으로 팽창된 항복곡면 안에서 응력경로가 이루어지면 탄성변형만이 일어난다는 등방경화의 가정에 기인한 것이다. 또한 재재하 시 이전의 응력반전점을 지나 최초재하가 다시 진행되는 과정에서 본래의 곡선과 일치하지 않은 갈라짐현상도 단일경화구성모델에서는 발생하지 않았다. 따라서 이동경화구성모델이 모래의 거동을 예측하는 데 보다 합리적임을 나타내고 있다.

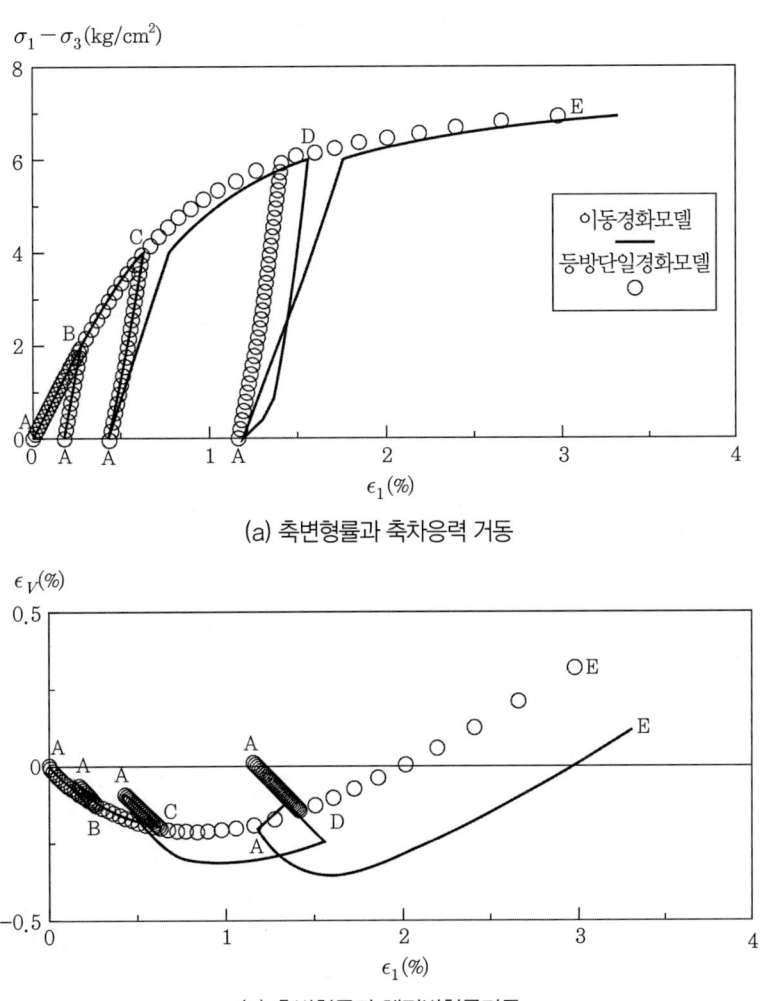

(a) 축변형률과 축차응력 거동

(b) 축변형률과 체적변형률거동

그림 8.20 등방단일경화모델과 이동경화구성모델로 예측한 No-a 응력경로에 대한 거동해석 결과 비교

그림 8.21은 삼축신장을 포함하는 응력경로(그림 8.15(b) 참조)에 대한 해석 결과로서 그 예측치도 압축 시의 경우와 동일한 경향을 나타낸다. 즉, 이동경화구성모델에서는 응력반전 경로의 선형거동과 비선형거동을 잘 표현하고 있으며, 갈라짐 현상도 예측하고 있지만, 단일 경화모델의 예측치는 최초재하 시만을 제외하고는 모두 탄성거동을 예측하고 있다. 이것은 두 모델의 개념의 차이점에 대한 좋은 비교가 되고 있다.

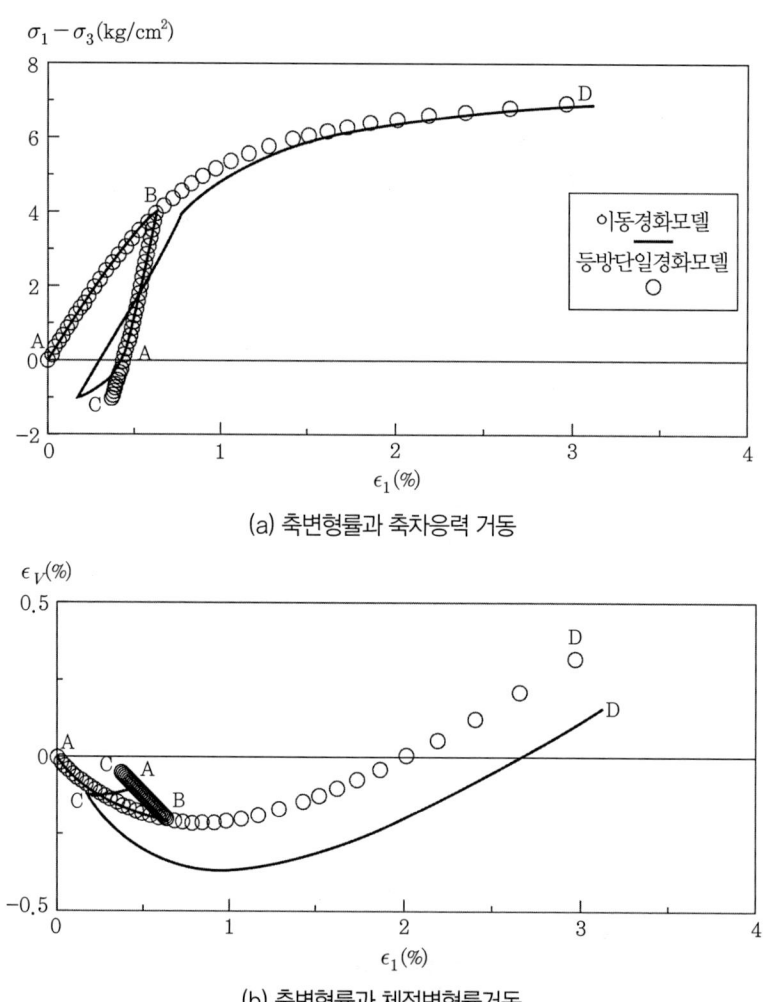

(a) 축변형률과 축차응력 거동

(b) 축변형률과 체적변형률거동

그림 8.21 등방단일경화모델과 이동경화구성모델로 예측한 No-b 응력경로에 대한 거동해석 결과 비교

그림 8.22와 그림 8.23는 등방구속압의 변화를 포함하는 다양한 응력경로로서 두 모델에 의하여 예측된 응력-변형률거동 및 체적변형 거동은 앞에서 언급한 경우와 유사한 경향을

나타내고 있다. 먼저 그림 8.22의 No-c 응력경로는 파괴 시의 70% 응력 수준으로 각 등방구속압에 따라 전단시킨 경우이다. 이 경우 이동경화모델에 의해 예측된 축변형률이 등방경화모델에 비하여 파괴 시까지 총 변형률의 약 10% 정도 크게 예측하고 있다. 이는 응력반전 시 탄성변형량만이 예측되는 등방경화모델과는 달리 이동경화모델에서는 이동메커니즘에 의한 소성변형량이 추가로 계산되기 때문이다.

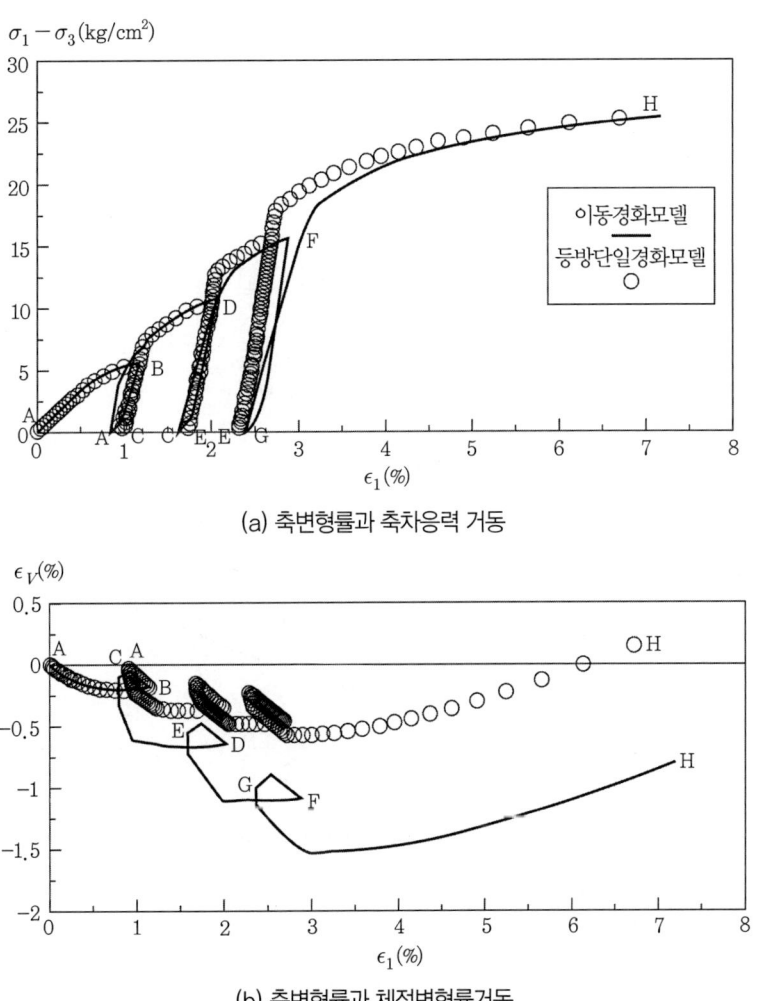

(a) 축변형률과 축차응력 거동

(b) 축변형률과 체적변형률거동

그림 8.22 등방단일경화모델과 이동경화구성모델로 예측한 No-c 응력경로에 대한 거동해석 결과 비교

그림 8.15(d)에 도시된 No-d 응력경로의 경우는 그림 8.23에 도시한 것처럼 두 모델에 의한 예측거동이 서로 유사하게 보이고 있다. 그러나 축변형률에서는 이동경화모델에 의한 예측치

가 등방단일경화모델에 의한 예측치보다 더욱 크게 산정되고 있다. 특히 No-d의 응력경로의 경우는 재재하 경로(C-D, E-F 구간)에서 소성변형률이 더욱 크게 예측되고 있다.

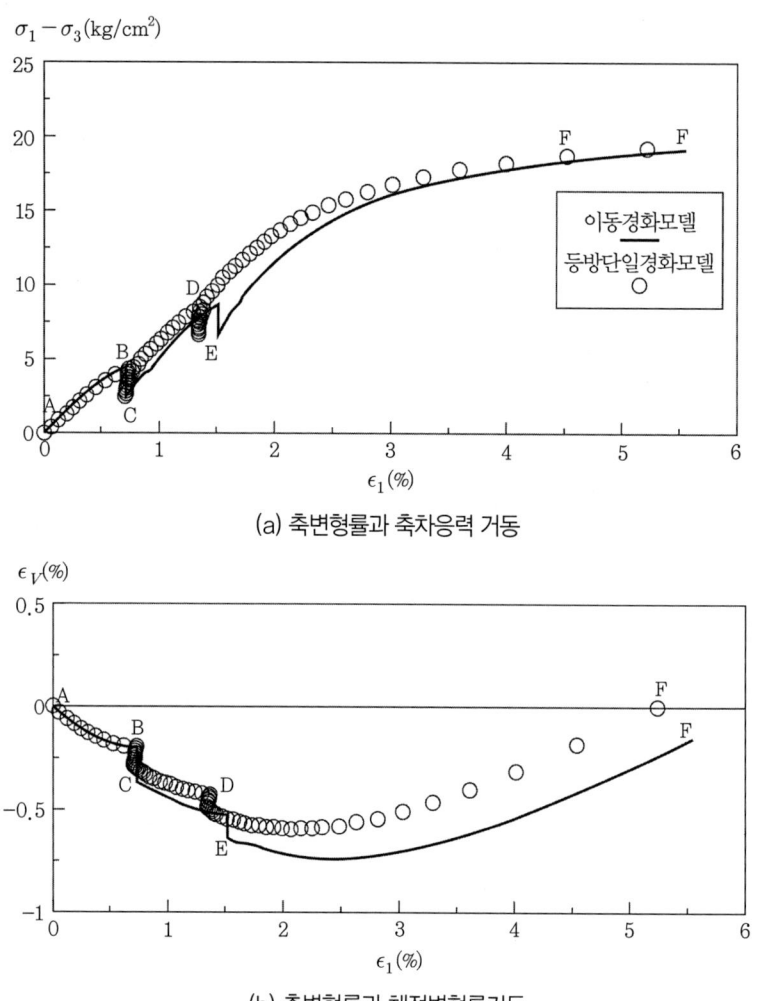

(a) 축변형률과 축차응력 거동

(b) 축변형률과 체적변형률거동

그림 8.23 등방단일경화모델과 이동경화구성모델로 예측한 No-d 응력경로에 대한 거동해석 결과 비교

8.5.4 소성변형률증분벡터

그림 8.24에는 8.4절에서 기술한 소성포텐셜의 거동 방식에 따라 각각의 응력상태에 따른 소성변형률증분을 계산하여 삼축평면상에 중첩시켰다. 각각의 가정된 응력경로에 따른 소성변형률증분벡터의 방향을 그림 8.24에 도시하였다.

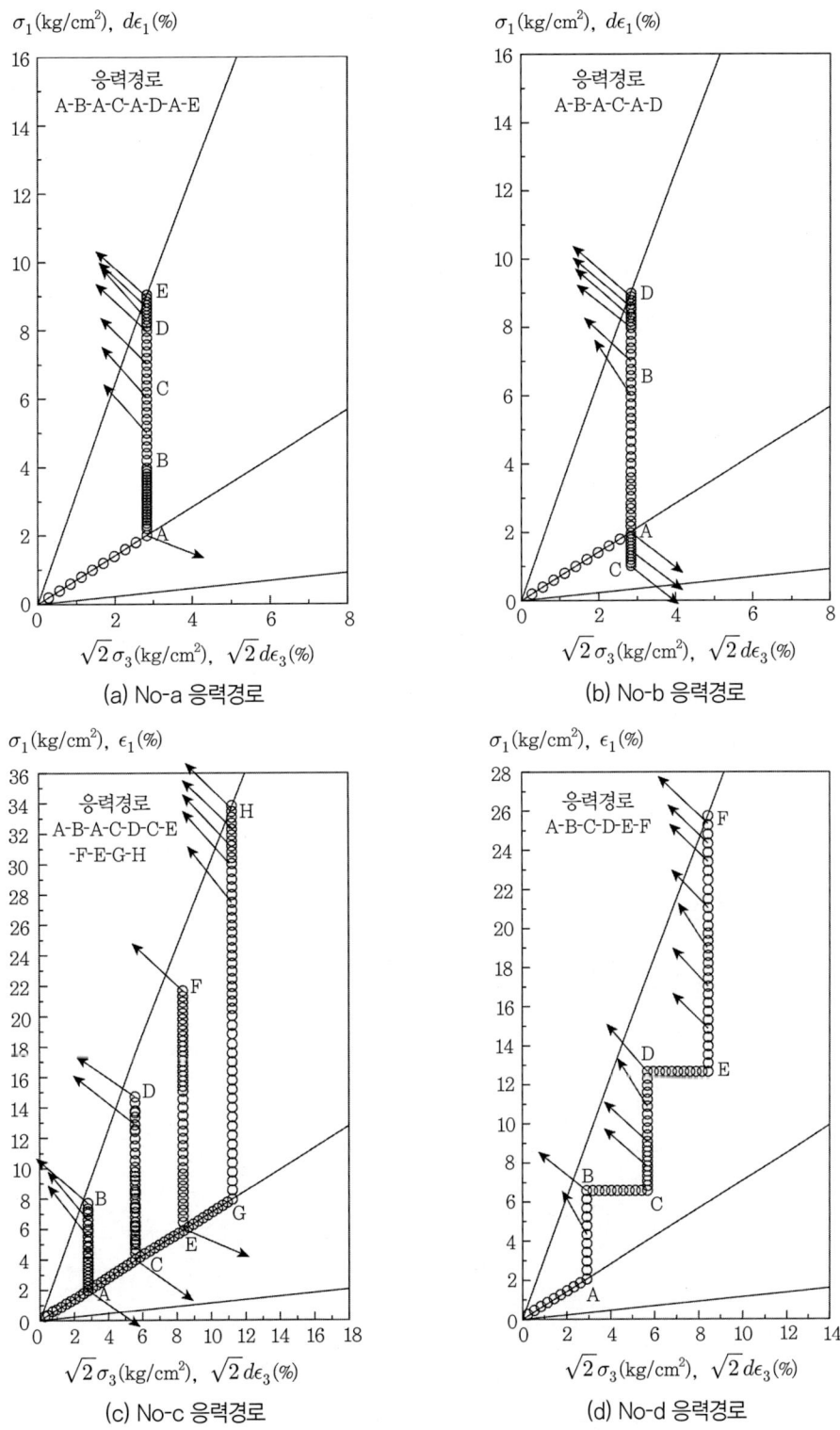

그림 8.24 삼축면상 소성변형률증분벡터

단순재하의 경우 소성변형률증분벡터 방향은 낮은 응력 수준에서는 정수압축에 수직인 면을 기준으로 원점 바깥쪽을 향하고 있으며, 응력 수준이 증가함에 따라 원점 쪽을 향하고 있다. 이는 낮은 응력 수준에서는 모래가 압축성을 나타내며, 응력 수준이 증가하여 파괴에 도달함에 따라 체적변형률이 팽창성의 경향을 나타내고 있음을 나타낸다. 그림 8.24(a)는 No-a 응력경로에서 반복재하 시에도 유사한 경향이 예측되고 있으며 제하 시에는 소성변형률증분이 거의 발생하지 않았으며 제하에서 재재하로 반전되는 응력경로에서는 미소한 압축성의 소성변형률증분방향을 가리키고 있다. 응력반전 시 탄성거동만이 존재하는 경우도 이와 유사하게 나타났다. 즉, 파괴에 접근함에 따라 소성변형률증분벡터의 방향이 압축에서 신장으로 변화되고 있다.

그림 8.24(c)는 삼축신장을 포함하는 응력경로에 따른 소성변형률증분벡터의 방향을 도시하고 있다. 신장 시에도 낮은 응력 수준에서는 정수압축에 대해 원점바깥으로 방향이 향하며, 파괴에 도달함에 따라 소성변형률증분벡터의 방향이 원점쪽을 향하고 있음을 알 수 있다. 그러나 감하나 재재하의 응력반전 초기구간에서는 소성변형이 발생하지 않았다.

또한 구속압이 변화하는 다양한 응력경로에 대해서도 소성변형률증분벡터 방향이 얻어졌다. 그림 8.24(c)와 그림 8.24(d)는 다양한 반복재하에 따른 소성변형률증분방향의 변화를 보여 주고 있다.

이상과 같이 예측된 소성변형률증분벡터의 방향은 기존의 모래에 대한 실험적인 연구 결과와 비교적 잘 일치하고 있다.[5,12,25]

참고문헌

(1) 이재호(1995), '이동경화구성모델에 의한 모래의 거동예측에 관한 기초적 연구', 중앙대학교대학원, 공학석사학위논문.

(2) 홍원표(1988a), 'K_o-압밀점토의 주응력회전효과', 대한토목학회논문집, 제8권, 제1호, pp.151-157.

(3) 洪元杓(1988b), '異方性 過壓密粘土의 强度特性', 大韓土質工學會誌, 第4卷, 第3號, pp.35-41.

(4) 홍원표·남정만(1994a), '등방단일경화구성모델에 의한 모래의 3차원거동 예측', 한국지반공학회지, 제10권, 제1호, pp.103-116.

(5) 홍원표·남정만·김태형·이재호(1994a), '등방단일경화구성모델에 의한 K_o-압밀전토의 거동 예측', 대한토목학회 논문집(I).

(6) Arnold, M., and Mitchell, P.W.(1973), "Sand deformation in three- dimentional stress-state", Proc. of the 8th Inter. Conf. on Soil Mechanics and Foundation Engineering, Moscow, 1973, Vol.1, pp.11-18.

(7) Bishop, A.W.(1966), "The Strength of soils as engineering materials", Sixth Rankine Lecture pp.95-110.

(8) Chen, W.F., and Baladi G.Y.(1985), Soil Plasticity, Theory and Implementation Elsevier, Amsterdam.

(9) Chen, W.F. and Mizuno, E.(1990), Nonlinear Analysis in Soil Mechanics, Theory and Implementaion, Elsevier, Amsterdam.

(10) Chen, W.F. and Saleeb, A.F.(1982), "Constitutive Equations for Engineering Materials, Vol.2, Plasticity and Modeling", John Wiley & Sons, Inc.

(11) Dimaggio, F.L. and Sandler, I.S.(1971), "Mathematical model for granular soil", Journal of the Engrg Mechanics Division, ASCE, Vol.97, No.EM3, pp.935-950.

(12) Duncan, J.M. and Seed, H.B.(1966b), "Strength variation along failure surface in clay", Journal of the Soil Mechanics and Foundation Division, ASCE, Vol.92, No.SM6, Proc. pp.81-104.

(13) Frantziskonis, G., Desai, C.S. and Somasundaram, S.(1986), "Constitutive model for nonassociative behavior", J. Engrg. Mech., ASCE, Vol.112, No.2, pp.932-946.

(14) Geiger, E., and Lade, P.V.(1979), "Experimental study of the behavior of cohesionless soil during large stress reversals and reorientation of principal stresses", Report No.UCLA-ENG-7917, University of Califinia, L.A.

(15) Hill, R(1950), The Mathmatical Theory of Plasticity, Oxford at the Clarendon Press.

(16) Inel, S.(1992), Kinematic Hardening Model for Sand Behavior During Large Stress Reversals, Ph.D. Dissertation, University of California, Los Angeles.

(17) Kim, M.K., and Lade, P.V.(1988), "Single Hardening Constitutive Model for Frictional Materials I. :

Plastic Potential Function", *Computers and Geotechnics 5.*, pp.307-324.

(18) Lade, P.V.(1977), "Elasto-plastic stress-strain theory for cohesionless soil with curved yield surfaces", *International Journal of Solids and Structures, Pergamon Press, Inc.*, New York, N.Y., Vol.13, pp.1019-1035.

(19) Lade, P.V.(1982), "Three-parameter failure criterion for concrete", J. Engrg. Mech. Div., ASCE, Vol.108, No.5, pp.850-863.

(20) Lade, P.V.(1988), "Model and parameter for the elastic behavior of Soils", Proc. 6th. Int. Conf. Numerical Methods Geomechanics, Innsbuk, Austria, pp.359-364.

(21) Lade, P.V. and Boonyachut, S.(1982), "Large stress reversals in triaxial tests on Sand", Proc.4th International Conf. Num. Meth. Geomech., Edmonton, pp.171-183.

(22) Lade, P.V. and Kim, M.K.(1988a), "Single hardening constitute model for frictional materials, II, Yield Criterion and Plastic Work Contours", *Computers and Geotechnics*, Vol.6, pp.13-29.

(23) Lade, P.V. and Kim, M.K.(1988b), "Single Hardening Constitutive Model for Frictional Materials III. : Comparisons with Experimental Data", *Computers and Geotechnics*, pp.31-47.

(24) Lade, P.V. and Nelson, R.B.(1987), "Modelling the elastic behavior of granular materials", Int. J. Numer. Anal. Methods Geomech., Vol.11, pp.521-542.

(25) Lade, P.V. & Yamamuro, G.i and Inel, S.(1994), "Experimental determination of constitutive behavior of soils", Computer Methods and Advances in Geomechanics, Siriwardane & Zaman, Balkema, Rotterdam, pp.215-217.

(26) Mekhlouf, H.M. and Stewart, J.J.(1965), "Factors Influencing the modulus of elasticity of dry sand", Proc. 6th Conf. on Soil Mechanics and Foundation Engineering, Vol.1, p.298, Montreal, 1965.

(27) Mroz, Z. Norris, V.A. and Zienkiewics(1981), "An anisotropic, critical state model for soils subject to cyclic loading", Geotechnique, Vol.31, No.4, pp.451-469.

(28) Nam, J.M. and Lade. P.V.(1993), "Results of Tortion Shear Tests on Medium Dense Santa Monica Beach Sand", Report to the National Science Found, Grant No.MSS9119272, UCLA-ENG-93-24, April.

(29) Poorooshasb, H.B. and Pietruszczak, S.(1985), "A generalized flow theory for sand", Soils and Foundations, Vol.26, No.2, pp.1-15.

(30) Poorooshasb, H.B. and Pietruszczak, S.(1985a), "On yielding and flow of sand; A generalized Two-Surface Model", Computer and Geotechnics, Vol.1, No.1, pp.33-58.

(31) Prabucki, M.J. and Lade, P.V.(1990), "Triaxial compression tests on Santa Monica Beach Sand. 1",

Report PL-CDT-SMB-1, UCLA-ENG-91-03,Aug.

(32) Prager, W.(1955), "A new method of analyzing stresses and strains in work-hardening plastic solids", J. Appl. Mech.

(33) Prevost, J.H.(1982), "Two-Surface Versus Multi-Surface Plasticity Theories: A Critical Assessment", Int. J. Num. Meth. Geomech., 6, pp.323-338.

(34) Roscoe, K.H. Schofield, A.N. and Thurairajah, A.(1963), "Yielding of Clays in States Wetter than Critical", Geotechnique, Vol.13, No.3, pp.211-240.

(35) Schofield, A. and Wroth, P.(1968), Critical State Soil Mechanics, McGraw-Hill.

(36) Yamada, Y. and Ishihara, K.(1979), "Anisotropic Deformation Characteristics of Sand under Three dimensional Stress Conditions", Soils and Foundations, Vol.19, No.2, pp.79-94.

Chapter
09

입방체형 삼축시험

Chapter 09 입방체형 삼축시험

9.1 개 요

9.1.1 중간주응력의 영향

흙의 역학적 거동을 파악하기 위해 여러 가지 요소시험이 많이 실시되며 그중 삼축시험은 요소시험 중 가장 많이 실시되고 있는 시험이다. 통상적으로 삼축시험이라고 하면 원통형 공시체에 대한 축대칭삼축시험을 의미한다. 그러나 이 시험은 원통형 공시체를 사용하는 관계로 요소내의 응력상태가 축대칭상태에 있게 되어 수평방향 주응력은 항상 서로 같게 된다. 따라서 이러한 상태에서는 중간주응력이 항상 최소주응력(압축시험 시)이나 또는 최대주응력(신장시험 시)과 같게 되어 중간주응력의 영향을 고려할 수 없게 된다. 따라서 이러한 축대칭 삼축시험으로 얻어진 강도를 Mohr-Coulomb의 파괴규준으로 구하는 것은 중간주응력이 강도에 영향을 미치지 않음을 의미하게 된다. 그러나 최근의 여러 연구에 의하면 중간주응력은 점성토나 사질토의 응력-변형률 및 강도거동에 많은 영향을 미치고 있음을 볼 수 있다.[5,12] 따라서 올바른 흙의 거동을 조사하기 위해서는 요소에 서로 다른 세 주응력을 독립적으로 재하시킬 수 있는 다축시험장치가 필요하게 된다.

9.1.2 입방체형 삼축시험기의 종류

현재 중간주응력의 효과를 고려할 수 있는 시험기로 입방체형 삼축시험기(cubical triaxial apparatus)가 많이 사용되고 있으며 이 시험기는 크게 두 가지로 분류할 수 있다. 그중 하나는 공시체의 주변구속조건을 강체로 제작하여 공시체에 변형이 균등하게 발생하도록 한 시험기로서 Lade & Duncan(1973),[10] Reades & Green(1976),[15] Nakai & Mastuoka(1983),[14] Lam & Tatsuoka (1988)[13] 등에 의해 개발·사용되고 있다.

Lade(1978)도 이 방법으로 입방체형 삼축시험장치를 제작하여[11] 입방체형 공시체에 서로 다른 세 주응력을 각각 독립적으로 재하시킬 수 있게 하였다. 이 시험장치에 의한 많은 연구가 Lade & Mustante(1978),[12] Kirkgard(1981)[8] 등에 의해 보고되었으며 국내에서도 이 시험장치가 이미 소개된 적이 있다(홍원표, 1988a; 1988b).[1-4]

그리고 이 장치와 유사한 입방체형 삼축시험기가 현재 국내에서도 제작되어 사용되고 있다(강권수 외 3인, 1993).[1] 여기서는 Lade(1978)가 개발한 입방체형 삼축시험기를 활용하여 일련의 삼축시험을 실시한다(남정만 & 홍원표, 1993; 1994).[5-6]

한편 다른 종류의 입방체형 삼축시험기는 Ko & Scott(1967),[9] Sutherland & Mesdary(1969),[16] Yamada & Ishihara(1979)[17] 등에 의해 개발된 것으로 이것은 공시체의 표면에 하중이 작용하는 재하판을 고무로 된 물주머니를 이용하여 공시체에 변형을 유발시킨 것으로 이 시험기는 변형이 균등하게 발생하지 않으며 전단파괴면이 형성되지 않는 단점이 있다.

9.2 시험장치

그림 9.1은 공시체를 포함하고 있는 입방체형 삼축시험기의 단면을 일부(1/4부분) 잘라내고 도시한 그림이다.[11] 그림에서 공시체는 상판(cap)과 저판(base) 및 멤브레인(membrane)에 의해 둘러싸여 있으며 그 크기가 76mm×76mm×76mm인 정육면체 모양의 공시체이다.

이 상판과 저판은 그림 9.2에서 보는 것처럼 100mm×100mm 면적을 가졌으며, 이 크기는 공시체에 하중을 가할 시 측방변형에 의한 신장변형률을 30%까지 허용할 수 있다. 상판과 저판을 둘러싸고 있는 고무 멤브레인은 물과 공기의 차단을 위하여 각각 2개의 O-링에 의하여 밀봉되어 있다. 여기서 사용된 고무 멤브레인은 그 탄성이 공시체에 미치는 영향과 구속압에 의한 멤브레인 침투영향을 고려하여 두께를 0.03cm로 하였다(DeGroff et al., 1988).[11] 상판과 저판은 자체의 무게가 공시체에 미치는 영향을 최대한 줄이기 위해 알루미늄으로 제작되었으며 상판의 상부 오목한 부분에는 그림 9.2에서 보는 것처럼 연직하중을 측정하기 위한

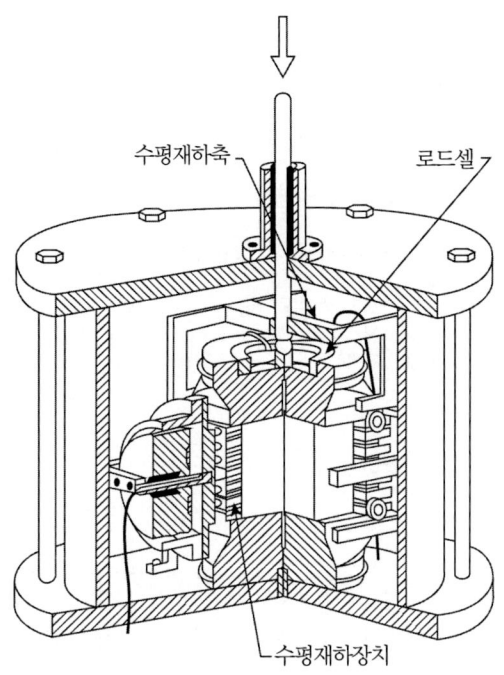

그림 9.1 입방체형 삼축시험(Lade, 1978)[11]

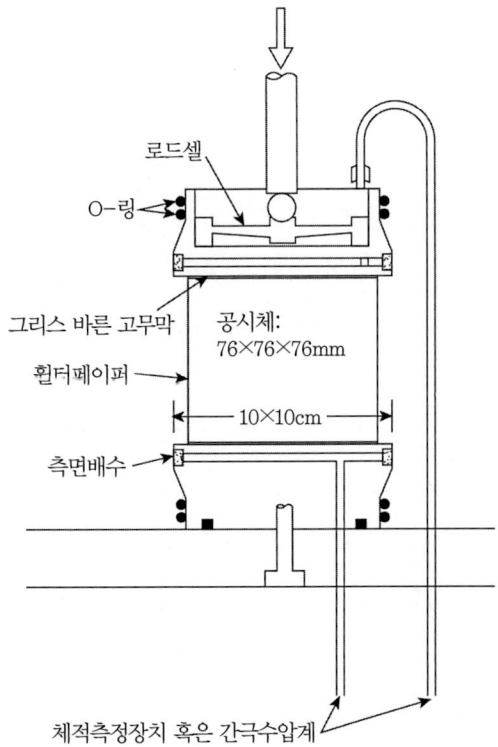

그림 9.2 점토공시체를 사용한 삼축시험기(Lade, 1978)

로드셀이 내장되어 있다. 공시체가 놓이는 저판(base)은 삼축셀의 바닥판에 고정되어 있다. 상판과 저판에는 그림 9.2에서와 같이 각각 다공선과 배수선을 통해 공시체의 체적변화량 측정 혹은 간극수압측정을 가능하게 하였다. 또한 시험 시 공시체와 상판 및 저판에서 발생할 수 있는 단부구속력 발생 원인이 되는 마찰력을 피하기 위한 윤활면(lubricate)을 조성하기 위해 실리콘그리스를 가볍게 바른 두께 0.3mm의 고무막을 상판에 2장 저판에 1장을 부착시켰다.

한편 이 시험에 사용된 시험기의 상부덮개(top plate)와 하부바닥판(bottom plate)은 두께가 약 1.9cm인 스테인리스 판으로 제작되었으며 챔버는 내경이 28cm, 높이가 24cm, 두께가 0.27cm인 lucite plastic tube이다.

이 챔버 내부에 위치하는 수평방향 하중장치는 중간주응력이 작용하는 방향으로 두 개의 연직판이 서로 마주보고 있으며, 하중이 작용하는 유압장치는 한쪽(오른쪽)에만 설치하여 하중을 동시에 양쪽에서 작용시키기 위해 두 개의 연직판은 철제 지지봉에 의해 연결되어 있다. 그리고 이 연직판의 좌우 상하단에는 작은 바퀴가 부착되어 있어 측압 작용 시 수평으로의 이동을 자유롭게 하였다.

또한 연직방향의 하중과 수평방향의 하중이 서로 방해하지 않게 하기 위하여 이 장치에서 공시체의 연직면과 접촉하는 부분을 그림 9.3처럼 여러 개의 얇은 판으로 분리할 수 있게 하였고 이 판들을 사이에는 balsa wood가 위치하게 된다. Balsa wood는 섬유질의 특성이 연직방향에 대해서는 강도와 변형계수가 아주 낮고 중간주응력이 적용되는 수평방향에 대해서는 강도와 변형계수가 높아 포아송비가 0에 가까워 연직방향 하중 작용 시 수평하중장치가 방해되는 것을 사전에 방지하는 아주 중요한 역할을 한다. 그리고 이 수평하중장치에서도 공시체 하중작용판에 실리콘그리스를 가볍게 바른 후 두께 0.3mm의 고무막을 부착시켜 윤활면으로 사용하였다.

하중의 작용방향에 따른 주응력과 변형측정 방법에 대해 살펴보면 최소주응력 σ_3는 수평방향으로 작용하도록 셀압으로 가한다. 그리고 연직하중은 변형제어방식으로 재하하며 최대주응력 σ_1은 연직방향축차응력(vertical deviator stress), $(\sigma_1 - \sigma_3)$를 측정하여 구한다. 중간주응력 σ_2는 σ_3와 직교하는 또 하나의 수평방향으로 작용하도록 앞에서 설명한 수평재하장치를 사용하여 응력제어방식으로 재하하며 수평방향 축차응력(horizontal deviator stress), $(\sigma_2 - \sigma_3)$을 측정하여 구한다. 그리고 연직방향 변형률은 삼축 챔버 밖의 재하 피스톤에 부착시킨 다이얼 게이지로 측정하였으며, 중간주응력 방향의 변형량은 클립 게이지(clip gage)를 수평재하장치

사이에 끼워 넣어 측정하였다. 최소주응력 방향의 변형량은 클립 게이지를 사용하지 않고 체적변형량과 연직변형량 및 중간주응력방향의 변형량으로부터 산술적으로 산정한다.

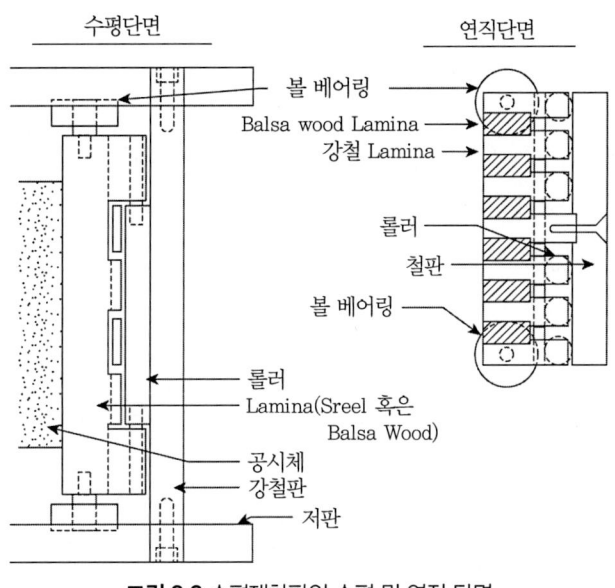

그림 9.3 수평재하판의 수평 및 연직 단면

9.3 시험 방법

9.3.1 사용시료

시험 대상 시료는 미국 California 주에 위치하는 Santa Monica 해변 모래를 사용하였다(이재호, 1995).[2] 사용하기 전 물로 씻어 모래 중에 포함되어 있는 염분과 불순물을 제거하고 입자의 분포를 균등하게 하기 위해 40번체를 통과하는 입자를 대상 시료로 결정하였다. 표 7.1은 Santa Monica 해변 모래의 물성치를 정리한 표이다.[2] 이 모래시료에 대한 자세한 사항은 이미 제7장에서 설명하였음으로 자세한 사항은 그 곳을 참조하기로 한다.

이 모래의 구성광물을 살펴보면 표 7.1에서 보는 것처럼 석영과 장석이 각각 약 45%씩 차지하여 흙구성의 주류를 이루고 있으며 자철광이 약 8% 그리고 잔여광물 2% 정도로 구성되어 있다. 또한 균등계수는 1.58, D_{50}은 0.265mm이고 비중은 2.66이며 최대간극비는 0.91,

최소간극비는 0.60이다.

중간 정도 밀도상태에 해당하는 상대밀도 70%의 공시체를 조성하여 입방체형 삼축시험을 실시하였다.

9.3.2 공시체 제작

우선 공시체의 상판과 저판에서의 단부구속력의 원인이 되는 마찰력을 없애기 위한 윤활면으로 실리콘그리스를 바른 고무막을 상판에는 두 장 저판에는 한 장을 부착시킨 후 공시체를 저판 위에서 직접 제작한다.

고무 멤브레인을 저판 둘레에 두 개의 O-링으로 밀봉시키고 입방체형 공시체를 만들기 위한 진공 포밍자켓(forming jacket)을 저판 위 중심에 설치한다. 이때 멤브레인을 포밍자켓 내부를 통해 위로 당기고 포밍자켓 뚜껑으로 이를 고정시킨 후 진공을 가하여 고무 멤브레인을 공시체 형태로 만든다.

상대밀도 70%의 공시체 제작을 위해 모래를 깔때기의 끝이 모래가 낙하지점으로부터 약 10cm의 높이를 유지시키며 깔때기를 통하여 자유낙하시킨다. 이것은 공시체가 요구하는 높이 7.6cm보다 조금 높게 퇴적된다. 따라서 우레탄 망치를 이용하여 포밍자켓을 가볍게 2~3회 두드려 공시체의 최종높이를 조절한다.

이렇게 멤브레인 내부에 모래의 주입이 끝나면 포밍자켓의 뚜껑을 제거하고 상판을 공시체위 중심에 설치한 후 포밍자켓 주위로 당겨 내려놓았던 고무 멤브레인을 상판 주위로 올려 두 개의 링으로 상판에 밀봉시킨다.

상부배수선을 상판에 연결시키고 진공을 $0.5kg/cm^2$ 가하여 공시체를 고정시킨 후 공기누출탐색을 위해 고무막을 통해 멤브레인의 공기누출 여부를 확인한다. 만일 공기누출이 탐지된다면 포밍자켓을 제거한 후 공시체에서의 공기누출이 보수될 때까지 라텍스(latex)를 멤브레인에 칠한다. 공기누출이 완전히 방지된 것으로 확인되면 수평재하장치와 클립 게이지를 설치하고 삼축셀과 상판을 조립한 후 챔버를 물로 채우고 셀압 $0.5kg/cm^2$를 작용시킨 후 진공을 제거시킨다.

공시체를 완전히 물로 포화시키기 위해 이산화탄소(CO_2)를 배수선 저부로부터 주입한다. CO_2는 공기보다 무거워 공시체에 주입하고 공시체 내부의 공기를 물로 포화시킬 때 완전히 포화가 안 되었을 경우에도 CO_2의 압축성이 물과 비슷해 체적변형량 측정에 유리한 이점이 있다. CO_2를 15분 정도 주입한 후 공기가 제거된 물을 공시체에 주입하여 공시체를 포화시키고 시험을 실시한다.

9.3.3 응력경로

입방체형 삼축시험은 미국 California주 Santa Monica 해변 모래를 대상으로 여러 가지 응력상태하에서 실시하였으며 모래의 상대밀도는 70%로 하였다. 배수시험을 식 (9.1)의 중간주응력과 최대주응력에 대한 응력비 b에 따라 실시하였다.

$$b = \frac{\sigma_2 - \sigma_3}{\sigma_1 - \sigma_3} \tag{9.1}$$

여기서, b는 $\sigma_2 = \sigma_3$인 삼축압축시험에서는 0이고 $\sigma_1 = \sigma_2$인 삼축신장시험에서는 1인 것으로 b는 0에서 1 사이의 값을 갖는다. 그리고 본 시험에서는 각 시험마다 파괴 시까지의 b값을 항상 일정한 값으로 유지하도록 주응력을 조절하였다. 각 시험에 대한 b와 초기간극비는 표 9.1과 같다.

표 9.1 입방체형 삼축시험 계획

시험번호	구속압(kg/cm²)	응력비 b	초기간극비 e_0	비고
C-1	0.5	0.00	0.697	
C-2	1.0	0.00	0.691	
C-3	2.0	0.00	0.682	
C-4	1.0	0.13	0.727	
C-5	1.0	0.30	0.671	
C-6	1.0	0.61	0.675	
C-7	1.0	0.83	0.676	
C-8	1.0	0.89	0.682	
C-9	0.6	0.97	0.660	
C-10	0.5	0.71	0.704	$\sigma_h > \sigma_v$
C-11	0.5	0.70	0.684	$\sigma_h > \sigma_v$
C-12	0.5	0.77	0.664	$\sigma_h > \sigma_v$

각 시험의 응력경로는 표 9.1에서 보는 것처럼 우선 삼축압축시험에 해당하는 b가 0인 시험을 구속압이 0.5, 1.0, 2.0kg/cm^{2}인 세 가지 경우에 대해 실시하고 이를 각각 C-1에서 C-3으로 정하였다. 그리고 C-4는 구속압이 1kg/cm^{2}인 상태에서 중간주응력의 효과를 고려한 b가 0.13인 시험이다. C-5, C-6, C-7 및 C-8은 C-4에서와 같이 구속압이 1kg/cm^{2}인 상태에서 수평재하장치에 의한 중간주응력의 크기를 조금씩 증가시켜 축차응력비 b를 각각 0.3, 0.61, 0.83 및 0.89로 한 경우이다. 그리고 수평재하장치에 의한 하중부담이 높은 b가 1인 삼축신장시험과 수평재하장치에 의한 하중이 연직하중보다 높게 작용되는 C-9에서 C-12까지에서는 연직재하장치의 하중부담을 감소시키기 위해 구속압을 감소시켜 하중을 작용시켰다.

즉, C-9에서는 삼축신장시험을 실시하기 위하여 구속압을 0.6kg/cm^{2}로 감소시켜 하중을 작용시켰으며 이때의 b는 0.97이다. 그리고 C-10에서 C-12까지는 구속압이 0.5kg/cm^{2}이고 수평재하장지에 의한 수평응력 σ_h가 연직응력 σ_v보다 큰 경우로서 축차응력비 b가 0.71, 0.70 및 0.77에 해당하는 시험이다.

9.4 변형특성

9.4.1 응력 - 변형률거동

그림 9.4는 표 9.1에 있는 12회의 입방체형 삼축시험 중 b가 0인 삼축압축시험을 구속압을 달리하여 실시한 C-1에서 C-3까지의 응력-변형률거동을 함께 도시한 그림이다.

그림 9.4(a)는 축변형률 ϵ_1에 대한 축차응력의 거동을 도시한 그림으로 흰 삼각형으로 나타낸 C-1 시험은 축변형률 약 3.7%에서 최대축차응력이 발생하고 있다. 구속압이 1.0kg/cm^{2}인 C-2 시험은 C-1 시험보다 축차응력이 크게 발생하고 있으며, 검은색으로 표시한 최대축차응력이 발생하는 위치도 C-1 시험에서 보다 증가한 축변형률 약 4.3%에서 발생하고 있다. 한편 구속압이 2.0kg/cm^{2}인 C-3 시험 결과는 축차응력이 가장 크게 발생하고 있으며, 최대축차응력이 발생하는 위치도 축변형률 약 6.3%에서 발생하고 있어 다른 시험에 비해 파괴 시의 축변형률이 가장 크게 발생하는 것으로 나타나고 있다. 즉, 밀도가 같은 공시체의 축변형률에 대한 축차응력의 관계에서 파괴 시의 축차응력은 구속압이 증가함에 따라 증가하는 것을 알 수 있다.

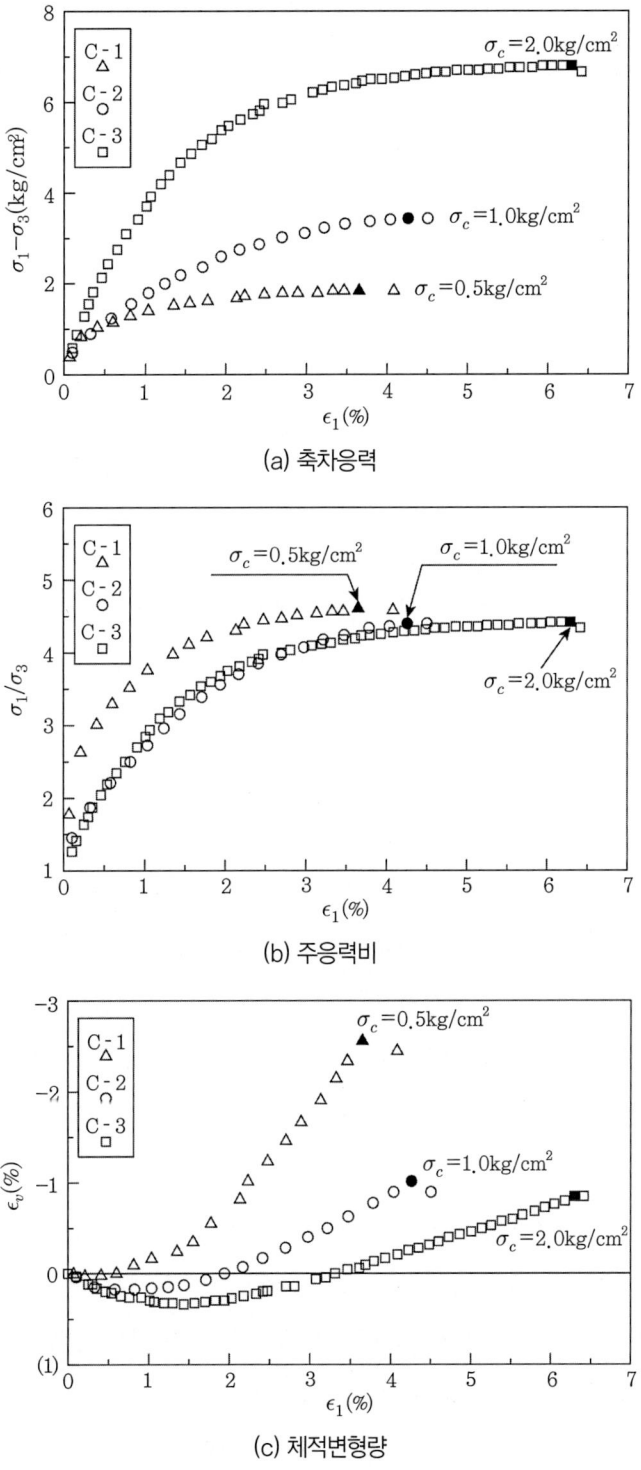

(a) 축차응력

(b) 주응력비

(c) 체적변형량

그림 9.4 C-1, C-2, C-3 시험 결과

그림 9.4(b)는 축변형률 ϵ_1에 대한 주응력비 σ_1'/σ_3'의 관계를 도시한 것으로 모래의 강도를 내부마찰각으로 표현할시 내부마찰각의 크기는 식 (9.2)에서 보는 것처럼 주응력비에 의해 결정된다.

$$\phi = \sin^{-1}\frac{(\sigma_1'/\sigma_3')-1}{(\sigma_1'/\sigma_3')+1} \tag{9.2}$$

이 그림에서 보는 것처럼 파괴 시의 주응력비의 크기는 구속압의 크기에 관계없이 거의 동일하나 파괴 시의 축변형률은 구속압의 크기가 클수록 크게 나타나고 있음을 알 수 있다.

그림 9.4(c)는 축변형률 ϵ_1에 대한 체적변형률의 거동을 도시한 그림이다. 이 그림에서 구속압이 0.5kg/cm²인 C-1 시험의 결과는 체적압축변형률이 축변형률 초기에만 조금 발생하고 있으며, 축변형률 0.5%에서부터 다이러턴시현상에 의한 채적팽창이 발생하는 것으로 나타나고 있다. 흰 원은 구속압이 1.0kg/cm²인 C-2 시험의 결과를 도시한 것으로 C-1 시험에 비해 체적압축이 많이 발생하고 있다.

그리고 체적팽창이 발생하는 축변형률 ϵ_1의 위치도 C-1시험에서 보다 증가한 약 2%에서부터 발생하고 있으며 체적팽창의 양은 훨씬 적게 발생하고 있다. 한편 구속압이 2.0kg/cm²인 C-3 시험에서는 체적압축이 앞에서 보다 훨씬 크게 발생하는 것으로 나타나고 있으며, 축변형률 약 3.3%에서부터 체적팽창이 발생하는 것으로 나타나고 있다. 이 결과로부터 구속압이 증가할수록 다이러턴시에 의한 체적팽창을 구속하는 효과가 큼을 알 수 있다.

그림 9.5는 구속압이 1.0kg/cm²인 상태에서 중간주응력의 영향을 조사하기 위하여 C-4, C-5, C-7의 시험 결과를 함께 도시한 결과이다.

우선 그림 9.5(a)는 축변형률 ϵ_1에 대한 축차응력의 거동을 도시한 그림으로 축차응력비 b가 0.13인 C-4 시험은 축변형률이 증가함에 따라 축차응력이 증가하다 축변형률 약 5%, 축차응력 약 4.2kg/cm²에서 파괴가 발생하고 있으며 화살표는 그 위치를 나타낸 것이다. b가 0.3인 C-5 시험은 파괴가 C-4 시험보다 감소된 축변형률 약 3.3%에서 발생하고 있고 축차응력은 C-4 시험에서 보다 증가한 약 4.6kg/cm²를 나타내고 있다. 그리고 b가 0.83인 C-7 시험은 파괴 시 축차응력이 계속 증가하여 약 5.1kg/cm²를 나타내고 있으나 파괴 시 축변형률 ϵ_1은 약 2.9%에서 발생하고 있다.

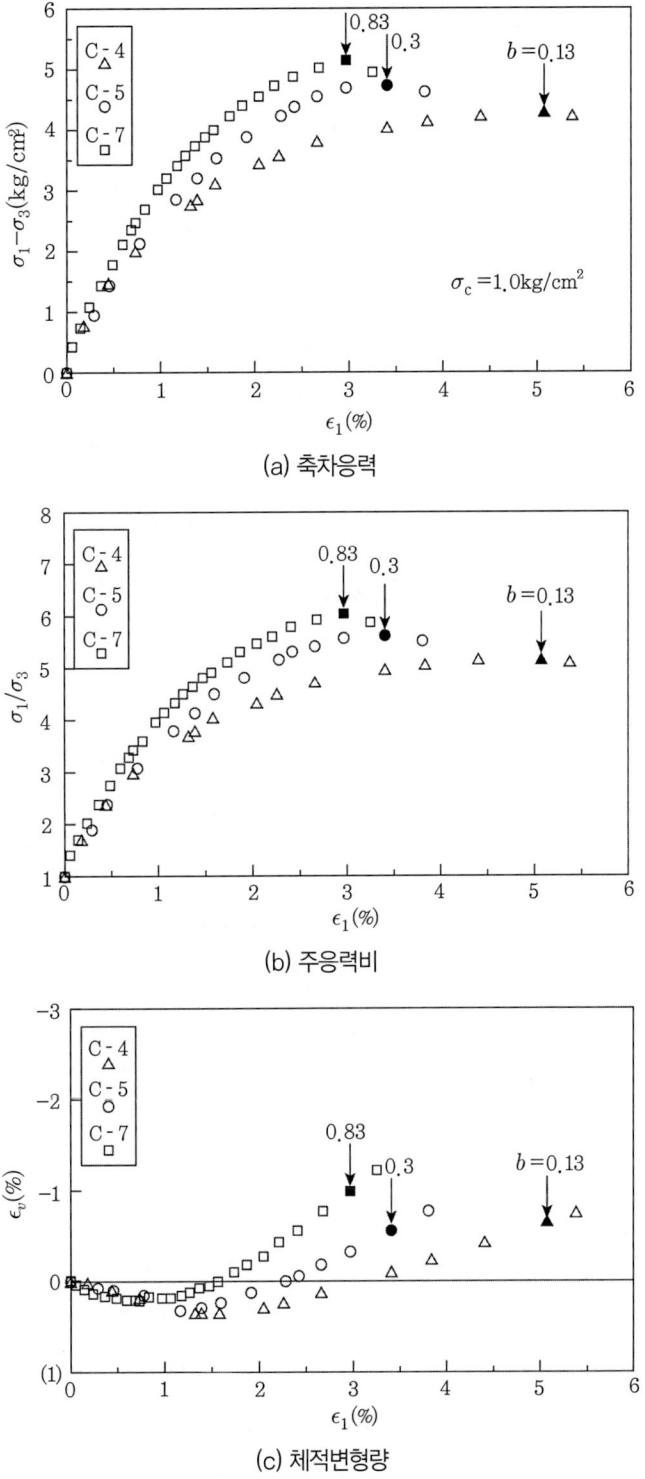

그림 9.5 C-4, C-5, C-7 시험 결과

그림 9.5(b)는 축변형률 ϵ_1에 대한 주응력비 σ_1'/σ_3'의 관계를 도시한 그림으로 축차응력과 축변형률의 관계를 나타낸 그림 9.5(a)와 유사한 경향을 나타내고 있다. 파괴 시 최대주응력비는 b가 0.13인 C-4 시험에서 가장 적게 발생하고 있으며 b가 증가함에 따라 모래의 최대주응력비도 증가하여 b가 0.83인 C-7 시험에서 가장 크게 발생하고 있다. 또한 파괴 시의 축변형률은 b값이 커질수록, 즉 중간주응력이 클수록 작아진다.

그림 9.5(c)는 축변형률 ϵ_1에 대한 체적변형률 ϵ_v의 거동을 도시한 그림이다. b가 증가함에 따라 최대체적변형률과 체적팽창이 발생하는 위치가 감소하고 있음을 볼 수 있다. 즉, 축차응력비 b가 증가함에 따라 다이러턴시에 의한 체적팽창이 크게 발생함을 알 수 있다.

9.4.2 변형률 사이의 관계

그림 9.6(a)는 최대주변형률 ϵ_1에 대한 중간주변형률 ϵ_2의 관계를 도시한 그림으로 여기서 흰 원과 검은 원의 시험 결과를 도시한 것이고 점선은 단일경화구성모델을 이용한 예측 결과[6,7]를 도시한 그림이다.

우선 그림에 도시한 시험 결과를 설명하면 이들은 구속압이 1kg/cm^{2}인 상태에서 연직응력 σ_v가 수평재하장치에 의한 수평응력 σ_h보다 큰 C-4, C-5, C-6 및 C-7 시험과 중간주응력과 최소주응력을 동일하게 하여 삼축압축시험을 실시한 C-2 시험 결과를 함께 도시한 그림이다. 그림에서 검은 원과 숫자는 파괴가 발생한 위치와 파괴 시 b값을 나타내고 있다.

$b=0$의 삼축압축시험에 해당하는 C-2 시험과 b가 0.13인 C-4 시험에서는 축변형률이 증가할수록 중간주응력방향으로 신장변형이 발생하고 있으나 b가 이보다 큰 나머지 시험에서는 모두 중간주응력 방향으로 압축변형이 일어나고 있다. b가 0.3인 C-5 시험에서는 중간주응력 방향의 변형이 0에 가까워 거의 평면변형률상태를 나타내고 있다. 그리고 각 시험에서 파괴점의 위치는 응력비 b가 적을수록 축변형률이 큰 값에서 발생하고 있음을 볼 수 있으며, 초기간극비가 다른 시험들에 비해 큰 C-4 시험은 파괴 시의 축변형률값이 특히 크게 나타나고 있다.

또한 이들 파괴점 위치를 서로 연결해보면 초기간극비가 조금 큰 C-4 시험을 제외하고는 그림에서 이점쇄선으로 나타낸 것처럼 대체적으로 일직선으로 나타나는 경향을 보이고 있다.

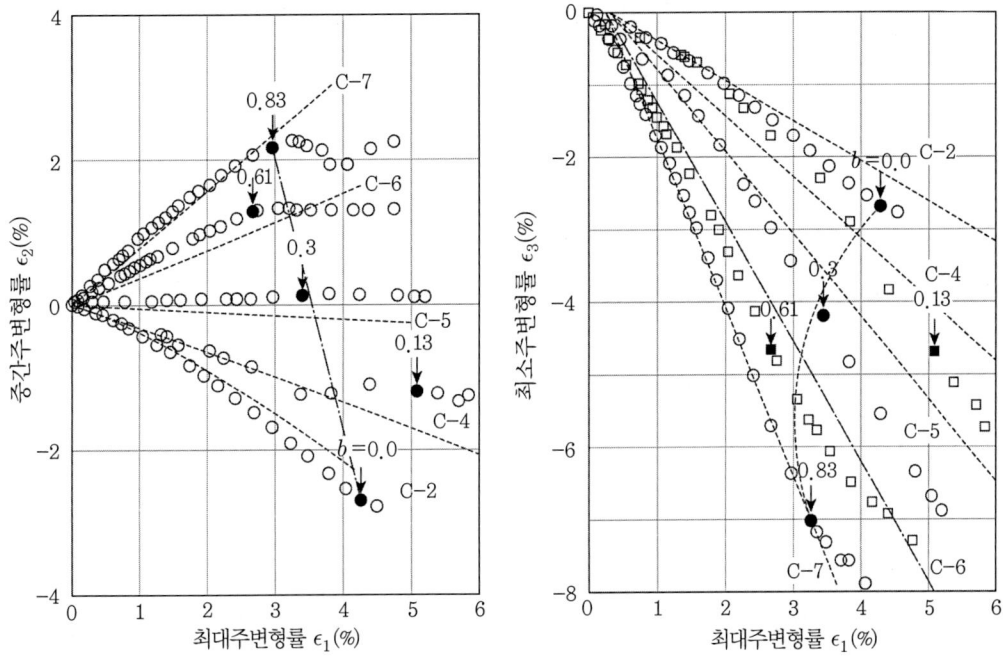

(a) 최대주변형률 ϵ_1과 중간주변형률 ϵ_2 사이의 관계   (b) 최대주변형률 ϵ_1과 최소주변형률 ϵ_3 사이의 관계

그림 9.6 주변형률 사이의 관계

시험 결과를 단일경화구성모델에 의한 예측치와 비교해보면 파괴 이전까지는 대체적으로 좋은 일치를 보이는 것으로 나타나고 있다.[6] 그러나 b가 0.3인 C-5 시험에서 시험 결과에 의한 중간주변형률은 평면변형조건에서 약간의 압축변형률을 보인 반면 예측치에서는 약간 신장되는 경향을 보이는 것으로 나타나고 있으며 C-4 시험에서는 예측에 의한 중간주변형률의 압축경향이 조금 적게 발생하고 있다. 한편 파괴가 발생한 이후에는 시험치와 예측치가 큰 차이를 보이는데, 이는 입방체형 삼축시험기구의 중간주응력 작용장치가 응력제어에 의해서 이루어지기 때문이다.

그림 9.6(b)는 C-4, C-5, C-6 및 C-7 시험에 대한 최대주변형률 ϵ_1과 최소주변형률 ϵ_3 사이의 관계를 도시한 그림이다. 이 그림에서 원과 사각형으로 표시한 것은 그림 9.6(a)에서와 같이 시험 결과이고 검은 원과 검은 사각형은 파괴점을 표시한 것이다. 여기서는 응력비 b가 증가할수록 최소주응력방향의 압축변형이 크게 발생하고 있음을 볼 수 있으며 파괴가 일어나는 ϵ_1에 대한 ϵ_3의 위치도 밀도가 약간 느슨한 C-2 시험을 제외하고는 약간의 포물선 형태를 이루며 ϵ_3의 압축량이 증가하고 있음을 볼 수 있다. 그리고 예측 결과와의 비교에서 점선

의 포물선으로 연결한 파괴가 발생하는 지점 이전에는 좋은 일치를 보이고 있으나 파괴 이후에는 그림 9.6(a)에서와 같이 약간의 차이를 보이고 있다. 또한 C-5 시험과 C-6 시험에서는 예측에 의한 최소주변형률의 신장 경향이 조금 적게 발생하고 있음을 볼 수 있다.

9.5 강도특성

9.5.1 파괴규준과 파괴정수

Lade(1984)는 마찰물질에 대한 재료의 3차원 파괴규준은 곡선형태의 파괴포락선을 가진다고 하였다. 이 규준은 응력의 제1 및 제3 불변량의 항으로 식 (5.57)과 같이 제안하였다.

여기서, 파괴정수 η_1과 m은 그림 9.7에 나타난 것처럼 삼축압축시험 결과로부터 얻은 $(I_1^3/I_3 - 27)$와 (P_a/I_1)을 각각 y축과 x축의 값으로 양면대수지에 도시함으로써 구할 수 있다.

그림 9.7에서는 파괴정수 η_1과 m을 결정하기 위해 입방체형 삼축시험 외에도 원통형 삼축압축시험기에서 실시한 시험 결과와 비틀림전단시험기를 사용하여 실시한 삼축압축시험의 결과를 포함하여 파괴정수를 결정하였다.

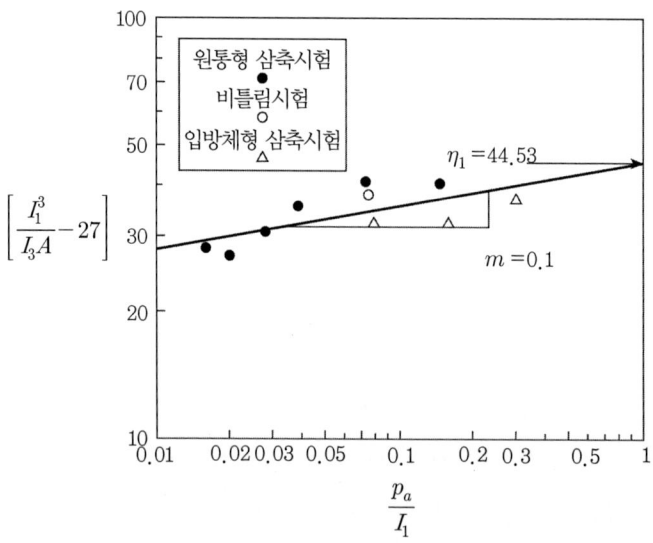

그림 9.7 파괴정수 η_1과 m의 결정

그림 9.7에서 실선은 이들 시험 결과에 대한 파괴정수 η_1과 m을 결정하기 위해 회기분석을 실시한 결과이다. 여기서 η_1과 m은 직선의 절편과 기울기로 각각 44.53과 0.1로 결정하였다. 이 직선을 기준으로 각 시험기에 의한 시험치를 비교해보면 가로축의 값이 0.03 이상에서는 원통형 삼축시험기와 비틀림전단시험기에 의한 값이 직선의 상부에 위치하고 있으며, 입방체형 삼축시험기에 의한 결과는 그 아래에 위치하는 것으로 나타나고 있어 입방체형 삼축시험의 결과가 다른 시험에 비해 b가 0인 삼축압축시험에서는 조금 작게 산정되는 경향을 보이고 있다.

9.5.2 내부마찰각

그림 9.8은 b값의 변화에 따른 내부마찰각 ϕ의 변화를 도시한 그림이다. 소위 $b-\phi$도라 한다. 흙의 내부마찰각은 Mohr-Coulomb의 파괴규준에 의하여 식 (9.2)와 같이 계산된다.

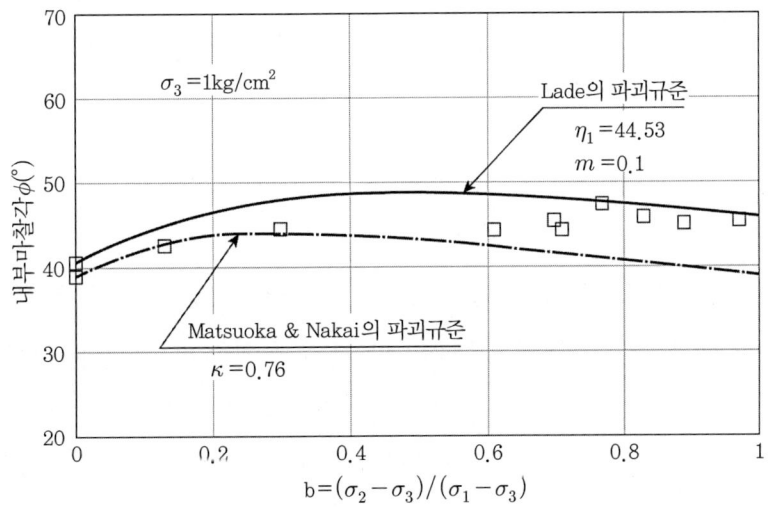

그림 9.8 입방체형 삼축시험 결과($b-\phi$도)와 파괴규준의 비교

중간주응력의 상대적인 크기를 설명하기 위해 응력비 b에 따라 모래의 내부마찰각의 시험 결과를 그림에서 사각형으로 도시하였다. 그리고 이 그림에서 실선은 등방단일경화모델에 의해 η_1이 44.53이고 m이 0.1인 파괴선을 나타낸 것이며, 이점쇄선은 Nakai & Matsuoka 규준[11,14]에 의해 κ가 0.76일 때의 파괴선을 도시한 것이다. 그림에서 시험 결과는 삼축압축시험인 $b=0$에서 가장 적은 값을 보이고 있으며, b가 증가함에 따라 내부마찰각도 증가하고 있다.

그러나 b가 0.7을 지나 1에 접근할수록 모래의 내부마찰각이 약간 감소하는 듯한 느낌을 준다. 이들을 예측 결과와 비교해보면 우선 Mohr-Coulomb의 파괴규준은 그림에서 도시되지는 않았지만 식 (9.2)에서 보는 것처럼 흙의 내부마찰각 ϕ가 중간주응력의 영향을 받지 않고 단지 최대주응력과 최소주응력의 함수인 것으로 주응력비 b에 무관하게 항상 일정한 값을 갖게 되나 시험 결과는 많은 차이가 있다. 그리고 Nakai & Matsuoka 규준에서는 모래의 내부마찰각이 주응력비에 차이를 보이고는 있으나 이 결과는 또한 b가 0인 삼축압축시험과 b가 1인 삼축신장시험에서 같은 값을 갖는 것으로 도시되고 있다. 그러나 시험 결과에 의하면 이들 내부마찰각 사이에는 약 5°의 차이가 있는 것으로 나타나고 있다. 그에 반해 단일경화구성모델에서는 시험 결과와 예측치가 잘 일치하고 있다.[6] 그리고 이러한 결과는 이미 많은 연구 결과에서 발표되었으며 점토에 대한 이전 연구에서도 보고된 바 있다.

한편 그림 9.6(a)의 결과로부터 평면변형률조건에 해당하는 $b=0.3$의 내부마찰각 ϕ_{ps}를 $b=0$의 삼축압축시험에 해당하는 모래의 내부마찰각 ϕ_{tr}과 비교해보면 Lee(1970)에 의해 제안된 $\phi_{ps} \simeq 1.1\phi_{tr}$의 관계보다는 조금 크게 나타났다. 즉, ϕ_{ps}가 ϕ_{tr}보다 약 1.14배 큰 값을 갖는 것으로 나타고 있다.

9.5.3 정팔면체평면

그림 9.9는 제1 응력불변량 I_1이 6kg/cm²인 정팔면체평면상에 입방체형 삼축시험으로부터 구한 모래의 파괴강도를 앞에서 구한 Lade의 파괴규준에 의한 파괴면과 Mohr-Coulomb의 파괴규준으로부터 구한 파괴면을 비교 도시한 결과이다. 그림에서 점선은 Mohr-Coulomb의 규준을 나타낸 것이고 실선은 Lade의 파괴규준을 도시한 것으로 여기서는 파괴정수 η_1과 m은 각각 44.53과 0.1로 하였다.

이 그림에 의하면 삼축압축시험에서는 시험 결과치와 두 파괴규준에 의한 예측치가 잘 일치하고 있으나 b가 0.13, 0.3 및 0.61에서는 시험 결과치가 Mohr-Coulomb의 규준과 Lade 규준의 중간 정도의 지점에 위치하고 있고 다른 나머지 시험에서는 Lade 규준과 잘 일치하고 있음을 볼 수 있다. 즉, Mohr-Coulomb 규준은 b가 0보다 큰 시험의 경우 강도를 과소평가할 우려가 있는 반면 Lade의 파괴규준은 중간주응력의 영향을 받는 경우의 파괴강도를 잘 산정하고 있다고 볼 수 있다.

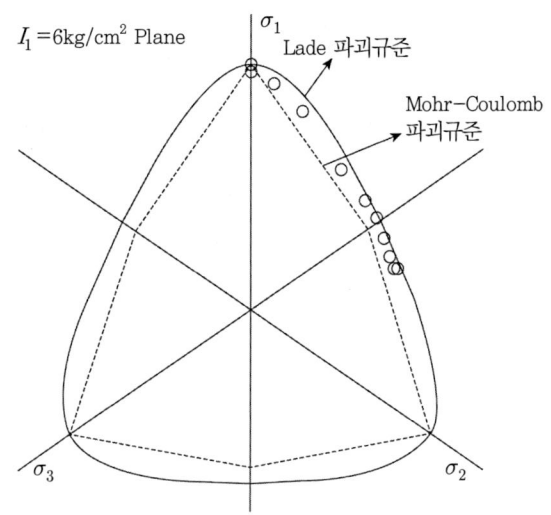

그림 9.9 정팔면체평면에 투영한 입방체형 삼축시험에 의한 파괴점

9.6 응력경로에 따른 소성변형률증분벡터

그림 9.10(a)와 (b)는 각 시험의 응력경로와 각 응력상태에서의 소성변형률증분벡터의 방향을 정팔면체평면에 도시한 결과이다.[18]

그림 9.10(a)에서는 응력상태에 따른 소성포텐셜함수를 점선으로 도시하여 나타내었으며, 그림 9.10(b)에서는 응력상태에 대한 항복면을 등방단일경화구성모델을 이용하여 도시하였다. 그리고 여기서 실선은 η_1과 m이 각각 44.53와 0.1일 때의 파괴면을 나타낸 것이다. 그림 9.10(a)에서 응력상태에 따른 소성포텐셜함수의 모양은 초기에는 원형에 가까운 모양을 보이다가 응력상태가 파괴 시에 접근할수록 둥근 삼각형 모양으로 변화하고 파괴면에 근접해서는 각 주응력의 양의 방향에서는 그 면이 파괴면 내부에 위치하고 있으나 각 주응력의 음의 방향에서는 파괴면 바깥에 위치함을 볼 수 있다.

그러나 응력상태에 따른 항복면은 낮은 응력상태에서는 소성포텐셜면과 유사한 원형에 가까운 형태를 보이다 응력상태가 파괴에 접근할수록 파괴면과 비슷한 형태로 변해감을 볼 수 있다. 소성포텐셜면은 파괴에 근접하여 일부가 파괴면 바깥에서 형성된 반면 항복면은 파괴면 내부에만 형성되고 있다. 소성포텐셜면상에 각 응력경로별로 도시한 소성변형률증분벡터의 시험치와 예측치를 비교해보면 등방단일경화구성모델에 의한 예측 결과가 시험 결과와 좋은 일치를 보이는 것으로 나타나고 있다. 따라서 소성변형률증분벡터는 각 응력 단계의 소성포텐셜면에 수직방향으로 작용하고 있음을 알 수 있다.

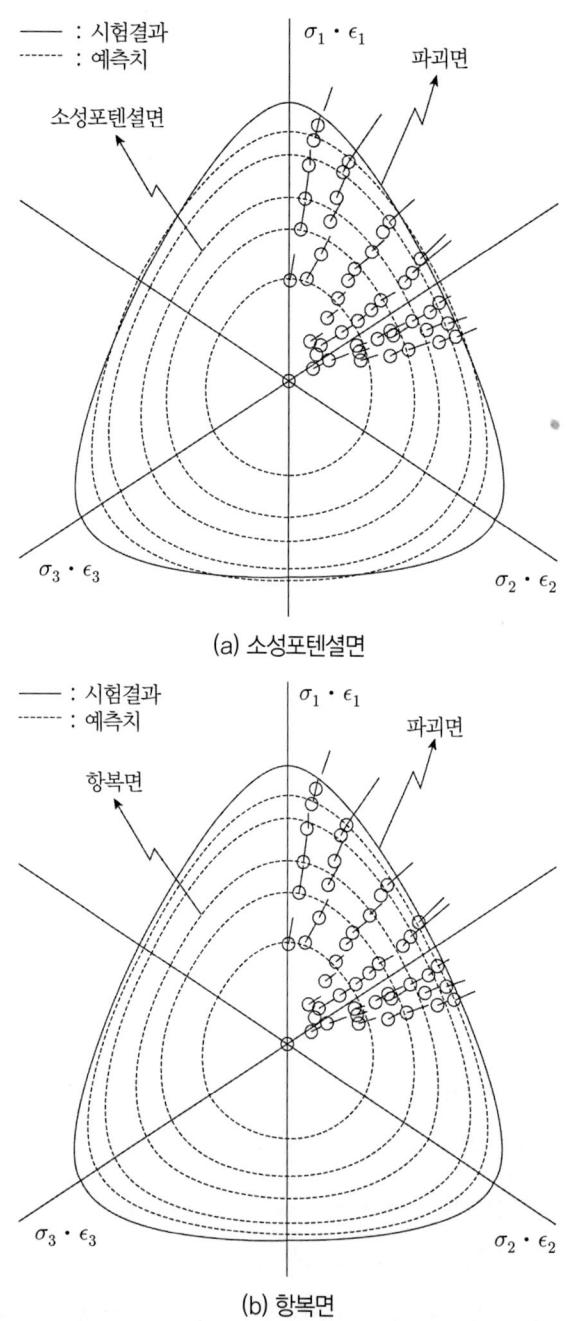

그림 9.10 정팔면체평면에 투영한 응력경로와 소성변형률증분벡터[18]

| 참고문헌 |

(1) 강권수·이문수·정진섭·박병기(1993), '입방체삼축시험기의 시작', 대한토목학회학술발표회논문집, pp.442-445.

(2) 이재호(1995), '이동경화구성모델에 의한 모래의 거동예측에 관한 기초적 연구', 중앙대학교대학원, 공학석사학위논문.

(3) 홍원표(1988a), 'K_o – 압밀점토의 주응력회전효과', 대한토목학회논문집, 제8권, 제1호, pp.151-157.

(4) 洪元杓(1988b). "異方性 過壓密粘土의 强度特性", 大韓土質工學會誌, 第4卷, 第3號, pp.35-41.

(5) 남정만·홍원표(1993), '입방체형 삼축시험에 의한 모래의 응력 – 변형률거동', 한국지반공학회, 제9권, 제4호, pp.83-92.

(6) 홍원표·남정만(1994), '등방단일경화구성모델에 의한 모래의 3차원거동 예측', 한국지반공학회지, 제10권, 제1호, pp.103-116.

(7) 홍원표·남정만·김태형·이재호(1994), '등방단일경화구성모델에 의한 K_o – 압밀점토의 거동 예측', 대한토목학회 논문집(I).

(8) Kirkgard, M.M.(1981), "Consolidation characteristics determinded during the constant rate of strain consolidation test," MS Thesis, UCLA.

(9) Ko, H.Y. and Scott, R.F.(1967), "A new soil testing apparatus", Geotechnique, Vol.17, No.1, pp.40-57.

(10) Lade, P.V. and Duncan, J.M.(1973), "Cubical triaxial tests on cohesionless soil", Journal of the Soil Mechanics and Foundations Division, ASCE, Vol.99, No.SM10, pp.793-812.

(11) Lade, P.V.(1978), "Cubical triaxial apparatus for soil testing", Geotechnical Testing Journal, GTJODJ, Vol.1, No.2, pp.93-101.

(12) Lade, P.V. and Musante, H.M.(1978), "Three-dimensional behavior of remolded clay", Jounal of the Geotechnical Engineering Division, ASCE, Vol.104, No.GT2, pp.193-209.

(13) Lam, W.K. and Tastuoka, F.(1988), "Effects of initial anisotropic fabric and σ_2 on strength and deformation characteristics of sand", Soils and Foundations, Vol.28, No.1, pp.89-106.

(14) Nakai, T. and Matsuoka, H.(1983), "Shear behaviors of sand clay under three-dimensional stress condition", Soils and Foundations, Vol.23, No.2, pp.26-47.

(15) Reades, D.W. and Green, G.E.(1976), "Independent stress control and triaxial extension tests on sand", Geotechnique, Vol.26, No.4, pp.551-576.

(16) Sutherland, H.B. and Mesdary, M.S.(1969), "The influence of the intermediate principal stress on the strength of sand", Proc., of the 7th ICSMFE, Vol.1, Mexico, pp.391-399.

(17) Yamada, Y. and Ishihara, K.(1979), "Anisotropic Deformation Characteristics of Sand under Three dimensional Stress Conditions", Soils and Foundations, Vol.19, No.2, pp.79-94.

(18) 남정만·홍원표(1994), '입방체형 삼축시험에 의한 모래의 3차원 거동 및 예측', 한국지반공학회, 제10권, 제3호, pp.111-117.

Chapter 10

비틀림전단시험

Chapter 10 비틀림전단시험

10.1 개 요

10.1.1 대응력반전의 중요성

정지상태의 지반은 응력이력상태에 따라 각각의 항복면을 형성하고 있다. 여기에 외부환경의 변화에 의해 초기재하(primary loading)와 제하(unloading) 및 재재하(reloading)가 발생하여 지반의 거동이 발생하였을 시 이 지반이 탄성영역에서 제하가 일어나면 이를 소응력반전이라 한다.

탄성영역을 지나 소성영역에서 제하가 일어나면 이를 대응력반전이라 할 수 있다. 대응력반전 문제는 흙 구조물이나 구조물의 하부구조설계 시 종종 발생한다.

그림 10.1은 정적하중 작용 시 자주 발생할 수 있는 대응력반전의 예를 도시한 것이다.[1] 그림에서 지반이 굴착되기 전이나 말뚝에 측방하중이 가해지기 전, 즉 어떤 외력에 의한 지반의 변화가 발생하기 전의 지반은 K_0 - 상태나 주동상태라고 할 수 있다.

그러나 이 조건은 주위 환경의 변화나 외력에 의해 지반이 수동적인 상태로 바뀌었다고 볼 수 있다.

이러한 지반의 거동을 탄소성해석의 개념으로 바꾸어 설명하면 최초의 지반굴착은 제하단계로 볼 수 있으며, 이것은 점차 굴착이 진행되어감에 따라 주응력방향에 변화가 발생하고 하중조건이 제하단계에서 재제하단계상태로 변화하여 최초의 항복면을 지나 결국 파괴로 접근하게 된다.

이와 비슷한 예를 일반적인 실내시험에서도 볼 수 있다. Ladd & Lambe(1963)은 불교란시료

채취 시 흙의 응력상태를 가상적인 응력경로를 통해 그림 10.2와 같이 설명하였다. 원래 지반의 현장응력상태는 Ⓐ에 위치하고 있으나 이것이 여러 과정을 거쳐 채취된 시료가 트리밍을 마쳤을 때는 점 F에 위치하게 되며 이 과정은 제하단계라 할 수 있다. 이와 같이 채취된 시료는 전단을 실시함에 따라 재제하와 초기재하가 작용하여 다시 새로운 항복면을 만들어나가는 것으로 이 또한 대응력반전의 한 예라 할 수 있다.

그리고 대응력반전 시 고려해야 할 주요사항으로는 주응력축의 회전효과를 들 수 있다. 최근 이러한 주응력회전 시 흙에서 발생하는 변형률증분벡터의 영향에 관한 시험적 연구가 Wong & Authur(1986),[35] Hong & Lade(1989a),[19] Sayao & Vaid(1989),[31] Shibuya & Hight(1989)[32] 등에 의해 많이 보고되고 있다.

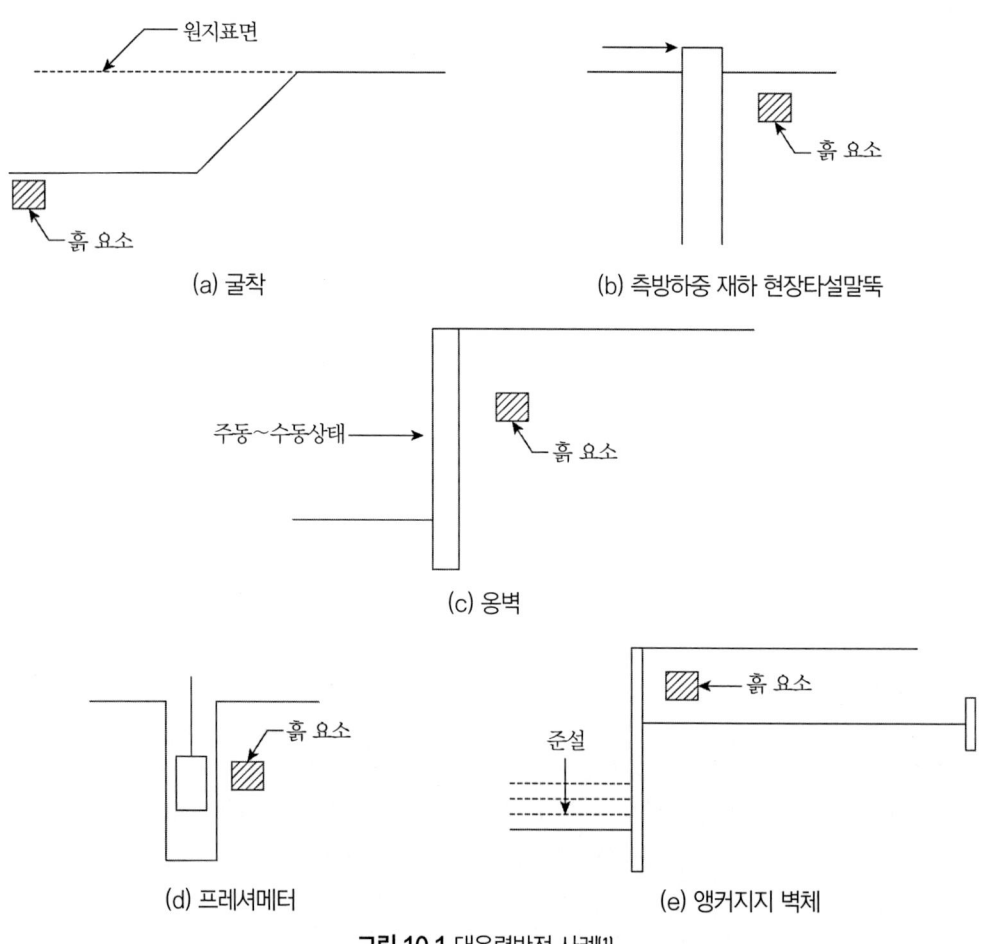

그림 10.1 대응력반전 사례[1]

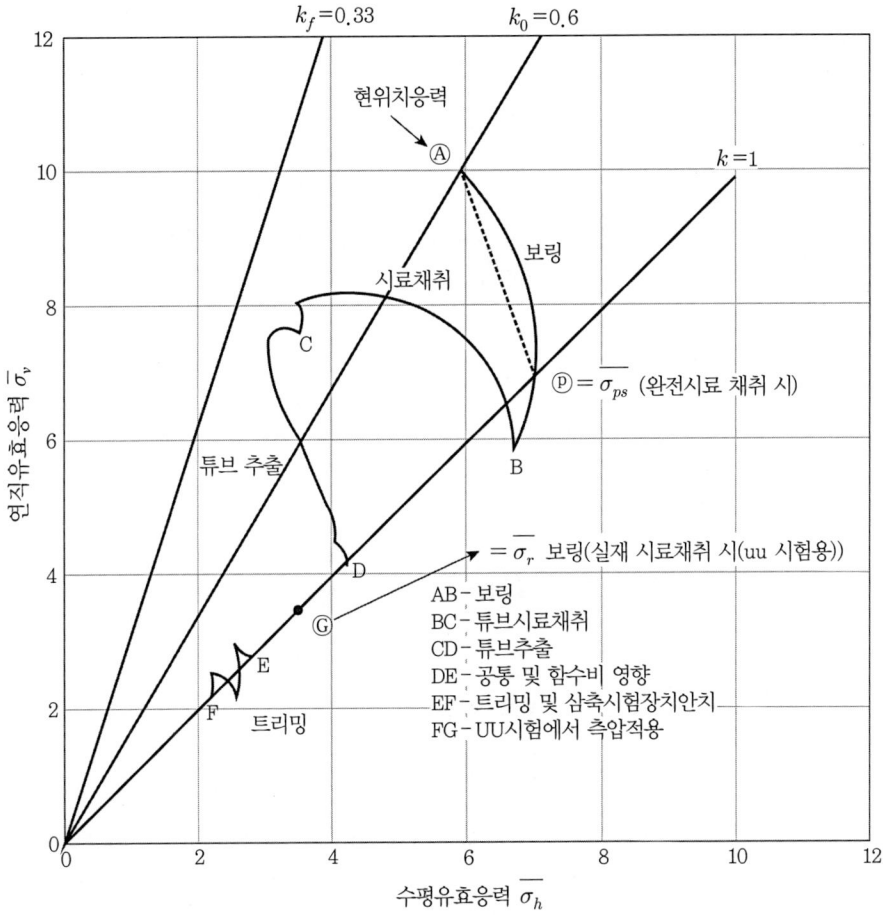

그림 10.2 튜브시료채취 시 정규압밀점토요소의 가상응력경로[16]

    그림 10.1에서와 같이 지반조건에 변화가 발생되면 주응력방향이 회전하게 된다. 이러한 주응력축의 회전효과를 파도가 출렁이는 바다의 해저면에서도 그림 10.3에서와 같이 추정해 볼 수 있다.[21] 여기서 파도하중은 그림에서와 같이 파도의 위치에 따라 주응력축의 방향을 회전시키고 있으며 이것은 또한 반복하중으로 작용한다. 이 반복하중의 효과는 설계 시 지진과 액상화 현상 등과 같은 공학적인 문제에서 아주 중요한 분야이다. 대응력반전 시 흙의 거동은 이러한 반복하중의 효과를 고려하는 것에도 좋은 이점을 가지고 있으며, 이러한 점을 고려한 흙의 구성모델이 Lade(1990),[24] Desai et al.(1986)[15] 등에 의해 현재 개발 중에 있다.

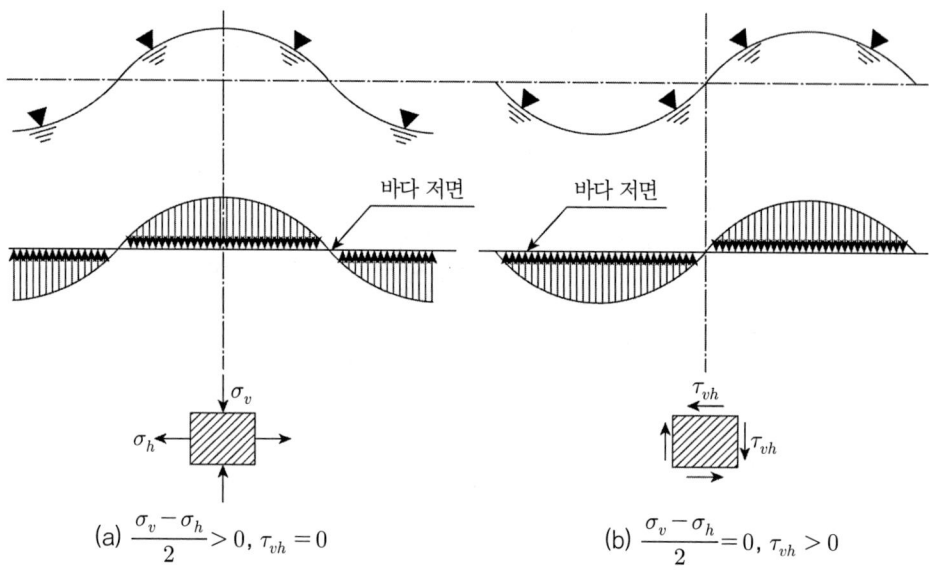

그림 10.3 파도가 출렁이는 바다저면에서의 응력상태의 변화[1]

10.1.2 대응력반전의 연구

주응력축 방향의 회전은 단순전단시험기(simple shear device)와 비틀림전단시험(torsion shear apparatus)을 사용하여 조사되고 있다. 그중 단순전단시험기는 Roscoe의 연구팀(1953, 1967)[25,26]과 Bjerrum & Landva(1966)[13]에 의해 주로 사용되었다. 그러나 Wright et al. (1978)[34]은 단순전단 시 공시체의 중앙면에서 전단응력이 균일하지 않음을 보여주었다. 일반적으로 단순전단시험에서는 다음과 같은 결점이 있다(Saada & Townsend, 1981).[30]

① 연직면에 전단응력이 유지되기 어렵다.
② 공시체 내에 응력과 변형률이 균일하게 분포되지 않는다.
③ 전단 시 수평응력과 수직응력의 발생을 일반적으로 알 수 없다.

한편 Broms & Casbarian(1965)[14]이 반죽성형한 Kaolinite 점토의 중공원통형 공시체로 압밀비배수삼축시험을 실시하여 강도특성에 미치는 주응력회전과 중간주응력의 영향을 조사한 이후 Saada & Baah(1967),[27] Lade(1975),[22] Symes,et al.(1984)[33] 등에 비틀림전단시험이 사용되기 시작하였다. 이 비틀림전단시험의 장점은 주응력축을 원하는 방향으로 회전시킬 수 있다는 것이다.

연직축에 대한 주응력축의 회전각 ψ는 $b(=(\sigma_2-\sigma_3)/(\sigma_1-\sigma_3))$와 $b=\sin^2\psi$의 관계로 연결되어 있어 중간주응력 σ_2의 영향도 역시 검토할 수 있다. 비틀림전단시험에서 중공원통형 공시체는 내측면과 외측면에 동일한 압력을 받고 있으면 평면응력상태(plane stress state)에 놓인다. 이러한 응력상태를 마련하기 위해서는 응력과 변형이 공시체 내에 균일하게 분포되어 있어야 한다(Saada & Townsend. 1981).[30] 이 균일성은 공시체의 치수를 적절히 선정함으로써 최대화시킬 수 있었다(Lade, 1981[23]; Wright. et al., 1978[34]).

Geiger와 Lade(1979)[16]는 비틀림전단시험으로 주응력회전과 응력반전 시의 사질토거동을 연구하였다. 또한 Symes et al.(1984)[33]은 모래에 대한 비틀림전단시험으로 응력반전을 포함한 응력경로에 의하여 초기 이방성이 크게 변함을 밝혔다. Saada(1973, 1975)의[28,29] 연구팀도 비틀림전단시험으로 점토의 응력–변형거동에 비치는 점토 이방성의 영향을 연구하였다.[28-30]

그 밖에도 비틀림전단시험으로 점토의 반복주기 거동의 영향이 연구되기도 하였다(Hicher & Lade, 1986).[17]

탄성이론에 의하면 등방재료에서 변형률증분축은 응력증분축과 일치한다고 한다. 반면에 St. Venant에 의한 소성이론에 따르면 주응력축 회전 시 소성변형률증분의 방향은 응력의 주축과 일치한다. 이것은 비관련흐름법칙에서 소성포텐셜함수와 관련된 것으로 흙의 구성식에서 아주 중요한 부분을 차지한다. 따라서 주응력축 회전 시 흙의 거동을 고찰하기 위하여 홍원표(1988a,b,c)[6-8]와 Hong & Lade(1988a,b)[19,20]는 점토시료를 대상으로 연구한 바 있으며, 남정만(1993)은 모래에 대해서 34회의 비틀림 전단시험과 12회의 입방체형 삼축시험을 배수상태로 실시한 바 있다.[1] 이들 시험에서 응력비에 따른 모래의 강도와 대응력반전 시 응력경로에 따른 모래의 소성변형특성을 분석하였다.

또한 제7장에서는 Lade(1990)에 의해 제안된 단일경화(Single Hardening)모델[24]을 이용하여 실험 결과를 예측치와 비교한 결과를 설명한다.

또한 이들 시험에서 비틀림전단시험과 입방체형 삼축시험의 결과를 비교하여 삼축신장시험 시 자주 발생하는 공시체의 단부구속의 영향에 의한 변형률국부현상에 관해서도 검토한다.

10.2 시험장치 및 사용시료

주응력방향회전에 대한 흙의 거동을 조사하기 위한 시험에서는 연직하중뿐만 아니라 전단응력을 공시체의 표면에 동시에 적용시킬 수 있는 시험장치가 필요하다. 이러한 시험을 위해 공시체의 주위가 상부링과 하부링 및 멤브레인으로 둘러싸여 있는 중공원통형 공시체를 이용한 비틀림전단시험기가 많이 사용되고 있다. 비틀림전단시험기는 중공원통형 공시체의 내측면과 외측면에 구속측압을 가하고 공시체의 상하단에 연직하중을 가하여 각각 상이한 세 주응력을 측정할 수 있는 장치로서 제10장에서 설명하는 시험장치는 Lade(1981),[23] Hong & Lade, 1989a; 1989b).[19,20] 홍원표(1988)[6-8] 등에 의해 이미 국내외에서 많이 소개된 적이 있으며 이를 간략히 요약하여 정리하면 다음과 같다.

10.2.1 응력전달장치

중공원통형 공시체를 이용한 비틀림전단시험기는 공시체의 내측면과 외측면에 동일한 구속 압을 작용시킬 수 있으며 전단응력과 연직응력이 공시체의 상단부와 하단부를 통해 전달될 수 있다.

그림 10.4는 비틀림전단시험기의 전체적인 개략도와 하중전달장치이다(Hong & Lade, 1989).[19,20] 하중을 작용시킬 수 있는 재하장치는 그림 10.4에서 보는 것처럼 바닥판 아래에 설치되어 있으며, 연직하중 및 비틀림하중은 바닥판의 구멍을 통해 중공원통형 공시체의 내측 챔버의 중앙을 지나 상판으로 연결된 중앙축(center shaft)을 통하여 상판에 전달되고 이 힘은 상판 하부에 부착된 상부링을 통하여 공시체에 전달된다.

이러한 하중을 중앙축에 전달시키기 위한 연직하중장치는 압축과 인장을 가할 수 있는 두 개의 유압실린더로 되어 있으며, 비틀림하중 전달장치는 중앙축을 시계방향과 반시계방향으로 회전시킬 수 있는 4개의 유압실린더로 형성되어 있다.

이들 연직하중과 비틀림하중은 힘을 각각 독립적으로 작용시킬 수 있게 하였으며 응력제어와 변형제어 모두가 가능하게 설계되어 있다.

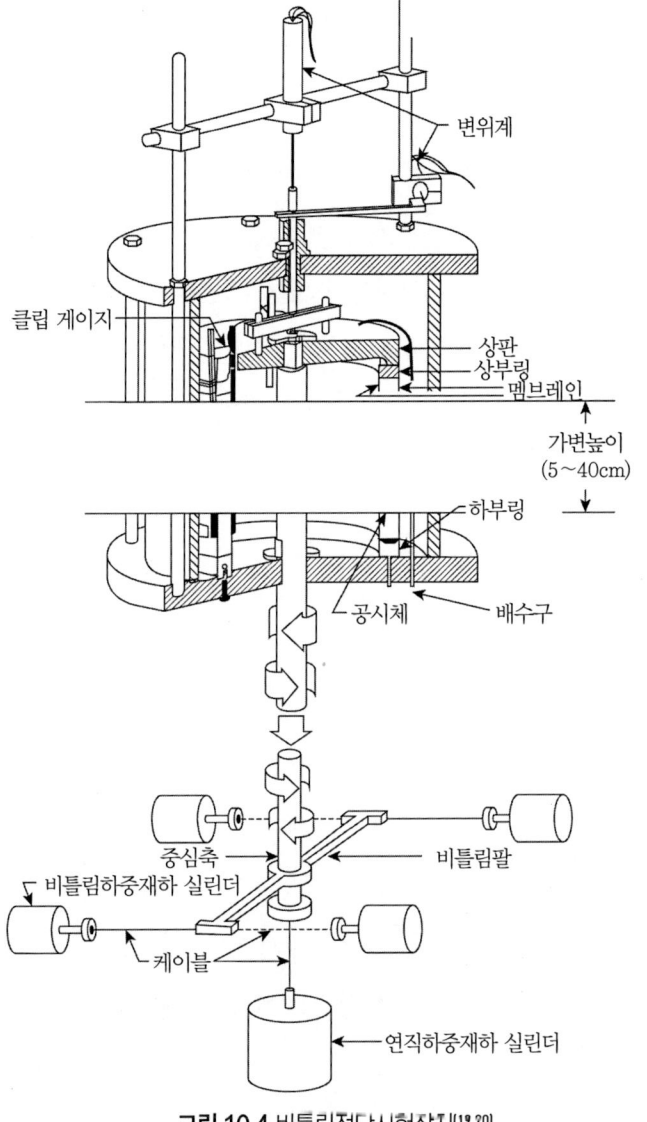

그림 10.4 비틀림전단시험장치[19,20]

10.2.2 공시체 제작

그림 10.5는 비틀림전단시험기와 공시체의 입면도를 나타낸 것으로 중공원통형 공시체의 상부와 하부에는 상부링과 하부링이 위치하고 있으며, 양 측면은 고무 멤브레인에 둘러싸여 있다. 공시체는 내경이 18cm이며 외경은 22cm로서 공시체의 두께가 2cm이고 공시체의 높이는 일차적으로 40cm에 대한 시험을 주로 실시하였다. 공시체의 높이에 대한 영향을 고려하기

위한 보충시험으로 높이가 25cm인 공시체에 대한 시험도 일부 실시하였다. 공시체를 둘러싸고 있는 멤브레인은 U자 모양의 하나로 이루어진 고무주머니로서 그 두께는 약 0.028cm에서 0.03cm이며, 본 시험의 공시체를 만들기 위해서는 하부링을 멤브레인의 내부 밑바닥에 둔다. 이때 하부링에는 비틀림하중 작용 시 공시체에 마찰력을 전달하기 위해 에폭시를 이용한 모래가 부착되어 있으며 이것은 3개의 나사에 의해 바닥판에 고정시킬 수 있고 배수선이 연결된다. 멤브레인과 하부링이 바닥판에 고정되면 멤브레인 내측과 외측에 포밍자켓을 설치한다. 포밍자켓은 두께 2cm의 중공원통형 공시체를 만들기 위한 형틀로서 내부와 외부의 두 개로 구분할 수 있다. 내부 포밍자켓은 두께가 얇은 알루미늄관으로 되어 있으며, 외부 포밍자켓은 일반적인 진공자켓으로 두 조각으로 이루어져 있다.

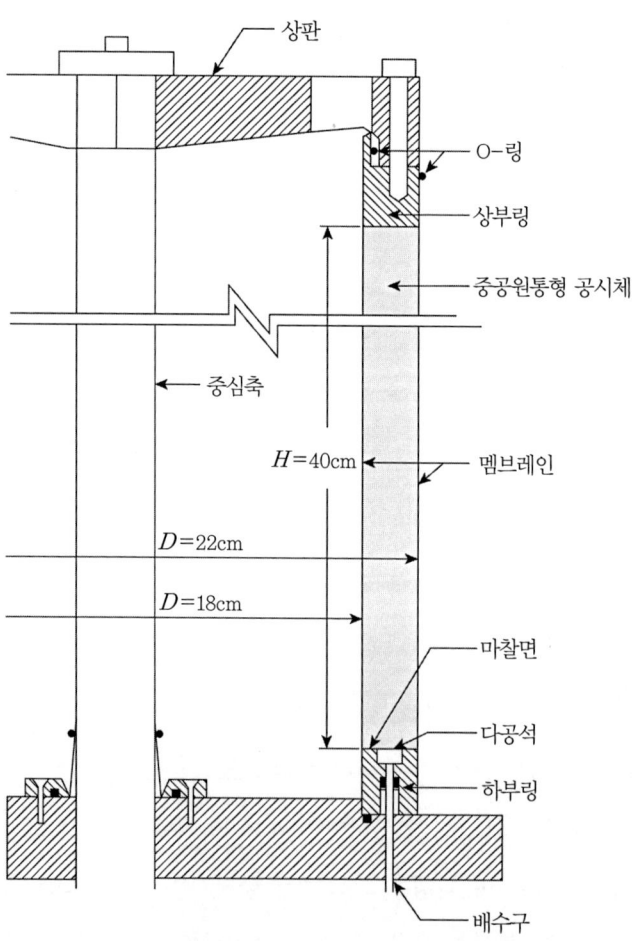

그림 10.5 중공원통형 공시체와 비틀림전단시험장치의 단면도[19,20]

내부와 외부 포밍자켓을 바닥판 위에 설치하고 진공을 가하여 멤브레인를 고정시킨 후, 상대밀도 70%의 공시체를 만들기 위해 모래를 길이 1m, 직경 1cm의 튜브관을 통해 자유 낙하시켜 공시체를 제작하였다. 이때 튜브관의 아래쪽 끝은 간격 2.5mm의 그물을 설치하여 낙하속도를 조절하였고 상단부는 깔때기를 부착하였으며, 튜브 아래쪽 끝으로부터 낙하지점까지의 거리를 15cm로 일정하게 유지하여 건조한 모래를 멤브레인 내부에 주입시킨다. 필요한 양의 모래를 튜브관을 통해 주입시키면 모래는 공시체가 필요로 하는 높이보다 약간 높게 퇴적되고 여기에 공시체의 상단부에 마찰력을 작용시키기 위한 에폭시가 부착된 상부링을 설치한다. 그리고 우레탄 망치를 이용하여 외부 포밍자켓과 상부링을 가볍게 두드려 필요한 만큼의 높이를 만들어 상대밀도 70%의 공시체를 제작한다. 공시체가 제작되면 상부링을 배수선에 연결시키고 진공압 0.5kg/cm^{2}을 가하여 공시체를 고정시킴과 동시에 공기누출탐색을 위한 bubble 챔버를 통해 멤브레인의 공기누출 여부를 확인한다. 만일 공기누출이 탐지된다면 포밍자켓을 제거한 후 공시체에서의 공기누출이 보수될 때까지 라텍스를 멤브레인에 칠한다. 공기누출이 완전히 방지된 것으로 확인되면 상부링 상부에 상판을 중앙축과 연결하여 설치한 후 직경 27.9cm 높이 53.3cm의 삼축셀을 바닥판 위에 놓고 캡을 그 위에 설치한 후 직경 1.27cm인 6개의 긴 나사를 이용하여 이들을 고정시킨다. 이러한 모든 작업이 끝나면 챔버를 물로 채우고 셀압 0.5kg/cm^{2}을 작용시킨 후 진공을 제거시킨다.

　　공시체를 완전히 물로 포화시키기 위해서 우선 CO_2 가스를 배수선 저부로부터 주입한다. CO_2 가스는 공기보다 무거워 이를 공시체에 주입 시 공시체 내부의 공기를 위로 밀어내어 상부 배수선을 통해 공기를 밖으로 추출할 수 있으며, 공시체를 물로 포화시킬 시 완전히 포화가 안 되었을 경우에도 CO_2 가스의 압축성이 물과 비슷해 하중작용 시 흙의 거동을 정확하게 하고 배수시험 시에는 체적변형량 측정에 유리한 이점이 있다. CO_2 가스를 약 15분 정도 주입한 후 공기가 제거된 물을 공시체에 주입하여 공시체를 포화시키고 시험을 실시한다.

10.2.3 내부압축실의 체적변형량 측정

　　공시체의 측방변형과 두께의 변형을 측정하기 위해서는 주로 클립 게이지를 사용해왔다. 그러나 클립 게이지를 설치하기가 불편하고 비록 설치하여도 측점위치가 제한되어 이 값을 측방변형과 두께의 변형을 대표하는 대푯값으로 사용하기에는 어려움이 많았다. 따라서 본

시험에서는 내부압축실의 체적변형량을 측정하고 공시체의 체적변형량과 연직변형량을 이용하여 그림 10.6에서 보는 것처럼 측방변형량과 두께변형량의 평균값을 유도하여 그 대푯값으로 사용하였다. 우선 내부압축실의 체적변형량을 ΔC라 하면 ΔC는 식 (10.1)과 같이 구한다.

$$\Delta C = \left(\frac{\pi}{4}D_i^2 - \frac{\pi}{4}d^2\right)H_o - \left(\frac{\pi}{4}(D_i + \Delta D_i)^2 - \frac{\pi}{4}d^2\right)(H_o - \Delta H) \tag{10.1}$$

여기서, ΔC = 내부압축실의 체적변형량, 체적 감소를 양(+)으로 한다.
      D_i = 공시체의 내경
      H_o = 공시체의 높이
      d = 중심축의 직경
      ΔD_i = 공시체 내경의 변형량
      ΔH = 공시체 높이의 변형량

식 (10.1)로부터 ΔD_i를 구하면 식 (10.2)와 같다.

$$\Delta D_i = \sqrt{D_i^2 + \frac{(D_i^2 - d^2)\Delta H - \frac{4}{\pi}\Delta C}{H_o - \Delta H}} - D_i \tag{10.2}$$

또한 식 (10.1)과 (10.2)로부터 공시체 외경의 변형량을 구하면 식 (10.3)과 같다.

$$\Delta D_o = \sqrt{D_o^2 + \frac{(D_o^2 - d^2)\Delta H - \frac{4}{\pi}(\Delta C + \Delta V)}{H_o - \Delta H}} - D_o \tag{10.3}$$

여기서, D_o = 공시체의 외경
      ΔD_o = 공시체 외경의 변형량
      ΔV = 공시체 체적의 변형량

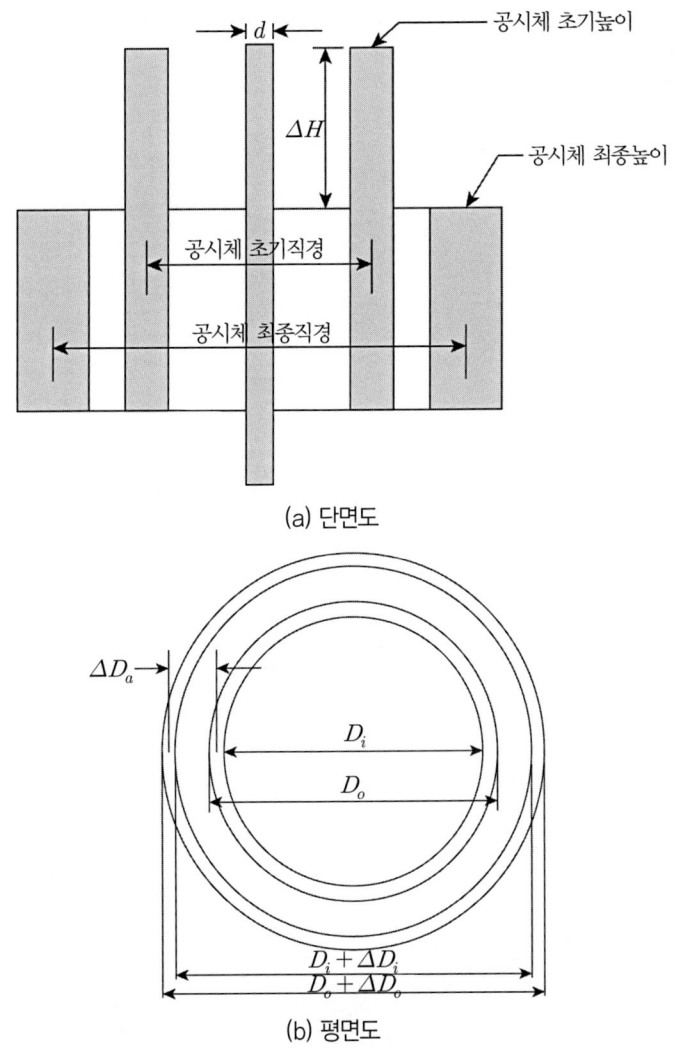

그림 10.6 전단 전후 공시체 상태

위 식들로부터 공시체 두께의 변형량 Δt를 구하면 식 (10.4)와 같다.

$$\Delta t = \frac{1}{2}\left[\sqrt{D_o^2 + \frac{(D_o^2 - d^2)\Delta H - \frac{4}{\pi}(\Delta C + \Delta V)}{H_o - \Delta H}} - \sqrt{D_i^2 + \frac{(D_i^2 - d^2)\Delta H - \frac{4}{\pi}\Delta C}{H_o - \Delta H}} - 2t\right] \quad (10.4)$$

한편 각 방향에 대한 변형률은 다음과 같이 구해진다.

$$\epsilon_r = -\frac{\Delta t}{t} \tag{10.5}$$

$$\epsilon_\theta = \frac{\Delta D_a}{D_{a(ini)}} \tag{10.6}$$

$$\epsilon_z = \frac{\Delta H}{H_0 - \Delta H} \tag{10.7}$$

여기서 $\Delta D_a = \frac{1}{2}(\Delta D_o + \Delta D_i)$ 그리고 $D_{a(ini)}$ =20cm이다. 위 식들로부터 공시체의 측방변형과 두께의 변화를 구할 수 있다.

10.2.4 사용시료

시험 대상 시료는 미국 California에 위치하는 Santa Monica 해변 모래이다.[1,5] 사용하기 전 물로 씻어 모래 중에 포함되어 있는 염분과 불순물을 제거하고 입자의 분포를 균등하게 하기 위해 40번체를 통과하는 입자를 대상 시료로 결정하였다. 표 7.1은 Santa Monica 해변 모래의 물성치를 정리한 표이다.[1,5] 이 모래시료에 대한 자세한 사항은 이미 제7장에서 설명하였으므로 자세한 사항은 그곳을 참조하기로 한다.

이 모래의 구성광물을 살펴보면 표 7.1에서 보는 것처럼 석영과 장석이 각각 약 45%씩 차지하여 흙구성의 주류를 이루고 있으며 자철광이 약 8% 그리고 잔여광물 2% 정도로 구성되어 있다. 또한 균등계수는 1.58, D_{50}은 0.265mm이고 비중은 2.66이며 최대간극비는 0.91, 최소간극비는 0.60이다.

10.3 응력경로

남정만(1993)은 모래의 주응력방향의 회전효과를 고찰하기 위해 34회의 비틀림전단시험을 배수상태로 실시하였다.[1,12] 비틀림전단시험에 사용된 중공원통형 공시체의 좌표계를 Cartesian

좌표계로 나타내면, 그림 10.7에서와 같이 연직응력을 σ_z로 하고 공시체의 연직면에 수직으로 작용하는 수평응력을 σ_r로 하며 공시체의 원주방향으로 작용하는 힘을 σ_θ로 정하였다.

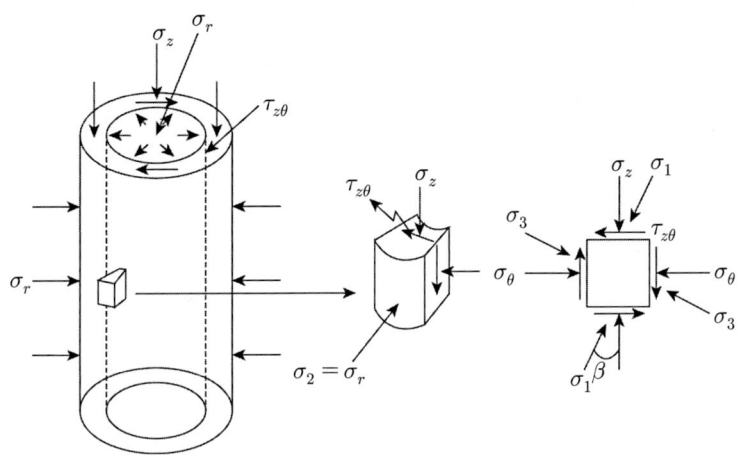

그림 10.7 중공원통형 공시체 Cartesian 좌표계의 응력성분

모래의 주응력방향의 회전효과를 고찰하기 위하여 배수상태로 실시한 12회의 비틀림전단시험(남성만(1993)[1]이 실시한 시험의 일부)을 그림 10.8~10.12와 같이 정리하였다. 이들 시험의 응력경로는 복잡성을 피하기 위하여 각 응력경로에 해당하는 경로를 특성별 그룹으로 분리하여 그림 10.8~10.12과 같이 나타내었다.

첫 번째 그룹의 응력경로로는 그림 10.8(a)와 (b)에서 보는 것처럼 우선 일반 삼축시험에서와 같이 중공원통형 공시체에 전단력을 가하지 않고 단지 연직력만을 가한 삼축압축시험과 삼축신장시험의 응력경로이며 이를 각각 T-1 시험과 T-2 시험으로 정하였다.

두 번째 그룹의 응력경로로는 주응력축 회전효과를 고려할 수 있는 비틀림전단시험경로를 1차적으로 결정하였다. 우선 가장 기본적인 응력경로로서 그림 10.9(a)에서 보는 것처럼 현재의 지반상태로 생각할 수 있는 K_0-상태에서 단지 전단력만을 추가 작용시킨 T-3 시험을 기준으로 K_0-상태인 점을 경유하는 시험(T-4 시험)과 경유하지 않는 시험(T-5 시험)을 포함하여 압축인 부분에서 시험을 실시하였다.

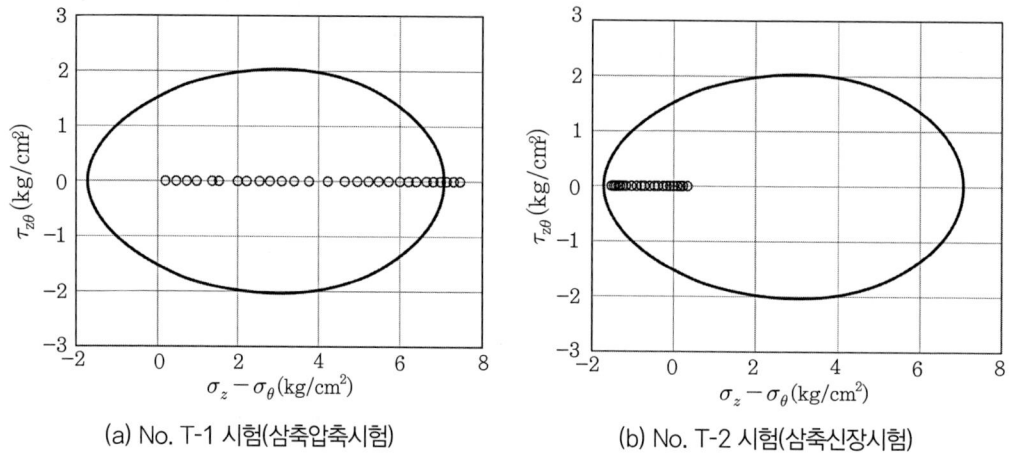

(a) No. T-1 시험(삼축압축시험) (b) No. T-2 시험(삼축신장시험)

그림 10.8 비틀림전단시험 응력경로(삼축압축응력경로과 삼축신장응력경로)

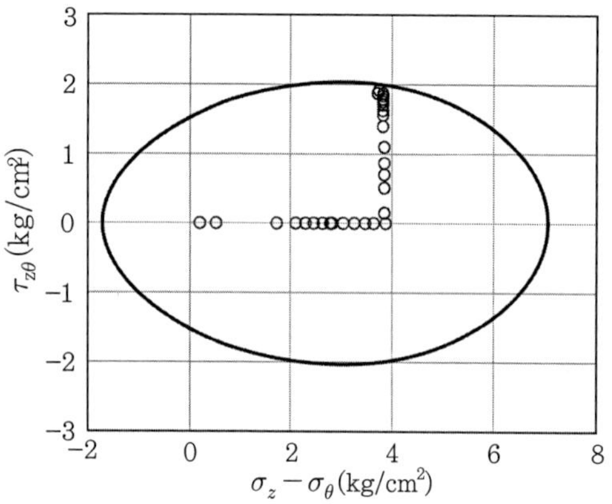

(a) No. T-3 시험 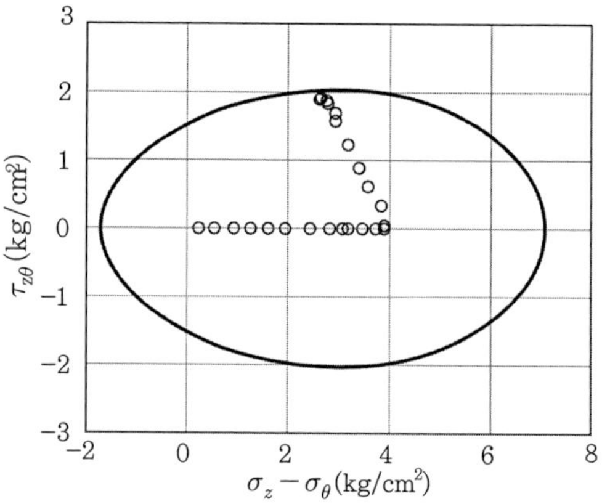 (b) No. T-4 시험

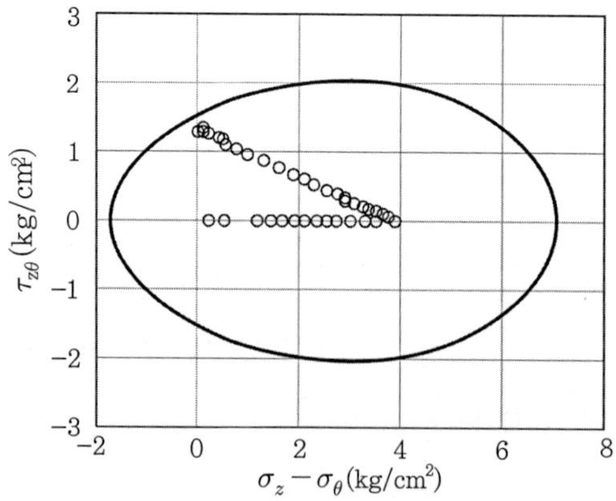

(c) No. T-5 시험

그림 10.9 비틀림전단시험 응력경로(전단력만 가한 응력경로)

세 번째 그룹의 응력경로로는 연직하중을 추가로 가하지 않고 단지 전단력만을 가한 시험(두 번째 그룹 시험의 T-3, T-4, T-5 응력경로)에 이어서 연직하중이 신장 부분에서의 시험(T-6 및 T-7 응력경로)을 1차적으로 실시하는 응력경로로 하였다(그림 10.10 참조).

이들 응력경로는 각각 압축연직하중의 경우는 그림 10.9에 신장연직하중의 경우는 그림 10.10과 같이 도시하였다. 이때 비틀림하중 작용방향은 시계방향으로 하여 전단응력이 y축의 양의 방향에만 위치하게 하였다.

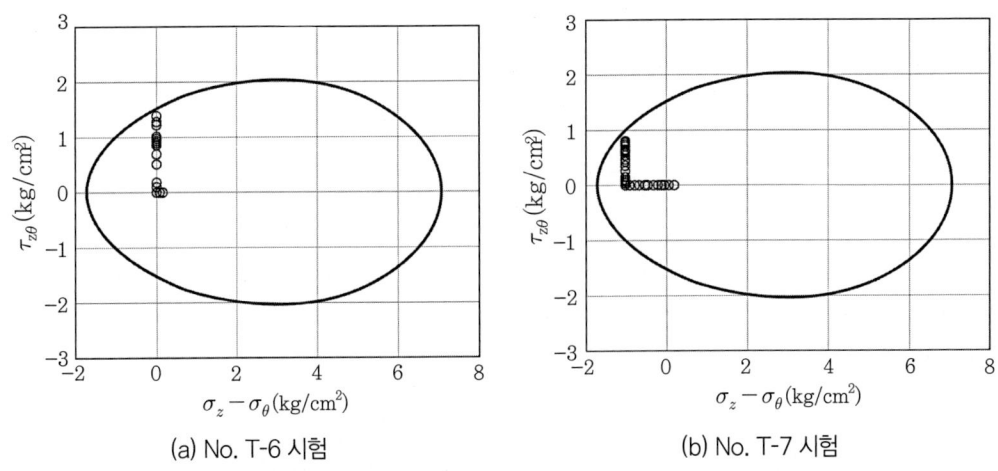

(a) No. T-6 시험　　　　　　　　　　(b) No. T-7 시험

그림 10.10 비틀림전단시험 응력경로(연직하중이 인장인 응력경로)

네 번째의 그룹의 응력경로는 대응력반전을 위해 응력상태를 파괴점 가까이 유도하였다가 응력경로를 반전시켰으며 전단응력을 위한 비틀림하중도 앞에서와 달리 시계방향과 반시계방향 모두를 작용시킨 경우도 포함되어 있고, 이들 응력경로는 T-8, T-9 및 T-10으로 정하였으며, 이들 응력경로는 그림 10.11(a)에서 (c)까지에 도시한 바와 같다.[1]

우선 T-8 시험응력경로는 그림 10.11(a)에서 보는 것처럼 우선 전단력을 $1kg/cm^2$ 작용시킨 후 연직하중을 축차응력이 $6kg/cm^2$ 지점까지 압축·작용시켰다. 여기서 응력경로를 다시 연직하중이 지나왔던 경로를 똑같이 반복하여 되돌아가 축차응력이 0인 지점까지 반전시키고 인장응력영역까지 계속 작용시킨 시험이다.

T-9 응력경로는 그림 10.11(b)에서 보는 것처럼 응력경로를 우선 T-8 시험과 같이 전단력을 $1kg/cm^2$ 작용시킨 후, 전단력을 감소시키면서 연직하중을 작용시켜 연직응력이 $5.5kg/cm^2$

이고 전단응력이 0인 지점까지 유도시킨 후 다시 전단력을 시계방향으로 작용시켜 파괴를 유도한 경우이다. 파괴면 가까이 유도한 후 응력을 반전시켜 연직하중을 감소시키며 전단력을 감소시키고 전단력을 다시 반시계방향으로 작용시킨 경우이다.

마지막으로 T-10 응력경로는 그림 10.11(c)에서 보는 것처럼 응력경로를 연직하중과 전단력을 각각 달리 작용한 것으로 최초전단력을 가한 후 연직하중을 작용시키고, 다시 전단력을 반시계 방향으로 작용시켜 전단력을 음의 방향으로 유도하였으며, 이러한 과정을 반복하여 하중을 작용시켜 응력경로를 그림에 도시한 바와 같다.

다섯 번째 그룹의 응력경로는 공시체의 높이에 관한 영향을 검토하기 위하여 공시체의 높이를 25cm로 감소시켜 시험을 실시하였다. 여기서 응력경로는 단지 두 공시체의 강도비교를

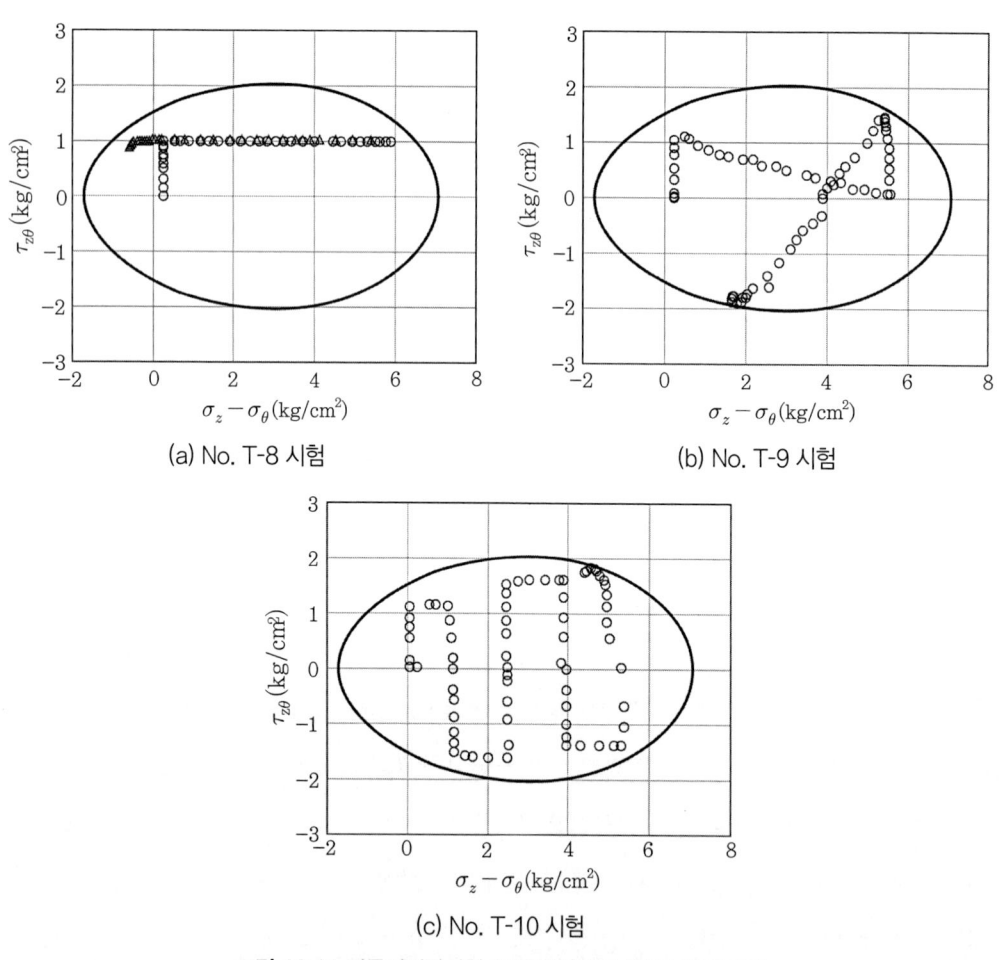

그림 10.11 비틀림전단시험 응력경로(대응력반전 응력경로)

위하여 그림에서와 같이 간단히 하여 축차응력이 압축부분의 응력경로(T-11 응력경로)와 인장부분의 응력경로(T-12 응력경로)에서 실시한 시험이다. 이들 시험의 응력경로는 각각 그림 10.12(a)와 그림 10.12(b)와 같다.

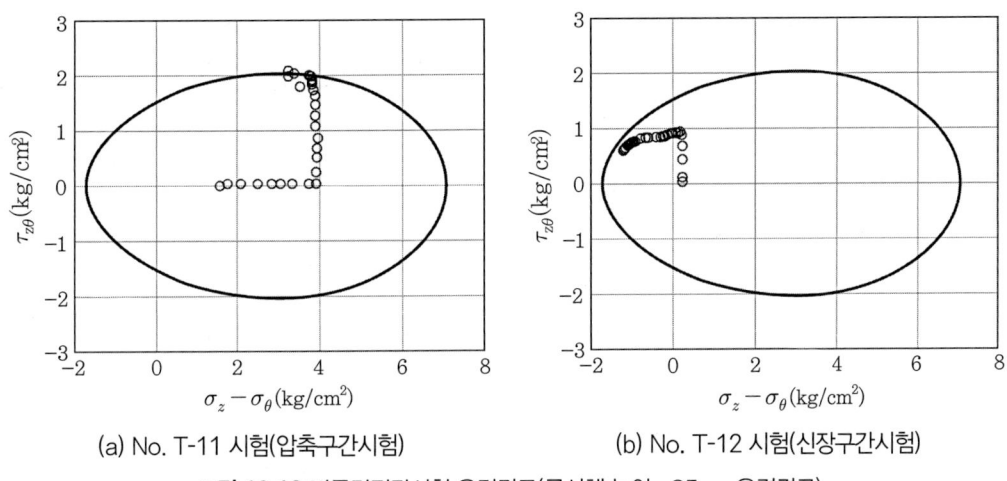

(a) No. T-11 시험(압축구간시험) (b) No. T-12 시험(신장구간시험)

그림 10.12 비틀림전단시험 응력경로(공시체 높이=25cm 응력경로)

10.4 응력 – 변형률거동

10.4절에서는 표 10.1에서 열거한 12회의 비틀림전단시험들 중 T-3과 T-7 및 T-9 시험에 대한 비틀림전단시험 결과를 설명한다. 우선 그림 10.13은 T-3 시험 결과를 응력경로와 응력–변형률거동 등으로 분류하여 4개의 그림으로 도시한 결과이다.

그림 10.13(a)는 x축이 축차응력 $(\sigma_z - \sigma_\theta)$이고 y축이 전난응력 $\tau_{z\theta}$인 비틀림 평면에 T-3 시험의 응력경로를 도시한 것으로 여기서는 연직하중을 K_o 상태까지 가한 상태에서 비틀림 하중을 시계방향으로 가하여 시험을 실시하였다. 이 그림에서 실선으로 도시된 타원은 등방일경화 모델의 파괴규준을 이용하여 η_1이 44.53이고 m이 0.1인 경우의 파괴면을 도시한 것이고, 검은 원은 시험 시 파괴가 발생한 위치를 나타낸 것으로 파괴는 이론식에 의해 제안된 파괴면 바로 아래에서 발생하고 있다.

표 10.1 비틀림전단시험계획

시험번호	공시체높이(cm)	비틀림하중 방향	내부마찰각(ϕ)	b
T-1	40		40.684	0.0
T-2	40		38.435	1.0
T-3	40		43.793	0.15
T-4	40		44.565	0.217
T-5	40		41.887	0.489
T-6	40	시계방향	43.271	0.492
T-7	40		38.714	0.771
T-8	40		36.316	0.646
T-9	40		45.517	0.283
T-10	40		43.174	0.108
T-11	25		46.643	0.191
T-12	25		39.528	0.839

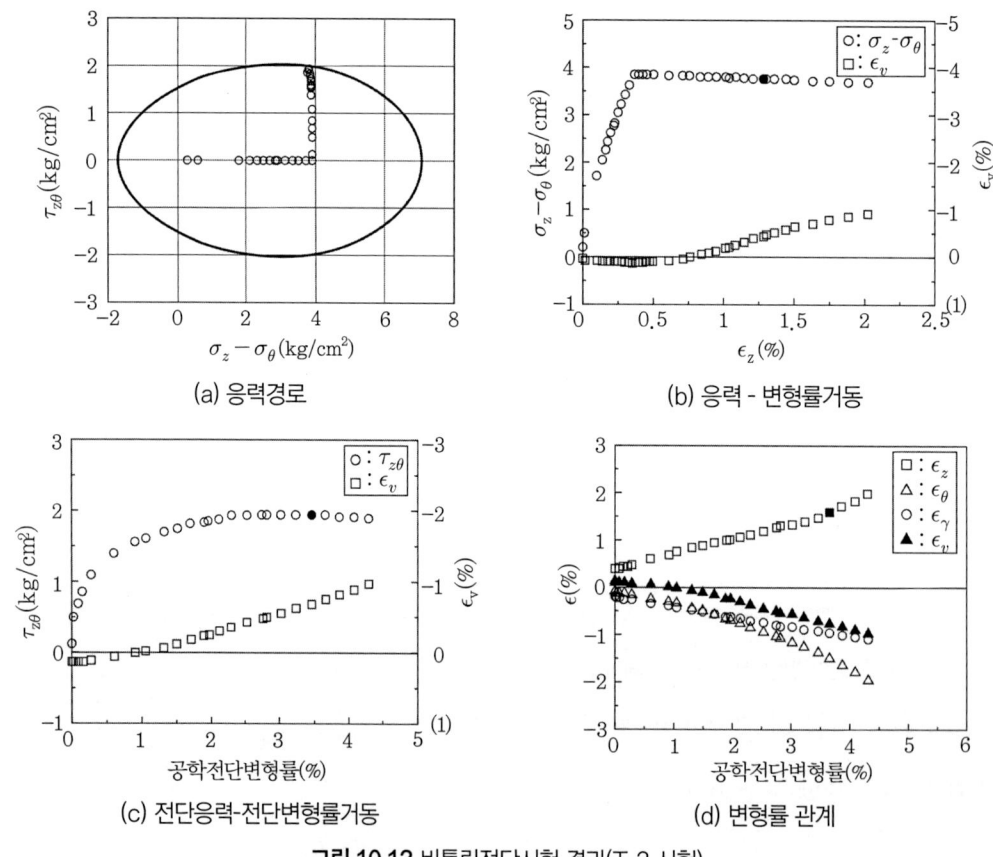

(a) 응력경로

(b) 응력 - 변형률거동

(c) 전단응력-전단변형률거동

(d) 변형률 관계

그림 10.13 비틀림전단시험 결과(T-3 시험)

그림 10.13(b)는 연직응력($\sigma_z - \sigma_\theta$)과 체적변형량 ϵ_v을 축변형 ϵ_1에 관해 도시한 것이다. 그림에서 축차응력은 축변형률이 약 0.3%인 지점까지는 계속 증가하여 축차응력이 약 3.9kg/cm² 지점에 도달하고 그 이후는 축차응력이 감소하는 경향을 미세하게 보이며 일정하게 유지되고 있다. 그러나 축변형률은 축차응력이 일정하게 유지되고 있어도 계속 발생하여 공시체의 파괴는 그림에서 검은 원으로 표시한 축변형률이 약 1.25%인 지점에서 발생하고 있다. 그리고 체적변형량은 축변형률 0.75%까지는 압축변형을 나타내다 그 이후로 다이러턴시에 의한 체적팽창현상을 보이고 있다.

한편 그림 10.13(c)는 전단응력 $\tau_{z\theta}$를 공학전단변형률 $\gamma_{z\theta}$에 관해 도시한 것으로 전단응력은 전단변형률이 증가함에 따라 증가하다 파괴를 나타낸 검은 원 이후 조금씩 감소하고 있음을 볼 수 있다.

그림 10.13(d)는 공학전단변형률 $\gamma_{z\theta}$에 대한 축변형률, 수평변형률 및 체적변형률의 관계를 도시한 것으로 그림에서 흰 사각형은 축변형률 ϵ_z을 나타낸 것이며, 흰 삼각형은 원주방향변형률 ϵ_θ을, 흰 원은 반경방향변형률 ϵ_r을 나타낸 것이다. 그리고 검은 삼각형은 체적변형률을 나타내고 있다.

여기서 축변형률은 공학전단변형과 더불어 압축변형이 증가되고 있으며 체적변형량은 처음에는 압축변형을 조금 보이다 곧 체적팽창을 보이고 있고 ϵ_r과 ϵ_θ도 인장변형이 발생하고 있음을 볼 수 있다.

그림 10.14는 T-7 시험 결과를 도시한 것으로 그림 10.14(a)의 응력경로는 최초 연직하중을 축차응력이 약 -1kg/cm² 정도까지 삼축신장에 해당하는 하중을 작용시킨 후 비틀림하중을 시계방향으로 작용시킨 시험이다.

그림 10.14(b)의 축변형률에 대한 축차응력은 축변형률이 약 0.3%까지 축차응력이 인장 측으로 증가하다 축차응력이 약 -1kg/cm² 지점부터는 약간 감소하는 듯하면서 일정하게 유지되고 있다. 그러나 축차응력이 일정하게 유지되어도 축변형률은 인장 측으로 계속 발생하고 있으며 파괴를 나타낸 검은 원은 축변형률이 약 -2.25%인 지점에서 나타나고 있다. 이것은 T-3 시험 결과를 도시한 그림 10.13(b)에서와 같은 현상이라 할 수 있다.

T-3 시험에서는 전단응력이 작용되는 동안 선행하중인 연직압축응력에 의해 축변형률이 계속 압축 측으로 발생하였으며, 그림 9.13(b)에서는 전단응력이 작용되는 동안 선행하중인 인

장응력에 의해 축변형률이 인장 측으로 많이 발생하고 있다. 즉, 이것은 하중결합효과(coupling effect)에 의한 영향으로서 점토에 관한 Hong & Lade(1989b)의 결과에서도 찾아볼 수 있다.[20] 체적변형률은 연직하중이 가해짐과 동시에 약간의 팽창경향을 보이다 체적압축경향으로 바뀌고 이것은 다시 체적팽창으로 변하여 연직하중이 작용하지 않아도 전단력의 영향에 의해 다이러턴시 현상을 보이고 있다.

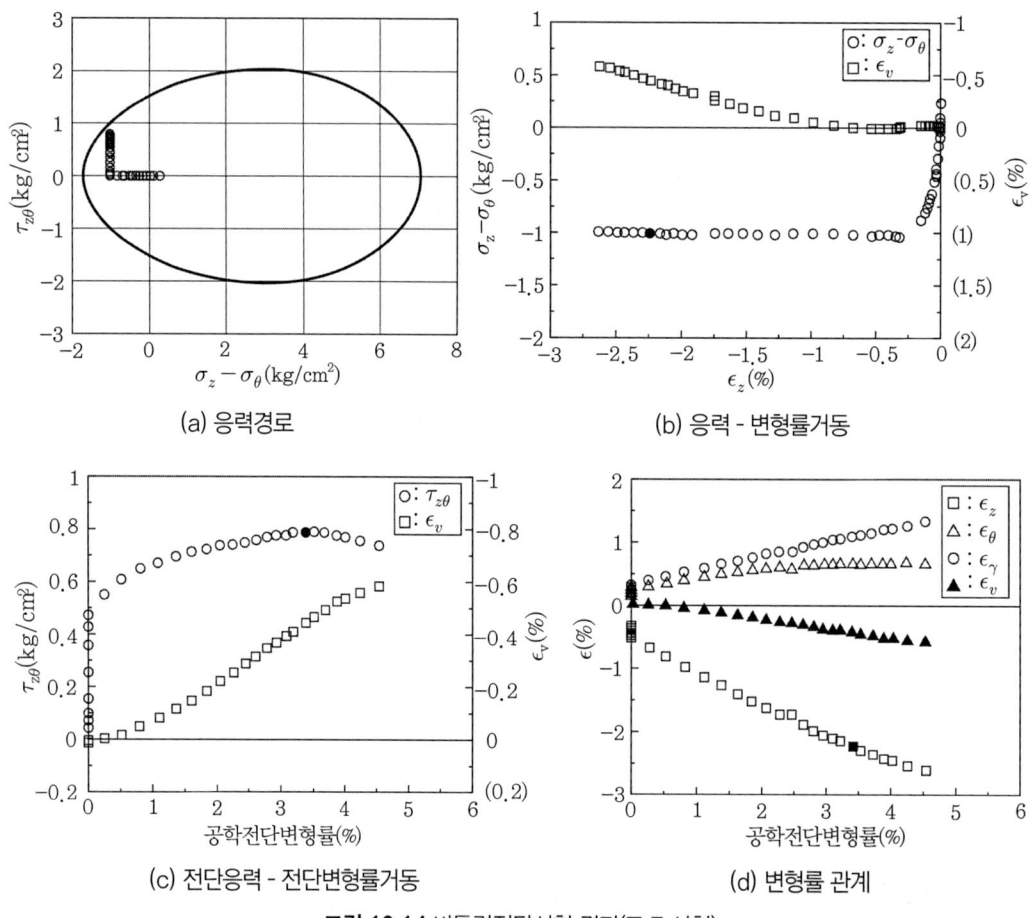

(a) 응력경로

(b) 응력 - 변형률거동

(c) 전단응력 - 전단변형률거동

(d) 변형률 관계

그림 10.14 비틀림전단시험 결과(T-7 시험)

그림 10.14(c)의 공학전단변형률에 대한 전단응력의 관계에서는 최초 전단변형은 전단응력이 작용하여도 변형이 늦게 발생하고 있으며, 전단변형이 발생한 이후 발생속도는 급속히 이루어지고 있어 이는 완전 소성체의 거동에서와 비슷한 경향을 보이고 있다.

그림 10.14(d)의 변형률 관계도에서는 축변형률과 체적변형률은 인장거동을 보이고 있으나 공시체의 원주방향과 반경방향의 변형은 압축거동을 보이고 있다.

그림 10.15는 T-9 시험 결과를 도시한 것으로 그림 10.15(a)의 응력경로는 전단력을 재하와 제하로 반복하여 작용시켰으며 반시계방향까지도 작용시킨 경우이다.

그림 10.15(b)의 축변형률에 대한 축차응력의 변화에서 초기축차응력이 약 2.5kg/cm²까지는 축변형률의 변화가 거의 발생하지 않는 것으로 나타나고 있다. 이 결과로 응력경로 초기에 작용된 선행전단응력이 연직응력의 증가에 의한 축변형률거동에 많은 영향을 미치는 것으로 추측할 수 있다. 그리고 축변형률에 대한 체적변형률은 축변형률이 0.6%인 지점 이후에서 체적팽창 경향을 보이며, 축변형률이 약 1.3%인 지점에서는 축차응력은 감소하고 있으나 전단응력에 의해 계속 다이러턴시현상이 발생하고 있다.

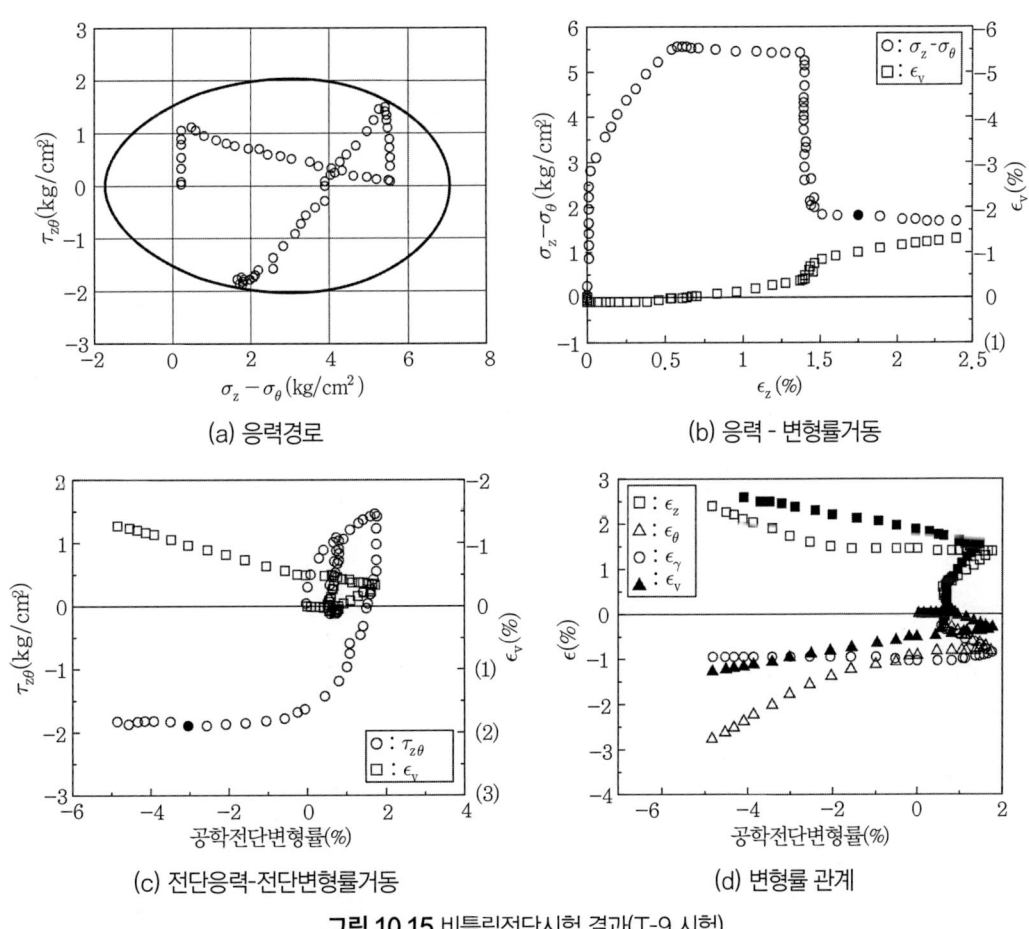

그림 10.15 비틀림전단시험 결과(T-9 시험)

그림 10.15(c)의 공학전단변형률에 대한 전단응력의 거동에서는 전단응력이 재하와 제하에 의해 반복경로를 보이다 반시계방향의 전단력에 의해 음의 전단변형률을 보이며 전단변형률 -3% 지점에서 파괴가 발생하고 있음을 볼 수 있다.

그림 10.15(d)에서는 공학적 전단변형률의 변화에 따라 축변형률은 압축변형을 보이고 있으나 나머지 체적변형률과 수평변형률들은 인장변형을 나타내고 있음을 볼 수 있다.

10.5 주응력축 회전

중공원통형 공시체에 작용하는 응력을 원통좌표로 표시하면 그림 10.7과 같다.[3,11] 이 그림 중 공시체 내부의 한 요소에 작용하는 응력성분을 검토해보면 수직응력으로는 σ_z, σ_r 및 σ_θ가 작용하고 전단응력으로는 $\tau_{z\theta}(=\tau_{\theta z})$가 작용한다.

만약 전단응력이 작용하지 않으면 수직응력 σ_z, σ_r 및 σ_θ는 그대로 주응력이 된다. 그러나 전단응력이 작용할 경우는 주응력의 방향과 크기가 변하게 된다. 이 수직응력과 전단응력으로 Mohr의 응력도를 그려보면 그림 10.16(a)와 같이 된다. 여기서 최대주응력 σ_1 및 최소주응력 σ_3는 식 (10.8)에 의하여 산출될 수 있다.

$$\sigma_1, \sigma_3 = \frac{1}{2}(\sigma_z + \sigma_\theta) \pm \sqrt{\frac{1}{4}(\sigma_z - \sigma_\theta)^2 + \tau_{z\theta}^2} \tag{10.8}$$

중간주응력 σ_2는 그림 10.7의 요소도에서 보는 것처럼 σ_r이 작용하는 면에서 전단응력이 작용하지 않고 구속압만 작용하므로 구속압 σ_r이 곧 σ_2가 된다.

최대주응력 σ_1의 작용방향 ψ는 Mohr응력도의 기하학적 특성으로부터 식 (10.9)와 같이 구해지며 그림 10.16(a)와 같이 도시된다. 따라서 주응력 σ_1의 방향은 전단응력의 작용에 의하여 연직축으로부터 ψ만큼 회전하게 된다.

$$\tan 2\psi = \frac{2\tau_{z\theta}}{\sigma_z - \sigma_\theta} \tag{10.9}$$

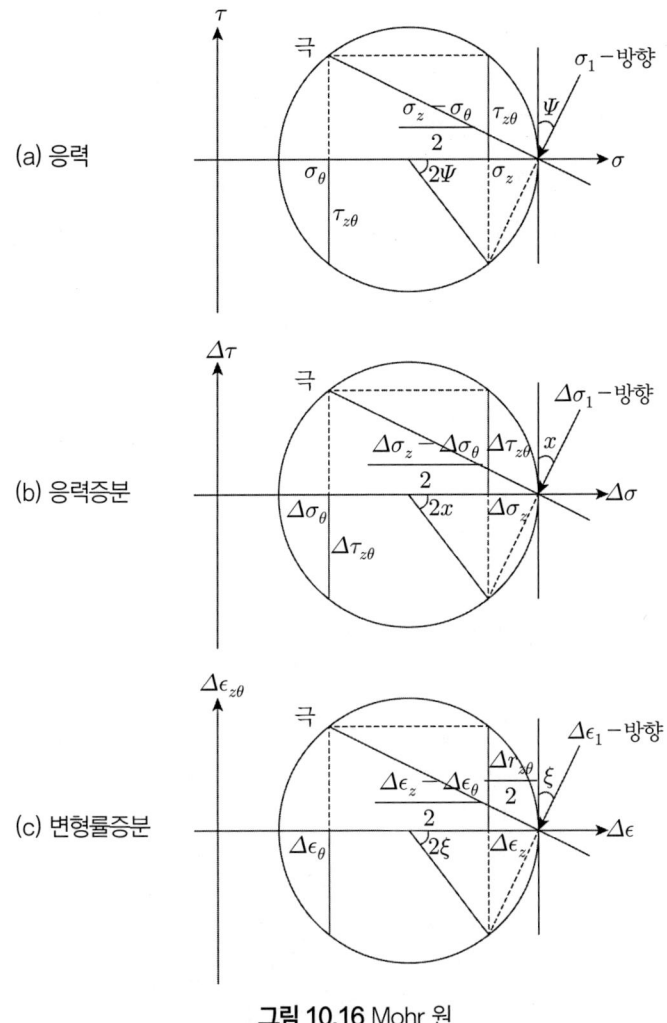

그림 10.16 Mohr 원

T-3, T-6, T-7, T-9, T-10 시험 결과에 대해 변형률과 주응력축 회전각의 관계를 도시하면 그림 10.17(a),(b),(c)와 같다. 즉, 그림 10.17(a)는 T-3, T-6 및 T-7 시험 결과를 도시한 것으로 흰 원으로 나타낸 T-3 시험은 그림 10.9(a)의 응력경로에서 보는 것처럼 연직하중을 압축 측으로 가한 후 전단변형률이 증가함에 따라 서서히 증가하다 약 22°에서 일정하게 유지되고 있다.

등방압축 후 연직하중은 가하지 않고 단지 전단력만 작용시킨 T-6 시험의 주응력축방향은 약 45° 지점에서 일정하게 유지되고 있다. 한편 연직하중에 신장력을 가한 후 전단력을 시계방향으로 가한 T-7 시험은 최초전단력이 가해지기 전 연직신장력에 의해서는 주응력의 방향이 수평방향이어서 연직축과 90°를 이루고 있으며, 전단력이 가해짐에 따라 그 방향이 조금씩 감소하여 연직축 σ_z와 약 65° 정도를 유지하는 것으로 나타나고 있다.

T-9 시험의 결과를 도시한 그림 10.17(b)에서는 주응력방향이 전단력의 재하와 제하에 따라 변화함을 보이고 있으며, 연직하중의 크기가 증가함에 따라 주응력의 방향은 연직축으로 접근하고 전단력이 증가하면 연직축에서 멀어져감을 알 수 있다. 그리고 비틀림하중의 방향을 반시계방향으로 작용하였을 때는 주응력의 방향을 나타내는 ψ가 음의 값을 가지는 것으로 나타나고 있다. 이상의 그림 10.17(a)와 (b)의 검토로부터 주응력축의 방향은 연직압축하중

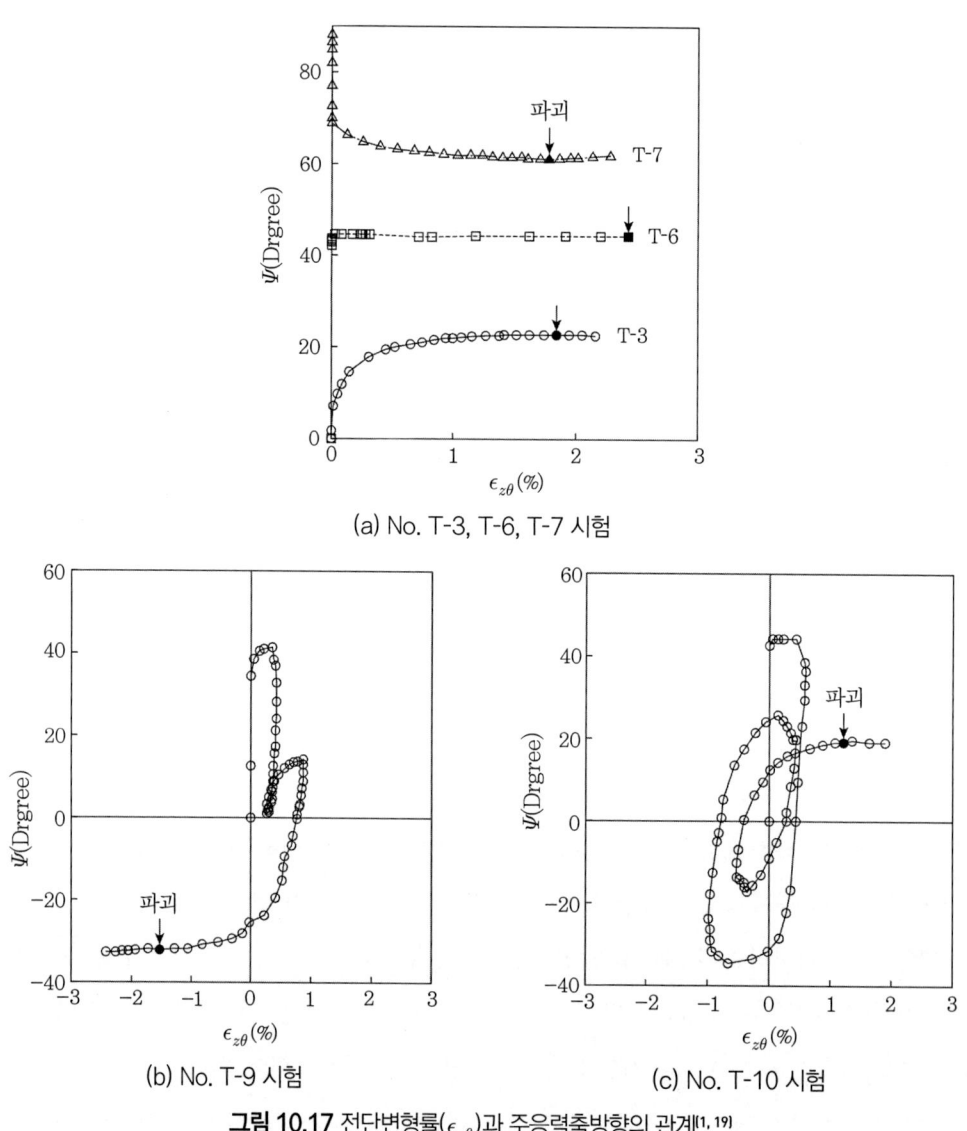

(a) No. T-3, T-6, T-7 시험

(b) No. T-9 시험

(c) No. T-10 시험

그림 10.17 전단변형률($\epsilon_{z\theta}$)과 주응력축방향의 관계[1, 19]

만을 작용시켰을 경우는 연직축과 일치하게 되고 전단력이 증가하고 연직압축하중이 감소하여감에 따라 주응력축의 방향이 연직축에서 멀어지게 된다. 그리고 연직하중이 작용하지 않고 전단력만 작용하였을 때는 연직축과 45°의 기울기를 이루며, 주응력이 작용하고 연직하중에 신장력이 작용하였을 경우 회전각은 계속 증가하여 삼축신장시험에서는 연직축과 90°를 이루게 된다. 그리고 전단력이 반시계방향으로 작용하였을 때는 주응력축의 방향이 연직축을 기준으로 왼쪽으로 회전하여 ψ가 음의 값을 갖는 것으로 나타나고 있다.

그림 10.17(c)는 T-10 시험의 결과를 도시한 것으로 그림 10.11(c)의 응력경로에서 보는 것처럼 최초 전단력만 작용하였을 때는 주응력방향이 연직축과 약 45°를 이루는 것으로 나타나고 있으나 연직하중의 작용에 의해 ψ가 조금 감소하고 전단력의 방향이 반시계방향으로 변화함에 따라 ψ가 감소하여 약 -34°까지 감소함을 볼 수 있다. 그리고 연직하중의 증가에 의해 ψ가 양의 방향으로 변하고 있으며, 전단력의 작용방향이 반복됨에 따라 ψ도 양의 방향과 음의 방향으로 반복하여 나타나고 있다. 그리고 전단력의 작용방향에 따라 연직축을 기준으로 주응력축의 좌우 회전을 나타내는 ψ는 그 절대치가 전단력의 방향에 관계없이 연직하중이 증가함에 따라 조금씩 감소하고 있음을 볼 수 있다.

10.6 비틀림전단시험에 의한 강도특성

그림 10.18은 높이가 40cm인 공시체에 대한 비틀림전단시험 결과로부터 구한 파괴점을 구속압 σ_r이 2kg/cm^{2}인 torsion 평면에 도시한 그림이다.[2,4,20] 여기서 실선은 η_1이 44.53이고 m이 0.1일 때의 등방일경회 모델의 파괴면을 나타낸 것이고 흰 원은 실험 결과로부터 구한 파괴점을 나타내었다.

이 그림에서 이론치에 의한 파괴면과 시험치는 대체적으로 잘 일치하는 경향을 보이고 있다. 이들 결과를 세부적으로 살펴보면 삼축압축시험에 해당하는 $b=0$의 시험에서는 실험 결과치가 예측파괴면보다 조금 커 약간의 차이를 보이고 있고 그의 다른 3개의 시험에서도 시험치가 예측파괴면보다 조금 큰 값을 보이나 삼축압축에 해당하는 시험보다는 훨씬 근소한 차이를 보이고 있다. 그리고 나머지 다른 시험에서는 시험치가 예측파괴면보다 적게 산정되고 있으나 이는 미세한 차이로 볼 수 있다. 이를 축차응력이 압축일시와 신장일시의 두 가지로 분류하여 파괴면과 비교하면 압축에서는 파괴강도가 예측치와 차이가 미세하여 좋은 일치를 보이고 있으나 신장부분에서는 그 차이가 압축에서 보다 조금 더 많이 발생하는 것으로 나타나고 있다.

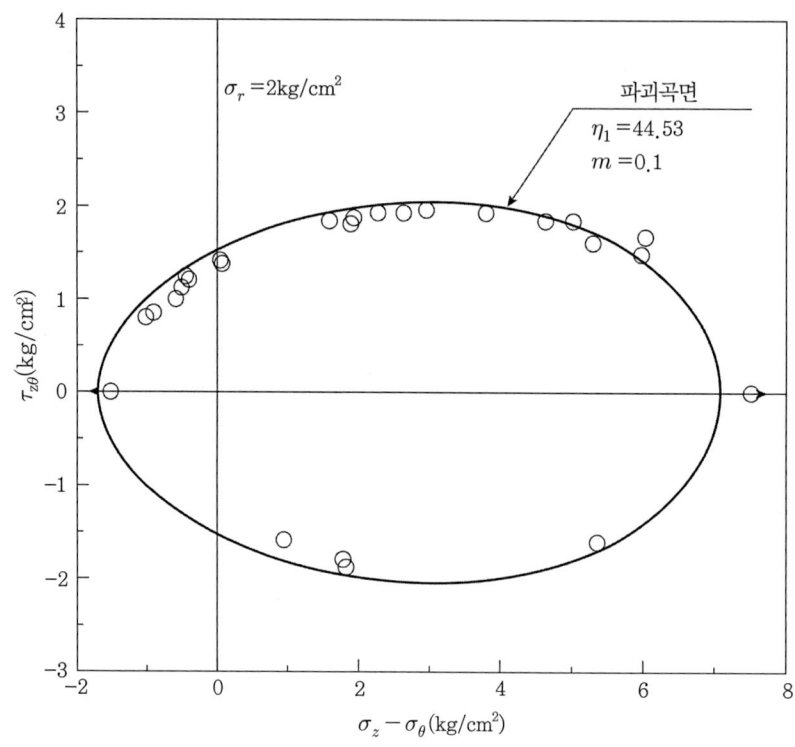

그림 10.18 파괴포락선과 실험 결과[2,4,20]

한편 응력경로의 종착점이 비슷한 시험 결과를 비교해보면 각 응력경로에 따른 파괴강도는 거의 같은 값을 보이고 있다. 즉, 이것은 모래의 파괴강도는 응력경로에 영향을 받지 않고 현재의 응력상태에 의해 파괴강도가 결정되어짐을 의미한다.

비틀림전단시험에서 내부마찰각 ϕ와 주응력비 b는 식 (10.10) 및 (10.11)과 같다.

$$\phi = \sin^{-1}\left(\frac{\sigma_1 - \sigma_3}{\sigma_1 + \sigma_3}\right) = \sin^{-1}\left(\frac{2\sqrt{(\sigma_z - \sigma_\theta)^2/4 + \tau_{z\theta}^2}}{(\sigma_z + \sigma_\theta)}\right) \tag{10.10}$$

$$b = \frac{(\sigma_2 - \sigma_3)}{(\sigma_1 - \sigma_3)} = \sin^2\beta \tag{10.11}$$

여기서, β는 그림 10.20에서 보는 것처럼 최대주응력방향이 연직축과 이루는 각을 말한다.

그림 10.19는 Lade(1973)와 Hong & Lade(1989b)에 의해 모래와 점토에 대해 실시된 내부마찰각을 응력비에 따라 도시한 것으로 흙의 내부마찰각은 응력비 b의 증가에 따라 조금씩 증가하다 b가 1에 가까운 지점에서 약간 감소하는 경향을 보이고 있으며, 삼축압축에서의 시험결과보다 삼축신장에서 더 높은 값을 보이고 있다.

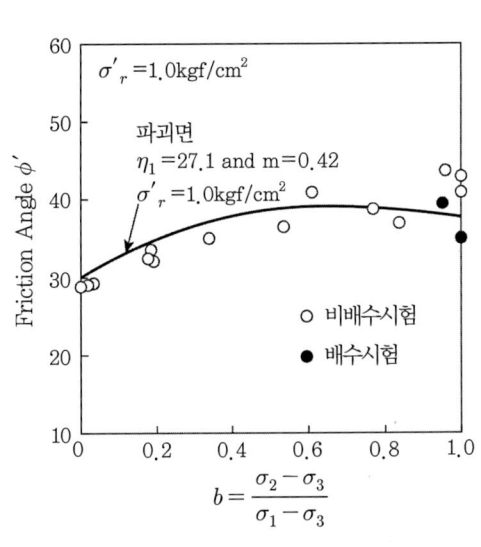 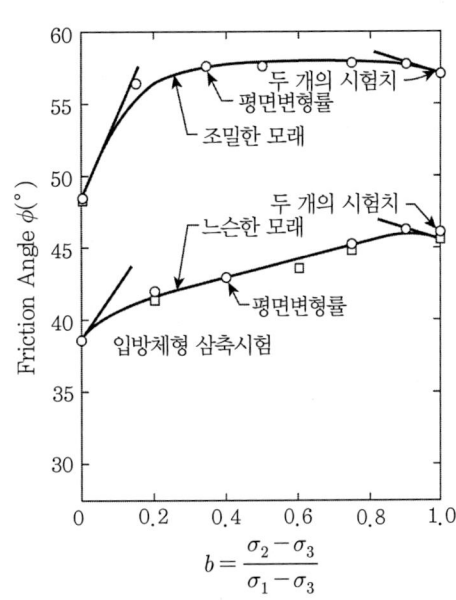

(a) EPK 점토의 비틀림전단시험[7,8,11,20]　　(b) Monterey No.0 모래의 입방체형 삼축시험(Lade, 1973)

그림 10.19 $b-\phi$ 관계도

그러나 Hight et al.(1983)의 보고에 의하면[18] 표 10.2 및 10.3에서 보는 것처럼 삼축압축에서의 내부마찰각이 삼축신장에서 보다 크게 나오는 경우도 간혹 보고되고 있다.

표 10.2 조밀한 Ham 강모래의 배수강도 이방성[18]

b	$\alpha;\degree$	ϕ'^{+}_{max}	
0	0	37.5	삼축압축
0.5	0	46.7	평면변형압축
0.5	45	39.3	평면변형($\alpha=45°$)
1	90	36.6	삼축신장

* $e_0 = 0.64$: Symes(1983)　$^{+}\sin\phi' = (R-1)/(R+1)$ 여기서 $R = \sigma_1'/\sigma_3'$

표 10.3 느슨한 Ham 강모래의 배수강도이방성[18]

b	$\alpha; °$	$\phi'_{max}{}^+$	
0	0	37.5	Triaxial compresion
0.5	0	46.7	Plane strain compresion
0.5	45	39.3	Plane strain($\alpha = 45°$)
1	90	36.6	Triaxial extension

* $e_0 = 0.64$: Symes(1983) $^+\sin\phi' = (R-1)/(R+1)$ 여기서 $R = \sigma_1'/\sigma_3'$

모래에서 공시체의 높이가 모래의 내부마찰각에 미치는 영향을 고려하기 위하여 Hong & Lade(1989a, 1989b)가 K_o 압밀점토에 대한 실시하였던 비틀림전단시험시 공시체의 높이와 동일하게 25cm로 조절하여 모래의 비틀림전단시험을 실시하였으며 40cm 높이의 공시체에 대한 비틀림전단시험 결과와 비교하였다.[19,20]

본 시험에서는 시험 도중 전단파괴면(Shear plane)이 관측되기 시작하는 시점과 시험이 끝

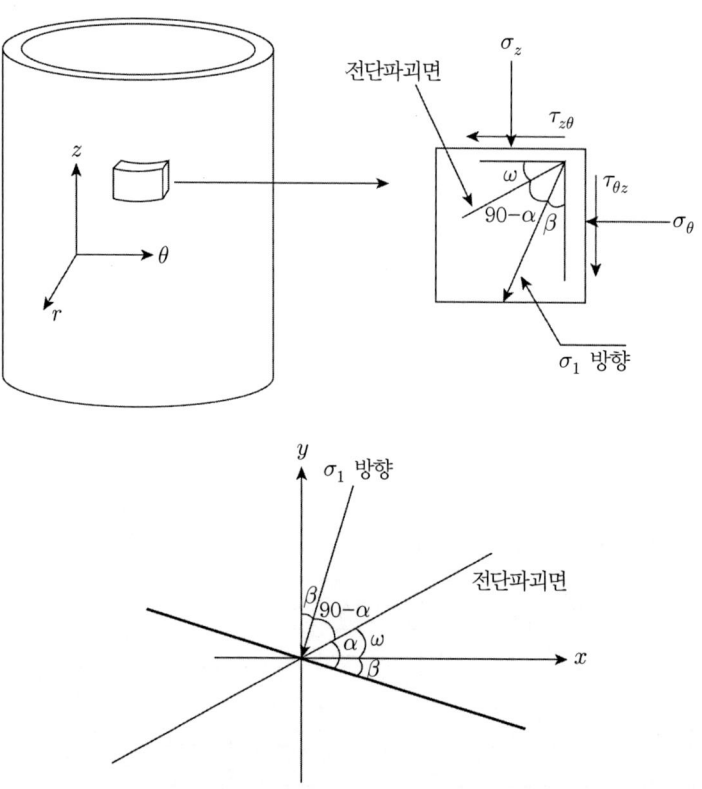

그림 10.20 최대주응력평면 σ_1면과 전단면 사이의 관계

난 후 전단파괴면과 이루는 각을 측정하였다. 여기서 그림 10.20에 도시한 것처럼 공시체의 파괴면이 수평면과 이루는 각을 ω라 하였으며 전단파괴면이 최대주응력평면 σ_1 면과 이루는 각을 α로 하고 주응력방향이 연직축과 이루는 각을 β라 하였다.

10.7 비틀림전단시험에 의한 변형특성

10.7.1 하중결합효과

그림 10.21은 연직하중과 전단력의 하중결합효과(Coupling effect)[9]를 고려하기 위해 이들 하중을 각각 구분하여 작용시킨 T-3, T-6 및 T-7의 시험 결과를 연직축차변형률과 전단변형률의 관계로 도시한 그림이다. 여기서 그림 10.21(a)는 이들 시험의 응력경로를 비틀림 평면에 나타낸 것으로 T-3은 연직축차응력을 압축 측으로 적용한 후 비틀림하중을 시계방향으로 작용시킨 경우로 그림에서 사각형으로 도시하였다.

그리고 T-6은 연직하중을 작용시키지 않고 단지 비틀림하중을 시계방향으로 작용시킨 경우로 원으로 도시하였으며 T-7은 연직축차응력을 인장 측으로 작용시킨 후 비틀림하중을 시계방향으로 작용시켰으며 삼각형으로 나타내었다. 한편 각 응력경로에서 파괴면과 좋은 일치를 보이고 있다.

그림 10.21(b)는 수직변형률 ϵ_z와 원주방향 변형률 ϵ_θ의 차인 축차변형률을 가로축에 두고 전단변형률 $\epsilon_{z\theta}$를 세로축에 두어 변형률 상호 간의 관계를 정리한 그림이다.

여기서 T-3 시험의 결과는 그림 10.21(a)에서와 같이 사각형으로 나타내었으며 연직하중에 의한 축차변형률이 약 0.25%까지 발생하고 있다. 그리고 연직하중이 고정인 상태에서 전단력에 의해 전단변형이 발생하고 있으며 동시에 축차변형률도 계속 압축 측으로 발생하고 있다. 이는 그림 10.13과 10.14에서도 설명했던 것처럼 하중결합효과에 의한 것으로 생각된다. 연직하중에 인장력을 작용시킨 T-3에서는 축차변형률이 인장 측으로 약 0.4% 발생한 후 전단력에 의한 전단변형률이 발생하고 있으며 전단변형률 발생 시 축차변형률도 인장 측으로 동시에 발생하고 있다. 이도 역시 하중결합효과에 의한 것이라 생각된다. 이러한 하중결합효과는 연직하중은 가하지 않은 상태에서 전단력만 적용시켜 파괴를 유도한 T-6 시험에서는 거의 발생하지 않고 있다.

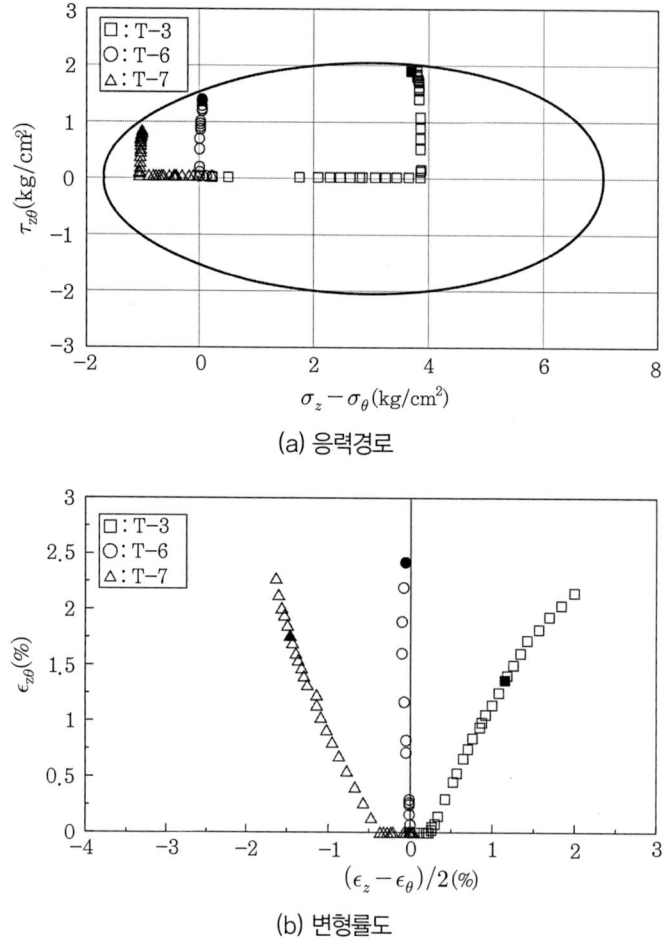

그림 10.21 연직축차변형률과 전단변형률 사이의 관계(T-3, T-6, T-7)

10.7.2 Mohr 원과 소성변형률증분벡터

전단시험 시의 응력, 응력증분 및 변형률증분의 방향이 Mohr 원으로 그림 10.16(a), (b), (c)와 같이 구해진다.[10,19] 여기서, ψ는 최대주응력 σ_1과 연직축 사이의 각이며 χ는 최대주응력증분 $\dot{\sigma}_1$와 연직축 사이의 각이고 ζ는 $\dot{\epsilon}_1$과 연직축 사이의 각을 나타낸 것으로 식 (10.9), (10.12) 및 (10.13)로 표시된다.

$$\tan 2\psi = \frac{2\tau_{z\theta}}{\sigma_z - \sigma_\theta} \tag{10.9}$$

$$\tan 2\chi = \frac{2\dot{\tau}_{z\theta}}{\dot{\sigma}_z - \dot{\sigma}_\theta} \tag{10.12}$$

$$\tan 2\zeta = \frac{2\dot{\epsilon}_{z\theta}}{\dot{\epsilon}_z - \dot{\epsilon}_\theta} \tag{10.13}$$

탄성이론에 의하면 탄성변형률증분의 방향은 응력증분의 방향과 일치하지만 소성이론에서는 소성변형률증분의 방향이 응력의 방향과 일치한다. 따라서 탄성거동에서는 $\zeta = \chi$이며 소성거동에서는 $\zeta = \psi$이 될 것이다. 그러므로 소성거동의 경우는 식 (10.9)와 (10.13)으로부터 식 (10.14)가 성립한다.

$$\frac{2\tau_{z\theta}}{\sigma_z - \sigma_\theta} = \frac{2\dot{\epsilon}_{z\theta}}{\dot{\epsilon}_z^p - \dot{\epsilon}_\theta^p} \tag{10.14}$$

파괴 시 소성변형률증분벡터의 방향을 조사하기 위해 식 (10.14)를 이용하여 그림 10.22와 같은 물리적 응력공간의 응력축 $\tau_{z\theta}$와 $(\sigma_z - \sigma_\theta)/2$에 소성변형률증분 $\dot{\epsilon}_{z\theta}^p$와 $(\dot{\epsilon}_z^p - \dot{\epsilon}_\theta^p)/2$를 중첩시켜보았다. 이때의 반경방향 수평응력 σ_r은 2kg/cm²으로서 그림 10.22은 σ_r =2kg/cm²일 때의 평면이다. 이 그림 중 실선으로 이루어진 계란모양의 타원은 η_1이 44.53이고 m이 0.1일 때의 단일경화모델의 파괴면을 나타낸 것이고 흰 원은 실험 결과로부터 구한 파괴점이다. 그리고 각 실험의 파괴점을 나타내는 원 중심에서 원점에 반대방향으로 표시된 실선화살표는 실험으로부터 구한 파괴 시의 소성변형률 증분의 방향을 나타내고 있으며 이것은 식 (10.13)으로 표시된 방향을 나타낸다. 그리고 원점으로부터 파괴점으로 향하는 점선화살표는 파괴 시의 응력상태를 설명하는 것으로 이 방향은 식 (10.9)로 표시된 방향이다.

그림 10.22에서 실선과 점선으로 표시된 화살표방향은 대부분의 시험에서 잘 일치하고 있음을 나타내고 있다. 이는 파괴 시의 소성변형률증분방향은 그 당시의 응력방향과 일치하고 있음을 나타내며 식 (10.14)가 성립됨을 증명하고 있다고 할 수 있다.

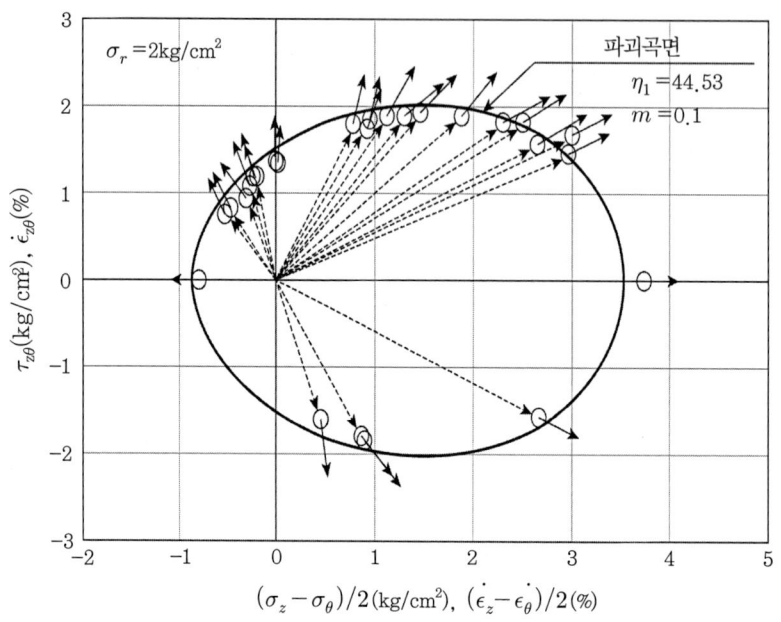

그림 10.22 최대주응력방향과 파괴 시 변형률증분방향[1,19]

10.7.3 일공간과 흐름법칙

그림 10.23은 비틀림전단시험에 대한 3차원의 일공간(work space) 개념을 설명하고 있다.[20] 연직축은 구속압 σ_r을 나타내고 수평축은 연직축차응력 $(\sigma_z - \sigma_\theta)$와 전단응력 $\tau_{z\theta}$를 나타내고 있다. 그림 중 파괴곡면(curved failure surface)은 등방경화모델의 식 (5.57)로부터 구해지며 $\sigma_r = 0$(구속압이 없는 상태를 의미) 위치를 원점으로 곡선을 이루고 있다. σ_r이 일정한 면상의 파괴면은 $(\sigma_z - \sigma_\theta)$축과 $\tau_{z\theta}$축의 교차점을 초점으로 하는 계란모양을 이룬다. 공시체의 응력이 이 파괴면내에 존재하면 파괴는 발생하지 않는다.

소성이론에서 응력과 변형률증분에 의하여 행해진 일량 dW는 일공간 개념에서 식 (10.15)와 같이 표현될 수 있다.

$$dW = \sigma_\theta \cdot \dot{\epsilon}_\theta + \sigma_z \cdot \dot{\epsilon}_z + \sigma_r \cdot \dot{\epsilon}_r + \tau_{zr} \cdot \dot{\gamma}_{zr} + \tau_{r\theta} \cdot \dot{\gamma}_{r\theta} + \tau_{z\theta} \cdot \dot{\gamma}_{z\theta} \tag{10.15}$$

여기서, $\dot{\epsilon}_\theta$, $\dot{\epsilon}_z$ 및 $\dot{\epsilon}_r$은 축변형률증분이고 $\dot{\gamma}_{zr}$, $\dot{\gamma}_{r\theta}$ 및 $\dot{\gamma}_{z\theta}$는 전단변형률증분이다. 비틀림시험에서는 식 (10.16)과 같이 된다.

$$\tau_{zr} = \tau_{r\theta} = 0$$
$$\dot{\gamma}_{zr} = \dot{\gamma}_{r\theta} = 0 \qquad (10.16)$$
$$\sigma_\theta = \sigma_r = \sigma_{cell}$$

따라서 식 (10.16)을 (10.15)에 대입하면 식 (10.15)는 다음과 같이 된다.

$$dW = \sigma_\theta \cdot \dot{\epsilon}_\theta + \sigma_z \cdot \dot{\epsilon}_z + \sigma_r \cdot \dot{\epsilon}_r + \tau_{z\theta} \cdot \dot{\gamma}_{z\theta} \qquad (10.17)$$

식 (10.17)을 $(\sigma_z - \sigma_\theta)$, σ_r 및 $\tau_{z\theta}$의 항으로 정리하고 체적변형률증분 $\dot{\epsilon}_v (= \dot{\epsilon}_\theta + \dot{\epsilon}_z + \dot{\epsilon}_r)$을 도입하면 식 (10.18)이 얻어진다.

$$dW = (\sigma_z - \sigma_\theta) \cdot \dot{\epsilon}_z + \sigma_r \cdot \dot{\epsilon}_v + \tau_{z\theta} \cdot \dot{\gamma}_{z\theta} \qquad (10.18)$$

그러므로 그림 10.23의 일공간상의 응력 $(\sigma_z - \sigma_\theta)$, σ_r 및 $\tau_{z\theta}$에 대응하는 변형률증분은 $\dot{\epsilon}_z$, $\dot{\epsilon}_v$ 및 $\dot{\gamma}_{z\theta}$가 된다.

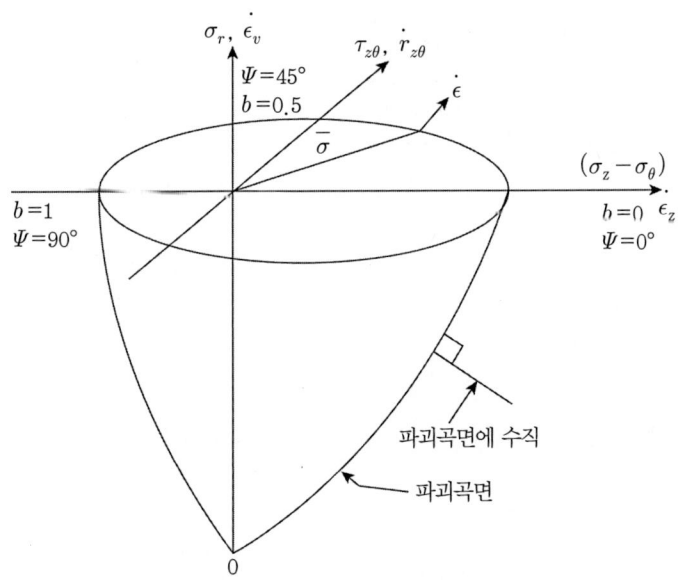

그림 10.23 비틀림전단시험에서의 3차원 응력공간

비배수시험의 경우는 $\dot{\epsilon}_v = 0$ 이므로 식 (10.18)로부터 (10.19)가 얻어진다.

$$dW = (\sigma_z - \sigma_\theta) \cdot \dot{\epsilon}_z + \tau_{z\theta} \cdot \dot{\gamma}_{z\theta} \tag{10.19}$$

한편 흐름법칙에서 관련흐름법칙은 소성포텐셜면과 항복면이 동일한 것으로 가정하여 소성변형률 증분벡터를 항복함수로부터 결정하며, 비관련흐름법칙은 항복함수와 소성포텐셜함수를 분리하여 제5장에서 설명했던 것처럼 소성변형률벡터를 소성포텐셜함수로부터 결정한다.

우선 관련 흐름법칙에 의한 소성변형률증분벡터를 구하기 위하여 Lade의 파괴규준을 이용하면 식 (10.20)의 관계가 성립된다.

$$d\epsilon_{ij}^p = d\lambda_p \frac{\partial f_p}{\partial \sigma_{ij}} \tag{10.20}$$

여기서, $d\lambda_p$는 소성변형률증분벡터의 양을 조절하는 상수이다. 그리고 식 (5.57)을 이용하면 일공간에 나타나 있는 소성변형률증분 $d\epsilon_z^p$와 $d\gamma_{z\theta}^p$는 식 (10.20)에 의거하여 다음과 같이 된다.

$$d\epsilon_z^p = d\lambda_p \cdot \frac{\partial}{\partial \sigma_z} \left[\left(\frac{I_1^3}{I_3} - 27 \right) \left(\frac{I_1}{P_a} \right)^m \right] \tag{10.21}$$

$$d\gamma_{z\theta}^p = d\lambda_p \cdot \frac{\partial}{\partial \tau_{z\theta}} \left[\left(\frac{I_1^3}{I_3} - 27 \right) \left(\frac{I_1}{P_a} \right)^m \right] \tag{10.22}$$

제1응력불변량과 제3응력불변량을 원통형 좌표계를 이용하여 표시하면 다음과 같다.

$$I_1 = \sigma_z + \sigma_\theta + \sigma_r \tag{10.23}$$

$$\begin{aligned} I_3 = &\sigma_r \cdot \sigma_\theta \cdot \sigma_z + \tau_{r\theta} \cdot \tau_{\theta z} \cdot \tau_{zr} + \tau_{\theta r} \cdot \tau_{\theta z} \cdot \tau_{rz} \\ &- \sigma_r \cdot \tau_{\theta z} \cdot \tau_{z\theta} + \sigma_\theta \cdot \tau_{zr} \cdot \tau_{rz} + \sigma_z \cdot \tau_{r\theta} \cdot \tau_{\theta r} \end{aligned} \tag{10.24}$$

본 시험에 사용된 비틀림전단시험기에서 $\tau_{r\theta} = \tau_{rz} = 0$이다. 그리고 식 (10.23)과 (10.24)를

식 (10.21)과 (10.22)에 대입하면 $d\epsilon_z^p$와 $d\gamma_{z\theta}^p$는 다음과 같이 된다.

$$\dot{\epsilon}_z^p = d\lambda_p \cdot \left(\frac{3I_1^2}{I_3} - \frac{I_1^2}{I_3^2} \cdot \sigma_r \cdot \sigma_\theta\right)\left(\frac{I_1}{P_a}\right)^m + \eta_1 \frac{m}{I_1} \tag{10.25}$$

$$\dot{\gamma}_{z\theta}^p = 2\dot{\epsilon}_{z\theta}^p = 2d\lambda_p \cdot \frac{I_1^3}{I_3}\sigma_r \cdot \tau_{z\theta} \cdot \left(\frac{I_1}{P_a}\right)^m \tag{10.26}$$

위 식 중 $d\lambda_p$는 여러 가지 실험들로부터 유도되어야 한다. 그러나 여기서는 관련흐름법칙과 비관련흐름법칙의 비교만을 위해 소성변형률증분벡터의 크기는 무시하고 단지 그 방향만을 시험결과와 비교하고자 한다. 따라서 식 (10.25)와 (10.26)에서 $d\lambda_p$를 1로 취급하여 단순화하기로 한다.

그림 10.24에는 비틀림전단시험의 공시체에 반경방향으로 작용하는 수평응력 σ_r이 2kg/cm² 일 때의 일공간에 시험으로부터 구한 파괴 시의 소성변형률증분벡터의 방향을 위에서 구한 관련흐름법칙에 의해 구해진 각 파괴점에서의 소성변형률증분벡터의 방향과 비관련흐름법칙을 이용한 제7장의 등방단일구성보델의 결과치를 서로 비교하여 나타내었다.

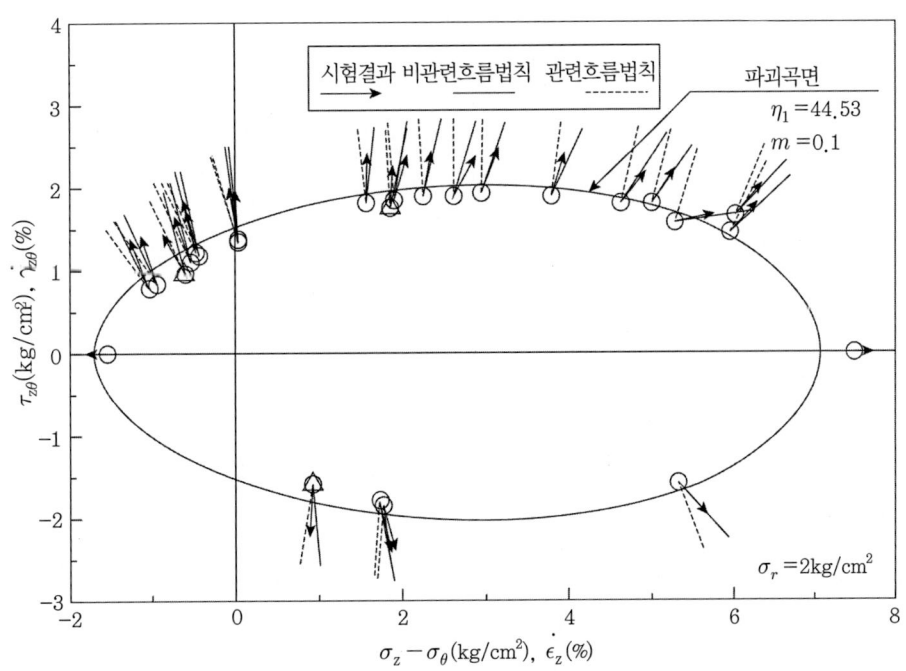

그림 10.24 비틀림전단시험에서의 변형률증분벡터[1,3]

그림에서 실선으로 이루어진 타원은 파괴면을 나타내고 있으며 흰 원과 삼각형은 각 실험으로부터 구한 파괴점을 나타낸 것이다. 그리고 실선의 화살표는 파괴 시 실험으로부터 얻어진 소성변형률증분벡터의 방향을 나타내고 있으며, 실선은 비관련흐름법칙의 파괴 시 소성변형률증분벡터의 방향을 그리고 점선은 관련흐름법칙의 파괴 시 소성변형률증분벡터의 방향을 도시한 것이다.

여기서 소성변형률증분벡터의 방향은 응력비 b가 0과 1인 삼축압축시험과 삼축신장시험을 제외하고는 각각의 방향이 조금씩 차이를 가지고 있는 것으로 나타나고 있으나 파괴점을 삼각형으로 표시한 세 경우를 제외하고는 대체적으로 비관련흐름법칙에 의한 소성변형률증분의 방향이 관련흐름법칙보다 시험치와 일치된 경향을 보이는 것으로 나타나고 있다. 따라서 항복함수와 소성포텐셜함수를 동일하게 가정한 관련흐름법칙은 소성변형률증분 산정 시 많은 문제가 있음을 알 수 있으며, 항복함수와 소성포텐셜함수를 구별한 비관련흐름법칙이 보다 합리적인 흙의 구성모델이라 할 수 있다.[19]

참고문헌

(1) 남정만(1993), '대응력반전 시 모래의 거동에 관한 연구', 중앙대학교대학원, 공학박사학위논문.

(2) 남정만·홍원표(1993), '비틀림전단시험에 의한 모래의 응력-변형률거동', 대한지반공학회지, 제9권, 제4호, pp.65-81.

(3) 남정만·홍원표·윤중만(1997), '비틀림전단시험시 모래의 주응력회전효과', 대한토목학회논문집, 제16권, 제III-6호, pp.565-575.

(4) 남정만·홍원표·한중근(1997), '비틀림전단시험에 의한 모래의 강도특성', 한국지반공학회지, 제13권, 제4호, pp.149-161.

(5) 이재호(1995), '이동경화구성모델에 의한 모래의 거동예측에 관한 기초적 연구', 중앙대학교대학원, 공학석사학위논문.

(6) 홍원표(1988a), '흙의 비틀림전단시험에 관한 기초적 연구', 대한토질공학회지, 제4권, 제1호, pp.17-27.

(7) 홍원표(1988b), '비틀림전단시험에 의한 K_o-압밀점토의 거동', 대한토목학회논문집, 제8권, 제1호, pp.151-157.

(8) 홍원표(1988c), 'K_o-압밀점토의 주응력회전 효과', 대한토목학회논문집, 제8권, 제1호, pp.159-164.

(9) 홍원표(1996a), '지반거동에 있어서 응력과 변형률 사이의 복합효과', 대한토목학회논문집, 제16권, 제III-4호, pp.369-377.

(10) 홍원표(1996b), '비틀림전단시험에 의한 K_o-압밀점토의 거동(2)', 대한토목학회논문집, 제17권, 제III-5호, pp.557-564.

(11) 홍원표·김태형·이재호(1997), 'K_o-압밀점토지반속 주응력회전 현상의 모형화', 한국지반공학회지, 제13권, 제1호, pp.35-45.

(12) 홍원표·남정만(1999), '비틀림전단시험에 의한 대응력반전시 모래의 거동', 한국지반공학회지, 제15권, 제4호, pp.3-17.

(13) Bjerrum, L. and Lanva, A.(1966), "Direct simple-shear tests on Norweigian Quick Clay", Geotechnique, Vol.16, No.1, pp.1-20.

(14) Broms, B.B. and Casabarian, A.O.(1965), "Effects of rotation of the principal stress on shear strength", Proc., 6th ICSMFE, Montreal, Vol.1, pp.179-183.

(15) Desai, C.S. Somasundaram, S. and Frantziskonis, G.(1986), "A hiearchical approach for constitutive modelling of geological materials", Int. Journal Numk. Meth Geomech., Vol.10, pp.225-257.

(16) Geiger, E. and Lade, P.V.(1979), "Experimental study of the behavior of cohesionless soil during large stress reversals and reorientation of principal stresses", Report No.UCLA-ENG-7017, University of

California, L.A.

(17) Hicher, P.Y. and Lade, P.V.(1986), "Rotation of principal directions in Ko-consolidared clay", Journ., GED, ASCE, Vol.113, No.7, pp.774-788.

(18) Hight, P.Y., Gens, A. and Symes, M.J.(1983), "The development of a new hollow cylinder apparatus for investigating the effects of principal stress rotation in soils", Geotechnique, Vol.33, No.4, pp.355-383.

(19) Hong, W.P. and Lade, P.V.(1989a), "Strain increment and stress directions in torsion shear tests", Journal of Geotechnical Engineering, ASCE, Vol.115, No.10, pp.1388-1401.

(20) Hong, W.P. and Lade, P.V.(1989b), "Elasto-plastic behavior of Ko-consolidated clay in torsion shear tests", Soils and Foundations, Vol.29, No.2, pp.127-140.

(21) Ishihara, K. and Towhata, I.(1983), "Sand response to cyclic rotation of principal stress direction as indused by wave loads", Soils and Foundations, Vol.23, No.4, pp.11-26.

(22) Lade, P.P.(1975), "Torsion shear tests on cohesionless soil", Proc., 5th Proc., 3rd Panamrican Conference on SMFE, Buenos Aires, Vol.1, pp.117-127.

(23) Lade, P.V.(1981), "Torsion shear apparatus for soil testing", Laboratory Strength of Soils", ASTM STP 740, R.N. Yong and F.C. Townsend Eds, ASTM, Philadelpia, Pa., pp.145-163.

(24) Lade, P.V.(1990), "Single-Hardening model with application to NC clay", JGE, ASCE, Vol.116, No.3, pp.394-414.

(25) Roscoe, K.H.(1953), "An appatus for the application of simple shear to soil samples", Proc., 3rd ICSMFE, Zurich, Vol.1, pp.186-191.

(26) Roscoe, K.H., Bassett, R.H. and Cole, E.R.L.(1967), "Principle axws observed during simple shear of sand", Proc., The Geotechnical Conference, Oslo, Vol.1, pp.231-237.

(27) Saada, A.S. and Baah, A.K.(1967), "Deformation and failure of a cross anisotropic clay under combined stress", Proc., 3rd Panamrican Conference on SMFE, Venezuela, Vol.1, pp.67-88.

(28) Saada, A.S. and Ou, C.D.(1973), "Stress-strain relations and failure of anisotripic clays", Jour. SMFE, ASVCE, Vol. 99, No.SM12, pp.1019-1111.

(29) Saada, A.S. and Bianchini, C.F.(1975), "Srength of one dimensionally consolidated clays", Jour. SMFE, ASCE, Vol.99, No.GT11, pp.1151-1164.

(30) Saada, A.S. and Townsend, F.C.(1981), "State of the Aet : Laboratory Strength Testng of Soils", ASTM STP 740, R.N. Yong and F.C. Townsend Eds ASTM, pp.7-77.

(31) Sayao, A.S.F. and Valid, Y.P.(1989), "Deformations due to principal stress rotation", Proc., 12th ICSMFE, Rio de Janerio, Vol.1, pp.107-110.

(32) Shibuya, S. and Hight, D.W.(1989), "Prediction of porepressure under drained cyclic principal stress rotation", Proc., 12th ICSMFE, Mexico, Vol.1, pp.391-399.

(33) Symes, M.J.P.R., Gens, A. and Hight, D.W.(1984), "Undrained anisotropy and principal stress rotation in saturated sand", Geotechnique, Vol.34, No.1, pp.11-27.

(34) Wright, D.K., Gilbert, P.A. and Saada, A.S.(1978), "Shear devices for determing and soil properties", Proc. ASCE Specialty Conference on Earthquake Engineeing and Soil Dynamics, Pasadena California, Vol.2, pp.1056-1075.

(35) Wong, R.K.S. and Arthur, J.R.F.(1986), "Sand shear by stresses with cyclic variation in direction", Geotechnique, Vol.36, No.2, pp.215-226.

Chapter
11

흙 속 물의 흐름

Chapter 11 흙 속 물의 흐름

제11장에서는 흙 속에서 물의 1차원적 흐름에 대해서 기술한다. 특히 다음 내용에 대해 설명한다.

① 흙 속에서 물의 유속을 결정하는 문제
② 흙의 투수계수를 결정하는 문제
③ 흙 속에서의 물흐름의 중요성을 이해하는 문제

세립토에서 물은 흙의 상태를 변화시킨다. 흙 내부에 물의 함유량이 많으면 많을수록 흙은 더욱더 연약화된다. 흙은 스펀지와 같은 다공성 재료이기 때문에 흙 내부에 서로 연결된 간극을 통하여 물은 흐를 수 있다. 흙 입자의 크기와 입자들 간의 구조적인 배열은 물의 유속에 영향을 준다.

물의 흐름은 많은 지반공학 구조물(도루, 다리, 댐, 굴착 등)의 불안정과 파괴를 야기한다. 흙 속에서의 물의 흐름은 주로 흙의 투수계수(또는 투수성)에 영향을 받는다.

간단한 적용 예로, 건물의 지하공간(하부)을 조성하기 위해서는 지반을 굴착하게 된다. 시공 중 굴착저면에 물이 존재하면 안 된다. 그래서 굴착된 지역으로의 물이 스며드는 것을 막기 위해 굴착 주변에 흙막이벽을 설치한다.

그러나 굴착지역 외부의 물은 흙막이벽 하부를 통하여 흐른다. 이러한 현상은 굴착지역의 침수뿐만 아니라 굴착지역의 불안정을 야기한다. 굴착지역에 물이 흐르지 못하게 하기 위해서는 흙막이벽의 길이를 적절히 산정해야 하며 이를 위해서는 흙의 투수계수를 알아야 한다.

11.1 수두와 압력

본 절에서는 정상상태(steady-state condition)에서 중력으로 인한 물의 흐름에 대해서 논하게 된다. '정상상태란 무엇인가?' 경사가 있다면 중력에 의한 물의 흐름이 발생한다. 흐름은 위에서 아래 방향으로 발생하는데, 만약 물의 흐름도 간극수압도 시간에 따라 변하지 않는다면 정상상태가 된다.

Darcy의 법칙은 흙 속에서 물의 흐름을 지배하는 법칙이다. 하지만 Darcy의 법칙에 대해 논하기 전에 흙 속에서의 유체의 흐름을 이해하기 위한 필수요건인 유체역학-Bernoulli 정리의 중요한 원칙에 대해서 알아야 한다.

관의 한쪽 끝을 막고, 그 관에 물을 채운 다음 바닥에 놓는다면(그림 11.1) 바닥으로부터의 물의 높이를 압력수두(h_p, pressure head)라고 한다.

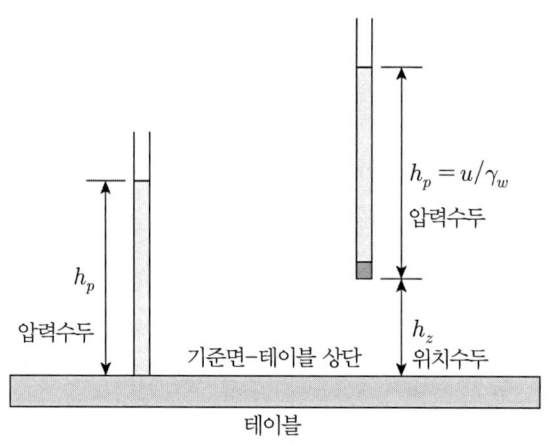

그림 11.1 위치수두와 압력수두

수두는 단위중량당 역학적 에너지를 의미한다. 만약에 그 관을 바닥 위로 들어 올리면, 역학적 에너지 또는 전수두(total head)는 증가한다.

압력수두(h_p)와 위치수두(h_z, elevation head)의 두 요소가 전수두이다. 만약 물이 정상상태에서 관속을 통해 v의 속도로 흐른다면 속도에 의해 발생하는 추가적인 수두($v^2/2g$)가 발생한다. 전수두 H는 Bernoulli의 정리에 의해 다음과 같이 표현된다.

$$H = h_z + h_p + \frac{v^2}{2g} \tag{11.1}$$

일반적으로 물은 흐름이 일정하게 흐르고 비점성(점성변화가 없는), 비압축성(체적변화가 없는)이고 비회전적(유체입자가 회전하지 않는)이라고 가정한다.

위치수두는 임의의 기준면에 의해 결정되고 전수두는 기준면 위치의 선정에 따라 그 값이 변화한다. 따라서 물의 흐름과 관련된 일련의 문제를 해결하기 위해서는 기준면의 위치를 선정하는 것이 필수이다. 압력은 대기압과 연계하여 정의된다(대기압은 15°C의 온도에서 101.3kPa이다). 이것은 게이지압력이라고도 하며 지하수위면에서는 자유수면은 0이 된다. 흙 속에서의 유속은 일반적으로 작기 때문에(<1cm/s) 속도수두(velocity head)는 무시된다. 그러므로 흙 속에서의 전수두는 다음과 같이 나타낸다.

$$H = h_z + h_p = h_z + \frac{u}{\gamma_w} \tag{11.2}$$

여기서, $u = h_p \gamma_w$는 간극수압이다.

그림 11.2에 나타낸 것처럼 원통에 채워진 흙 사이를 일정한 속도로 물이 흐르는 상황을 고려해보자. 그림에서처럼 피에조미터(piezometer)라고 하는 A와 B의 두 관을 L만큼 떨어진 거리에 연결하면, 각각의 관에는 서로 다른 높이로 물이 상승할 것이다.

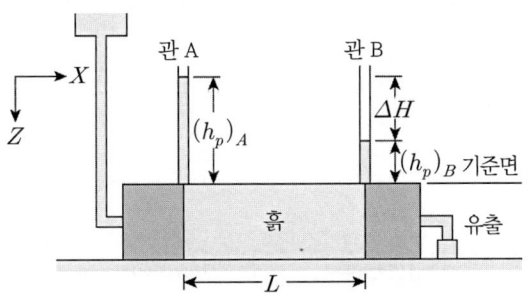

그림 11.2 물의 흙 속 통과에 따른 수두 손실

출구 근처의 B관의 수위는 A관의 수위보다 낮을 것이다. 물이 흙 속에서 흐르게 되면 에너지는 흙 입자 사이의 마찰에 의해 소산되며, 그로 인해서 수두손실이 발생한다. 수두의 감소

는 양(+)이므로 원통의 윗부분을 임의의 기준면이라고 하면 A관과 B관 사이의 수두손실은 $\Delta H = (h_p)_A - (h_p)_B$ 이다. 일반적으로, 수두손실은 A관에서의 전수두에서 B관에서의 전수두를 뺀 값이다.

정지상태(가속도가 0)에서 유체의 1차원 압력변화를 표현하는 일반적인 미분방정식은 다음과 같다.

$$\frac{dp}{dz} = \gamma_w \tag{11.3}$$

자유수면 하부의 두 점 z_1과 z_2 사이에서 유체의 압력차(그림 11.3)는 다음과 같이 나타낸다.

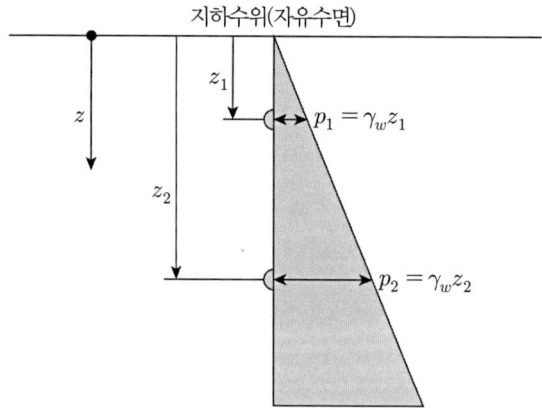

그림 11.3 지하수위 아래에서 정수압 또는 간극수압의 변화

$$\int_{p_1}^{p_2} dp = \gamma_w \int_{z_1}^{z_2} dz$$

이 식을 적분을 하면 식 (11.4)와 같이 주어진다.

$$p_2 - p_1 = \gamma_w (z_2 - z_1) \tag{11.4}$$

자유수면($z_1 = 0$)에서 게이지압력은 0($p_1 = 0$), $z_2 = z_w$이고, 따라서 유체압력의 변화(정수압 분포)는 다음과 같이 나타낸다.

$$p = u = \gamma_w z_w \tag{11.5}$$

여기서, z_w는 지하수위면의 깊이이다.

간극수압은 간극수압계(그림 11.4) 또는 피에조미터(그림 11.5)를 이용하여 측정한다. 그림 11.4에서 물은 간극수압계의 다공질의 재료를 통과하여 변형률게이지가 부착되어 있는 금속판을 누른다. 변형률게이지는 전기저항측정기(wheatstone bridge)로 연결되어 있다. 간극수압계는 이미 알고 있는 압력을 가하여 전기저항측정기로부터의 전기적 전압 출력을 측정하여 두 개의 값이 같아지도록 보정을 실시한다.

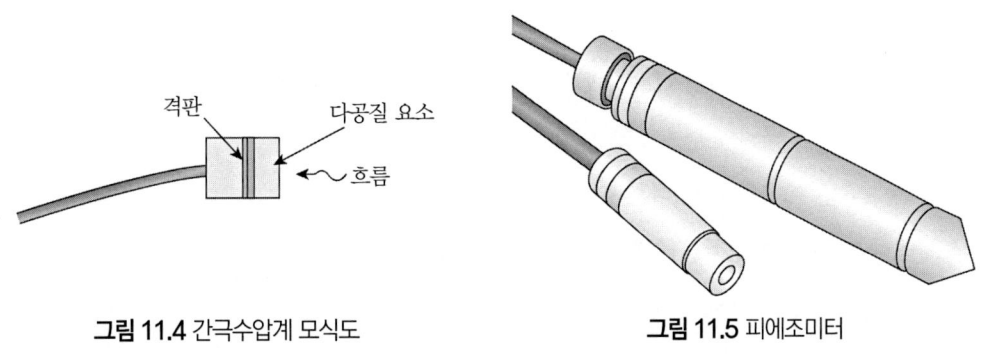

그림 11.4 간극수압계 모식도   그림 11.5 피에조미터

피에조미터는 물을 투과시키는 다공질관이며 간단한 피에조미터의 예로 고정된 기준면으로부터 관 내부의 수위를 측정하고 그 수위에 물의 단위중량을 곱해서 간극수압을 구한다. 시추공의 경우는 특정한 깊이에서의 피에조미터와 같은 역할을 하는 것으로 생각할 수 있다. 최근의 피에조미터에는 전자 측정과 데이터 수집이 가능한 간극수압계가 장착되어 있다.

11.2 DARCY 법칙

1856년 프랑스의 수리학자 Henri Darcy[3]는 흙 속을 흐르는 유량은 동수경사에 비례한다는 것을 실험적으로 입증하였다. 이 결과에 의거하여 Darcy(1856)는 흙 속을 흐르는 평균유속은 전수두의 구배에 비례한다고 제안하였다.

그림 11.6에서 튜브속을 통과하는 물의 평균속도(v)는 흙의 간극을 통과하는 물의 속도, 즉 침투속도(v_s)와는 분명히 다르다. 튜브의 면적 A는 간극의 단면적 A_v보다 훨씬 크다.

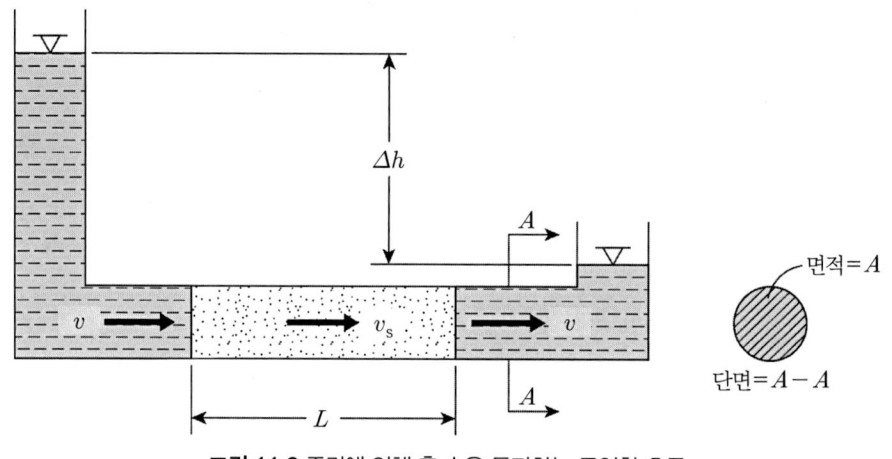

그림 11.6 중력에 의해 흙 속을 통과하는 균일한 흐름

평균속도 v는 흐름방향에 대해 수직인 단면적에 대한 값이다. 그러나 흙 속에서의 흐름은 간극을 통해서 흐르며 간극을 통한 속도를 침투속도(v_s)라고 한다. 여기서 침투속도는 평균속도를 흙의 간극률로 나누면 구할 수 있다.

물의 흐름이 연속적일 때 유량 Q는 튜브 내에서 항상 같다.

$$Q = Av = A_v v_s \tag{11.6}$$

$$v_s = \left(\frac{A}{A_v}\right)v = \left(\frac{AL}{A_v L}\right)v = \frac{V}{V_v}v \tag{11.7}$$

여기서, V = 흙의 전체 체적
V_v = 간극의 체적

그러나 v_s 대신 v를 사용하는 것이 편리하며 또한 널리 사용되고 있다.

식 (11.6)의 $Q/A = v = ki$를 식 (11.7)에 대입하면

$$v_s = \frac{1}{n}v \tag{11.8}$$

따라서 평균속도 v와 침투속도 v_s는 식 (11.9)와 같이 된다.

$$v = nv_s \tag{11.9}$$

여기서, n = 간극률

그림 11.6에서 물의 흐름을 층류라 가정했을 때 유량 Q는 다음과 같다.

$$Q = kiA \tag{11.10}$$
$$Q = k\left(\frac{\Delta h}{L}\right)A \tag{11.11}$$

여기서, Q = 유량
　　　　k = 투수계수
　　　　i = 임의의 두 지점 사이 동수경사 또는 수두손실($=(h_1-h_2)/L$)
　　　　A = 튜브의 단면적
　　　　Δh = 흙 시료 양 끝 지점의 수두차
　　　　L = 시료길이

식 (11.7)의 침투속도 v_s를 Darcy의 법칙으로 다시 표현하면 식 (11.12)와 같이 된다.

$$v_x = k_x\frac{\Delta h}{L} = k_x i \tag{11.12}$$

여기서 $i = \Delta h/L$는 동수경사이다. 만약 모든 흙에서 물의 흐름이 층류라 할 때 Darcy 법칙은 유효하다.

지반공학에서 사용되는 투수계수는 물이 흙 속의 간극을 통하여 흐르도록 하는 경우의 흙의 특성이다. 큰 간극을 가진 흙은 간극이 작은 흙보다 투수성이 좋다. 보통 큰 간극을 가진 흙은 일반적으로 큰 간극비를 갖는다. 다른 요소가 작용하지 않는 한 간극비가 증가함에 따라 투수계수도 증가한다.

투수계수 k의 단위는 속도의 단위이다. 보통 cm/min 또는 cm/sec를 사용한다. 이상에서 설명한 것처럼 흙의 투수계수는 튜브속의 평균속도 v와 동수경사 i 사이의 비례상수라는 것을 알게 된다. 그러나 이것이 임의의 흙에 대해 항상 같은 값을 갖는다는 것을 의미하지는 않는다. 실제로 흐름방향에 따라 매우 다양한 투수계수의 범위를 제시하고 있다.

11.3 투수계수에 대한 경험치

투수계수는 다음과 같은 인자들의 영향을 받는다.

① 흙의 종류: 조립토는 세립토보다 큰 투수계수를 가진다. 세립토의 이중층(double layer) 내의 물은 침투 간극의 공간을 많이 감소시킨다.
② 입자 크기: 투수계수는 조립토의 경우 D_{50}^2 (또는 D_{10}^2)에 의존한다.
③ 유체특성, 특히 점도, $k_1 : k_2 = \mu_2 : \mu_1$, 여기서 μ는 동점성계수(물의 동점성계수는 15.6°C에서 1.12×10^{-3}N.s/m²)이고 아래첨자 1과 2는 주어진 흙에 대해서 두 종류의 유체를 나타낸다.
④ 간극비: $k_1 : k_2 = e_1^2 : e_2^2$, 여기서 아래첨자 1과 2는 조립토에 대한 흙 구조의 두 가지 종류를 나타낸다. 이 비는 다른 간극비를 가진 유사한 흙의 투수계수를 비교하는 데 유용하다.
⑤ 간극크기: 상호 연결된 간극 공간이 클수록 높은 투수계수를 보인다. 큰 간극은 높은 다공성을 의미하지는 않는다. 흙 속에서의 물의 흐름은 간극크기의 제곱과 관계가 있으며 전체 간극의 체적과는 무관하다.
⑥ 균질성, 흙의 층 구조(layering), 갈라진 틈(fissuring): 물은 느슨한 층, 갈라진 틈새 그리고 층으로 이루어진 흙 사이로 빠르게 스며드는 경향이 있다. 재해는 주로 이와 같은 침투

현상으로부터 발생한다.

⑦ 갇힌 공기: 간극에 고립된 공기는 투수계수를 감소시킨다. 흙 내부의 공기를 없애는 것은 상당히 어려우며, 심지어 지하수위 하부의 흙은 포화되었다고 가정하지만 여전히 고립된 공기가 존재한다.

⑧ Darcy의 법칙의 유효성: Darcy의 법칙은 층류에 대해서만 유효하다(Reynolds 수가 2100 이하). Fancher et al.(1933)은 투수계수결정을 위해 Darcy 법칙을 적용할 수 있는 기준을 제시한 바 있다.[4]

여러 종류의 흙에 대한 투수계수 k의 일반적인 범위는 표 11.1과 같다. 표 11.1에 제시된 투수계수를 적용 시 주의하여 사용해야 한다.

왜냐하면 이들 값은 다양한 흙에 대한 대략적인 값이기 때문이다. 그러나 육안으로 흙(특히 조립토)을 분류할 경우 이들 값은 유용하게 사용될 수 있다. 또한 표 11.1에 제시된 값은 예비설계단계에서 추정치로 유용하게 활용될 수 있다.

표 11.1 여러 종류의 흙에 대한 투수계수 k의 일반적인 범위

흙의 입경	투수계수 $k(\times 10^{-4} \text{cm/s})$
모래 조립 모래 중간 정도 모래 세립 모래	 3,000~5,000 1,000 50~150
실트 모래질 실트 중간 정도 실트 점토질 실트	 1~20 0.1~1 0.01~0.1
점토 실트질 점토 중간 정도 점토 콜로이드 점토	 0.001~0.01 0.0001~0.001 0.00001~0.0001

균일한 점토는 현실적으로 불투수성이다. '불투수성' 점토의 대표적인 사용예로는 댐 건설에서 물이 댐을 통과하여 흐르는 것을 억제시키기 위해서 사용한다. 또 다른 사용 예로는 폐기물 매립지역에서 주변지역으로 오염물질이 이동하는 것을 차단하기 위한 차단벽으로 사용되는 경우이다.

반면에 모래나 자갈은 투수성 재료이기 때문에 배수제 또는 흙필터(soil fileter) 로 사용될 수 있다.

균질한 흙의 투수계수는 상호 연결된 간극의 공간 크기에 결정적으로 의존한다. 간극공간(간극비)은 흙 입자의 구조 또는 구조적 배열에 의존한다.

Taylor(1948)는 간극비와 k의 관계를 다음과 같이 나타냈다.[10]

$$k_z = D_{50}^2 \frac{\gamma_w}{\mu} \frac{C_1 e^3}{1+e} \tag{11.13}$$

여기서, C_1은 입자 형상과 관련된 상수로 실내시험에서 구할 수 있다. k_z를 조립토의 간극비와 입자 크기에 관련시켜 수많은 경험치들이 제안되었다. Hazen(1892)은 다음과 같이 관계를 제안하였다.[5]

$$k_z = CD_{10}^2 \quad \text{(단위: cm/s)} \tag{11.14}$$

여기서, C는 D_{10}의 측정단위가 mm일 때 0.4에서 1.4 사이에 변화하는 상수이고 일반적으로 $C=1.0$이다. Hazen의 시험은 D_{10}이 0.1mm에서 3mm이고 C_u <5인 모래에 대해서 수행하였다. Samarasinghe et al.(1982)[8]와 Kenny et al.(1984)[6] 등 여러 사람들도 조립토와 세립토에 대해 또 다른 관계를 제안하기도 하였다. 이러한 k_z에 대한 경험적 관계식을 간극비, 상호 연결된 간극공간 그리고 흙의 균질성에 매우 민감하게 변하기 때문에 이들을 사용하는 데 매우 신중해야 한다.

11.4 층상토에서의 1차원 흐름

11.4.1 수평방향 흐름

토층에 평행하게 물이 흐를 때(그림 11.7 참조) 모든 지점에서의 동수경사는 동일하고 흙 속에서의 흐르는 전체 유량은 각 층에서의 유량의 합과 같다. 병렬연결에 의한 전기의 흐름으로 생각할 수 있다. 그림 11.7에서 y방향을 단위폭으로 간주하고 식 (11.10)을 사용하면 다음과 같은 식을 얻을 수 있다.

$$q_x = Av = (1 \times H_0)k_{x(eq)}i = (1 \times z_1)k_{x1}i + (1 \times z_2)k_{x2}i + \cdots + (1 \times z_n)k_{xn}i \quad (11.15)$$

여기서, H_0는 토층의 전체 두께, $k_{x(eq)}$는 수평방향(x방향)에서 등가투수계수, z_1에서 z_n은 첫 번째 층에서 n번째 층까지의 토층의 두께, k_{x1}에서 k_{xn}은 첫 번째 층에서 n번째 층까지의 수평방향 투수계수, 식 (11.16)을 $k_{x(eq)}$에 대해서 정리하면,

$$k_{x(eq)} = \frac{1}{H_0}(z_1 k_{x1} + z_2 k_{x2} + \cdots + z_n k_{xn}) \quad (11.16)$$

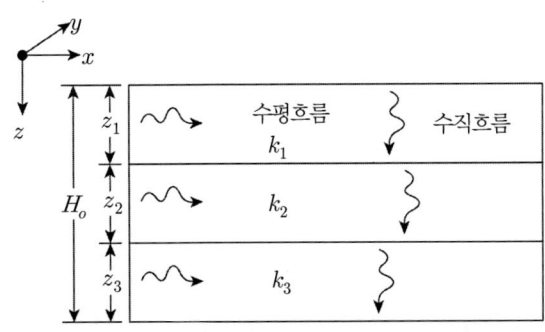

그림 11.7 층상토에서 흐름

11.4.2 수직방향 흐름

토층에서 수직 흐름에 대한 수두손실은 각 층에서 수두손실의 합과 같다.

$$\Delta H = \Delta h_1 + \Delta h_2 + \cdots + \Delta h_n \quad (11.17)$$

여기서, ΔH는 전체 수두손실, Δh_1에서 Δh_n은 각각의 1층에서 n층에서의 수두손실이다. 각 층에서의 속도는 같고 전기의 흐름으로 생각하였을 때 직렬연결이며, Darcy의 법칙으

로부터 다음과 같이 정리할 수 있다.

$$k_{z(eq)}\frac{\Delta H}{H_0} = k_{z1}\frac{\Delta h_1}{z_1} = k_{z2}\frac{\Delta h_2}{z_2} = \cdots = k_{zn}\frac{\Delta h_n}{z_n} \tag{11.18}$$

여기서, $k_{z(eq)}$는 수직방향(z방향)에서 등가투수계수, k_{z1}에서 k_{zn}은 첫 번째 층에서 n번째 층까지의 수직방향 투수계수이다. 식 (11.17)과 (11.18)로부터 다음과 같이 정리할 수 있다.

$$k_{z(eq)} = \frac{H_0}{\frac{z_1}{k_{z1}} + \frac{z_2}{k_{z2}} + \cdots + \frac{z_n}{k_{zn}}} \tag{11.19}$$

$k_{z(eq)}$의 값은 일반적으로 $k_{x(eq)}$보다 작다. 10배까지 차이가 나는 경우도 있다. 토층에서 수평흐름과 수직흐름에 대한 등가투수계수는 다음과 같다.

$$k_{eq} = \sqrt{k_{x(eq)} k_{z(eq)}} \tag{11.20}$$

11.5 투수계수의 결정법[2]

11.5.1 정수두투수시험

정수두투수시험(constant-head test)은 조립토의 투수계수를 결정하기 위해 사용된다. 그림 11.8은 일반적인 정수두 시험장치를 나타내고 있다. 어느 일정한 수두(h)의 하부에 원통형의 흙 시료가 있고 물은 그 흙을 통해서 흐른다. 유출량(Q)은 눈금이 표시되어 있는 실린더로 저장된다.

그림 11.8에서 $\Delta H = h$ 이고, $i = \dfrac{\Delta H}{L} = \dfrac{h}{L}$

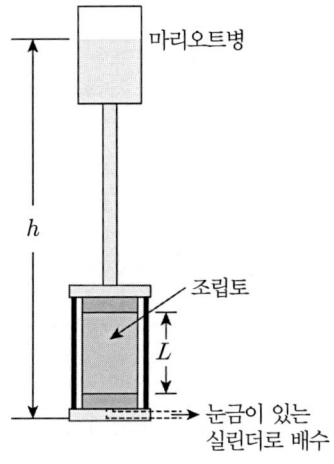

그림 11.8 정수두투수시험 장치

흙을 통해서 흐르는 유량은 $q_z = Q/t$ 이고, 여기서 Q는 시간 t 동안 실린더에 저장된 물의 양이다. 식 (11.10)으로부터

$$k_z = \frac{q_z}{Ai} = \frac{QL}{tAh} \tag{11.21}$$

여기서, k_z는 수직방향의 투수계수이고, A는 흙 시료의 단면적이다.

유체의 온도와 밀접한 관계가 있는 점성은 k_z의 값에 영향을 주며 시험에 의한 값($k_{T°C}$)은 20°C의 기준온도에 의해 보정되어 다음과 같이 나타낼 수 있다.

$$k_{20°C} = k_{T°C} \frac{\mu_{T°C}}{\mu_{20°C}} = k_{T°C} R_T \tag{11.22}$$

여기서, μ는 물의 동점성계수, T는 계측 시의 온도(°C) 그리고 $R_T = \mu_{T°C}/\mu_{20°C}$은 다음의 식으로 계산할 수 있는 온도 보정계수이다.

$$R_T = 2.42 - 0.475\ln(T) \tag{11.23}$$

11.5.2 변수두투수시험

변수두투수시험(falling-head test)은 주로 세립토에 이용된다. 왜냐하면 세립토에서의 물의 흐름은 아주 느리기 때문에 정수두시험에서는 그 측정이 너무 어렵기 때문이다. 다짐시료 또는 현장에서 채취한 시료를 금속 또는 아크릴 실린더에 준비한다(그림 11.9). 시료의 손상을 방지하고 물만 통과시키기 위해서 다공판을 시료의 상부와 하부에 놓는다. 물은 실린더의 상부에 부착되어 있는 관으로부터 시료를 통과해서 흐르고 수두(h)는 물이 흙을 통과할 때 시간에 따라서 변화하고 각각의 시간에 대해서 그 수두를 기록한다. dh를 dt의 시간 동안 변화한 수두라고 하면 수두손실률 또는 그 속도는 다음과 같이 나타낼 수 있다.

$$v = -\frac{dh}{dt}$$

그리고 흙으로의 물의 유입량은 다음과 같다.

$$(q_z)_{in} = av = -a\frac{dh}{dt}$$

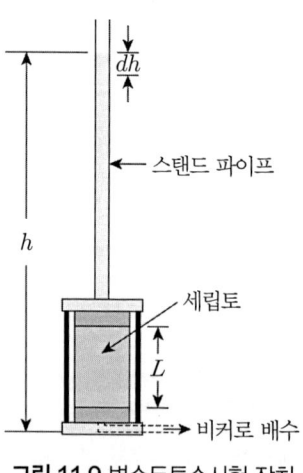

그림 11.9 변수두투수시험 장치

여기서, a는 관의 단면적이다. 배수량을 구하기 위해서 Darcy의 법칙을 이용하면 다음과 같이 나타낼 수 있다.

$$(q_z)_{iout} = Aki = Ak\frac{h}{L}$$

여기서, A는 흙 시료의 단면적, L은 흙 시료의 길이 그리고 h는 임의의 시간 t에서의 수두이다. 연속방정식 $(q_z)_{in} = (q_z)_{out}$을 고려하면 다음과 같다.

$$-a\frac{dh}{dt} = Ak\frac{h}{L}$$

변수(h와 t)를 분리시키고 적분하면 위의 식은 다음과 같이 된다.

$$\frac{Ak}{aL}\int_{t_1}^{t_2} dt = -\int_{h_1}^{h_2}\frac{dh}{h}$$

그리고 수직방향의 k에 대해서 풀면 다음과 같이 구할 수 있다.

$$k = k_z = \frac{aL}{A(t_2 - t_1)}\ln\left(\frac{h_1}{h_2}\right) \tag{11.24}$$

마지막으로 여기서 구해진 투수계수는 식 (11.22)를 이용하여 보정한다.

11.5.3 양수시험

현장에서 투수계수를 결정하기 위한 가장 일반적인 방법은 양수정(pumping well)으로부터 일정률로 양수하면서 관측정(observation well)에서 지하수 수위강하률을 측정하는 양수시험(pumping test)이다(그림 11.10 참조). 다음과 같은 가정하에 투수계수 결정을 위한 수식을 정식화할 수 있다.

① 대수층은 비피압(unconfined) 비누수(nonleaky)층이다.
② 양수정은 대수층을 침투하여 지하수위면의 하부로 관통시킨다.

③ 토층은 균질하고 등방성이며 규모가 무한하다.
④ Darcy의 법칙이 유효하다.
⑤ 물은 양수정 쪽으로 방사형으로 흐른다.
⑥ 대수층 내 어떤 지점에서의 동수경사는 일정하고 지하수위면의 경사와 일치한다(Dupuit 의 가정).

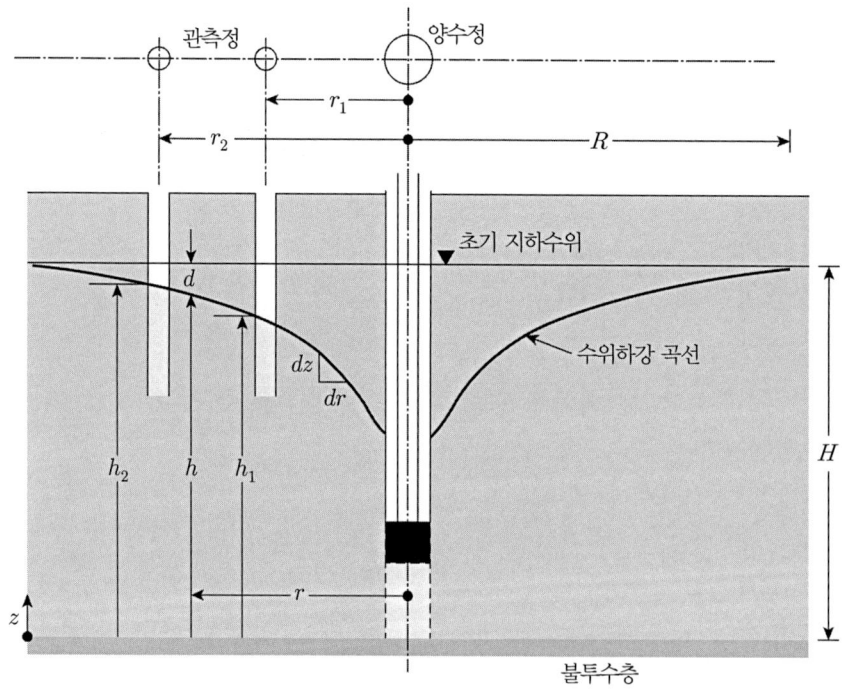

그림 11.10 Kz 결정하기 위한 양수시험 개략도

dz는 dr의 거리에 대한 전수두의 강하률이고 Dupuit의 가정에 의해 동수경사를 다음과 같이 나타낸다.

$$i = \frac{dz}{dr}$$

양수정의 중앙으로부터 반경 r에서의 유입면적은 다음과 같다.

$$A = 2\pi rz$$

여기서, z는 투수층의 흙 체적에 해당하는 두께이다.

Darcy의 법칙에 유량은 다음과 같다

$$q_z = 2\pi rzk \frac{dz}{dr}$$

위의 식을 정리해서 r_1과 r_2, h_1과 h_2의 범위로 적분을 하면 다음과 같다.

$$q_z \int_{r_1}^{r_2} \frac{dr}{r} = 2k\pi \int_{h_1}^{h_2} zdz \tag{11.25}$$

정리하면 다음과 같다.

$$k = \frac{q_z \ln(r_2/r_1)}{\pi(h_2^2 - h_1^2)} \tag{11.26}$$

r_1, r_2, h_1, h_2, q_v(양수에 의한 유량)를 측정하여 식 (11.26)을 이용하면 k를 계산할 수 있다. 이 시험은 단지 조립토에 대해서만 실용적으로 사용할 수 있다.

양수시험은 지하수위를 낮출 수 있으며, 이는 흙의 응력을 변화시킬 수 있다. 그림 11.10의 수위강하 곡선(drawdown curve)에 나타나 있는 것처럼 지하수위는 균일(일정)하게 저하되지 않기 때문에 흙의 응력변화도 일정하지 않다. 결과적으로 양수시험은 기존에 설치되어 있는 구조물 근처에서 수행하면 이 구조물에 부등침하가 발생할 수도 있기 때문에 양수시험을 수행할 때는 기존 구조물에 대한 부등침하의 가능성을 고려해야 한다.

11.5.4 웰포인트공법에 의한 지하수위강하

기초공사를 할 때 지하수위를 일시적으로 저하시켜야 할 경우가 있다. 지하수위를 저하시키는 과정을 배수라고 하고, 기초공사를 위한 굴착지역 부근에 웰포인트를 설치하여 수행한다. 우물공법 시스템은 굴착 주위에 설치된 파이프관의 상호 네트워크로 이루어져 있다. 파이프는 여러 줄로 열을 지어 설치하고 그 간격은 흙의 종류와 투수계수에 따라 달라진다. 지하수위가 약 5m이고 입도분포가 좋은 모래인 경우에는 그 간격이 약 1m에서 1.5m이다.

그림 11.10을 참조하면 수위강하 d는 다음과 같다.

$$d = H - h \tag{11.27}$$

원뿔형 수위강하(depression cone)의 영향 반경 R은 수위강하가 0인 곳에서의 반경이다. r과 R 그리고 h와 H의 범위에서 유량 또는 배수량은 식 (11.25)로부터 다음과 같이 구할 수 있다.

$$q_w = \frac{k\pi(H^2 - h^2)}{\ln\left(\dfrac{R}{r}\right)} \tag{11.28}$$

h에 대해서 정리하면 다음과 같다.

$$h = \pm\sqrt{H^2 - \frac{q_w \ln\left(\dfrac{R}{r}\right)}{k\pi}} \tag{11.29}$$

따라서 좌표(r, z)의 어느 지점에서의 수위강하는 다음과 같다.

$$d = H \pm \sqrt{H^2 - \frac{q_w \ln\left(\dfrac{R}{r}\right)}{k\pi}} \tag{11.30}$$

물이 파이프로 펌프될 때는 양의 부호가 사용되고, 물이 파이프에서 펌프될 때는 음의 부호가 사용된다. 최대 수위강하 $d_{\max}$는 파이프 쪽에서 발생하며, 즉 $r = r_0$이고 식 (11.30)을 다음과 같이 나타낼 수 있다.

$$d_{max} = H \pm \sqrt{H^2 - \frac{q_w \ln\left(\dfrac{R}{r_0}\right)}{k\pi}} \tag{11.31}$$

원뿔형 수위강하의 영향 반경은 Slichter(1899)에 의한 경험식으로 다음과 같이 추정할 수 있다.[9]

$$R = 3000 d_{max} \sqrt{k} \,; d의\ 단위는\ m,\ k의\ 단위는\ m/s이다. \tag{11.32}$$

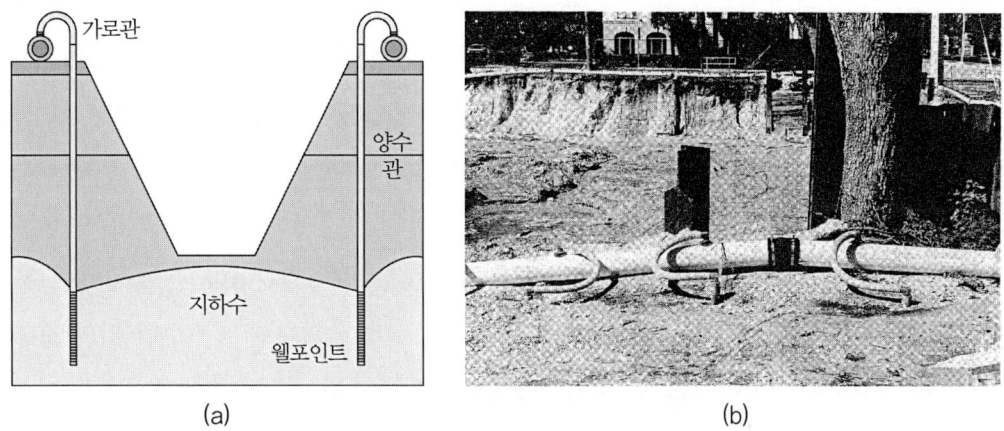

(a)　　　　　　　　　　　　　(b)

그림 11.11 굴착에 대한 웰포인트 시스템

식 (11.30)은 이론적인 근거 또는 기준이 없고 정확하지 않지만 실무에서 만족스럽게 이용되었다. Kozeny(1933)에 의한 식은 정확한 편이며 다음과 같이 나타낸다.[7]

$$R = \sqrt{12 \frac{t}{n} \sqrt{\frac{q_w k}{\pi}}} \tag{11.33}$$

여기서, $t(\sec)$는 배수량 $q_w(m^3/s)$의 경과 시간, n은 간극률 그리고 k는 평균 투수계수(m/s)이다. 식 (11.32)와 (11.33)에서의 R값은 서로 상당히 차이가 난다. 하지만 (R/r)가 크게 변화하더라도 $\ln(R/r)$의 변화는 작기 때문에 배수량은 R값의 정확도에 크게 민감하지는 않다. R의 정확도는 기존의 건물 근처에서의 수위강하에 대해 큰 영향을 미치고 웰포인트가 서로 가깝게 설치되어 있는 경우에는 2차원 흐름에 대한 해석이 요구된다.

11.6 흙과 물 사이 현상[1]

11.6.1 모관현상

세립토가 물과 접촉하게 될 때 자유수면 위로 물을 끌어 올리는 힘을 모관력이라 한다. 이렇게 상승한 물기둥의 높이를 모관수두라고 하며 이러한 상승작용을 모관현상이라고 한다.

흙의 모관현상과 모관력에 대한 기본원리는 물과 흙 입자의 상호작용에서 기인한다.

자유수면 위로의 물의 상승은 표면장력(물 분자의 인력)과 흙 입자 사이로 물이 이동하려는 성질의 복합작용에 의해 발생한다. 즉, 점착력(동일한 입자의 분자 간 인력)으로 인해 물분자표면이 인장상태가 되고, 반면에 부착력(동일하지 않은 입자의 분자 간 인력)은 흙 입자를 습윤화시킨다.

지하수위 위의 흙에서 함수비가 존재한 것은 모관현상이 그 원인이다. 다시 말하면, 토층 내부에 고여 있는 물이나 지표면 침투를 제외하고 모관력이 없다면 지하수위 위의 토층은 결국 완전히 건조한 상태에 있게 될 것이다. 모관현상은 건조된 세립토 속에서 수위를 지하수위 이상으로 끌어올리거나 지하수위 이상의 흙 속에 물이 존재하도록 한다.

상황에 따라 이런 모관수는 이롭기도 하고 해가 되기도 한다. 예를 들어, 모관력은 입자간의 압력을 증가시켜 세립토의 전단 강도와 안전성을 향상시킨다.

한편 지표 부근의 모관수는 추운 지역에서 아이스 렌즈(ice lense)의 체적을 증가시켜 동결기간 동안에 도로포장을 융기시킬 수도 있다.

흙 입자 간극이 복잡한 성질 때문에 모관상승고를 이론적으로 예측하는 것은 정확성이 떨어질 뿐만 아니라 심지어 엉뚱한 결과를 가져오기도 한다.

가장 신뢰할 수 있는 접근 방법은 이러한 거동에 대한 직접적인 관찰일 것이다. 가능하다면 현장에서 관찰하는 것이 더 바람직하겠다.

Allen Hazen은 모관상승고에 대한 근사식을 식 (11.34)와 같이 제안하였다.[5]

$$h_e = \frac{C}{eD_{10}} \tag{11.34}$$

여기서, D_{10} = Hanze의 유효경(입도분포곡선에서 통과중량백분율의 10%에 해당하는 입자의 크기, cm)

C = 경험적인 상수(0.1~0.5cm^2)

e = 간극비

식 (11.35)는 또다른 경험적 근사식이다. 여기서 D는 대략적으로 $D_{10}/5$이다. 식 (11.35)에서 분자값은 단위의 변화를 고려하여 적절하게 조정해야 한다.

$$h_e = \frac{0.0306}{\frac{1}{5}D_{10}(\text{mm})}; m \tag{11.35}$$

11.6.2 침투현상

흙 속을 통과하는 물의 흐름을 일반적으로 침투라고 한다. 그림 11.12는 침투응력 및 침투력을 설명하는 데 기본으로 사용된다. 그림 11.12(b)는 흙 시료가 완전히 수침된 상태를 보여주고 있다. 비록 완전포화가 불가능하다는 것을 앞에서 설명하였지만 편의상 완전포화되었다고 가정한다.

그림 11.12(a)는 이러한 내용과 관련된 압력을 도시하고 있다. 상하방향으로 물의 흐름이 없다고 가정한다면 정수압은 임의의 흙 입자에 대해서 모든 방향에 동일하게 작용한다. 분명히 이 힘은 흙 입자를 압축하려는 경향이 있으나 입자 간의 이동은 억제할 것이다. 그래서 수압은 흙 입자 사이에서 어떠한 전단효과도 발생시키지 않는다. 이러한 형태의 압력은 보통 중립압력 또는 간극수압이라 불린다. 한편 임의의 위치에 있는 흙 입자의 중량은 그 하부에 접해 있는 흙에 의해 지지된다. 이러한 과정에서 입자들 사이의 힘은 이 중량에 의해 발생된다.

하부에 있는 입자들이 상부의 입자들에 비해 상재하중을 많이 받기 때문에 이에 따른 응력이나 압력을 더 크게 받는다는 것은 명확하다. 이것을 입자 간 압력이나 유효압력이라고 한다. 그림 11.12(a)에서 $\gamma_w L$은 간극수압이고, $\gamma_b L$은 입자 간 압력이다.

그림 11.12(c)는 물기둥에 의한 정수압을 나타낸 그림이다. 압력은 등방으로 작용하기 때문에 그림 11.12(b)의 임의의 1-1 단면(즉, 흙기둥의 바닥면)에서 흙 입자들은 상향하중뿐만 아니라 하향하중 모두를 받게 된다. 이 힘을 단면적 A에 대해서 그림 11.13에 나타내었다. 이 시료의 수직면에 작용하는 수평력은 무시한다.

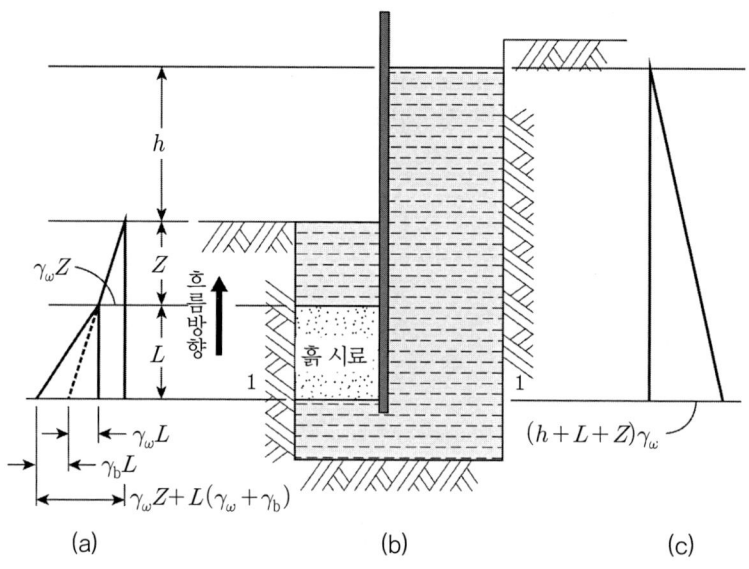

그림 11.12 단면적 A의 흙 시료에 작용하는 수압

따라서 y방향으로 작용하는 힘을 모두 합하면 다음 식과 같다.

$$F_{1-1} = A(h+L+z)\gamma_w - A[\gamma_w z + L(\gamma_w + \gamma_b)]$$

간단히 하면,

$$F_{1-1} = (\gamma_w h - \gamma_b L)A \tag{11.36}$$

여기서, $\gamma_w h A$ = 침투력

$$\gamma_b LA = 부력 = \gamma_w L\left(\frac{G+Se}{1+e} - 1\right)A$$

F_{1-1} = 단면 1-1의 순작용력

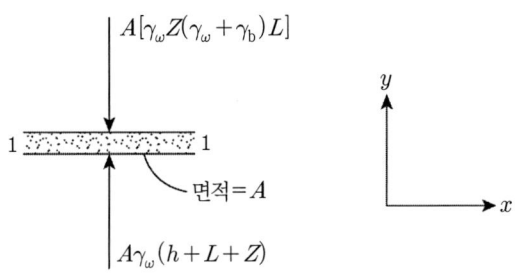

그림 11.13 흙 시료 단면 1-1에 작용하는 힘

G, S, e는 각각 흙의 비중, 포화도, 간극비를 나타낸다. 식 (11.36)에서 $\gamma_w h$는 침투압을 나타내며, $\gamma_w hA$는 침투력을 의미한다.

침투력은 흙 입자에 대한 물의 유체저항과 물에 대한 흙 입자들의 관련 반응의 결과로 볼 수 있다. 이러한 힘의 작용 방향은 흐름 방향과 같다.

식 (11.36)은 단면 1-1에서의 흙 입자들에 대한 순작용력을 보여준다. 한 가지 주목할 것은 $\gamma_w hA$인 침투력이 없다면 이 단면이 받는 유효하중은 $\gamma_b LA$인 부력이 될 것이다.

따라서 입자 간 압력은 단지 $\gamma_b L$일 것이다. 특정 단면에 작용하는 침투력에 따라 그 단면이 받는 유효하중이 변한다. 또 침투력은 흙의 입자 간 압력을 변화시킨다. 이러한 효과에 대한 중요한 결과는 다음 절에서 설명한다.

11.6.3 분사현상

앞에서 언급했던 식 (11.36)은 그림 11.13의 단면 1-1에 작용하는 순하중을 나타낸다. 침투압($\gamma_w h$)을 증가시킴으로써 아래 괄호 안에 있는 두 값이 동일하게 될 수 있다. 특히 이 지점에서 침투력은 부력과 같아질 것이다.

이러한 상태는 흙 입자가 상방향으로 뜰 수 있는 조건이 된다. 물의 침투력이 증가된다면 흙 입자의 상방향 움직임이 발생하게 될 것이다. 이러한 부력 상태를 일반적으로 분사(quick) 또는 보일링(bolling)상태(흙과 물의 상방향 움직임을 초래함)라고 한다.

분사상태인 한 지점에서의 순작용력은 0이 될 것이다. 따라서 식 (11.36)은 0이 되고, 보일링이 발생하는 h에 대한 L의 비를 구하기 위해 아래와 같은 식을 사용할 수 있다.

$$0 = (\gamma_w h - \gamma_b L)A \; : \; A \neq 0$$

따라서

$$0 = \gamma_w h - \gamma_b L = \gamma_w h - \gamma_w L \left(\frac{G + Se}{1 + e} - 1 \right)$$

흙이 완전포화($S=1$)라 가정하면 아래와 같은 식을 얻을 수 있다.

$$h = L \left(\frac{G-1}{1+e} \right)$$

또는

$$\frac{h}{L} = \frac{G-1}{1+e} \tag{11.37}$$

동수경사 h/L은 $(G-1)/(1+e)$ 식에 의해 구할 수 있다. 이 값이 1일 때를 한계동수경사(보일링의 초기 상태)라 한다. 예를 들어, 대략 $G=2.7$이고 $e=0.7$일 때 h/L은 거의 한계동수경사에 일치한다.

위에서 언급했듯이, 분사 조건은 순응력이나 유효응력이 거의 0인 상태에서 발생한다. 이 지점에서 흙의 전단강도는 이론상 거의 소실된 상태가 된다. 그러나 점성토에서는 유효응력이 0이라도 반드시 보일링이 일어난다는 것을 의미하진 않는다. 왜냐하면 유효응력이 0인 상태에서도 점성토는 약간의 전단강도를 보이기 때문이다. 그러나 점착력이 없는 세립토(미세한 모래)에서는 보일링이 일어나기 쉽다.

보일링 발생 가능성은 굵은 모래나 자갈보다 미세한 모래에서 더 크다. 왜냐하면 조립토는 큰 간극과 투수계수를 가지기 때문이다. 즉, 조립토에서는 일정한 동수경사(한계동수경사)를 유지하기 위해서 더 많은 양의 물을 필요로 한다. 따라서 조립토에서 분사현상이 일어난다는 것이 이론적으로는 가능하지만 한계동수경사에 도달하는 데 필요로 하는 물의 양이 너무 많기 때문에 거의 일어나지 않는다.

보일링은 미세한 모래 지반에서 지하수위 아래 굴토작업을 실시할 때 발생한다. 즉, 비록 굴착측면이 버팀보에 의해 수평으로 적절히 지지된 경우에도 한계동수경사에 이르게 되면 굴토 바닥면에서 상향분출수가 발생된다.

분사현상이 발생하게 되면 L값을 충분히 늘려 동수경사 h/L값을 1보다 작게 해야 한다. 즉, 널말뚝을 소요 깊이까지 연장 설치하여 분사현상을 해결할 수도 있다. 일반적인 예로 피압력(artesian pressure)에 의한 보일링과 흙댐의 하류부에서 발생하는 보일링 등을 들 수 있다.

11.6.4 유선망

지반, 흙댐, 제방 등을 통한 침투력의 손실, 흐름 패턴, 에너지 손실, 또는 정수두의 손실 등 유선망을 작도하여 산정할 수 있다.

그림 11.14는 유선망의 예를 보여주고 있다. 포화된 흙 입자를 통과하여 물 입자가 지나가는 경로를 유선이라 한다. 이 흐름은 연속된 선으로 도시되어 있다. 이 흐름이 층류라 가정하면 각각의 유선은 결코 교차하지 않는다. 그림 11.14에서 각각의 유선들은 정수두가 h인 지점에서 시작되어 정수두가 0이 되는 자유수면에서 끝이 난다.

흙 속에서의 점성저항으로 인하여 각 유선의 정수두 h가 소멸된다. 따라서 모든 유선에서는 전수두나 침투력이 동일한 점이 존재한다. 이렇게 각 유선에서 수두가 같은 점들을 연결한 선을 등수누선이라 한다. 그림 11.14에서 파선이 등수두선이다. 따라서 어떤 임의의 조건에서 무한한 수의 유선과 이에 따른 등수두선이 존재한다.

두 인접한 등수두선 사이의 동수경사는 이 두 선 사이의 거리에 의해 나누어진 수두 차이이다. 즉, $i = \Delta h/\Delta L$이다.

등수두선에 직각으로 흐를 때 동수경사는 최댓값을 갖는다. 왜냐하면 주어진 Δh에 대해 ΔL은 가장 최소거리가 되고, i는 최댓값이 되기 때문이다. 따라서 유선은 등수두선을 직각으로 교차하도록 한다. 그림 11.14에서 유선과 등수두선은 서로 직각으로 교차하는 곡선망을 형성한다.

유선과 등두수선은 임의의 조건에서 무한히 그릴 수 있지만 그 수를 제한하는 것이 편리하다.

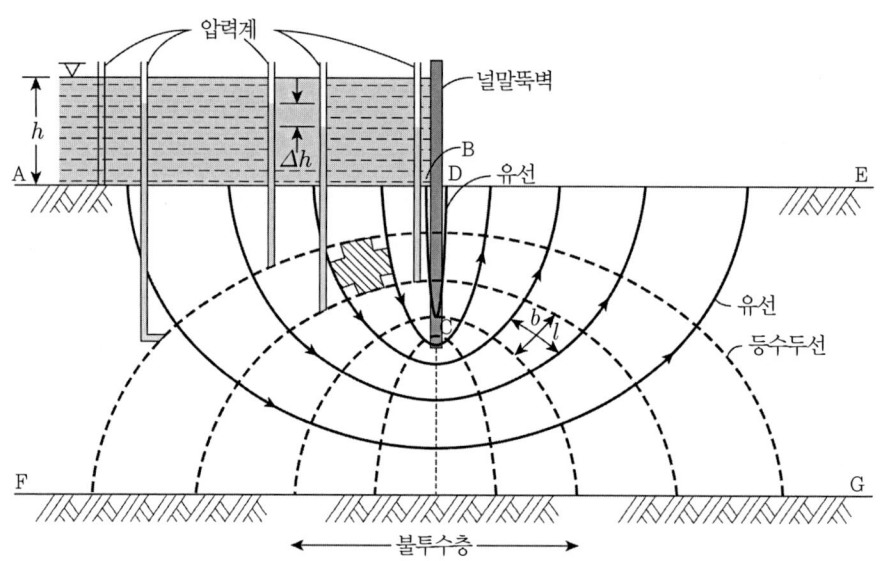

그림 11.14 널말뚝을 이용한 임시물막이에 대한 유선망

그 수는 다음 사항에 의해 매우 큰 영향을 받는다. 특히 유선망을 작도할 경우 등수두선과 유선에 의해 형성되는 기하학적 형상이 가능한 한 정사각형에 근접해야 한다. 그림 11.14의 모든 블록이 정사각형은 아니다. 그러나 이러한 망들이 대략적인 정사각형이 되도록 작도하는 것이다. 위와 같이 유선망이 작도되면 정사각형의 대각선은 대략적으로 동일한 길이를 가질 것이고 등수두선과 유선이 교차하는 각은 90°가 될 것이다. 그림 11.14는 2차원의 경우에 대한 유선망을 보여주고 있다. 이것은 다른 평행한 평면에서도 모든 흐름 조건이 유사하다고 가정한 것을 의미한다.

원래 흙 속을 통과하는 물의 흐름은 3차원적이지만 3차원에 대한 분석은 복잡하며 유선망을 작도하는 방법과 관련된 원리를 실제적으로 예시할 목적으로는 한계가 있다.

Darcy의 법칙으로부터 임의의 정사각형을 통과하는 유량(q)는 $n\Delta q$이다.

$$\Delta q = kib = k\frac{\Delta h}{l}b \tag{11.38}$$

여기서, b는 그림 11.14와 같이 유선 사이의 거리이고 l은 등수두선 사이의 거리이다. 이것을 정사각형으로 간주할 경우 $l = b$이고 식 (11.38)은 $\Delta q = k\Delta h$로 나타낼 수 있다.

또한

$$h = n_d \Delta h$$

따라서

$$\Delta q = kh/n_d$$

q로 나타내면

$$q = n_f \left(\frac{kh}{n_d}\right) \tag{11.39}$$

또는

$$q = \frac{n_f}{n_d} kh \tag{11.40}$$

한 가지 주목할 사항은 n_f와 n_d의 값이 주어진 상황에 따라 변화하지만 n_f/n_d는 유선망이 적절하게 작도된다면 항상 일정하다는 것이다.

이방성의 흙의 경우($k_x > k_z$) 유선망은 변형된 단면으로 그린다. 그림 11.15는 동일한 단면을 축소시킨 축척과 원축척을 나타내고 있다.

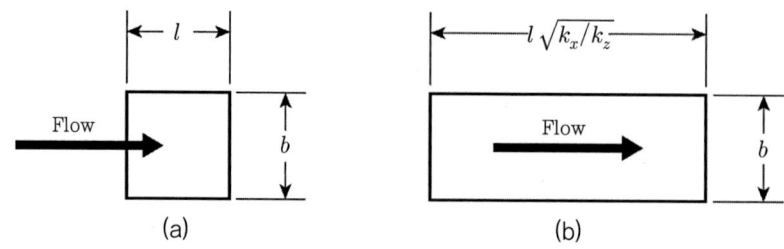

그림 11.15 (a) 축소시킨 축척, (b) 원축척

각각 두 단면을 통하여 흐르는 유량 Δq_T와 Δq_N은 다음과 같이 나타낼 수 있다.

$$\Delta q_T = k_e \frac{\Delta h}{l} b = k_e \Delta h \tag{11.41}$$

그리고

$$\Delta q_N = k_x \frac{\Delta h b}{\sqrt{k_x/k_z}} = k_x \frac{\Delta h}{\sqrt{k_x/k_z}} \tag{11.42}$$

$\Delta q_T = \Delta q_N$이다. 그래서 다음과 같은 식을 얻을 수 있다.

$$k_e \Delta h = k_x \frac{\Delta h}{\sqrt{k_x/k_z}} \tag{11.43}$$

간단히 하면

$$k_e = \sqrt{k_x k_z} \tag{11.44}$$

여기서, $k_x = x$방향의 투수계수
        $k_z = z$방향의 투수계수
        $k_e =$ 유효투수계수

| 참고문헌 |

(1) 홍원표 역(2003), 기초공학, 구미서관.

(2) 홍원표·권오균·김유성·김태형·김학문 공역(2012), 토질역학, 도서출판 Young.

(3) Darcy, H.(1856), Les Fontaines Publiques de la Ville de Dijion, Dalmont, Paris.

(4) Fancher, G.H., Lewis, J.A. and Barnes, K.B.(1933), "Mineral Industries Experiment Station", Bull 12, Penn State College.

(5) Hazen, A.(1892), "Some physical properties of sand and gravels with special reference to the use in filteration", Massachusette State Board of Health, 24th annual report.

(6) Kenney, T.C., L, D. and Ofoegbu, G.I.(1984), "Permeability of compacted granular materials", Can. Geotech. J., Vol.21, No.4, pp.726-729.

(7) Kozeny, J.(1933), "Theorie und Berchung der Brunmen, Wasserkraft und Wasserwirtschaft, Vo.28, p.104.

(8) Samaraisinghe, A.M., Huang, Y.H. and Drnevich, V.P.(1982), "Permeability and consolidation of normally consolidated soils", J.GED, ASCE, Vol.108, No.GT6, pp.835-850.

(9) Slichter, C.(1899), "Nineteenth Annual Report, U,S.Geologycal Survay Part2, p.360.

(10) Taylor, D.W.(1948), Fundermentals of Soil Mechanics, Wiley, New York.

Chapter
12

흙의 압축성과 침하

Chapter 12 흙의 압축성과 침하

12.1 서 론

12.1.1 압축률과 체적변화

흙 속의 미소요소에 작용하는 전응력을 σ라 할 때 이 중 흙 입자 간 응력을 직접 전달하는 부분, 즉 유효응력을 σ'라 하고 입자 사이의 간극수가 부담하는 중립응력을 u라 한다. 여기서 흙 입자들 사이의 접촉면이 매우 작다고 가정하면 다음 식이 성립한다. 이 식은 제2장에서 설명한 식 (2.7)과 동일한 식이다.

$$\sigma = \sigma' + u$$
$$\sigma' = \sigma - u \tag{12.1}$$

즉, 유효응력 σ'는 전응력 σ에서 간극수압 u를 뺀 값이다. 비배수상태에서 흙에 가해진 전응력 σ가 변한 경우 이에 동반하여 발생하는 유효응력 σ'와 간극수압 u의 변화는 흙의 구조골격과 간극물질(유체상)의 상대적 압축률을 검토함에 따라 알 수 있다. 이 경우 흙 입자의 압축률 m_s는 $1.4 \times 10^{-6} \sim 2.7 \times 10^{-6}$ kg/cm²으로 물의 압축률 $m_w = 4.9 \times 10^{-5}$ kg/cm²(15°C)에 비해 차수가 낮아 생략할 수 있다.

먼저 흙덩어리(soil mass)의 압축률, 즉 흙구조골격의 압축률 m_v는 흙 속의 미소요소의 초기체적을 V라 하면 식 (12.2)와 같이 표현된다. 여기서 m_v는 체적압축계수(coefficient of volume compressibility)라 부른다.

$$m_v = -\frac{1}{V}\frac{\Delta V}{\Delta \sigma'} \tag{12.2}$$

또한 유체(액체, 기체)의 압축률 m_f도 동일하게 정의할 수 있다. n을 흙의 간극률이라 하면 유체의 체적은 nV가 된다. 만약 전응력이 $\Delta\sigma$만큼 변하여 유효응력과 간극수압이 각각 $\Delta\sigma'$ 및 Δu만큼 변한다고 하면 비배수조건에서는 흙의 구조골격과 유체의 체적 감소량이 동일하게 되어야 하므로 식 (12.3)이 성립한다.

$$m_v \Delta \sigma' V = m_f \Delta u n V$$
$$\therefore \Delta \sigma' = n \frac{m_f}{m_v} \Delta u \tag{12.3}$$

여기에 식 (12.1)을 대입하면 간극수압 Δu는 식 (12.4)와 같이 된다.

$$\Delta u = \frac{\Delta \sigma}{1 + n\frac{m_f}{m_v}} \tag{12.4}$$

결국 비배수 상태의 경우 전응력 변화량 $\Delta\sigma$에 의한 간극수압의 변화량 Δu는 식 (12.4a)와 같이 표현한다.

$$\Delta u = B \Delta \sigma$$
$$B = \frac{1}{1 + n\frac{m_f}{m_v}} \tag{12.4a}$$

여기서 B는 Skempton(1954)의 간극압계수(pore pressure coefficient)라 부르며 무차원수이다.[12]
포화토의 경우 식 (12.4)의 유체의 압축률 m_f는 물의 압축률 m_w와 동일하며 구조골격의 압축률 m_v에 비해 무시할 수 있을 정도로 작으므로 식 (12.4a)의 간극압계수 B는 거의 1이 된다. $B≒1$이라고 하는 것은 바꾸어 이야기하면 전응력의 변화에 대한 유효응력의 변화가

0이라고 하는 것이므로 주지하는 것처럼 완전포화와 비배수라고 하는 두 가지 조건에서는 흙의 체적변화도 전단강도의 변화도 발생하지 않는다.

그러나 불포화토에서는 유채는 흙의 구조골격과 동일한 차수의 압축률을 갖는다. 따라서 간극압계수 B는 1보다도 작게 된다. 포화도가 작을수록 유체의 압축률은 구조골격의 압축률보다도 크게 되어 B는 0에 근접한다. 따라서 이 경우에는 전응력 변화량의 상당량이 유효응력의 변화를 초래하게 된다. 결국 비배수상태에서의 불포화토의 체적변화나 강도는 작용하고 있는 등방압에 무관하지 않게 된다.

12.1.2 압밀의 원리

(1) 압밀의 정의

완전 포화된 흙에 하중이 가해지면 이 하중에 의하여 흙 입자들 사이의 간극 속에 있는 물(간극수)에 수압이 발생하는데, 이것을 과잉간극수압이라고 한다. 이 수압으로 인하여 임의의 두 점 사이에 수두차가 발생하고 수압의 평형을 이루기 위하여 물의 흐름이 발생하게 된다. 이처럼 흙 위의 구조물하중이나 성토하중에 의하여 흙 속의 물이 배출되어 지반이 서서히 압축되는 현상을 압밀이라 한다.

따라서 압밀은 포화된 연약지반에서 발생되는 압축현상으로 압밀침하를 유발한다. 이처럼 상재하중에 의해 모든 흙은 압밀되며 이로 인해서 지반과 구조물의 침하가 발생된다.

현재 압밀침하를 이론적으로 취급하는 데는 다음과 같이 가정하여 접근한다.

① 흙은 완전포화균질상태에 있다.
② 흙 입자와 물은 비압축성이다.
③ 물의 흐름은 수직 방향으로 발생한다(1차원 압밀의 경우).
④ Darcy 법칙이 유효하다.
⑤ 미소변형률로 거동한다.

그림 12.1은 현재 압밀침하현장(1차원 압밀침하현장)에서 이론적으로 가장 많이 취급되고 있는 Terzaghi의 압밀모델이다. 연약지반의 1차원 압밀침하의 기본 개념에서는 위의 가정에서

기술한 것처럼 간극수와 흙 입자는 비압축성이고 초기간극수압은 0으로 가정한다.

1차원 압밀침하에서는 적용하중에 의해 흙 시료에서 배출되는 간극수의 체적은 흙 시료의 체적변화와 동일하고 수평방향의 변위는 발생하지 않는다. 그러므로 흙 시료의 측방 또는 원주방향의 변형은 없는 것으로 취급한다. 즉, 측방변형은 0($\epsilon_r = \epsilon_\theta = 0$)이고 체적변형($\epsilon_p = \epsilon_z + \epsilon_\theta + \epsilon_r$)은 수직변형 $\epsilon_z = \Delta z/H_0$과 같다. 여기서 Δz는 흙 시료의 높이 또는 두께의 변화이고 H_0는 흙 시료의 초기높이 또는 초기두께이다.

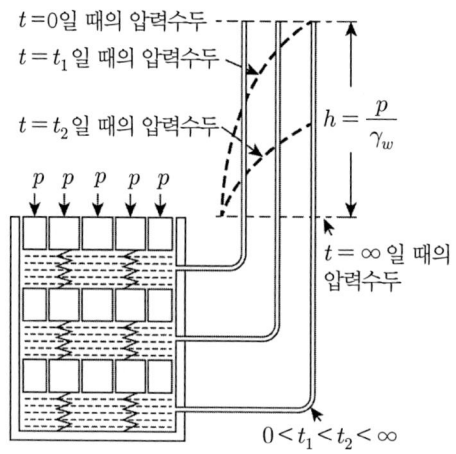

그림 12.1 Terzaghi의 1차원 압밀 모델

이와 같은 과잉간극수압의 감소에 의한 유효응력의 변화로 발생하는 압밀과정을 특별히 1차 압밀이라 부르고 그 이후의 시간과 함께 발생하는 변형을 2차 압밀이라 부른다. 따라서 2차 압밀은 크리프성 변형이라 생각된다.

1차 압밀과 2차 압밀을 구분하는 원리는 1차 압밀이 간극으로부터 물의 배출과 과잉간극수압에서 흙 입자로의 하중전달에 의해 발생하는 흙의 체적변화이고 2차 압밀은 1차 압밀이 완료된 이후에 흙구조의 재배열에 의한 흙의 체적변화이다.

이와 같이 지금까지는 1차 압밀과 2차 압밀을 분리해서 생각하였다. 그러나 실제로는 연약점토지반에서 2차 압밀은 1차 압밀의 한 부분으로써 발생하기 때문에 사실 1차 압밀과 2차 압밀은 명확하게 구별되지 않는다. 따라서 침하량을 추정하기 위해서 1차 압밀과 2차 압밀을 구분하는 것이 용이하지 않다. 다만 편리상 구분할 따름이다.

(2) 압밀과정

Terzaghi의 1차원 압밀 모델인 그림 12.1에서 완전히 포화된 상판에 단위면적당 p의 하중을 작용시킨 경우 초기에 상판에 뚫어놓은 구멍을 통하여 물이 전혀 빠져나가지 못하도록 구멍을 막으면 스프링(흙 입자)은 비압축성이므로 모든 하중을 물이 받아 간극수압이 증가한다. 이때 초기의 과잉간극수압은 처음에 가해진 하중과 같다.

$$u_e = p = h\gamma_w \tag{12.5}$$

여기서, u_e =과잉간극수압(t/m^2)
 p =상판에 가해진 하중(t/m^2)
 h =피에조미터에 나타난 수두 높이(m)
 γ_w =물의 단위중량(t/m^3)

초기의 과잉간극수압 발생 상태에서 재하상판을 막고 있던 구멍을 개방한다면, 상단에서 물이 일부분 빠져나가기 때문에 스프링(흙 입자)은 압축력을 받는다. 이것은 상판이 스프링에 가해진 하중의 일부를 부담하고, 간극수압은 그만큼 감소된다는 것을 의미한다.

포화점토층이 하중을 받을 때 처음에는 그 하중을 전적으로 간극수압이 부담한다. 이 간극수압의 증가에도 불구하고 흙은 압축되지 않고 물은 시간이 지남에 따라 점차로 간극으로부터 빠져나가 흙 골격은 모델의 스프링처럼 압축된다. 이런 거동은 과잉간극수압이 완전히 소산될 때까지 계속된다.

즉, 점토층 속에서는 임의의 시간에 임의의 점에서 다음과 같은 관계가 성립한다.

$$p = u_e + \Delta p \tag{12.6}$$

여기서, 압밀속도는 다음과 같은 요소에 의해 지배되고 있다.

① 토층 또는 두께 방향의 유효응력 분포
② 배수길이

③ 배수의 경계조건
④ 흙의 압축계수
⑤ 흙의 투수계수

12.2 압밀이론

12.2.1 압밀기본방정식

간극을 갖는 물질 내에 그림 12.2와 같은 체적 V, 표면적 S를 갖는 요소를 고려할 때 그 표면을 통하여 속도 v로 유입되는 물의 양은 n을 법선방향의 단위벡터라 하면 $\iint_S (v, n)dS$ 가 된다. 한편 단위시간당 Q의 비율로 내부적으로 발생하는 수두가 있으면 그에 의한 요소의 체적변화는 $\iiint_V QdV$ 가 된다.

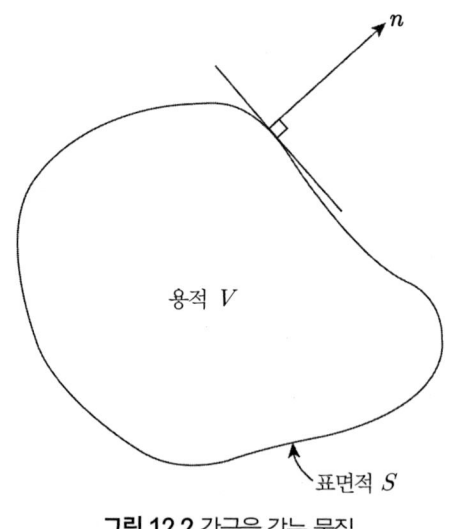

그림 12.2 간극을 갖는 물질

따라서 전 체적변화는 이들 양자의 합이 되나 여기에 Gauss 정리를 적용하면 다음과 같이 된다.

$$\iiint_V (\nabla \cdot v + Q) dV$$

다음은 운동방정식으로의 Darcy 법칙은 k를 투수계수, h를 수두라 하면 다음과 같이 표현된다.

$$v = k \nabla h \tag{12.7}$$

이것을 이용하면 전체 체적변화는 다음과 같이 된다.

$$\iiint_V (k \nabla^2 h + Q) dV$$

따라서 흙의 구조골격 변화는 간극수의 시간적 유출량과 동일하게 체적변화를 하므로 이 체적변화량을 Δ라 하면 다음 식이 성립한다.

$$\frac{\partial \Delta}{\partial t} = \frac{\partial V}{\partial t} \tag{12.8}$$

따라서 임의의 체적 V에 대한 전 체적변화량은 다음과 같이 된다.

$$\iiint_V \frac{d\Delta}{dt} dV$$

따라서

$$\iiint_V \left(k \nabla^2 h + Q + \frac{d\Delta}{dt} \right) dV = 0 \tag{12.9}$$

여기서, V는 임의의 체적이므로 위 식에 의해

$$k\nabla^2 h + Q + \frac{\partial \Delta}{\partial t} = 0 \tag{12.10}$$

물의 단위체적중량을 γ_w라 하면 일반적으로 수두 h와 간극수압 u 사이에는 다음 관계가 있다.

$$u = \gamma_w h \tag{12.11}$$

포화토 중의 임의면에 작용하는 전응력(평균수직응력) σ_m은 간극수압 u와 평균유효수직응력 $\sigma_m{'}$의 양자에 의해 담당하게 된다. 또한 체적변형량 Δ와 평균유효수직응력 $\sigma_m{'}$의 비로 체적압축계수 m_v를 정의하면 식 (12.12)가 된다.

$$\frac{\partial \Delta}{\partial t} = m_v \frac{\partial \sigma_m{'}}{\partial t} = -m_v \frac{\partial u}{\partial t} + m_v \frac{\partial \sigma_m}{\partial t} \tag{12.12}$$

식 (12.11)과 (12.12)를 (12.10)에 대입하면 다음의 압밀기본방정식이 구해진다.

$$\frac{\partial u}{\partial t} = \frac{k}{m_v \gamma_w} \nabla^2 u + \left(\frac{1}{m_v} Q + \frac{\partial \sigma_m}{\partial t}\right) = c_v \nabla^2 u + R \tag{12.13}$$

여기서, $c_v = \dfrac{k}{m_v \gamma_w}$ 이고 $R = \dfrac{Q}{m_v} + \dfrac{\partial \sigma_m}{\partial t}$ 이다.

식 (12.13)의 우변 제2항, 즉 R의 내용은 제1항이 흙 요소내에 내부적으로 발생하는 수두 변화 Q에 기인하며 또한 제2항은 외적으로 작용하는 전응력의 시간적 변화에 의한 것으로 해석할 수 있다(Schifffman, 1958).[11]

吉国(1972)[22]는 압밀기본방정식의 일반형으로 식 (12.14)를 제시하였다.

$$\frac{\partial u}{\partial t} = c_v \nabla^2 u + \frac{\partial \psi}{\partial t} \tag{12.14}$$

여기서, $\psi = (\lambda + 2\mu)e + u$ (12.14a)

$e = div\, u = \dfrac{\partial u_x}{\partial x} + \dfrac{\partial u_y}{\partial y} + \dfrac{\partial u_z}{\partial z}$

식 (12.13)에서 $Q = 0$이라 놓은 경우와 일치하는 것이 분명하다.

12.2.2 Terzaghi 압밀이론

미소변형률 압밀이론은 대상지반에 외력이 가해졌을 때 미소변형(small strain)의 발생, 즉 연약지반의 두께에 비해 압밀침하량이 아주 미소하다는 가정에서 이론의 전개가 이루어진다. 이러한 압밀현상은 흙의 변형과 투수현상이 결합하여 발생하므로 이를 수학적으로 표현하기 위해서 간극수의 변동규칙, 연속조건식, 적합방정식, 점토의 구성방정식, 변형률의 적합조건, 간극수와 흙 골격의 응력분담 규칙 등과 같은 조건식이 필요하다.

Terzaghi의 1차원 압밀이론은 미소변형률 압밀이론의 근간을 이루는 것으로 현재도 해석의 간편함과 실용상의 차원에서 널리 사용되고 있으며, 발전된 여러 압밀이론에서도 여전히 유효성을 내포하고 있다.

(1) 1차원 압밀방정식의 유도

외부하중으로 인하여 유발된 과잉간극수압이 소산되는 과정을 시간의 함수로 나타낸 1차원 압밀방정식이 Terzaghi(1925)에 의해 발표되었는데, 이 압밀방정식의 유도과정에서 가정한 내용들을 정리하면 다음과 같다.

① 흙은 균질하다.
② 흙은 완전히 포화되어 있다.
③ 흙 입자와 물의 압축성은 무시할 수 있을 만큼 작다.
④ 미소 흙 요소의 거동은 큰 토체의 거동과 비슷하다.
⑤ 압축은 1차원 수직방향으로 발생하며 횡방향변위는 구속되어 있다.
⑥ 물의 흐름도 수직방향으로만 일어난다.
⑦ 물의 흐름에는 Darcy의 법칙이 유효하며 투수계수는 일정하다.

⑧ 흙의 압밀특성은 압밀하중의 크기와 무관하게 일정하다.
⑨ 유효응력과 간극비는 선형적 비례관계를 갖는다.
⑩ 변형이 미소하게 발생한다.
⑪ 유효응력의 법칙을 따른다.
⑫ 토체는 에너지 불변의 법칙을 따른다.
⑬ 흙의 성질은 시간에 따라 변하지 않는다.

위 가정들의 유효성에 대해 살펴보면 ①, ②, ③은 토질역학에서 흔히 사용되는 보편적인 가정들이며, ④는 이론적 모형화를 위한 방편으로서 큰 토체의 경우 비균질한 경우가 많으나 ①의 가정에 의해 정당화된다고 볼 수 있다. ⑤와 ⑥은 횡방향변위가 구속된 실내 1차원 압밀시험에서는 유효하나 변위구속조건이 다양한 현장에 적용할 때는 유효성을 신중히 검토해야 한다. ⑦과 ⑧은 엄밀히 말한다면 압력의 변화에 따라 달라질 수 있지만 거시적으로는 가정의 유효성에 큰 문제는 없다. ⑨의 가정은 유효응력의 미소증분에 대해서는 유효하지만 압력변화 범위가 클 경우에는 문제가 된다. 그리고 압력-변형률의 관계를 비선형으로 보면 실제 거동에 근사하게 접근할 수 있지만 해석이 지나치게 복잡해지는 데 비해 기여도는 그리 크지 않다.

그림 12.3에 도시된 요소 내의 연직방향 두 점 사이의 수두차를 dh라 하면 그림 12.3에서 보는 것처럼 흐름이 상방향일 경우 z방향의 동수구배(hydraulic gradient) i_z는 다음과 같다.

$$i_z = \frac{\partial h}{\partial z} = \frac{1}{\gamma_w}\frac{\partial u}{\partial z} \tag{12.15}$$

거리 dz 사이에 동수구배의 변화는 식 (12.16)과 같이 표현한다.

$$\frac{\partial i_z}{\partial z} = \frac{1}{\gamma_w}\frac{\partial^2 u}{\partial z^2} \tag{12.16}$$

그림 12.3에서 미소입방체에 유입되는 단위유량과 유출되는 단위유량은 각각 식 (12.17a) 및 (12.17b)와 같이 표현할 수 있다.

$$q_{in} = v_z dA = k i_z dA = \frac{k}{\gamma_w}\frac{\partial u}{\partial z}dxdy \qquad (12.17a)$$

$$q_{out} = \frac{1}{\gamma_w}\left(k + \frac{\partial k}{\partial z}\right)\left(\frac{\partial u}{\partial z} + \frac{\partial^2 u}{\partial z^2}dz\right)dxdy \qquad (12.17b)$$

여기서, v_s는 z방향의 유입속도이다.

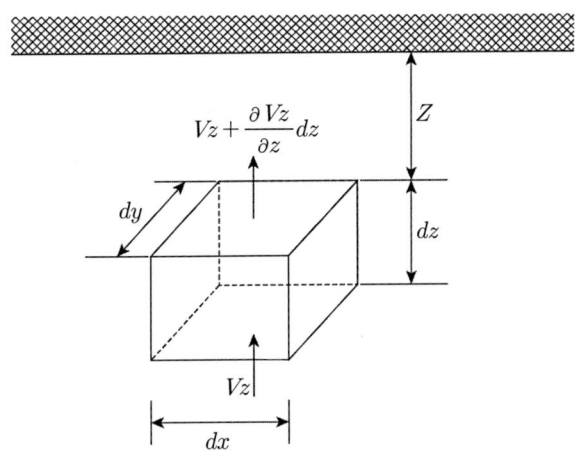

그림 12.3 압밀방정식을 유도하기 위한 미소육면체

가정에 의하여 투수계수 k가 일정하면 $\partial k/\partial z = 0$이므로 식 (12.17b)는 (12.17c)가 된다.

$$q_{out} = \frac{k}{\gamma_w}\left(\frac{\partial u}{\partial z} + \frac{\partial^2 u}{\partial z^2}dz\right)dxdy \qquad (12.17c)$$

유입량과 유출량의 차이 $\Delta q = q_{out} - q_{in}$는 식 (12.18)과 같이 된다.

$$\Delta q = \frac{k}{\gamma_w}\frac{\partial^2 u}{\partial z^2}dxdydz \qquad (12.18)$$

$dxdydz$는 요소 체적이고 Δq는 시간당 체적변화량이다. $V_v = [e/(1+e)dxdydz]$은 간극의 변화량이고 흙 입자의 체적은 $V_s = [1/(1+e)]dxdydz$이다. 물과 흙 입자의 압축성은 무

시할 정도로 작으므로 체적변화는 없는 것으로 간주한다. 따라서 전체 체적변화는 다음과 같다.

$$\frac{\partial V_v}{\partial t} = \frac{\partial}{\partial t}\left(\frac{e}{1+e}\right)dxdydz \tag{12.19a}$$

$V_s = [1/(1+e)]dxdydz$는 일정하므로 식 (12.19a)는 다음과 된다.

$$\frac{\partial V_v}{\partial t} = \left(\frac{e}{1+e}\right)\frac{\partial e}{\partial t}dxdydz \tag{12.19b}$$

포화토에서 유입량과 유출량의 차이 Δq는 요소의 체적변화이므로 식 (12.18)은 (12.19b)와 같으므로 식 (12.20a) 또는 (12.20b)가 성립한다.

$$\Delta q = \frac{\partial V_v}{\partial t} \tag{12.20a}$$

$$\frac{k}{\gamma_w}\frac{\partial^2 u}{\partial z^2} = \left(\frac{1}{1+e}\right)\frac{\partial e}{\partial t} \tag{12.20b}$$

가정에 의해 $\partial e = a_v \partial u$이므로 식 (12.20b)는 (12.21)이 된다. 여기서 a_v는 압축계수(coefficient of compressibility)이다.

$$\frac{k}{\gamma_w}\left(\frac{1+e}{a_v}\right)\frac{\partial^2 u}{\partial z^2} = \frac{\partial u}{\partial t} \tag{12.21a}$$

$$\text{또는 } c_v\frac{\partial^2 u}{\partial z^2} = \frac{\partial u}{\partial t} \tag{12.21b}$$

식 (12.21b)가 Terzaghi의 압밀방정식이고 $c_v = \frac{k}{\gamma_w}\left(\frac{1+e}{a_v}\right)$는 압밀계수이다.

Terzaghi의 압밀방정식을 다른 방법으로 유도하면 다음과 같다. 우선 압밀방정식을 유도하기 위해 흙체적을 그림 12.4와 같이 간략하게 도시하였다. 이 그림의 좌측에 표시한 V_0, V_s

및 ΔV는 각각 흙덩어리의 초기체적, 흙 입자의 체적 및 체적변화량이다. 한편 이 그림의 우측에는 흙 입자체적을 1이라고 하였을 경우의 간극비로 체적을 표시한 그림이다. 즉, e_0와 Δe는 초기간극비와 간극비변화량을 나타내고 $(1+e_0)$는 전체 체적을 간극비로 표현한 값이다. 시간에 따른 체적변화율($\partial V/\partial t$)은 다음과 같이 유도된다.

$$\frac{\Delta V}{V_o} = \frac{\Delta e}{1+e_o} \tag{12.22a}$$

$$\therefore \Delta V = \frac{V_o}{1+e_o}\Delta e = \frac{dxdydz}{1+e_o}\Delta e = m_v\partial\sigma_z'dxdydz = m_v\partial u dxdydz \tag{12.22b}$$

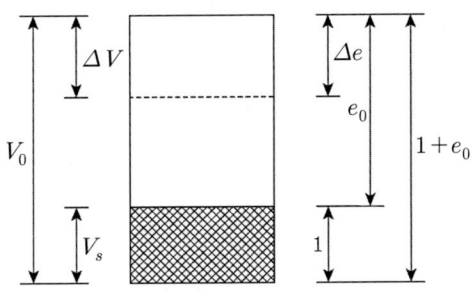

그림 12.4 압밀에 따른 체적변화

따라서 체적변화(ΔV)를 시간(t)으로 편미분하면 시간에 따른 체적변화율($\partial V/\partial t$)은 다음과 같이 구할 수 있다.

$$\frac{\partial V}{\partial t} = \frac{dxdydz}{1+e_0}\frac{\partial e}{\partial t} \tag{12.23}$$

결국 시간에 따른 체적변화율은 유입되는 단위유량과 유출되는 단위유량의 차와 같아지므로

$$\frac{\partial v_z}{\partial z}dxdydz = \frac{dxdydz}{1+e_0}\frac{\partial e}{\partial t} \tag{12.24}$$

식 (12.24)의 양변의 $dxdydz$를 소거하면

$$\frac{\partial v_z}{\partial z} = \frac{1}{1+e_0}\frac{\partial e}{\partial t} = \frac{\partial u}{\partial t}m_v \tag{12.25}$$

가정에서 Darcy의 법칙이 유효하다고 하였으므로 물의 1차원 흐름에서 속도는 다음과 같이 구할 수 있다. m_v는 체적압축계수이다.

$$v_z = ki_z = k\left(\frac{\partial h}{\partial z}\right) \tag{12.26}$$

여기서, h는 전수두이고 k는 수직방향의 투수계수이다.

임의의 시간에서 간극수압은 식 (12.11)에서 $u = h\gamma_w$과 같다. 이 식을 z에 대해 2차 편미분하면

$$\frac{\partial^2 h}{\partial z^2} = \frac{1}{\gamma_w}\frac{\partial^2 u}{\partial z^2} \tag{12.27}$$

식 (12.26)을 깊이(z)에 대해 편미분하고 식 (12.27)을 대입하면 (12.28)이 구해진다.

$$\frac{\partial v_s}{\partial z} = \frac{k}{\gamma_w}\frac{\partial^2 u}{\partial z^2} \tag{12.28}$$

식 (12.25)와 (12.28)은 같으므로 식 (12.29)가 구해진다.

$$\frac{\partial u}{\partial t} = \frac{k}{m_v \gamma_w}\frac{\partial^2 u}{\partial z^2} = C_v \frac{\partial^2 u}{\partial z^2} \tag{12.29}$$

여기서, 압밀계수 $C_v = k/m_v\gamma_w$이다.

이 식은 시간(t)와 깊이(z)에 따른 과잉간극수압(Δu)의 공간적 변화를 나타낸다. 식 (12.29)를 1차원 압밀에 대한 일반방정식이다. 식 (12.29)는 Terzaghi(1925)에 의해 제안된 식 (12.21b)의 Terzaghi 1차원 압밀방정식과 동일하다.

한편 깊이에 따른 속도변화를 구하기 위해 식 (12.26)의 속도 v_z를 깊이 z로 편미분하면

$$\frac{\partial v_z}{\partial z} = \frac{\partial}{\partial z}\left(-k\frac{\partial h}{\partial z}\right) = -k\frac{\partial^2 h}{\partial z^2} \tag{12.30}$$

식 (12.25)와 (12.30)으로부터 식 (12.31)과 같은 연속방정식을 얻을 수 있다.

$$k\frac{\partial^2 h}{\partial z^2} = \frac{1}{1+e_0}\frac{\partial e}{\partial t} \tag{12.31}$$

(2) 압밀도 평가

$t=0$일 때, 초기조건은 $u_e = u_0$(초기과잉간극수압)($0 \leq Z \leq 2$, 양면배수)이며, t 시각에서의 경계조건은 $Z=0$과 $Z=2$에서 $u_e=0$이 된다.

$$\frac{\partial \sigma_v}{\partial t} = 0 \tag{12.32a}$$

$$Z = \frac{z}{H_{dr}} \tag{12.32b}$$

$$T = \frac{C_V t}{H_{dr}^2} \tag{12.32c}$$

$$\frac{\partial^2 u_e}{\partial z^2} = \frac{\partial u_e}{\partial T} \tag{12.32d}$$

여기서, T는 시간계수이고 H_{dr}은 배수경로의 길이다.

간극수압 u_e는 초기조건 및 임의의 시각 t에서의 경계 조건을 적용하면 식 (12.32d)의 해는 Taylor의 푸리에급수(Fourier series)를 사용해서 다음과 같이 구할 수 있다.

$$u_e = \sum_{m=0}^{m=\infty} \frac{2u_0}{M}(\sin MZ)e^{-M^2T} \qquad (12.33)$$

여기서 $M = \frac{\pi}{2}(2m+1)$이고 m은 0에서 ∞까지의 값을 가지는 양의 정수이다.

이 해는 Z와 T의 함수로 편리하게 그래프(isocrone)로 표현 가능하며, 압밀 과정에서의 단계별 과잉간극수압, 흐름속도 및 유효응력 산정 시 이용할 수 있고, 초기과잉간극수압에 대한 소산 정도를 나타내는 압밀도 U_z는 식 (12.34)로 정의할 수 있다.

$$U_z = 1 - \frac{u_e}{u_0} \qquad (12.34)$$

어느 특정 깊이와 시간에서 완료된 압밀의 양을 표현하는 매개변수 U_z를 압밀도 또는 압밀비라고 정의하고 결국 식 (12.33)을 (12.34)에 대입하여 압밀도를 식 (12.35)와 같이 구한다.

$$U_z = 1 - \sum_{m=0}^{m=\infty} \frac{2}{M}(\sin MZ)e^{-M^2T} \qquad (12.35)$$

하중재하 즉시 경계층 근처에서는 매우 큰 동수경사가 유발되지만 T가 약 0.05일 때까지 중간층에서는 거의 압밀이 유발되지 않고, $T > 0.3$인 경우 U_z와 Z관계 곡선들은 거의 sine 곡선이 되며, 중간층에서는 물이 거의 흐르지 않는다.

양면배수에 대한 평균압밀도의 50% 및 90% 압밀에 해당되는 시간계수가 압밀 결과를 해석하는 데 주로 사용되는데, 90% 압밀에 대한 시간계수 T_v는 0.848이고 50% 압밀에 대한 시간계수 T_v는 0.197이다.

12.3 압밀 방법 및 종류

지반의 침하는 보통 세 부분-즉시침하 또는 탄성압축(elastic compression), 1차 압밀침하

(primary consolidation) 그리고 2차 압밀침하(secondary compression) - 으로 나눌 수 있다.

12.3절에서는 압밀 방법 및 압밀의 종류에 대해 설명한다. 압밀 방법으로는 등방압밀, 1차원 압밀, 2차 압밀로 구분하여 설명한다.

12.3.1 등방압밀

통상의 삼축시험에서 볼 수 있는 등방압밀 문제를 생각할 수 있다. 응력과 변형률 작용방향으로 각각 주응력과 주변형률을 취하면 등방응력조건으로부터 $\epsilon_1 = \epsilon_2 = \epsilon_3 = \Delta/3$가 된다. 이 경우 압밀과정에서 작용전응력의 변화는 없으므로 식 (12.13)에서 $R=0$이며 따라서 압밀기본방정식은 간극수압에 대해 식 (12.29) 또는 (12.36)이 된다.[13]

$$\frac{\partial u}{\partial t} = c_v \Delta^2 u \tag{12.36}$$

여기서, $c_v = k/m_v \gamma_w$는 압밀계수이다.

식 (12.36)은 Terzaghi 기본방정식이다. 이것을 과잉간극수압에 관한 초기조건과 경계조건으로 해석하면 된다. 초기조건으로는 작용전응력증분과 동일한 과잉간극수압을 취한다.

12.3.2 1차원 압밀(K_0 압밀)

널리 사용되고 있는 표준압밀시험은 Terzaghi가 자신의 압밀이론을 전개할 때의 근거에 의한 시험이다. 이 경우에는 점토공시체가 연직방향으로 연직응력 σ_1을 받고 측방은 강체의 압밀링(ring)으로 구속되어 있어 수평방향변위는 발생하지 않는다. 이 조건에서는 $\epsilon_2 = \epsilon_3 = 0$, 즉 $\sigma_2 = \sigma_3$이 된다.[19,20]

일반적으로 이러한 압밀은 비교적 얇은 점토층이 모래층 사이에 있거나, 모래층과 암반 사이에 껴 있거나, 점토층의 두께에 비해 재하면적이 큰 경우의 압밀에 적합하다.

(1) 정지토압계수

수평방향의 유효수직응력 σ_3'와 연직방향의 유효응력 σ_1'의 비를 K_0로 정하면 이를 정지토압계수로 칭한다.

$$K_0 = \frac{\sigma_3'}{\sigma_1'} \tag{12.37}$$

$\epsilon_2 = \epsilon_3 = 0$ 조건하에서 다음 식이 성립한다.

$$K_0 = \frac{\lambda}{\lambda + 2\mu} = \frac{\nu}{1-\nu} \tag{12.38}$$

흙 입자의 포아송비 ν를 일정하다고 생각하면 전 압밀과정을 통해 정지토압계수 K_0는 일정하게 된다. 더욱이 $\nu \leq 1/2$이면 $K_0 \leq 1$이 구해진다.

한편 이 K_0와 유효응력으로 표현한 흙의 전단저항각 ϕ' 사이에는 Jaky[10]에 의해 다음과 같이 제안하였다.

$$K_0 = 1 - \sin\phi' \tag{12.39}$$

(2) K_0 - 압밀방정식

1차원 압밀(K_0 - 압밀)에서 압밀 진행과 함께 발생하는 작용전응력 σ_m의 감소에 의해 과잉간극수압이 감소하며 초기간극수압하에서 배수에 의한 감소에 부가된다. 따라서 압밀배수 방향을 z축으로 취하면 기본방정식 (12.13)에 의해 압밀방정식은 다음 식과 같이 된다.

$$\frac{\partial u}{\partial t} = c_v \frac{\partial^2 u}{\partial z^2} + R \tag{12.40}$$

식 (12.13)의 $Q=0$, 즉 내부적으로 발생하는 수두변화가 없는 경우를 생각하면 $R = \partial\sigma_m/\partial t$이 된다. σ_m의 감소에 의한 간극수압의 내부적 감소의 시간적 비율 R은 과잉간극수압 u와 똑같이 장소 z와 시간 t의 함수로 생각할 수 있으므로 식 (12.40)은 다음과 같이 쓸 수 있다.

$$\frac{\partial u}{\partial t} = c_v \frac{\partial^2 u}{\partial z^2} + R(z, t) \tag{12.41}$$

이것을 주어진 초기조건과 경계조건에 대해 해석하면 되지만 $R(z, t)$의 함수형을 결정하는 것은 일종의 부정적 문제가 된다.

(3) 침하와 체적변화

흙 속의 유효응력은 직접 측정이 불가능하므로 작용 전응력에서 측정 가능한 간극수압을 빼서 구한다. 흙의 미소요소에 탄성론을 적용하면 유효응력과 체적변화의 관계는 선형관계로 표현된다. 또한 시간적으로는 간극수압의 소산에 의한 지연(hydrodynamic lag)만 고려할 수 있다. 이것은 Terzaghi 압밀이론의 근거이기도 하다.

그러나 K_0-압밀에서는 평균유효응력 $\sigma_m{'}$로 인한 체적변화로 연직방향으로도 수평방향으로도 압축변위가 발생한다. 하지만 이중 수평방향변위가 없는 것으로 취급하기 위해서는 측압이 감소하고 이로 인하여 생기는 주응력차 $(1-K_0)\sigma_1{'}$에 의해 발생한 수평방향 팽창량이 이때 발생된 체적변화에 의한 수평방향 압축량과 상쇄되는 것으로 생각할 수 있다.

따라서 K_0-압밀에 의한 침하는 등방적 유효응력 $\sigma_m{'}$에 의한 체적변화의 연직성분 ρ_0와 주응력차 $(1-K_0)\sigma_1{'}$에 의한 형상변화, 즉 전단변형성분 ρ_T의 합으로 발생함을 알 수 있다. 여기에 부가적으로 흙과 같은 입상체 물질에서는 전단변형성분에 따라 생기는 다이러턴시효과에 의한 체적변화에 해당하는 침하성분 ρ_d가 부가된다.

12.3.3 2차 압밀

(1) 2차 압밀의 현상과 이론

Terzaghi 압밀이론에서는 흙의 구조골격에 작용하는 유효응력과 체적변화의 관계는 본질적으로는 시간에 무관함이 가정되어 있다. 이는 실제 점토에 대해 맞지 않는 경우가 많다. 특히 압밀이 끝날 때 침하속도 감소가 이론보다 지연되고 더욱이 이론적으로 계산된 값보다 큰 침하량이 실험적으로 나타나고 있다. 이론이상의 이런 부가적인 침하를 2차 압밀 또는 시간지연압밀이라 부른다.

2차 압밀의 실험적 연구는 주로 보통의 압밀시험으로 수행되었지만 공시체두께의 크기에 의한 치수효과나 하중증가율의 문제, 압밀링의 주면마찰, 압밀 중 간극수압측정이 불가능한 점 등 여러 제약이 있어 그 결과를 실제로 충분히 활용하지 못하는 실정이다.

2차 압밀은 Taylor & Merchant(1940)[15]에 의해 처음으로 이론적으로 연구되었다. 이에 따르면 점토층이 상당히 두꺼운 경우의 2차 압밀은 간극수압의 소산으로 발생하는 1차 압밀에 포함되어 전침하량은 Terzaghi 이론으로 계산되는 침하량과 동일하게 된다. 또한 石井[21]는 점토의 변형을 탄성변형과 영구변형으로 나눠 압축-시간곡선의 해석을 실시하였으나 층두께가 충분히 큰 경우 이 이론은 Taylor 등의 결과와 동일하게 된다. 그러나 이 이론 중에는 압밀계수 c_v 산정 시 체적압축계수 m_v 대신 $m_v + m_r$ 을 이용할 만하다. 여기서 m_r 은 2차 압밀량을 상재하중으로 나눈 값으로 소위 영구변형률에 해당한다.

그 후 Tan,[16] Gibson et al.[8]에 의해 점토의 역학모델을 이용한 이론적 연구가 실시되었으나 이들 이론에서는 점토가 일정한 유효응력하에서 전단크리프를 발생한다고 생각하였다. 이 가정은 흙의 레오로지-특성 연구에 널리 이용되고 있다.

2차 압밀은 시간의 대수에 대해 직선적으로 진행되는 경우가 많은 것을 보통의 압밀시험에서 실험적으로 볼 수 있다. 村山 등[23]은 반대수지상에 2차 압밀-시간 곡선의 직선부경사가 선행하중 p_c보다 작은 압력에 대해서는 압밀압력 p에 비례하고 그 이상에서는 p/p_c에 비례하는 것을 발견하여(그림 12.5 참조) 총침하량을 추정하는 식을 제안하고 있다.

한편 竹中[24]는 압밀 종료 시 나타나는 침하-시간곡선의 직선부분은 앞에서 설명한 압밀링의 주면마찰에 의함이므로 시험 결과에 잘 맞는 모델을 생각하여 해석함은 점토의 구조

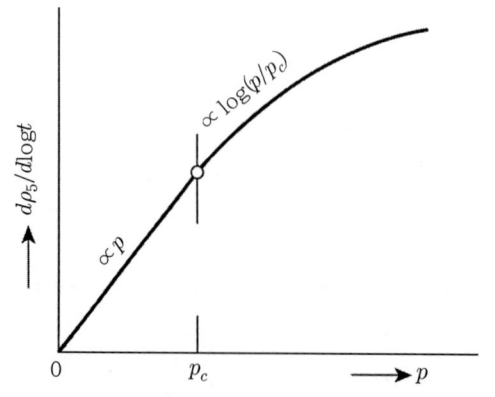

그림 12.5 점토의 크리프변형률 속도와 압밀응력의 관계

본질적인 성질을 명백하게 하는 것이 아님을 지적하여 삼축시험장치를 이용한 주면마찰이 없는 압밀시험으로 이를 입증하였다. 이와 같이 삼축시험에 의한 2차 압밀현상을 고찰하는 시도도 실시되었다.

그림 12.6은 포화실트질 점토시료에 3개월간 장기압밀시험을 실시하여 구한 압밀-시간 곡선의 한 예이다.[20] 공시체 직경은 모두 6cm이지만 높이를 세 경우로 변화시켜 압밀시험을 실시하였다. (a)의 경우를 표준으로 2cm로 하고 (b)의 경우는 그 반인 1cm로 (c)의 경우는 또다시 그 반인 0.5cm로 하였다. 어느 경우나 불교란 시료를 사용하였으며, 재하 방법은 보통의 압밀시험과 동일하게 $0.1kg/cm^2$의 재하강도에서 시작하여 24시간의 압밀지속 후 2배씩 하중을 증가시켜 재하하였다.

그림 12.6에 도시된 곡선은 $3.2kg/cm^2$에서 $6.4kg/cm^2$로 재하중을 증가시켰을 때의 정규압밀 영역거동의 시간곡선이다. 이 그림의 종축에는 눈금을 두 배씩 증대시켜 (a), (b) 및 (c)의 경우의 간극비 변화를 관찰하였다. 즉, (a)의 경우의 눈금은 (b)의 경우의 눈금의 두 배로 증대시켜 간극비를 도시하였고, (b)의 경우의 눈금은 (c)의 경우의 눈금의 두 배로 증대시켜 간극비를 도시하였다.

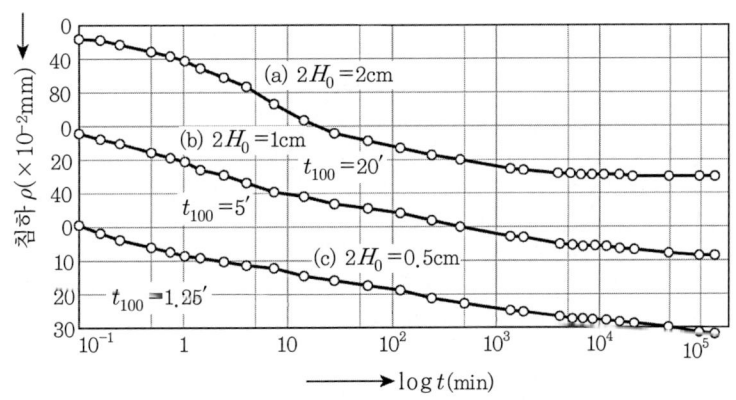

그림 12.6 장기압밀시험에서의 침하 - 시간 곡선[20]

이 그림으로부터 다음 사항을 알 수 있다.

① 종축에 간극비의 변화를 취하면 공시체 두께 여부에 관계없이 2차 압밀의 직선 부분의 경사는 거의 동일하다.

② $\log t$ 법에서 구한 1차 압밀 종료에 요하는 시간 t_{100} 을 비교하면 압밀이론에 정확히 따르는 공시체 두께의 평방에 비례한다.

③ 2차 압밀의 최종침하에 도달할 때까지 요하는 시간은 2cm의 표준두께의 공시체로 약 15일 정도이나 얇은 공시체의 경우는 매우 긴 시간에 걸쳐 불규칙한 파형의 침하가 나타난다.

④ 일차 압밀량과 2차 압밀량을 15일간에 걸쳐 비교하면 공시체 두께가 얇을수록 2차 압밀량의 비율이 크게 된다.

그림 12.7에는 시험적으로 구한 유효주응력비 $K = \sigma_3'/\sigma_1'$ 의 변화에 따른 2차 압밀속도의 차이를 도시하고 있다. 이 시험은 $\sigma_3' = 3.0\text{kg/cm}^2$ 및 3.4kg/cm^2의 일정측압에서 실시된 삼축시험의 결과이다. 이 그림으로 유효주응력비가 작을수록 2차 압밀속도가 커짐을 알 수 있다.

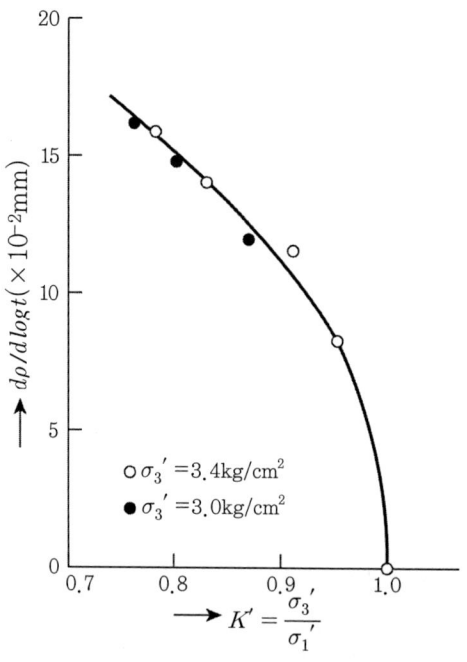

그림 12.7 2차 압밀속도와 유효주응력비의 관계

또한 이 그림은 $K=1$, 즉 등방압밀에서는 2차 압밀이 존재하지 않음을 나타내고 있지만 점토구조의 이방성이 현저한 경우 꼭 이와 같은 결과가 나타난다고 한정지을 수는 없다.

1차 압밀은 흙 속의 과잉간극수압의 소산이 원인이 되는 시간적 지연을 동반함에 반하여 2차 압밀의 원인은 흙의 둥근 입자나 생선비늘모양의 입자가 작용하중하에서 조밀한 상태로 되려고 상호 활동함에 역시 시간적 지연을 발생시킴에 있다고 생각할 수 있다. 따라서 순수한 1차원 압밀에서 변위가 연직방향에 국한되지 않는 경우에도 지반 내 응력은 등방적이 아니며, 이 때문에 흙 요소에는 전단응력이 발생하여 입자 상호 간에 상대위치의 이동이 전단크리프를 발생시킨다고 해석할 수 있다. 이들 흙 입자의 활동이나 소성변형은 간극수의 일탈에 의한 흙의 체적 감소보다 지연되어 발생할 때 2차 압밀현상이 강하게 나타나 압축-시간 곡선상에 반영된다.

(2) 2차 압밀에 의한 침하

　일반적으로 $e-\log p$ 곡선의 굴곡점으로 정한 선행하중이 현재 그 흙이 지중에서 받은 유효상재하중과 동일한 점토를 정규압밀점토라 부른다. 이에 반하여 선행하중이 유효상재하중보다 큰 점토를 과압밀점토라 하는 것은 주지의 사실이지만 최근 연구에 의하면 정규압밀점토라 해도 정시효과에 의해 선행하중이 유효상재하중보다 크게 되는 현상이 분명해졌다. 이를 선행효과(p_0-효과)라 부르도록 한다.[6]

　선행효과를 고려하면 정규압밀점토는 지사학적으로 젊은(young) 정규압밀점토와 오래된(aged) 정규압밀점토로 분류할 수 있다. 전자는 불교란 시료로 압밀시험을 실시하면 현지에서 작용하고 있는 유효상재하중 p_0에서 압밀곡선은 급하게 휜다. 이 굴절점의 압력을 선행하중 p_c라 하면 젊은 정규압밀점토는 $p_c = p_0$이 되는 특징을 가진다(그림 12.8 참조).

　예를 들면, 퇴적토층의 자중이나 성토와 같은 지표면상의 하중에 의해 약간의 압밀이 막 완료된 점토층은 젊은 정규압밀점토로 취급한다. 그러나 이와 같은 점토가 몇 백년이나 몇천년간 일정한 유효응력하에 놓여 있으면 압밀 완료 후에도 침하를 계속하게 된다. 이것은 2차 압밀이 되지만 시간과 함께 지연압밀되는 점토는 이처럼 현재 이상의 압축에 대해 보류저항을 발휘하여 체적변화 없이 유효상재하중 이상의 하중을 부담하게 된다. 이와 같은 오래된 정규압밀점토의 압축곡선은 그림 12.8에 기입한 것처럼 $p_c > p_0$ 상태에서 처녀압축의 직선부로 이동한다.

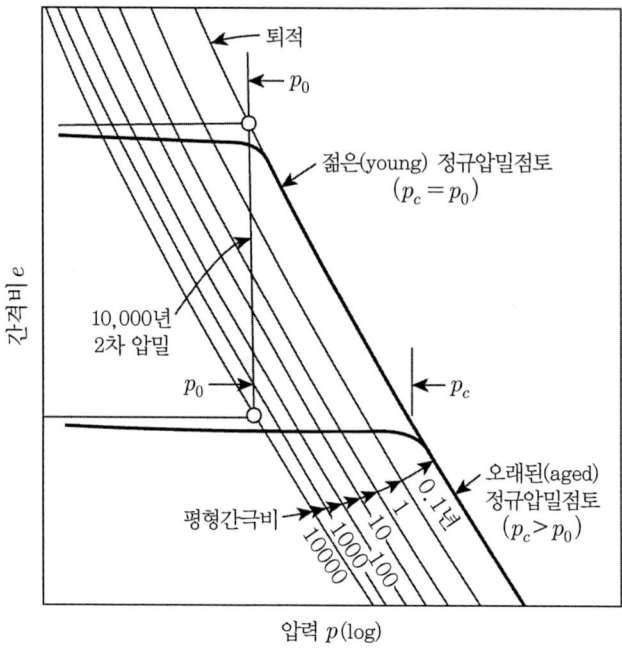

그림 12.8 정규압밀점토의 압축성(Bjerrum)[6]

이 선행효과는 유효상재하중에 비례하여 증가한다. 균질한 점토층에서 p_c/p_0 비는 깊이에 관계없이 일정하다. 동시대에 퇴적된 층의 p_c/p_0 비는 실제 상재하중하에 점토에 생기는 2차 압밀량과 함께 증가한다. 2차 압밀은 점토의 소성과 함께 늘어나므로 p_c/p_0 비는 소성지수 I_p와 함께 증대한다. 강도의 증가를 포함하여 이 선행효과는 그림 12.9에 도시된 바와 같다.

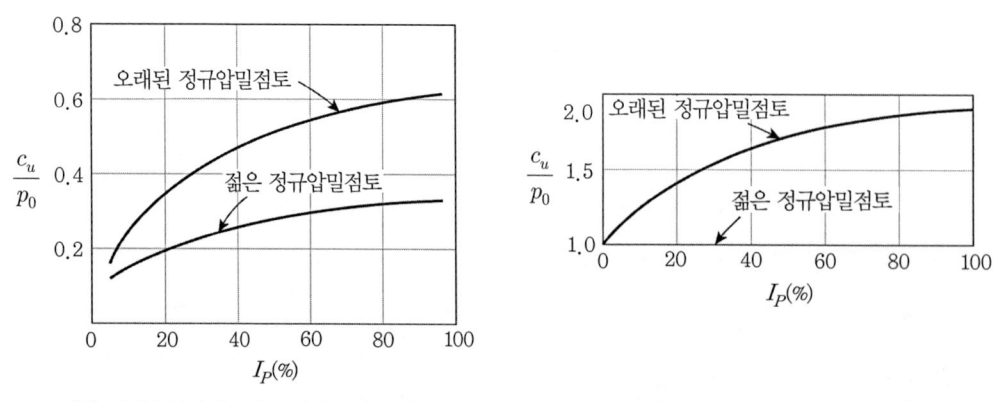

(a) 비배수전단강도와 소성지수의 관계 (b) 선행하중과 소성지수의 관계(Bjerrum)[6]

그림 12.9 정규압밀점토의 선행효과

다음으로 점토의 압밀곡선, 즉 $e - \log p$ 곡선의 특성에 의거하여 2차 압밀에 의한 침하량을 추정할 수 있다. 그림 12.10에 도시된 선군은 점토에 가하여지는 유효상재하중을 일정치 p_0로 1만 년 동안 장기간 방치하였을 경우 간극비-유효응력-시간 관계를 상상하여 도시한 그림이다.

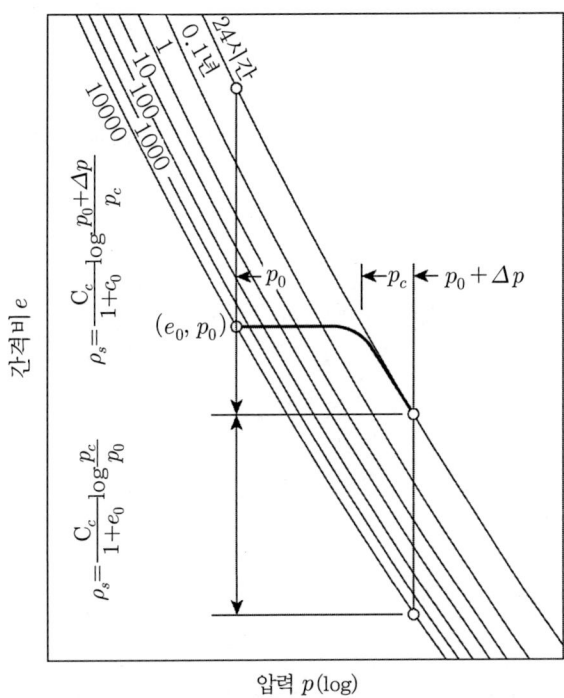

그림 12.10 2차 압밀 추정법[6]

물론 이와 같은 그림을 작성하는 데는 필요한 기초적 정보를 실험실 내의 압밀시험으로 얻는 것은 오랜 인내의 시간이 걸린다. 그러나 이 하중정보가 없는 경우에도 2차 압밀외 상한치는 그림 12.10을 참조하여 다음 식으로 구할 수 있다.[6]

$$\Delta p < p_c - p_0 \text{ 일 때}: \rho_s = \int_0^H \frac{C_c}{1+e_0} \log_{10} \frac{p_0 + \Delta p}{p_0} dz \tag{12.42a}$$

$$\Delta p > p_c - p_0 \text{ 일 때}: \rho_s = \int_0^H \frac{C_c}{1+e_0} \log_{10} \frac{p_c}{p_0} dz \tag{12.42b}$$

여기서 Δp는 유효상재하중 p_0에서의 하중증가분, p_c는 선행하중, ρ_s는 2차 압밀침하량, H는 점토층의 두께이다.

선행하중 p_c 중 임의의 부분만이 과압밀 결과이고, 나머지는 2차 압밀에 의한 것이라 하면 후자부분에만 위 식을 적용해야 한다.

지금까지 간단하게 하기 위해 간극수의 일탈에 의한 통상의 압밀침하와 2차 압밀에 의한 침하를 별도로 고려하였으나 2차 압밀은 유효응력의 증가에 따라 서서히 발생한다. 이 문제의 엄밀해는 등분포하중을 받는 점토층에 대해 Garlanger(1972)에 의해 구해졌다.[7] 그림 12.11은 이 이론에 근거하여 예측한 구조물의 장기침하-시간 곡선과 측정치를 비교한 그림이다.

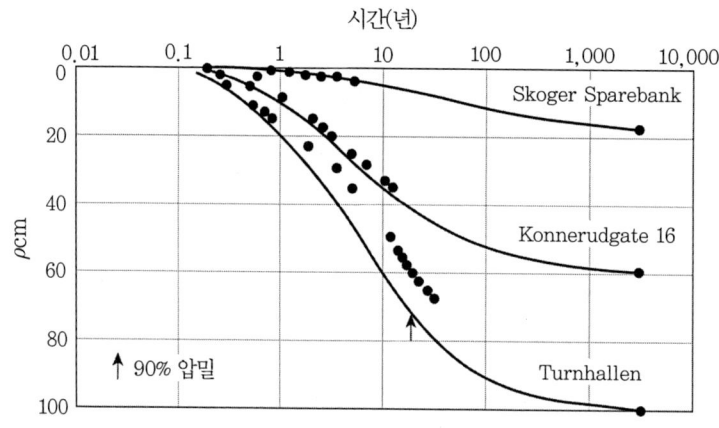

그림 12.11 구조물의 장기침하 애측과 실측의 비교(Garlanger, 1972)[7]

구조물의 수명을 고려하면 기초설계에서 2차 압밀은 무한으로 계속되는 것이 아니고 상당 시간 경과 후에는 어느 종국치에 수렴한다고 생각한다.

전 압밀량 중에 2차 압밀의 비율은 예민하지 않은 통상의 해성충적점토에 대해 약 10% 내지 15% 정도로 생각한다. 그러나 북해도 등의 한랭지에 많은 이탄토와 같은 섬유질 유기질 토에서는 일차 압밀은 전압밀량 중 극히 일부에 지나지 않고 대부분이 구조조직의 전이에 의한 2차 압밀이 점하고 있다.

12.4 장래침하량 예측법

12.4.1 장래침하량 예측

연약지반을 개량하는 공법들은 여러 가지가 있지만 그중 선행재하공법을 통한 압밀촉진 공법이 가장 많이 이용되고 있다. 이 공법이 적용된 연약지반에서는 보통 압밀이론을 통해 침하량, 소요시간 등을 예측할 수 있으나 실제로는 많은 부분이 일치하지 않는 경우가 많다. 그래서 어느 정도 압밀침하가 발생하는가와 압밀침하를 종료하는 데 소요되는 시간 그리고 장래침하량을 예측하여 선행재하 성토고 및 압밀 완료 시점을 설계 시의 측정치와 비교 검토하는 것이 매우 중요하다.

일반적으로 장래침하량 예측은 크게 Terzaghi의 1차원 압밀이론(1925)을 근거로 예측하는 방법과 현장침하계측을 통해 장래침하량을 예측하는 방법이 있다.

먼저 실무에서 주로 사용되고 있는 Terzaghi의 1차원 압밀이론(1925)에 의한 설계침하량 추정 방법은 간편성과 시공 자료가 많다는 장점이 있다. 그러나 가정 및 경계조건의 단순화로 인해 흙의 변형특성의 복잡성(예를 들면, 연약지반의 측방유동), 지반의 불균질성 및 이방성, 압밀이론의 제한사항, 지반정수 산정의 불확실성, 현장 시공조건의 문제점을 가지고 있다.

그래서 이에 대한 대안으로 현재 많이 사용하고 있는 방법은 현장 계측자료의 최종침하량을 활용하여 장래침하량을 예측하는 방법이다. 이 방법을 적용함으로써 좀 더 합리적이고 현장 접근성이 높은 시공계획을 설립하여 경재적·안정적 시공을 할 수 있게 되었다. Terzaghi(1943)가 기술한 바에 의한 현장계측의 목적을 인용하면 "현장계측을 통하여 시공계획 시 지반조건에 대한 지식의 부족 및 설계상의 결점을 시공 중에 발견하여 제거하고, 공사에 미치는 영향과 지반의 변화가 구조물에 미치는 영향에 대해서 시공 중, 시공 후에 안전관리 및 보수에 관한 정보를 주기 위한 수단이다"라고 서술하고 있다. 설계 시 예측되었던 모든 위험 가능 요소가 존재하거나 불확실한 지점에는 다양한 종류의 계측기를 설치해야 하며, 예측된 상태를 계측 결과와 비교·분석한 후 적절한 시기에 적절한 조치를 할 수 있도록 관리해야 한다.

12.4.2 현장계측자료 활용법

장래침하량 예측기법은 시간-침하량 곡선에 내포된 도형적인 법칙성에 착안하여 경험적으로 그 특성이 장래에도 지속될 것이라 가정하여 장래의 침하량을 추정하는 방법이다. 이론 및 예측 침하량의 진행 경향과 비교·분석함으로써 현재의 압밀도 및 지반강도 증가현상 등을 추정할 수 있으며, 이를 통하여 성토속도 및 선행재하성토의 제거 시점, 구조물의 착공시점, 잔류침하량 등을 결정할 수 있다.

대상지역 지반의 지질현황에 따라 계측 목적에 맞는 계측기를 선정한 후 그 계측기를 어떻게 배치할 것인가 결정하는 것이 중요한 관건이 된다.

계측위치의 선정이 측정대상물의 규모나 주변구조물에 영향정도에 좌우되며 지형, 지질, 토질 특성 등이 중요한 요소가 된다. 공사에 지침이 될 수 있는 결과를 얻기 위해서는 성토자체 및 원지반이나 인접구조물의 거동을 충분히 고려하고 또 유사한 조건하에서 계측 예를 참고로 하여 배치하는 것이 좋다.

검토구간의 계측기는 주로 지표침하판, 층별침하계, 지하수위계, 간극수압계로 구성되어 있어 침하 및 과잉간극수압의 소산 정도를 파악할 수 있도록 하였다.

허남태(2010)는 부산신항배후도로 연약지반에 적용된 선행재하공법에 따른 압밀침하량 현장계측 자료로 장래침하량을 예측한 바 있다.[3] 장래침하량은 Asaoka법[5]과 쌍곡선법[18]을 이용하여 예측하였다. 권덕회(2014)도 김포지역의 연약지반에 선행재하공법을 적용하였을 때의 현장계측자료와 장래침하량을 산정한 결과를 비교·분석하였다.[1] 권덕회(2014)는 장래침하량을 쌍곡선법, Hoshino법 및 Asaoka법을 모두 이용하여 비교·분석하였다. 그 밖에도 김태훈(2014)은 이들 방법을 확대 이용하여 송도신도시, 인천북항, 인천신항, 시화신도시[4] 및 군자신도시의 인천지역 연약지반의 장래침하량을 예측한 바 있다.[2]

12.4.2절에서는 먼저 쌍곡선법, Hoshino법, Asaoka법의 장래침하량 예측기법을 설명하고 송도신도시 지역(예측 사례 1)과 시화신도시 지역(예측 사례 2)의 현장계측자료로 장래침하량을 예측한 사례에 대해 설명하고자 한다.

(1) 쌍곡선법

쌍곡선법(hyperbolic method)은 시간-침하 곡선에 대해서 침하의 평균속도가 쌍곡선의 형상으로 감소해간다고 가정하여 그림 12.12에 표시한 것처럼 성토완료 후의 시간 t_a 이후의 침하곡선이 쌍곡선식으로 표시되는 것으로 가정하며, 기본 식은 식 (12.43)과 같다.[17,18]

$$S_t = S_0 + \frac{t}{\alpha + \beta t} \tag{12.43}$$

여기서, S_t = 성토 종료 후 경과시간 t에서의 침하량
S_0 = 성토 종료 직후의 침하량
t = 성토 종료 시점으로부터의 경과시간
α, β = 실측 침하량으로부터 구하는 계수

위의 기본 식을 변형하면 식 (12.44)와 같다.

$$\frac{t}{S_t - S_0} = \alpha + \beta t \tag{12.44}$$

위의 식은 그림 12.12와 같이 $t/(S_t - S_0)$와 t의 관계로 나타내면 1차 방정식에 해당한다. 이 그림으로부터 1차 방정식의 절편과 기울기로부터 α와 β를 결정하고 위의 식에 의해 임의의 시각 t에서의 침하량 S_t를 구할 수 있다.

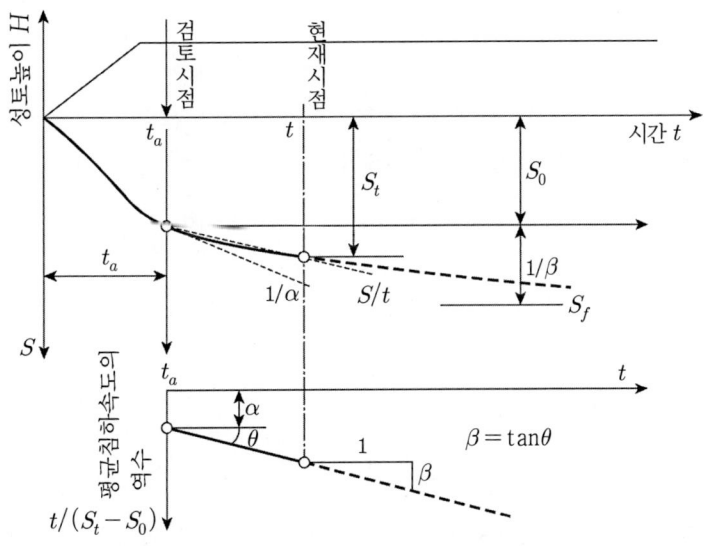

그림 12.12 쌍곡선법에 의한 장래침하량의 추정

최종침하량 (S_f)는 $t=\infty$일 때의 다음 식 (12.45)로 구할 수 있다.

$$S_f = S_0 + \frac{1}{\beta} \tag{12.45}$$

(2) Hoshino법(Hoshino, 1962)

$\sqrt{t}$ 법은 전단에 의한 측방유동을 포함하여 전 침하가 시간의 평방근에 비례하여 감소한다는 가정에 근거한 것으로 초기의 실측침하량으로부터 장래 임의시간에서의 침하량이나 최종침하량을 구하는 방법이다.

그림 12.13에서 침하곡선이 하나의 평방근식이라고 가정하면 임의시간 t에서의 침하량 S_t는 다음과 같이 구할 수 있다.

$$S_t = S_o + S_d = S_o + \frac{AK\sqrt{t}}{\sqrt{1+K^2 t}} \tag{12.46}$$

여기서, S_t = 성토 종료 후 경과시간 t에서의 침하량
S_0 = 성토 종료 직후의 침하량
S_d = 성토 종료 후 시간 경과와 함께 증가하는 침하량
t = 성토 종료 시점으로부터의 경과시간
A, K = 실측 침하량으로부터 구하는 계수

이 식을 다시 정리하면,

$$\frac{t}{(S_t - S_o)^2} = \frac{1}{A^2 K^2} + \frac{t}{A^2} \tag{12.47}$$

따라서 식 (12.47)의 왼쪽항 $t/(S_t - S_0)^2$을 종축에 시간 t를 횡축으로 놓고 측정한 침하자료를 정리하면 그림 12.13(b)와 같이 일정한 직선모양으로 정리된다. 이 점들을 하나의 직선

식으로 표현하기 위하여 최소자승법과 같은 1차원 직선식으로 회귀분석을 하면 기울기가 $1/A^2$이고 절편이 $1/(AK)^2$이 된다.

여기서 구한 A, K를 이용하여 다시 식 (12.46)에 대입하고 원하는 시점에서의 침하량을 계산하면 된다.

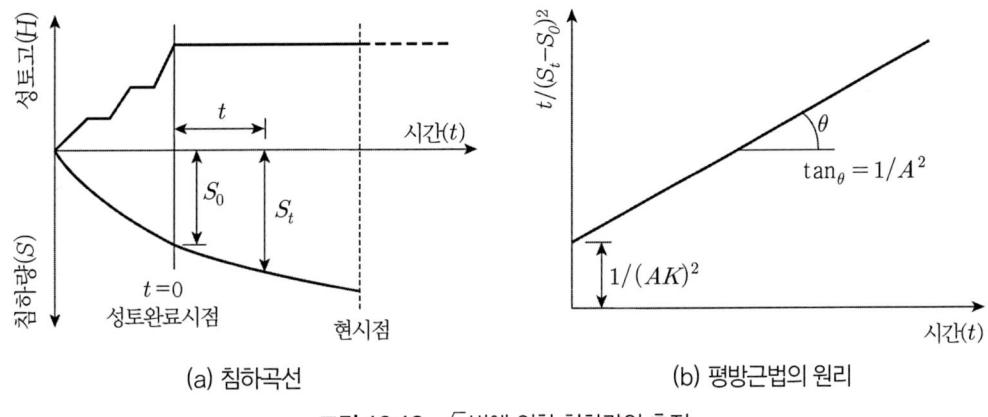

그림 12.13 $\sqrt{t}$ 법에 의한 침하량의 추정

최종침하량 S_f는 식 (12.46)에서 시간 t가 무한대인 경우이므로 다음 식 (12.48)과 같이 구할 수 있다.

$$S_f = S_o + A \tag{12.48}$$

이 방법에서도 쌍곡선법과 마찬가지로 A, K를 구하는 과정이 중요하기 때문에 실측한 침하곡선에서 기준시간을 정확하게 설정하는 것이 무엇보다 중요하다고 할 수 있다. 그러나 이 방법으로 계산하는 중에 침하곡선이 불규칙하면 제곱근의 값이 음수가 되는 경우가 있게 되어 해석이 불가능한 경우가 종종 있다.

(3) Asaoka법

Asaoka(1978)는 하중을 가한 후 일정 기간의 침하자료로부터 전체 침하량과 침하율을 평가하는 방법을 개발하였다.[5]

그는 Mikasa(1963)의 연직변형률로 표현한 다음과 같은 압밀 편미분 방정식을 이용하였다.

$$c_v \frac{\partial^2 \epsilon_v}{\partial z^2} = \frac{\partial \epsilon_v}{\partial t} \tag{12.49}$$

이것을 급수(series)로 표현하면

$$S + a_1 \frac{ds}{dt} + a_2 \frac{d^2 s}{dt^2} + \cdots + a_n \frac{d^n s}{dt^n} + \cdots = b \tag{12.50}$$

여기서, S는 압밀침하량이며 a와 b는 압밀계수 및 경계조건과 관련된 상수이다. Asaoka법은 측정한 침하데이터를 이용하여 a와 b를 결정하고 이 상수를 바탕으로 장래침하량을 예측하는 방법이다.

임의의 시간 t에서 침하량은 다음 식 (12.51)과 같다.

$$S_t = \beta_o + \beta_1 S_{t-1} \tag{12.51}$$

또한 최종침하량은 다음 식 (12.52)와 같이 표현된다.

$$S_f = \frac{\beta_o}{1 - \beta_1} \tag{12.52}$$

Asaoka법을 이용하여 미지수 β_o 및 β_1을 구하는 방법의 절차는 다음과 같다.

① 그림 12.14(a)와 같이 측정한 시간-침하량 곡선을 Δt의 등간격으로 나눈다.
② 그림 12.14(b)와 같이 횡축에는 침하량 S_1, S_2, …를, 종축에는 침하량 S_2, S_3, …의 점을 표시한다.
③ 이 점들을 회귀분석을 통해 하나의 직선 I로 표현하였을 때 이 직선의 기울기가 β_1이며 절편이 β_o이 된다.

④ 원점에서 45°의 직선을 그어 직선 I과 만나는 점이 최종침하량이 된다.

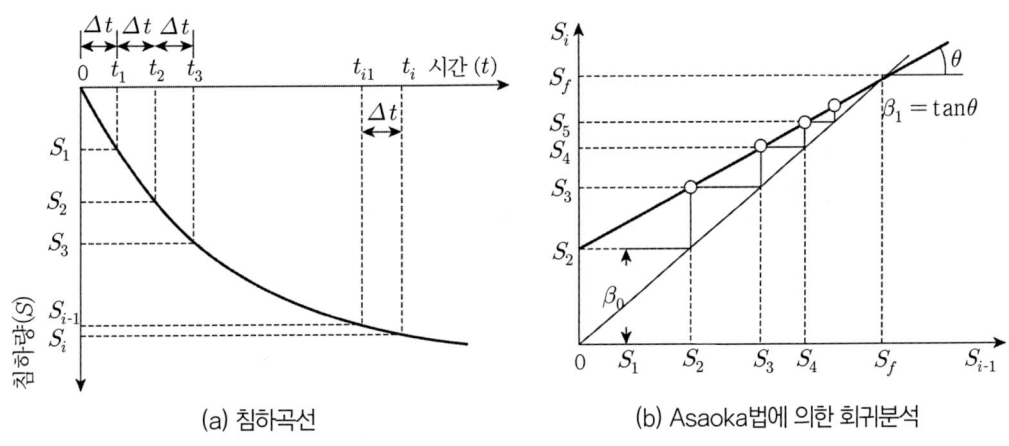

그림 12.14 Asaoka법의 원리

(a) 침하곡선   (b) Asaoka법에 의한 회귀분석

(4) 송도신도시 연약지반 장래침하량 예측

① 현장개요 및 계측계획

연약지반의 장래침하량 예측에는 송도신도시 연약지반 현장에서 측정한 계측자료를 활용하였다. 그림 12.15에서 보는 것처럼 송도신도시 현장을 연약지반의 깊이별로 구분하면 1구역은 0~5m까지 구역이고, 2구역는 5m 이상 10m까지이다. 또한 3구역은 10m 이상 15m까지이고, 4구역은 15m 초과된 구역으로 구분된다.

이 지역 지반은 전반적으로 상부 매립 점성토층(ML), 하부 점성토층(CL), 사질토층, 풍화대 순으로 분포하며, 대표토질은 CL로 연약지반 분포심도는 3.0~18.8m를 나타내었다. 연약지반상에 성토높이는 1.63~4.11m로 선행재하를 실시하여 방치기간 1~3개월 동안 압밀된 계측 결과를 정리하였다.

그림 12.15의 1~4구역에 간극수압계, 층별침하계, 지표침하판의 계측기설치 위치를 표시하였다. 1~4구역에서의 계측기간, 성토높이 및 최대침하량을 정리하면 표 12.1과 같다. 계측기 설치 위치는 1~4구역에서 전 구역에 걸쳐 36개소를 선택하여 계측기를 설치하고 현장계측을 실시하였다.

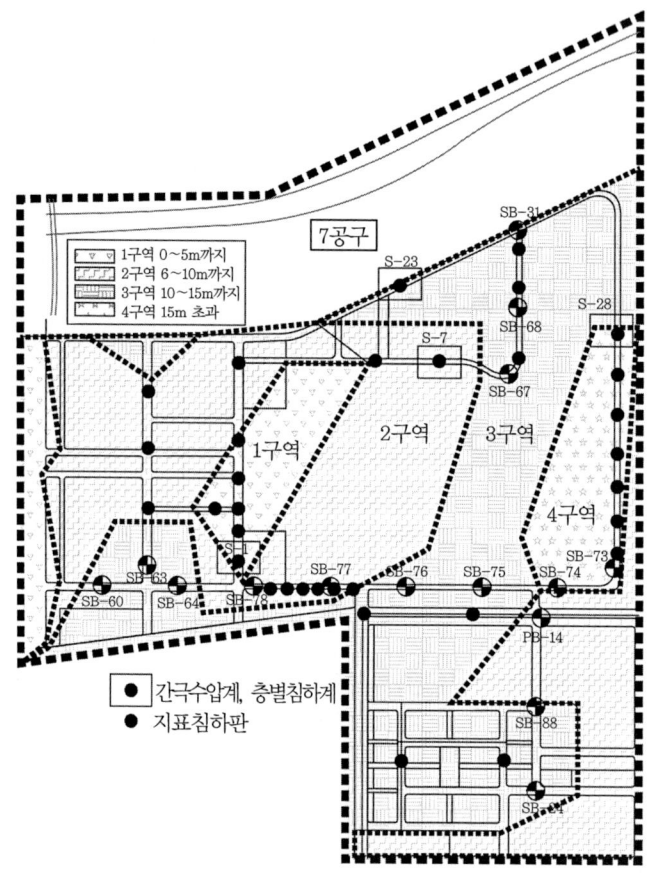

그림 12.15 송도신도시 현장의 계측기 설치위치

    표 12.1에서 보는 것처럼 제1구역과 제2구역에서는 6개소씩 12개 위치에서 계측을 실시하였고 3구역과 4구역에서는 12개소씩 24개 위치에서 계측을 실시하였다.

    그림 12.16은 그림 12.15에 도시된 송도신도시의 1~4구역에 설치된 계측기의 표준단면도로 간극수압계는 한 지점(12m), 층별 침하계는 세 지점(4m, 12m, 24m 깊이), 지표침하판은 원지반에 설치하도록 표준단면도에 위치를 나타내었다.

표 12.1 송도신도시 구역별 계측 결과[2]

계측항목		계측기간(일)	성토높이(m)	최대침하량(cm)	비고
1구역	S-1	54	3.40	10.80	
	S-2	54	3.49	12.20	
	S-3	54	3.39	14.80	
	S-4	54	3.27	13.20	
	S-5	54	3.09	15.20	
	S-6	54	3.33	18.00	
2구역	S-7	119	3.14	11.00	
	S-8	119	3.46	10.80	
	S-9	119	3.62	10.70	
	S-10	93	2.10	5.40	
	S-11	93	2.02	4.30	
	S-12	93	2.14	6.70	
3구역	S-13	60	2.56	11.20	
	S-14	60	2.20	14.20	
	S-15	36	2.58	16.70	
	S-16	36	3.00	17.60	
	S-17	36	3.28	14.40	
	S-18	36	3.34	19.00	
	S-19	60	4.11	18.00	
	S-20	55	4.00	15.00	
	S-21	90	3.40	14.20	
	S-22	119	3.83	15.80	
	S-23	119	3.53	16.20	
	S-24	119	3.60	15.40	
4구역	S-25	105	3.46	17.00	
	S-26	66	1.64	15.30	
	S-27	66	1.64	15.90	
	S-28	105	3.26	19.50	
	S-29	105	3.63	16.10	
	S-30	105	2.76	15.50	
	S-31	84	1.67	16.60	
	S-32	84	1.69	14.90	
	S-33	84	1.70	20.90	
	S-34	84	1.67	14.50	
	S-35	84	1.69	15.30	
	S-36	84	1.70	15.40	

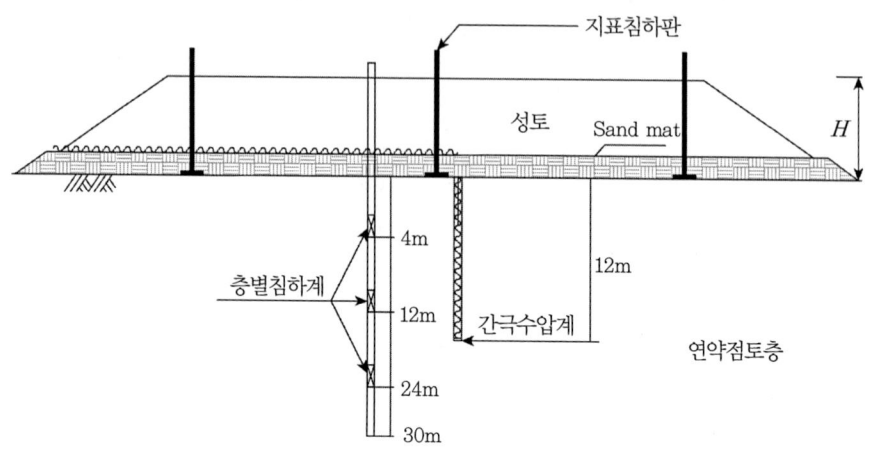

그림 12.16 송도신도시 계측기 표준단면도[2]

② 침하계측 결과

송도신도시 지역 연약지반에서의 선행재하 시 성토높이는 1.63∼4.11m로 방치기간 1∼3개월 동안 압밀된 침하판의 계측 결과 표 12.1에서 보는 것처럼 1구역에서는 최대침하량이 10.80∼14.80cm(평균 14.03cm) 발생하였고, 2구역에서는 최대침하량이 4.30∼10.80cm(평균 8.15cm) 발생하였으며, 3구역에서는 최대침하량이 11.2∼19.0cm(평균 15.64cm) 발생하였고, 4구역에서는 최대침하량이 14.50∼20.90cm(평균 16.41cm) 발생하였다. 그림 12.17는 선행재하기간중 4구역 S-28지점(표 12.1 참조)에서의 성토고와 실측최고침하량을 도시한 그림이다.

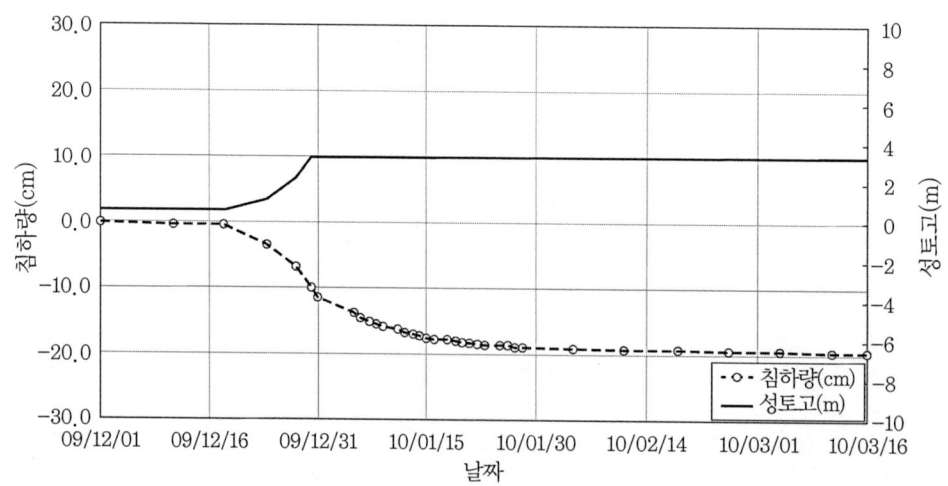

그림 12.17 송도신도시 제4구역 S-28 지점에서의 성토고와 최대침하량 거동[2]

③ 장래침하량 예측

그림 12.18은 쌍곡선법, Hoshino법, Asaoka법을 적용하여 연약지반의 장래침하량을 예측한

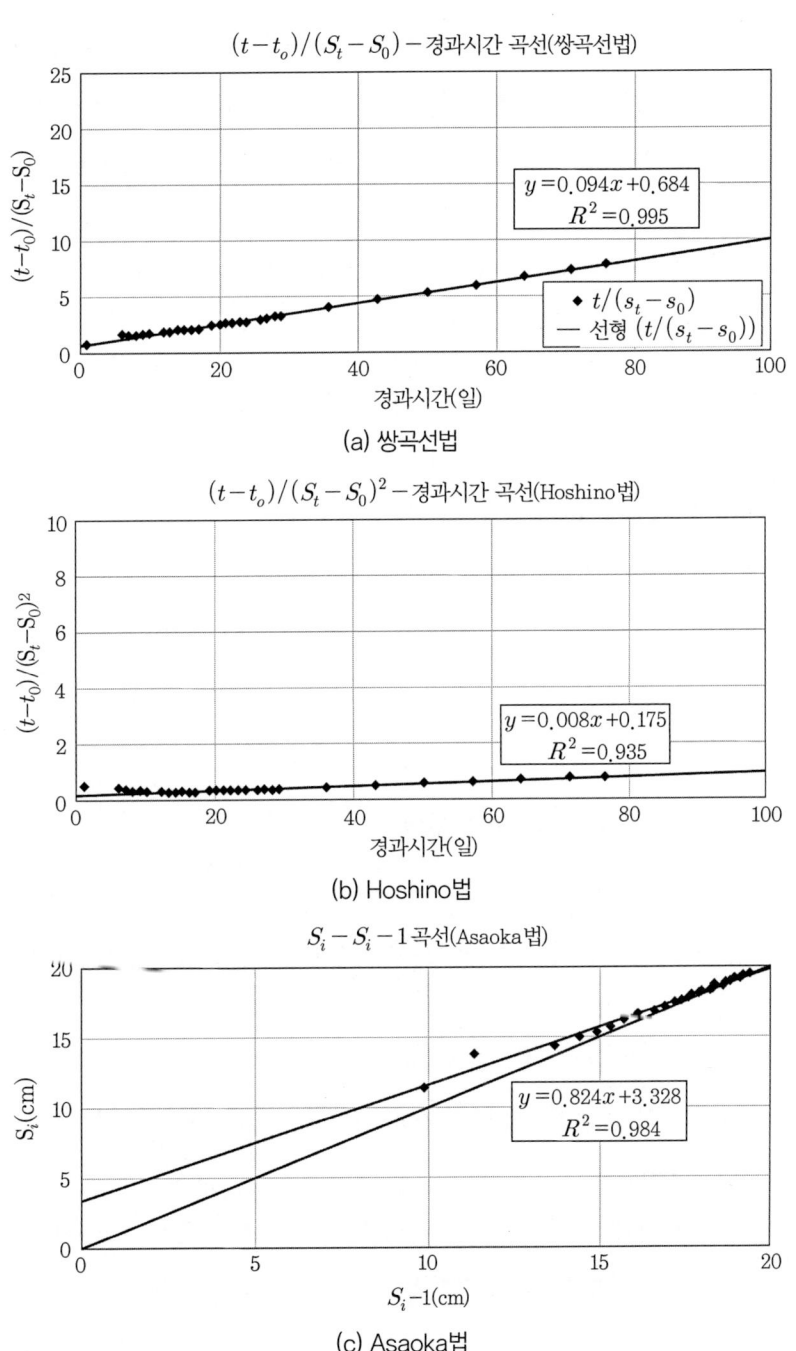

(a) 쌍곡선법

(b) Hoshino법

(c) Asaoka법

그림 12.18 송도신도시 4구역 S-28 지점 장래침하량 분석[2]

그림이다. 이들 그림에는 연약지반 현장에서 측정한 현장계측치와 선형회귀분석 과정에서 산정된 결과를 나타낸 그래프이다. 이들 분석에서 얻어진 결과는 표 12.2와 같다. 즉, 이 지점에서의 연약지반은 1990년 12월 30일 시작하여 105일간 선행재하를 실시하였다.

실측최대침하량(S_t)을 19.50cm을 기초로 하여 쌍곡선법, Hoshino법, Asaoka법을 적용 장래침하량 분석을 실시한 결과 압밀도(S_f/S_t)는 93~103%로 나타났으며, 장래침하량(S_f)은 쌍곡선법의 경우 20.50cm, Hoshino법의 경우 20.97cm, Asaoka법의 경우 18.96cm으로 예측되었다.

표 12.2 송도신도시 4구역 S-28 지점에서의 실측침하량과 장래침하량[2]

압밀검토 시작일~압밀검토 종료일(성토 완료)	2009-12-30~2010-03-16		
침하관리기간(설치~종료)	105일		
장래침하량 예측 방법	쌍곡선법	Hoshino법	Asaoka법
y절편	0.6843	0.1756	3.3288
기울기(β)	0.0943	0.0082	0.8244
S_0(cm)(성토 완료 시 침하량)	-9.90	-9.90	-9.90
예측최종침하량 S_f(cm)($S_0 - 1/\beta$)(cm)	-20.50	-20.97	-18.96
S_t(cm)(실측최대침하량)	-19.50	-19.50	-19.50
압밀도(%)(S_f/S_t)	95	93	103
S_r(cm)(잔류침하: $S_f - S_t$)	1.00	1.47	-0.54

(5) 시화신도시 연약지반 장래침하량 예측[2,4]

① 현장개요 및 계측계획

두 번째 연약지반의 장래침하량 예측에는 시화신도시 연약지반 현장에서 측정한 계측자료를 활용 하였다.[4]

그림 12.19에서 보는 것처럼 시화신도시 현장은 Zone A에서 Zone D까지 4개 구역으로 구분하였다. 즉, 시화신도시 현장 Zone A에서 Zone D를 두 구간으로 크게 구분하면 단지구간(Y)과 도로구간으로 나누어진다.

시화신도시 지역은 전반적으로 상부 점성토층(CL, ML), 하부 점성토층(SM, CL), 풍화암층 순으로 분포하며, 대표토질은 CL로 연약지반 분포심도는 2.0~31.0m를 나타내었다.

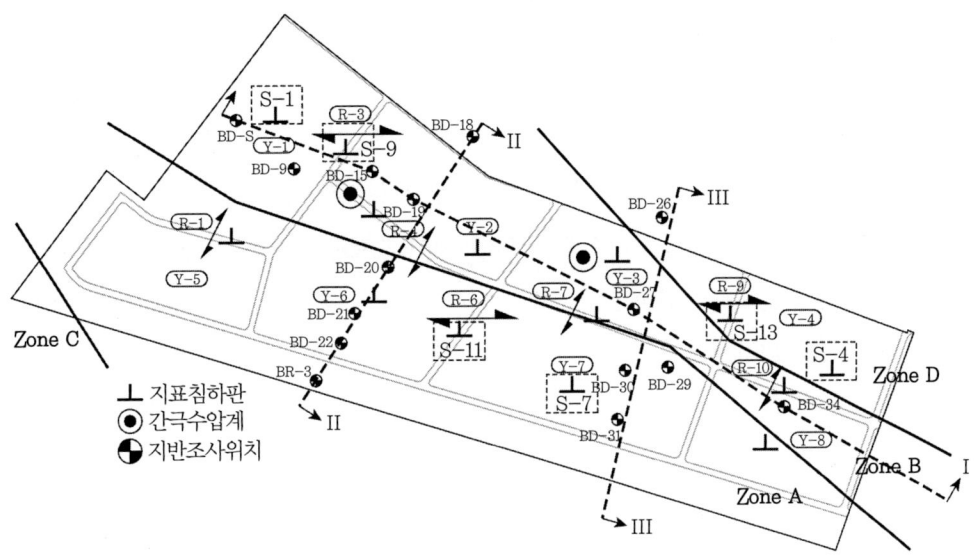

그림 12.19 시화신도시 계측위치 현황도[2,4]

시화신도시의 자연함수비의 평균값은 34.5%, 초기간극비의 평균값은 1.026을 나타내고, 액성한계 32.7%와 소성지수는 11.96%의 평균값을 보여 저압축(저소성) 내지 보통압축성(소성)의 점토로 평가되며, 함수비 및 초기간극비 분석 결과 연약점토로 나타나고, 소성도 분석 결과 연약지반의 주 분포 토질성분은 CL로 나타났다(한국수자원공사, 2006).[4]

강도증가율은 Skempton(0.17)<Hansbo(0.20)의 평균값을 보이고, 심도에 따른 분산이 일정하게 나타내었다.[9,13,14] 일축압축강도는 0.3~13.2(평균 1.8)tf/m^2, 삼축압축강도는 0.8~9.5(평균 2.08)tf/m^2 값을 나타내며, 심도가 깊어짐에 따라 일정한 경향을 나타내었다. 이는 응력해방에 의한 것으로 판단된다.

경험식을 Skempton(1954) 경험식 0.11+0.0037(PI)와 Hansbo(1994) 경험식 0.45*(LL)을 이용하여 강도증가율을 산정하였다.[9,13] 본 현장의 경우 강도증가율이 심도에 따라 분산이 일징한 것으로 보아 장기강도로 인해 압밀이 진행되는 것을 확인할 수 있을 것이다.

시화신도시의 변형특성은 경험식에 의한 변형계수와 N치의 관계를 분석한 결과 분산폭이 너무 커서 상관성이 결여되므로 실내시험의 분포도 평균인 $N \leq 6$의 96tf/m^{2}로 선정하였다.[4]

압축지수 시험값의 분석 결과 0.11~0.47(평균 0.267)에 주로 분포하는 경향을 나타내었다. 압밀계수는 5.20×10^{-3}, Skempton(1954)의 경험식에 의한 압축지수는 0.11~0.37(평균 0.204)을 나타내었다. Clemence & Finber(1981) OCR=0.8~1.5로 정규압밀 영역에 해당되며, 상부구간에 과압밀 점토가 일부 분포하였다.

그림 12.20은 그림 12.19의 Zone A~Zone D의 계측위치에 설치되는 계측기의 표준단면도이다. 검토구간의 계측기 배치는 지표침하판, 층별침하계, 지하수위계, 간극수압계로 구성되어 있어 침하 및 과잉간극수압의 소산정도를 파악할 수 있도록 하였다.

이 그림에서 보는 것처럼 간극수압계는 부지구간과 도로구간에서 두 심도(10m, 20m)에 설치하며, 층별침하계도 두 심도(10m, 20m)에 설치한다. 또한 지표침하판은 원지반에 설치하도록 표준단면도에 도시하였다.

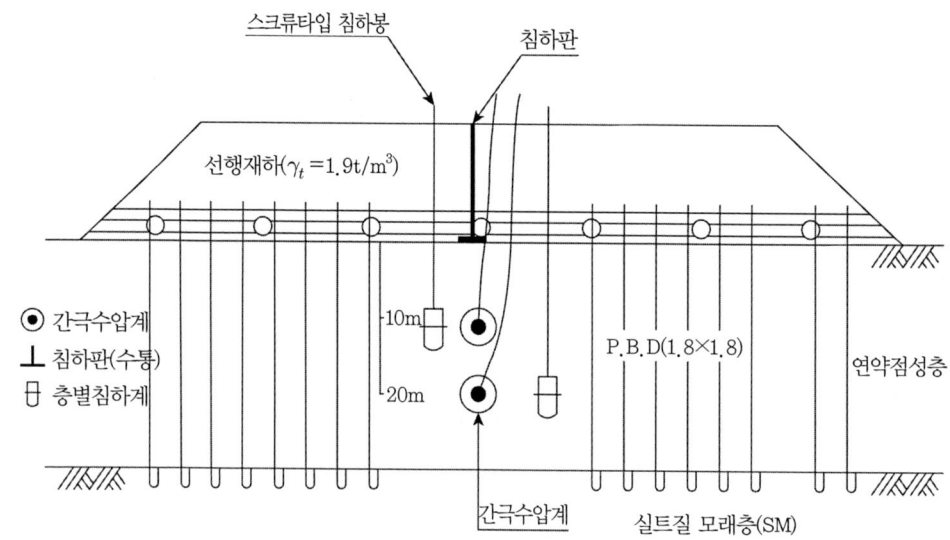

그림 12.20 시화신도시 계측기 표준단면도

검토구간의 성토높이는 3.10~6.80m로 축조하여(자세히 설명하면 부지구간(Y-1~Y-8)에선 32.1~38.50cm 높이로, 도로구간(R-1~R-10)에서는 46.1~82.70cm 높이로) 방치기간 4~10개월 동안 선행재하를 실시하여 간극수압, 층별침하, 지표침하 계측하여 이들 결과를 정리하였다.

표 12.3에는 계측위치(지점)를 Zone A~Zone D에서 각 구역별 14개소를 대표적으로 선택하여 정리하였다. 특히 R-3구역의 S-9지점의 계측기록은 뒤에서 장래침하량 등을 예측하여 좀 더 자세히 분석할 예정이다.

표 12.3 시화신도시 구역별 선행재하기록(김태훈, 2014)[2]

계측위치(지점)		계측기간(일)	성토높이(m)	최대침하량(cm)	비고
Y-1	S-1	201	3.10	38.50	
Y-2	S-2	200	3.20	41.30	
Y-3	S-3	201	3.29	37.20	
Y-4	S-4	201	3.22	31.20	
Y-6	S-6	227	3.28	36.00	
Y-7	S-7	354	3.30	36.50	
Y-8	S-8	305	3.30	32.10	
R-3	S-9	191	4.57	46.60	
R-4	S-10	347	3.73	46.10	
R-6	S-11	315	5.51	50.40	
R-7	S-12	319	3.86	70.90	
R-9	S-13	305	4.05	49.00	
R-10	S-14	181	6.80	82.70	

② 침하계측 결과

시화신도시 지역 연약지반에서의 선행재하 시 성토높이는 3.10~6.80m로 방치기간 4~10개월 동안 압밀된 침하판의 계측 결과는 표 12.3에서 보는 것처럼 단지구역(Y구역)에서는 최대침하량이 31.20~41.30cm로 발생하였고, 도로구역(R구역)에서는 최대침하량이 46.10~82.70cm로 발생하였다.

③ 장래침하량 예측

선행재하 기간 중 R-3구역 S-9지점에서의 성토고와 실측최고침하량은 그림 12.21과 같이 4.57m 성토고에 최대침하량이 46.60cm로 계측되었다.

실측최대침하량(S_t) 46.60cm을 기초로 하여 쌍곡선법, 호시노법, Asaoka법을 적용 장래침하량 분석을 실시한 결과 압밀도(S_f/S_t)는 98~100%, 장래침하량(S_f)은 쌍곡선법으로 47.22cm, Hoshino법으로 47.52cm, Asaoka법으로 46.62cm로 산정되었다.

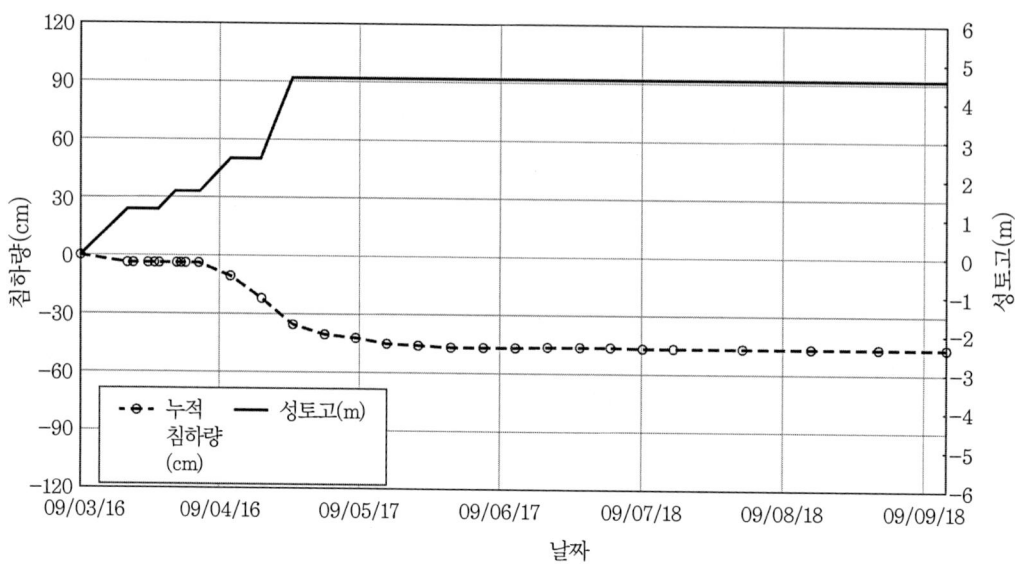

그림 12.21 시화신도시 제R-3구역 S-9지점에서의 성토고와 실측최대침하량 거동

그림 12.22는 선형회귀분석의 과정을 나타낸 그래프로서 쌍곡선법, Hoshino법, Asaoka법의 분석 결과는 표 12.4와 같다.

표 12.4 시화신도시 R-3 구간 S-9 지점 장래침하량 예측[2]

압밀검토 시작일~압밀검토 종료일(성토 완료)	2009-5-2~2009-9-23		
침하관리기간(설치~종료)	191일		
장래침하량 예측 방법	쌍곡선법	Hoshino법	Asaoka법
y절편	0.4600	0.1081	19.7879
기울기(β)	0.0825	0.0065	0.5755
S_0(cm)(성토완료 시 침하량)	-35.10	-35.10	-35.10
예측최종침하량 S_f(cm)$(S_0 - 1/\beta)$(cm)	-47.22	-47.52	-46.62
S_t(cm)(실측최대침하량)	-46.60	-46.60	-46.60
압밀도(%)(S_f/S_t)	98.7	98	100
S_r(cm)(잔류침하: $S_f - S_t$)	0.62	0.92	0.02

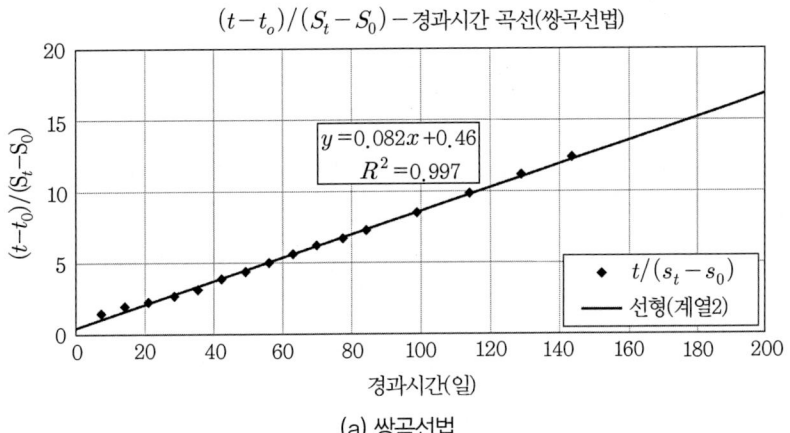

(a) 쌍곡선법

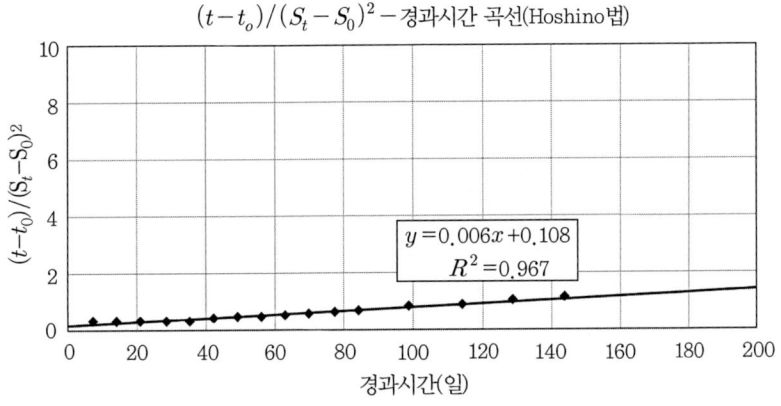

(b) Hoshino법

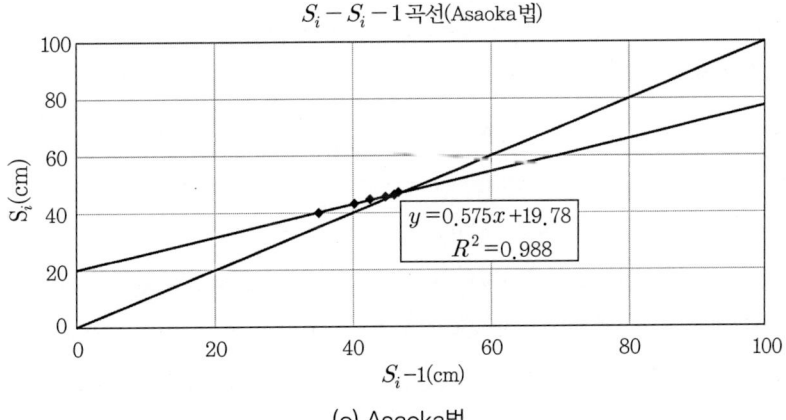

(c) Asaoka법

그림 12.22 시화신도시 R-3구역 S-9지점 장래침하량 분석

| 참고문헌 |

(1) 권덕회(2014), '김포지역 연약지반의 압밀침하 특성과 장래침하량 예측', 중앙대학교건설대학원, 공학석사학위논문.

(2) 김태훈(2014), '인천지역 연약지반의 압밀침하 분석과 장래침하량 예측', 중앙대학교건설대학원, 공학석사학위논문.

(3) 허남태(2010), '연약 점성토 지반의 압밀침하 해석과 장래압밀침하량 예측에 관한 사례 연구', 중앙대학교건설대학원, 공학석사학위논문.

(4) 한국수자원공사(2006), 시화 멀티테크노 밸리 제4공구 조성공사 실시설계보고서.

(5) Asaoka A.(1978), "Observational preocedure of settlement prediction", Soil and Foundations, JSSMFE, Vol.18, NO.4.

(6) Bjerrum, L.(1972), "Embankment on soft ground", Proc. ASCE Specialty Conf. on Performance of Earth and Earth-Supported Structures, Vol.2, pp.1-54.

(7) Garlanger, J.E.(1972), "The consolidation of soils exhibiting creep under constant effective stress", Geotrechnique, Vol.22, pp.71-78.

(8) Gibson, R.E. & Lo, K.Y.(1951), "A theory of consolidation for soils exihibiting secondary compression", NGI-Publ., Vol.14, pp.1-16.

(9) Hansbo, S.(1994), "Foundation Engineering, Developments in Geotechnical Engineering", Elsevier Press, Vol.95, pp.450-455.

(10) Jaky, J.(1948), "Pressure in soils", Proc. 2nd ICSMFE, Vol.1, pp.103-109.

(11) Schiffman, R.L.(1958), "Consolidation of soil under time dependant loading and varying permeability", Proc., HRB, Vol.37, pp.584-617.

(12) Skempton, A. W.(1954), "The pore-pressure coefficients A and B", Geotechnique, Vol.4, pp.143-147.

(13) Skempton, A.W., Peck, ER.B. & MacDonald, D.H.(1955), Settlement analysis of six structures in Chicago and London, Proc., Inst. Civil Engrs., 4-3, pp.525-544.

(14) Skempton, A. W. and Bjerrum L.(1957), "A contributions to the settlement analysis of foundation on clay", Geotechnique, Vol.7, NO.4, pp.168-178.

(15) Tayer, D.W. and Merchant, W.(1940), "A theory of clay consolidation accounting for secondary compression", J. Math & Phys., pp.167-185.

(16) Tan, T.K.(1957), "Secondary time effects and consolidation of clays", Academica Sinica, Harbin, p.17.

(17) Tan, S.A.(1971), "An empical method of estimating secondary and total settlement", Proceedings of 4th

ACSMFE, Bangkok, Vol.2, pp.147-151.

(18) Tan, T.-S. et al.(1991), "Hyperbolic Method for Contributions Analysis", Journal of Geotechnical Engineering, ASCE, Vol.117, NO.11, pp.1723-1737.

(19) 赤井浩一(1963), "亂さない飽和點土の長期壓蜜における考察", 土と基礎, Vol.11-3, pp.10-16.

(20) 赤井浩一, 足立紀尙(1965), "有效應力よりみた飽和粘土の一次元壓密と强度特性に關する硏究", 土木學會論文集, Vol.113, pp.11-27.

(21) 石井靖丸(1949), "大板の地盤沈下に關する研究", 大板灣港灣技術調査會, pp.113-119.

(22) 吉国 洋(1972), "3次元壓密의 基礎理論", 土木學會報告論文集, Vol.201, pp.87-98.

(23) 村山朔郎, 柴田 徹(1956), "粘土のレオロジ-一般特性について", 土木學會論文集, Vol.40, p.8.

(24) 竹中準之介(1962), "軟弱粘土の壓密計算における一提案", 第17回土木學會年次學術講演會講演槪要, p.III-7.

찾아보기

ㄱ

가상정수압축	192, 193
각운동량의 보전법칙	87
간극	287
간극률	9
간극비	9, 117
간극수	3
간극수압	40, 291, 319, 323, 326
간극수압계	291, 346
간극압계수	320
간극의 체적	292
갈라진 틈	294
강도	226
강도의 증가	342
강도증가율	357
강도특성	236, 269
강도파괴	103
거시적 접근법	129
건조토	40
경계면	191
경계면모델	186, 190
경화(hardening)	90
경화거동	185
경화계수	90, 185
경화법칙	93, 141, 186
경화변수	92, 93, 95
경화의 개념	96
경화함수	101
계수 m과 λ	159
고무 멤브레인	251
고유이방성	118
고전적 소성모델	106
고체상태	17, 18
곡률계수	15
공간곡면	105
공간활동면	111
공시체 내경의 변형량	254
공시체 높이의 변형량	254
공시체 외경의 변형량	254
공시체 체적의 변형량	254
공시체의 내경	254
공시체의 내측면	250
공시체의 높이	251, 254, 260
공시체의 단부구속의 영향	249
공시체의 외경	254
공시체의 외측면	250
공학변형률	39
공학전단변형률	55, 263
공학전단변형률의 최대치	74
과잉간극수압	321, 322, 346
관련흐름법칙	102, 278
관측정	301
광물	6
교란 시료	21
교란효과	21
구성모델	129
구성성분	3
구성식	104
구속압	230, 232
구속측압	116
구조골격의 압축률	320
구조적 교란	20
국부적(local) 보존법칙	87
군지수	33

굴착지역의 불안정	287	단일경화모델의 파괴면	275
균등계수	14, 117, 174	대기압	111
균등성	14	대응력반전	185, 245, 249
극(pole)	50	동방항복면	193
기계적 분석	11	동수경사	291, 293, 310
기억면	195	동수구배	328
		동점성계수	294, 299
∷ ㄴ		둥지항복면(nested yield surface)모델	186, 188
낙하속도	15	등가압밀압	133
낙하콘시험법	25	등가투수계수	298
내부마찰각	237	등방경화	93, 155, 185
내부압축실	254	등방경화규칙	190
내부압축실의 체적변형량	254	등방단일경화구성모델	155, 161, 191, 237, 276
내부의 곡면	190	등방단일구성모델	210
노건조토	26	등방단일구성모델계수	179
노반공사	29	등방선형탄성체	88
느슨한 조립토	16	등방성	83, 117
		등방성 과압밀점토	119
∷ ㄷ		등방성의 재료특성	81
다공성	294	등방압밀	335, 340
다공성 재료	287	등방압축	267
다공질관	291	등방압축-팽윤 거동	142
다이러턴시	207, 232, 234, 337	등방압축시험	155, 170, 175
다이얼게이지	226	등방재료	249
다짐상태	15	등방체적팽창	170
나축시험	115	등방항복곡면	185, 192
다축응력상태	97	등수두선	312
단부구속력	228		
단순전단시험기	248	**∷ ㄹ**	
단위유량	328	라텍스(latex)	228
단위중량	8	로드셀	226
단위질량당	88		
단위체적당 일	79	**∷ ㅁ**	
단위체적중량	326	마찰력성분	106
단일경화(Single Hardening)모델	192, 234, 249	매립지역	295

멤브레인	224, 228, 250, 252	법선법칙	99
모관력	306	변성암	6
모관상승고	306	변수두투수시험	300
모래	3	변형계수	226
모래의 강도	249	변형률	37, 45
몬모릴로나이트	7	변형률 불변량	73
무기질 점토	19	변형률경로	64, 73
물	3	변형률경화	90
물리적 응력공간	275	변형률경화법칙	90, 93
물리적 특성	3	변형률국부현상	249
물의 압축률	320	변형률상태	59
물의 점성계수	28	변형률증분	44, 59, 143, 246, 267, 274
물체력	88	변형률증분이론	90
물흐름	287	변형률증분축	249
미립자	3	변형제어방식	226
미소변형률	327	보일링(boiling)상태	309
미소변형률증분	45	보전법칙	87
미소입방체	328	부유물	27
미시적 접근법	129	부정정	88
밀도	3	부착력	306
		부하(負荷, loading)	94, 95, 96
ㅂ		부하이력변수	92
바깥곡면	190	분사(quick)	309
바우싱거 효과	185	분해	6
반고체상태	17, 18	불교란 시료	21
반복재하	186	불교란 점토강도	21
반복하중의 효과	247	불변량 p'와 q'	71
반시계방향	250	붕괴	6
방해석	8	비관련흐름법칙	102, 155, 156, 161, 249
배수경로	133, 134	비배수경로	133, 134
배수면	132, 139	비배수면	139
배수선	226, 252	비배수시험	66, 130, 133, 135, 136
배수시험	66, 130, 133, 135, 136	비배수조건	132
백운석	8	비압축성	10, 289, 321
법선방향	99	비점성	289

비중	8, 117, 174
비중계	15, 27
비틀림 하중	116
비틀림전단시험	116, 236, 237, 245, 248
비틀림전단시험경로	257
비틀림하중	250
비틀림하중 작용방향	259
비피압	301
비활성	20
비회복변형률(소성변형률)	136
비회전적	289
빈입도	15

:: ㅅ

3차원 응력경로	65
3차원 응력상태	52
삼축면	111, 113
삼축면상	157
삼축신장	112, 123
삼축신장시험	230, 238, 249, 257
삼축압축	112
삼축압축시험	120, 236, 237, 238, 257
삼축평면	197
상단부	250
상대밀도	15, 117, 253
상부링	250, 251
상부배수선	228
상재하중	321
상태경계선(state boundry surface)	129, 135, 138, 141, 147
상태경로	136, 137
상판	224, 228
석고화산제	8
석영	8, 174, 227
선행재하 성토고	345
선행재하공법	345
선행재하성토	346
선행효과	341, 342
선행효과(p_0-효과)	341
선형탄성재료	83
성토높이	354
성토속도	346
세립토	12
셀압	42
소산에너지중분	144
소성	17
소성거동	156
소성경화계수	190
소성도	19
소성모델	103
소성변형	89, 136, 156
소성변형률	89, 92, 93, 95, 138
소성변형률속도	102
소성변형률증분	90, 94, 99
소성변형률증분방향	249, 275
소성변형률증분벡터	143, 161, 201, 214, 239, 240, 274
소성변형률증분의 방향	275
소성변형률증분의 법선법칙	144
소성변형률증분의 법선성	100
소성변형상태	92
소성변형 속도	99
소성상태	18
소성이론	249
소성일(plastic work)	93
소성일 궤적	166
소성일경화법칙	166
소성일궤적	168
소성전단변형률	147
소성지수	18, 31

소성체	87	시간지연압밀	337
소성체적변형률	141, 147	시계방향	250, 259
소성체적변형률증분	143, 145	신장력	267
소성체적변화	148	신장영역	205
소성포텐셜	101, 161, 199	실리콘그리스	226
소성포텐셜면	155, 191, 240, 278	실트	3
소성포텐셜함수	161, 162, 249	실트-점토 그룹	32
소성포텐셜함수계수 ψ_2와 μ	178	심해퇴적물	41
소성한계	17, 18	쌍곡선법	346
소성항복	103		
소성흐름	101	:: ㅇ	
소응력반전	245	아이스 렌스	306
속도수두	289	아터버그한계	17
쇄설암	6	안정된 소성체	97
수두	288	암	3
수두손실	289	암석	3
수위강하 곡선	303	압력	288
수직방향 흐름	297	압력수두	288
수직변형률	37, 54	압밀	7, 321
수직응력	37, 51, 106, 121, 248, 266	압밀 편미분 방정식	350
수축	7	압밀계수	330, 335
수축한계	18, 22, 26	압밀과정	323
수평방향 축차응력	226	압밀기본방정식	324
수평방향 흐름	296	압밀도	333, 356
수평변형률	263	압밀비배수삼축시험	248
수평응력	248, 257	압밀속도	323
수평재하장치	226, 228, 230	압밀이론	324
수평하중장치	226	압밀촉진	345
순수전단변형률	55	압밀침하	321, 345
스칼라변수	100	압축	321
스칼라함수	91	압축강도	21
습윤토	26	압축계수	330
습윤팽윤선	136, 137, 138, 142	압축률	319
시간계수	334	압축변형	235
시간당 체적변화량	329	압축변형률	37, 235

압축부분의 응력경로	261	원주방향	257
압축성	3	원주방향의 변형	322
압축연직하중	259	원통형 공시체	223
압축응력	37	원통형 삼축시험기	155, 237
압축지수	130	웰포인트	303, 304
압축-시간 곡선	341	위치수두	288
액성	17, 18	유기가스	3
액성한계	17, 18, 31	유기질	8
양면배수	334	유기질토	3
양수시험	301	유동곡선기울기	18
양수정	301	유동지수	18
양입도분포	15	유량	312
에너지보존원리	156	유선	311, 312
역학적 에너지	288	유선망	311
연경도	17	유압실린더	250
연속식	87	유체의 압력차	290
연속체	39	유체의 압축률	320
연속체역학	87	유효상재하중	342
연직력	257	유효응력	40, 52, 319
연직면	248	유효응력 Mohr 원	52
연직방향축차응력	226	유효응력경로	132
연직변형량	227	유효응력의 원리	41
연직변형률	350	유효응력증분	138
연직응력	257	유효점착력	123
연직축차응력	123, 276	유효주응력	52
연직하중	116, 250, 267	유효주응력비	340
영구변형	89, 338	유효하중	309
오래된(aged) 정규압밀점토	341	윤활면(lubricate)	226
온도 보정계수	299	응력	3, 37, 267, 274
완전 탄성재료	63	응력 Tensor 성분	88
완전포화균질상태	321	응력 수준	172, 192
용극법(用極法)	50	응력경로	186, 229, 239, 240, 249, 256, 257
운동량	87	응력공간	170
운동량보존법칙	87	응력반전	192, 249
운동방정식(평형방정식)	87, 325	응력반전경로	185

응력방향	275
응력벡터	143
응력변형률의 불변량	143
응력불변량	69, 105, 156
응력비	229, 235, 249
응력사이클	97
응력의 미소증분	44
응력의 주축	249
응력전달장치	250
응력제어방식	226
응력증분	44, 59, 267, 274
응력증분의 방향	275
응력증분축	249
응력—변형률거동	81, 89, 230
응력—변형률선도의 기울기	90
이동경화	93, 185
이동경화구성모델	185
이동변화	93
이동항복면	185, 192, 193, 195
이방성	313, 340
이방성 흙	120
이산화탄소(CO_2)	228
이상탄성체	81
이중층	294
2차 압밀	322, 335, 337, 338, 340, 341
2차원 변형률상태	53
2차원 응력상태	49
2차원 전응력면	65
인장부분의 응력경로	261
일경화 응력—변형률모델	170
일경화법칙	179
일경화에 따른 항복규준	156
일공간(work space)	276
일라이트	7
일반화된 Hooke의 법칙	103

1차 압밀침하	322, 334
1차원 압밀	335
1차원 압밀방정식	327
1차원적 흐름	287
일축압축강도	357
일—경화모델	188
입경가적곡선	13
입도	10
입도분포	11, 13
입방체형 공시체	224
입방체형 삼축시험	116, 223, 230, 237, 238
입상체역학	129
입자 크기	11
입자의 형태	10

::ㅈ

자갈	3
자연퇴적점토지반	121
자유수면	290
자철광	174, 227
자철석	8
잔류강도	104
잔류침하량	346
잔여광물	174, 227
잔유율	31
잔적토	6
장래침하량	345
장방정식	88
장석	174, 227
재료정수	109, 110, 111, 116
재료정수 η_1과 m	116
재부하(reloading)	89
재성형	20
재재하(reloading)	137, 245
재하면	190

재하상판	323
재하장치	250
저판	224, 228
전기저항측정기	291
전단력	257, 267
전단변형률	37, 54, 139, 263
전단변형률증분	276
전단변형성분	337
전단응력	37, 40, 106, 121, 248, 263, 266, 276
전단크리프	338
전단탄성계수	139
전단탄성에너지	109
전석	12
전수두(total head)	288, 292
전수직응력	40
전응력(평균수직응력)	40, 52, 319, 326
전응력의 Mohr 원	52
전체 체적변화	325
전침하량	338
전해질	3
젊은(young) 정규압밀점토	341
점도	294
점착력 성분	106, 306
점토	3
점토 이방성	249
점토 퇴적물	7
점토광물	7
접선계수	188
접선소성계수	188
정규압밀곡선	130
정규압밀선	130, 133, 136, 137, 138, 142
정규압밀점토시료	118
정상상태	288
정수두	311
정수두투수시험	298
정수압축	113, 192, 193
정장석	8
정적 전기력	28
정적하중	245
정지토압계수	335, 336
정팔면체 평면상	157
정팔면체면	111
정팔면체전단응력	109
정팔면체평면	185, 238, 239, 240
정팔면체평면상	191
제1응력불변량	156
제2응력불변량	156
제2의 이동항복면	192
제3응력불변량	156
제3차 응력반전	195
제하(除荷, unloading)	89, 94, 96, 137, 245
제하단계	246
조립토	11
조립토 그룹	32
조합응력	187
주동상태	245
주면	51, 58, 63
주변형률	58, 74
주응력	51, 63, 105, 266
주응력 σ_1의 방향	266
주응력 방향	51
주응력 회전	121
주응력공간	94, 105, 191
주응력면	51
주응력방향	247
주응력방향회전	250
주응력비	232, 233, 234
주응력차	337
주응력축	246, 248
주응력축 방향의 회전	248

주응력축 회전	249, 266	체적변형량	227, 233, 254, 322
주응력축 회전효과	247, 257	체적변형률	74, 76, 139, 206, 232, 263
주응력회전	116, 186, 246, 248, 249	체적변형률증분	158
중간변형률	59	체적변화	7, 77, 319, 337
중간주변형률	234, 235	체적변화율	331
중간주응력	52, 109, 113, 124, 223, 226, 248, 266	체적비	77
		체적압축	232
중간주응력 σ_2	249	체적압축계수	319, 326, 332
중간주응력방향의 변형량	227	체적압축변형률	232
중공원통형 공시체	116, 249, 250, 257	체적탄성계수	139
중력가속도	28	체적팽창	234
중립부하	95, 96	초기등방성	117
중심축의 직경	254	초기응력반전	193
중앙축(center shaft)	250	초기이동항복면	194
즉시침하	334	초기재하	192, 245
증분형 구성식	90	초기축차응력	265
지각변동	6	초기항복곡면	90, 92, 94
지반의 소성론	141	초기항복응력	89
지수특성	3	초기항복함수	91
지질순환	6	초기회전각	197
지평층	6	최대간극비	174
지표침하판	346	최대소성일의 원리	99
지하수위강하	303	최대전단강도	104
지하수위계	346	최대주변형률	59, 234
직교이방성	120	최대주변형률증분	158
직선조건	197	최대주응력	52, 121, 223, 238, 266
질량보존법칙	87	최대주응력방향	271
		최대체적변형률	234
∷ ㅊ		최대침하량	354
차단벽	295	최소주변형률	59
채적팽창	232	최소주응력	52, 122, 223, 238, 266
챔버	226, 228	최소주응력방향	235
처녀압축	341	최종침하량	345, 348
凸곡면	99	최초재하	155
체분석시험	11	최초재하상태	192

축대칭 삼축시험	115	탄성압축	334
축대칭상태	223	탄성영역	245
축변형률	206, 230, 232, 263	탄성이론	249
축변형률증분	276	탄성적 거동	141
축차응력	230, 232, 233, 261	탄성체적변화	148
축차응력거동	206	탄소성론	129
축차응력비 b	230	탄소성응력변형률	166
축차응력의 제2불변량	157	탄소성체	87
측방변형	322	탄소성해석	245
층 구조	294	탄점소성론	129
층류	293	터푸니스지수	18
층별침하계	346	토괴(soil mass)	3, 7
층상토	296	통과율	31
침강거리	28	통과중량백분율	13
침강속도	27	통일분류법	12, 29, 30
침강시험	15	퇴적암	6
침투속도	292	퇴적토	3, 6
침투현상	307	투수계수	325
침하	337, 346	트리밍	246
		특이점(角点)	100

∷ ㅋ

카올리나이트	7, 8
콜로이드 상태	28
크리프성 변형	322
클립 게이지	226, 228

∷ ㅍ

파괴	192, 287
파괴강도	103, 238
파괴곡면	105, 276
파괴규준(failure criterion)	103, 104, 156, 236
파괴규준계수 η_1과 m	177
파괴면	192, 193, 238
파괴선	237
파괴정수 η_1과 m	236
파단	103
팔면체수직변형률	75
팔면체수직변형률 ϵ_{oct}	75
팔면체유효수직응력	69
팔면체전단변형률 γ_{oct}	75

∷ ㅌ

탄성 특성계수 M과 λ	177
탄성거동	156
탄성계수 등고선	157
탄성벽	136, 138, 139, 141, 142
탄성변형	89, 92, 136, 156, 338
탄성변형률	89, 138
탄성변형률에너지	98
탄성변형률증분	138, 275

팔면체전단응력	69	한계동수경사	310
팽윤선	141	한계면	192
팽창	7	한계상태	104
평균속도	292	한계상태선	129, 130, 137, 138, 142
평균유효수직응력	134, 326	함수비	3, 10
평균응력	109	항복곡면	90, 99, 143, 185, 191, 199
평균입경	11	항복곡면(항복함수)	90
평균주응력	109	항복곡면의 凸성	100
평면변형률	53	항복곡선	141, 142, 146
평면변형률상태	53, 234	항복규준	104, 166
평면변형률조건	238	항복면	155, 190, 191, 240, 278
평면응력상태	249	항복면의 비틀림	185
평방근식	348	항복면의 회전	185
평탄화 작용	6	항복응력	90
평형방정식	88	항복조건	91
폐기물	295	항복함수	90, 91, 92, 104, 179
포밍자켓	228, 252	현장계측자료	345
포아송비	158, 336	현장침하계측	345
포화도	10, 11	현탁액	27
포화실트질 점토	339	호박돌	3, 12
포화점토층	323	화산활동	6
포화토	40	화성암	6
표면장력	306	확장 Tresca 모델	109, 123
표준채	12	확장 von Mises 모델	110, 123
표토	6	활성	20
풍화	6	활성도	19
피에조미터	291	회복변형률(탄성변형률)	136
		회전에 의한 이동경화	190
∷ ㅎ		회전에 의한 이동경화모델	186
하구퇴적물	41	회전정수압축	200
하단부	250	회전효과	246
하부링	250, 251, 252	후속항복곡면	92
하부바닥판	226	후속항복응력	90
하중결합효과	264, 273	후속항복함수	92
하중전달장치	250	흐름법칙	90, 96, 143, 276, 278

흙구조골격의 압축률	319
흙구조의 재배열	322
흙덩어리	7
흙덩어리(soil mass)의 압축률	319
흙의 간극률	292
흙의 구성모델	247
흙의 구성식	129
흙의 분류법	29
흙의 전체 체적	292
흙의 체적변화	322
흙의 투수계수	287
흙필터	296
힘	3

:: A

AASHTO	17, 29
AASHTO 분류 방법	32
Asaoka법	346, 349
ASTM	17
A선	31

:: B

$b-\phi$도	237
balsa wood	226
Bernoulli 정리	288
Brown 운동	28

:: C

C	30
Ca-몬모릴로나이트	20
Cam Clay 모델	129, 144, 155
Cam Clay 항복면	147
Casagrande컵 시험법	22
CL	351
CO_2 가스	253

Coulomb 모델	106
Coulomb의 마찰이론	103

:: D

Darcy 법칙	291, 325
Drucker의 가설	96
Drucker의 제1가설	97
Drucker의 제2가설	97

:: E

EPK(Edgar Plastic Kaolinite)	118, 123

:: G

G	30

:: H

Hooke의 법칙	156
Hoshino법	346, 348
Hvorslev면	138

:: J

Jaky	336

:: K

KSF	17
K_0-압밀점토	123, 335
K_0-응력상태	121
K_0-상태	245, 257
K_0-압밀방정식	336

:: L

Lade 모델	110
Lame 정수	88

:: M

M	30
Matsuoka-Nakai 모델	111
Micro 레오로지	129
Mohr 모델	107
Mohr 원	50, 52, 267, 274
Mohr-Coulomb 모델	107
Mohr의 변형률원	57

:: N

Na-몬모릴로나이트	20

:: P

P	30
p' 일정시험	135, 136
p_c/p_0 비	342
Prager 모델	186, 187
Prager의 적응조건	101

:: R

Rendulic면	113

$\sqrt{t}$ 법	348
Roscoe면	138

:: S

S	30
σ_m = 일정면	110
Stokes 법칙	15, 27

:: T

$t'-s'$ 축	66
$t-s$ 축	66
Terzaghi 압밀이론	327
Terzaghi의 압밀모델	321
Tresca 모델	108

:: V

von Mises 모델	109
Von-Mises의 항복면 형태	185

:: W

W	30

저자 소개

홍 원 표

- (현)중앙대학교 공과대학 명예교수
- 대한토목학회 저술상
- 중앙대학교 학생처장, 건설대학원장, 대외협력본부장(부총장)
- 서울시 토목상 대상
- 과학기술 우수 논문상(한국과학기술단체 총연합회)
- 대한토목학회 논문상
- 한국지반공학회 논문상·공로상
- UCLA, 존스홉킨스 대학, 오사카 대학 객원연구원
- KAIST 토목공학과 교수
- 국립건설시험소 토질과 전문교수
- 중앙대학교 공과대학 교수
- 오사카 대학 대학원 공학석·박사
- 한양대학교 공과대학 토목공학과 졸업

토질역학특론

초판인쇄 2022년 3월 14일
초판발행 2022년 3월 21일

저　　자 홍원표
펴 낸 이 김성배
펴 낸 곳 도서출판 씨아이알

책임편집 박영지
디 자 인 윤지환, 김민영
제작책임 김문갑

등록번호 제2-3285호
등 록 일 2001년 3월 19일
주　　소 (04626) 서울특별시 중구 필동로8길 43(예장동 1-151)
전화번호 02-2275-8603(대표)
팩스번호 02-2265-9394
홈페이지 www.circom.co.kr

ISBN 979-11-6856-043-7 (세트)
　　　 979-11-6856-044-4 (94530)
정　　가 24,000원

ⓒ 이 책의 내용을 저작권자의 허가 없이 무단 전재하거나 복제할 경우 저작권법에 의해 처벌받을 수 있습니다.